Los cuentos de una vida

Sistema de clasificación Melvin Dewey DGME

808.83
C84
2005   *Los cuentos de una vida: antología del cuento universal* / Selección
         y prólogo de Sergio Pitol. — México : SEP :
         Random House Mondadori, 2005.
         464 p. — (Libros del Rincón)

         ISBN: 970-790-520-4 SEP

         1. Cuento – Colecciones. I. Pitol, Sergio, 1933–, comp. II. Ser.

Sergio Pitol

Selección y prólogo

Los cuentos de una vida

Antología del cuento universal

 DEBATE   Libros del Rincón   

Agradecimientos

El editor ha hecho todo lo posible por localizar a todos los dere-chohabientes de los relatos y de las traducciones de los mismos incluidas en este volumen. De antemano pedimos disculpas por cualquier omisión o error involuntario.

Augusto Monterroso, "Homenaje a Masoch", publicado por autorización del autor.

Anton Chéjov, "Casa con desván", traducción de Víctor Gallego, publicado por autorización de Editorial Pre-textos, Valencia.

Anton Chéjov, "El estudiante", traducción de René Portas, publicado por autorización del traductor.

Marcel Schwob, "Relato del leproso", traducido por Rafael Cabrera, publicado por autorización de Editorial Verdehalago.

Alfonso Reyes, "La cena", publicado por autorización de los herederos.

William Faulkner, "Una rosa para Emily", traducción de José María Valverde, cedida por los herederos; publicado por autori-zación de Agencia Literaria Carmen Balcells.

Juan Carlos Onetti, "Bienvenido, Bob", publicado por auto-rización de Agencia Literaria Carmen Balcells.

Henry James, "Maud-Evelyn", traducción de Vicente Riera y Carlos Pujol, publicado por autorización de Editorial Planeta.

Julio Cortázar, "Continuidad de los parques" y "Casa toma-da", publicados por autorización de Agencia Literaria Carmen Balcells.

José Luis Borges, "El Aleph" y "La casa de Asterión", publi-cados por autorización de Emecé Editores S.A. y María Kodama.
© María Kodama y Emecé Editores S.A., 1996.

Prólogo

Cuando Braulio Peralta me invitó a hacer una antología del cuento universal su proposición no me pareció demasiado atractiva. Temía comprometerme en una tarea mecánica. Todos sabemos cuáles narradores del pasado han escrito los mejores relatos; además, tampoco es difícil encontrar las pistas para detectar a los contemporáneos que han enriquecido y transformado el género. La única virtud de una selección de ese tipo consistiría en poner a disposición de los lectores algunas de las mejores páginas que ha creado la literatura. Sería un libro reiterativo, una derivación de los muchos publicados cada cierto tiempo. Una selección temática podría ser más interesante. Pensé en algunos temas, y ninguno logró entusiasmarme. De pronto me vino a la mente reunir sólo los cuentos de autores que han sido fundamentales en mi vida y, tal vez, en mi obra. Configurar, a la distancia, una autobiografía secreta a través de una lista de textos realmente preferidos. Seleccionar títulos y autores que han sido también mis circunstancias. Desde hace más de sesenta años jamás he dejado de leer. He vivido para leer. Leo para seguir viviendo. Lo que no significa que esté sólo sentado con un libro en la mano. Tengo, desde luego, otros intereses; pero aun ellos son resultado de la lectura y han sido potenciados por ella.

Por lo general, en la niñez, después de agotar los cuentos infantiles, mi generación comenzaba a leer novelas de aventuras, las de Julio Verne o las de Emilio Salgari. El entorno actual técnico-visual, me comentan, ha desplazado aquella educación. Era rarísimo el caso de que un adolescente se apasionara por ambos autores. Se estaba con Verne o con Salgari. *Tertium non datur*! Sin embargo la inmensa literatura restante podía coexistir con cada uno de esos modelos antagónicos. Los jóvenes lectores nos deslizábamos con libertad hacia otros territorios, al principio los de Stevenson, Kipling, Mark Twain y Walter Scott, para después dejarnos llevar por el imponente torrente novelístico del XIX y principios del XX. Stendhal, Balzac, Flaubert, Tolstoi, Dostoievski, Gogol, los *Episodios nacionales* de Galdós y algunas de sus novelas, *La regenta*, y sobre todo nos aventurábamos a penetrar la espesa y diversificada selva inglesa en donde nos perdíamos y encontrábamos constantemente. Había meses en que no se deseaba salir de Dickens, convivir con su Londres alucinante, conocer sus personajes delirantes, desorbitados y geniales, tanto los buenos como los villanos, y soñar utópicamente en un mundo poblado por tan asombrosa fauna humana.

En la siguiente fase, al final de la adolescencia y la primera juventud, se añade a la novela la poesía. Nace una fascinación por ella y una necesidad insaciable de conocer todos los poemas del mundo. Se descubre también a los clásicos, empezando, como es debido, por los cantos homéricos y la tragedia griega. Yo entonces me quedaba estupefacto recordando el desencuentro que pocos años atrás había tenido con aquel universo de maravillas, al tropezar con él en la escuela. Envueltos en un deslumbramiento nos placía entreverar al azar todos los siglos y las nacionalidades. Saltar hedónicamente de los griegos al Siglo de Oro, al Medievo, leer en un mismo día a Shakespeare, Molière y Quevedo; pero debo confesar que en ese mismo periodo de grandezas también frecuentaba otra área, la del mero entretenimiento, donde autores y obras nunca aparecían en los manuales de literatura, ni se mencionaban en las aulas académicas. En mi época los autores más famosos eran A. J. Cronin, Louis Bromfield, Lin Yu-tan, Margaret Mitchell, Vicki Baum, unos cuantos más. Fuera del ámbito familiar con nadie comentábamos esas lecturas. Hay un misterio en la relación de la obra literaria y el tiempo. Muchos libros que nos llenaron a mí y a mis contemporáneos de entusiasmo hace treinta, cuarenta, cincuenta años, se han convertido en letra muerta. Me refiero no a libros que fueron voluntariamente escritos para ser leídos sólo una vez y cuya mayor característica es ser intercambiables como los productos de los autores mencionados, sino a otros, que al momento de su aparición fueron saludados universalmente como obras importantes, novedosos, apreciados por sus pares y por críticos muy agudos y que ahora nada significan. Fueron destellos, iluminaciones fugaces, ecos de la moda y la publicidad, efectos de algunos fenómenos extraliterarios que rozan la sociedad y perturban por algún tiempo el imaginario colectivo. Al alejarse o desaparecer el efecto esa literatura envejece, se despoja de sus atributos y muere. Su existencia es efímera: una descarga de rayos y relámpagos; luego, una oscuridad profunda los envuelve para siempre.

Al mismo tiempo y para redimirnos de nuestras veleidades con la literatura ligera, mis compañeros de generación y yo nos asomábamos a las vanguardias. Sentíamos la necesidad de ser contemporáneos y entregarnos con felicidad a los excesos. Pero al lado de esas experiencias, uno busca tocar tierra firme, descubrir colosos, acercarse a su sombra, convertirlos en talismanes prestigiosos para no contaminarse de la literatura fácil ni caer mecánicamente en la estridencia de las vanguardias. Yo me acogí a la sombra de cuatro novelistas de inusual fortaleza: Henry James, Thomas Mann, Benito Pérez Galdós y William Faulkner.

En ese mismo periodo donde ya uno sabe cuáles son sus altas columnas en las letras universales se inicia también otra curiosidad, más bien una necesidad, la de cultivar un gusto por algunos autores de culto, rendirle homenaje a la escondida corriente a que pertenecen; el mero hecho de que una escuela, un autor, determinado título no estuvieran de moda ni gozaran de la aceptación de las glorias locales les añadía mayores atributos. Era inconcebible vivir sin tener esos libros al alcance de la mano. Para mí esa necesidad la cubrieron con creces *El Aleph*, de Jorge Luis Borges, casi todo Chéjov, que en México allá por el comienzo de los años cincuenta resultaban bastante inadvertidos, y también ciertos textos de Alfonso Reyes, el humanista mexicano por antonomasia, ampliamente celebrado pero en realidad leído bien sólo por un puñado de conocedores cultivados. Ellos me transmitieron una pasión por el cuento que perdura hasta el día de hoy.

No es que yo no conociera el cuento como género literario; desde mucho atrás había leído cuentos, muchas revistas y suplementos literarios los publicaban. Era un género ampliamente leído en la época, pero yo lo veía con cierta displicencia, atraído únicamente por sus tramas. Era tal mi torpeza que los consideraba como pequeños textos que describían con cierta pericia una anécdota o una mínima suma de anécdotas cuyo final consistía en la revelación de un misterio insinuado desde los párrafos iniciales y latente en el entero trayecto del relato. Por lo general eran lecturas placenteras, pero jamás hubiera podido igualar un cuento con una novela, ese universo con multitud de tramas, con docenas o centenas de personajes, con una variedad de tonalidades, donde aparecían seres angelicales y villanos atroces, huérfanos patéticos y ancianos pueriles y grotescos, gente de varias clases, capítulos tormentosos que daban paso a otros de una comicidad enloquecida. ¿Cómo poner en el mismo nivel a *Los hermanos Karamázov, La cartuja de Parma* o *Los papeles de Picwick* con una pequeña historia donde todo se reducía a unos cuantos elementos? La comparación me era imposible, me parecía ridícula.

Esa concepción cambió en una fecha precisa: el año 1952. Es decir, hace cincuenta años.

Recuerdo claramente el inicio de mi redención. Tenía yo dieciocho años y viajaba de Córdoba a la ciudad de México. El autobús hacía una parada de media hora en Tehuacán para que los pasajeros bajásemos a comer al restaurante de un hotel. Allí compré un periódico, para matar el tiempo que me distanciaba de la capital. Era un domingo, el día en que aparecía un suplemento cultural excepcional, el mejor de todos los que desde entonces han existido: *México en la Cultura*, dirigido por Fernando Benítez. En sus páginas encontré por primera vez un cuento, de cuyo autor no tenía la menor referencia. Aparecía como ilustración de un magnífico ensayo sobre literatura fantástica en Hispanoamérica, escrito por el peruano José Durand. El cuento era "La casa de Asterión"; lo leí con estupor, con gratitud, con infinito asombro. Tal vez el mayor deslumbramiento que conocí en mi juventud fue el lenguaje de Borges. Al llegar a la frase final de "La casa de Asterión" tuve la sensación de que una corriente eléctrica recorría mi sistema nervioso. Exultaba una felicidad que ninguna lectura me había producido. Aquellas palabras: "¿Lo creerás, Ariadna? –dijo Teseo–, el Minotauro apenas se defendió", dichas de paso, como al azar, revelaban el misterio oculto del relato: la identidad del extraño protagonista y su resignada inmolación. Me quedé atónito, deslumbrado. Jamás había llegado a imaginar que el lenguaje pudiera alcanzar esos grados de intensidad, levedad y extrañeza.

Por ese mismo tiempo descubrí a Chéjov. Leí también, como me sucedió con Borges, con fascinación y asombro el teatro de ese ruso y algunos de sus relatos. Chéjov había creado una técnica jamás imaginada en ambos géneros. El discurso de Chéjov se atomiza en una lluvia de frases, la mayor parte, triviales, una racha de frases cargadas de mínimos segmentos dislocados tanto en las descripciones como en los diálogos. A medida que el relato chejoviano avanza se produce un extraño proceso de disociación, los personajes se transmutan en su propia radiografía, el diálogo entre los amantes se vuelve críptico. En su obra nada debe considerarse cierto, ni seguro ni eterno. Hombres y mujeres se mueven como sombras, como sonámbulos, perdidos en ese caos hostil que destila la sociedad, la propia vida es un enigma incomprensible cuando no un campo de batalla. La obra de este autor no sólo marca el fin de un periodo literario, sino también la clausura de un tiempo histórico. Él es un escritor de transición, situado entre dos mundos. "La originalidad de Chéjov –dice con exactitud el italiano Vittorio Strada, uno de los eslavistas más importantes del mundo– desconcertó a sus contemporáneos y, en su primera época, resultó verdaderamente incomprensible. Aun hoy en nuestros días sigue siendo el escritor más difícil de la literatura rusa, puesto que debajo de un máximo de aparente transparencia se oculta un núcleo hermético que escapa a toda formulación crítica."

Cuando en aquel periodo juvenil al que hago referencia leí a Chéjov me convertí en su sombra. Conseguí todas las traducciones que había en México, y la edición de La Pléyade en la Librería Francesa. Por meses no leí nada sino su obra. En los muchos años posteriores varias veces me he encerrado por unas semanas para disfrutar a Chéjov. Aquel mundo pulverizado, poblado por personajes que jamás logran comunicarse entre sí, es un triunfo magistral de la Forma, una victoria del lenguaje. Su progenie es muy amplia, sobre todo en el mundo anglosajón. Al leerlo, nos revela que basta bosquejar un acto mínimo, inventar unas cuantas palabras dichas como de paso, para recrear una atmósfera y sugerir un pasado. En él lo trivial se convierte en algo importante y significativo. De todos sus cuentos mi predilecto es "El estudiante", en apariencia es muy sencillo; sin embargo es uno de los más misteriosos que se hayan escrito en cualquier siglo y en cualquier lugar del mundo.

El otro escritor de esta célebre tríada es Alfonso Reyes, maestro de varias generaciones, entre otras la mía. Ensayista sobre todo, pero también poeta y narrador, es uno de los más geniales usuarios del lenguaje. Borges lo señala en varias ocasiones como un renovador de la prosa castellana. Lo he leído y releído en mil ocasiones y cada vez me asombra su aptitud para recrear nuestro idioma. Mi deuda con él es inmensa. Para expresarla me permito citar unas líneas mías escritas hace diez años:

> En una época de ventanas y puertas cerradas, Reyes nos incitaba a emprender todos los viajes. Evocarlo, me hace recordar uno de sus primeros cuentos: "La cena", un relato de horror inmerso en una atmósfera cotidiana, donde a primera vista todo parece normal, anodino, hasta podría decirse un poco dulzón, mientras entre líneas el lector va poco a poco presintiendo que se interna en un mundo demencial, quizás el del crimen. Esa "cena" debe de haberme herido en el flanco preciso. Años después comencé a escribir. Y sólo ahora advierto que una de las raíces de mi narrativa se hunde en aquel cuento. Buena parte de lo que más tarde he hecho no ha sido sino un mero juego de variaciones sobre aquel relato.

El encuentro con estos narradores fue contundente. Sus cuentos perfectos, su excepcional lenguaje, su instinto de Forma me hizo al fin reconocer que ese género de ninguna manera era inferior a la novela, que cada uno de ellos establecía una arquitectura diferente. La estructura del cuento se acercaba más a la del poema. Los retos que se impone un cuentista son mayores que los de los novelistas: su composición exige una precisión de relojería; un mínimo desliz podría destruir el edificio entero, cada frase, cada palabra, es un elemento indispensable para lograr el triunfo, en tanto que la novela puede derramarse con entera felicidad, y acepta materiales de todos los campos: el autor y también sus personajes pueden discutir de filosofía, de ciencias exactas, de psicología, de problemas religiosos, sociales, de todo; la novela puede arropar en su seno cualquier digresión sin dañar el todo, sino enriquecerlo. Piénsese en las novelas con estas características y que son obras maestras: casi todas las de Mann; *Los sonámbulos* y *La muerte de Virgilio*, de Broch; las siete que componen *En busca del tiempo perdido*, de Proust; *Rayuela*, de Cortázar; *Paradiso*, de Lezama Lima; *La guerra y la paz*, de Tolstoi, la cima de todas las novelas. Por supuesto debe existir un rigor, una severísima aduana para decidir lo que se va a rechazar y lo que puede incorporarse. Allí, como siempre, quien decide es el instinto y la pericia del novelista.

Todo lo que sucede en un cuento tiene que apuntar hacia la solución final, ya se ha dicho. Los movimientos erráticos de Emma Zunz, la de Borges: buscar en los muelles a un marinero cualquiera, ir con él a un hotel de paso donde le permite rudamente desvirgarla, dirigirse inmediatamente al despacho del ex socio de su padre, ultimarlo a balazos. Hasta allí no entendemos la secuencia de esos actos; sólo lo logramos en el párrafo final. Emma Zunz ha tramado con sabia minuciosidad ese crimen. Aquel hombre había destruido a su padre, manchado su reputación, para, con falsas pruebas, apoderarse de sus bienes y enviarlo a la cárcel, donde muere. En los tribunales Emma Zunz declaró haber sido violada por la fuerza, y desesperada, le disparó un balazo con la misma pistola con la que la conminó al ultraje. Emma sale libre; su venganza se ha cumplido. Todos los cuentos de Borges obedecen a esa regla: cada acto, cada palabra, cada pensamiento esbozado están dirigidos para llegar a una revelación final. La develación del misterio en los relatos borgianos suele ser contundentemente efectiva. Al cerrarse el relato todo aquello que era ininteligible en el transcurso de la lectura se vuelve cristalino. "La casa de Asterión" sigue esa trayectoria, aunque con procedimientos más refinados. El monólogo del protagonista es más esquivo, más oblicuo, y, por lo mismo, la revelación del enigma al final es más apabullante, digna de un genio. Desde Poe, esa fórmula se convirtió en un canon universal.

Sólo a finales del siglo XIX y en Rusia, Anton Chéjov plantea otra posibilidad. Sus cuentos se inician de otra manera. No hay un arranque categórico, comenzamos a leer como si la trama ya se hubiera iniciado desde antes. O, a veces, con una escena excepcionalmente elaborada que sugiere una coherencia en la continuidad. Sin embargo, no es así. Uno o dos detalles de esa composición, en apariencia banales, carentes de importancia, pueden lentamente ampliarse, tomar una dirección determinada, contraria o al menos distinta de lo que el autor nos había hecho esperar, y es allí donde la historia realmente da comienzo. El cuento termina sin un final preciso, sin conclusiones, dejando al lector la tarea de formular sus consecuencias. Entre ese inicio y final desdibujados hay una pulsión intensa, una neblina de detalles que pueden aludir o no a un tema que sobresale en una trama también vaga, unos diálogos donde por lo general las respuestas no coinciden con las preguntas, de manera que en un momento se convierten en un conjunto de monólogos truncos. Vamos a tientas, poco a poco nos enteramos de algunas cosas, alguien sufre, alguien ama sin atreverse a declarar su amor, como en la historia de "La casa con desván", donde un animado grupo familiar nos muestra su vulnerabilidad, su indefensión ante la férula de un padre, una madre, o como en el caso de ese cuento, una hermana, alguien con una vocación autoritaria que imposibilita la felicidad, el amor, la unión de una doncella maravillosa y un joven titubeante; en los finales de Chéjov es muy raro que alguien haya podido realizar sus deseos. Hemos vislumbrado un mundo que se deshace, un jardín que ha sido pisoteado, algunos corazones rotos, un dolor intenso, una o varias rupturas, para terminar con la ilusión de que nuestra sensibilidad se ha afinado, que hemos entrado en un mundo espiritual subterráneo, donde todo pasa en sordina. Sólo en un mínimo puñado de relatos se permite Chéjov llegar a un clímax, y nunca jamás a una escena melodramática. Todo en Chéjov se rompe, se desvanece. Pero en cada una de sus obras sentimos también que hemos asistido a un milagro. Parecería que nada pasa, y eso es mentira; en esos relatos donde la nada parece ganar la partida, pasa todo, como en la vida misma.

Recuerdo el encuentro a principios de los años cincuenta con la obra de Borges, de Chéjov y de Reyes como una epifanía. Descubrí la grandeza de un género que yo obtusamente disminuía. En ese año se publicaron en México *El llano en llamas*, de Juan Rulfo; *Confabulario*, de Juan José Arreola y *Obras completas (y otros cuentos)*, de Augusto Monterroso, tres libros que al nacer se convirtieron en clásicos de nuestra literatura, tres irrupciones de contemporaneidad, tres estilos diferentes. En mis lecturas posteriores el cuento cobró la importancia que antes le había negado. En poco tiempo amplié considerablemente mis confines. Leí a los cuentistas con el mismo interés que a los novelistas. Releí a algunos, a Kipling, por ejemplo, que en ocasiones anteriores había tratado con torpe negligencia, para descubrir que era uno de los narradores más complejos del mundo.

La narrativa de los dos últimos siglos nos presenta amplios frisos a los que dan vida y movimiento los miembros de la Comedia Humana. Encontramos las características y destinos de hombres y mujeres, su individualidad tanto como su intrincada relación con el entorno social. Los narradores que realmente cuentan han creado en sus trabajos literarios una visión personal del mundo y han elegido la forma y el tono que cada uno considera más apropiados para manifestarse. Un autor tiene el deber de evadir cualquier presión, las visibles y las más sutilmente ocultas; a veces las más perniciosas son las familiares. Cada uno con una fuerza animada por la disciplina y la anarquía hallará la forma más adecuada a su talento. Las astillas de esa Comedia Humana aparecen en esta antología. He prescindido, hasta donde me ha sido posible, del folclorismo y un protagonismo de rasgos en exceso nacionales, pero muy pocos de estos textos rechazan las características de la región donde la acción se desarrolla. Sin ellas, los cuentos serían un poco grises y el interés por ellos, me imagino, nulo.

La señorita Emily es indispensablemente una americana de los estados del Sur, como el protagonista de "Diario de un loco" tiene por fuerza que ser chino. Pero el autor no le da ninguna importancia a eso, lo toma como un hecho natural, sabe que sin el entorno nacional y hasta provinciano, su historia no habría existido. "La nariz" de Gogol y la chejoviana "Casa con desván" son por esencia rusos, como mexicano es el cuento de Rulfo, y bonaerense "El Aleph". Eso se da por cierto y no decide la calidad de la trama, del lenguaje y de la Forma, entidad, esta última, invisible que abarca todos los aspectos de la actividad literaria.

Cuando hice la selección de *Los cuentos de una vida* me atuve sólo a la calidad estilística y al interés de las tramas. Pero del cuerpo de los relatos surgía la respiración de la Comedia Humana, la pulsión interior de una sociedad, sus aspiraciones, sueños, vislumbres de futuro, su intranquilidad, y todas las gamas del pavor. Al releerlos otra vez ya en conjunto, advertí que en el imaginario de las diferentes partes del mundo se desprende un elemento común muy poderoso, tratado de diferentes maneras. En el subsuelo de la escritura se adivina una certidumbre, la de que el mundo es imperfecto, como lo es el ser humano, y más aún la sociedad. En la mayoría de los cuentos hay referencias a la locura. La demencia parecería ser el camino adecuado a una Utopía. Sea cual fuera el tono que utilice un autor: paródico, fantástico o realista, lo que está en el centro es el terror y las maneras de enmascararlo: el delirio, la excentricidad, el ausentismo, lo que en vez de contagiarnos y acercarnos a un estado de pánico, nos produce una inquietud difusa casi siempre inconsciente, nos sirve como un talismán protector para enfrentarnos a nuestra realidad personal. ¡Qué se le va a hacer, la vida es así, atroz, ya se sabe, pero con algo de decisión, de valor y un poco de suerte tal vez podríamos corregirla!

SERGIO PITOL

Nikolai Gogol (1809-1852)

Iván Fedorovich Schpoñka y su tía

I

Con esta historia ocurrió un percance. Me la contó, en una de sus venidas de Gadiach, Stepan Ivanovich Kurochka. Empiezo por decirles que tengo una memoria malísima. Lo mismo me da que me hablen como que no me hablen. Es igual que si pasara agua por un tamiz. Por eso, como conozco este pecado mío, quise, a propósito, que me lo escribiera en un cuaderno y, como era un hombre muy bueno conmigo –que Dios le dé salud–, en efecto me lo escribió. Lo guardé dentro de la mesita que creo conoce usted muy bien. Es aquella que se ve en el rincón al entrar por la puerta… Pero… ya se me olvidaba que nunca ha estado usted en mi casa. Mi vieja, con la que vivo hace casi treinta años, no sabe leer ni escribir. ¿Para qué vamos a esconder su pecado? Pues bien, he aquí que, de pronto, me fijé en que siempre cocía los *pirojki*[1] sobre algún papel. Los *pirojki*, amables lectores, los hacía maravillosamente. Mejores *pirojki* no los comería usted en ningún sitio. Un día, mirándolos por debajo, y como si lo presintiera mi corazón, vi unas palabras escritas… Me acerqué a la mesita y allí no había ni la mitad del cuaderno. Las hojas restantes las había cogido para los *pirojki*. ¡Qué se le iba a hacer!… Cuando se es viejo no va uno a batirse. En el último año se me ocurrió pasar por Gadiach y, ya antes de llegar, me hice un nudo en el pañuelo a propósito para no olvidarme de preguntar a Stepan Ivanovich el final de la historia. Por si esto fuera poco, me hice la promesa de acordarme siempre que estornudara en la ciu-

[1] Especie de bollitos.

dad. Pero todo en vano. Pasé por la ciudad, estornudé, me soné la nariz con el pañuelo… y me olvidé de todo. Y sólo cuando llevaba recorridas unas seis leguas me volvía a acordar. Ya no había nada qué hacer y tuve que imprimirla sin el final. Si alguien, sin embargo, desea a todo trance saber de lo que se trataba más adelante, no le costará mucho llegarse a Gadiach y preguntar por Stepan Ivanovich. Éste, si usted quiere, se lo referirá con mucho gusto desde el principio hasta el fin. Vive no muy lejos de la iglesia de piedra. Allí verá usted en seguida un callejón, y tan pronto tuerza usted por el callejón, le encontrará en el portalón segundo o tercero. Pero todavía hay otra cosa mejor. Donde vean un gran poste en el patio y que sale a recibirles una *baba* gorda, vestida de falda verde –hay que decir que es soltero–, ése será su patio. También puede usted encontrarle en el mercado, donde suele estar todas las mañanas hasta las nueve, pues va a escoger el pescado y la verdura para su mesa y a conversar con el padre Antip o con el judío prestamista. Le reconocerá usted en seguida, porque nadie más que él lleva pantalones de color y chaqueta de lana amarilla. Además, le voy a dar otra indicación. Al andar va moviendo los brazos, y hasta el alguacil del lugar, que en paz descanse, Denis Petrovich, solía decir cuando le veía venir de lejos: "¡Miren, miren!… ¡Ahí tenemos al molino de viento!".

II
Iván Fedorovich Schpoñka

Hace ya cuatro años que Iván Fedorovich Schpoñka recibió el retiro y vive en su granja llamada *Vitrebeñka*. Cuando todavía era solo Vaniuschka estudiaba en el colegio de Gadiach, y es preciso decir que era un muchacho de muy buena conducta y muy aplicado. En tiempos antiguos, el maestro de gramática rusa, Nikifor Timofeevich Deeprichastia, solía decir que si todos hubieran sido tan aplicados como Schpoñka, no hubiera llevado a la clase la regla de madera de plátano con la que, como él mismo confesaba, se cansaba de pegar en las manos de los perezosos y de los traviesos. Su cuaderno estaba siempre limpio, bien delineado alrededor y sin ninguna manchita. Se le veía siempre sentado, muy quieto, con las manos cerradas y los ojos fijos sobre el maestro y jamás colgaba un papel en la espalda del compañero situado ante él. No cortaba el banco ni jugaba antes de la llegada del maestro. Cuando uno necesitaba afilar la pluma, se dirigía en seguida a Iván Fedorovich, sabiendo que éste tenía siempre una navajita, e Iván Fedorovich –entonces sencillamente Vaniuschka– la sacaba de un pequeño estuche de cuero atado al ojal de su chaqueta de color gris y pedía solamente que no rasparan con el filo de la navaja, asegurando que para eso estaba el lado romo. Tan buena conducta atrajo la atención sobre él, incluso la del propio maestro de latín, que sólo con dejar oír su tos en el zaguán, y antes que asomara por la puerta su capote y su cara adornada con picadura de viruela, ya había infundido miedo a toda la clase.

Este terrible maestro, que tenía siempre sobre la cátedra dos vergajos y a la mitad de la clase de rodillas, nombró repetidor a Iván Fedorovich, a pesar de que entre los alumnos había muchos con mejores o más aptitudes… No podemos ahora dejar de mencionar un hecho que en su vida entera tuvo mucha influencia. Uno de los discípulos que le estaban confiados con objeto de ganarse la voluntad de su repetidor y aunque no se sabía ni pizca la lección, escribió en el registro *sit*. Luego trajo a la clase, envuelta en un papel y rehogada con mantequilla, una torta. Iván Fedorovich, a pesar de que era muy justo, sentía mucha hambre y no pudo resistir la tentación. Cogió la torta, puso un libro delante de sí y empezó a comer. Tan ocupado estaba con esto, que ni siquiera se fijó que en la clase se había hecho un silencio mortal. Sólo se recobró espantado cuando la terrible mano que surgía del capote le agarró por una oreja y le sacó hasta el centro de la clase. "¡Trae aquí esa torta!… ¡Tráela! ¿Oyes lo que te digo, infame?", dijo el terrible maestro, cogiendo con los dedos la grasienta torta, que arrojó por la ventana, prohibiendo severamente a los alumnos que correteaban por el patio que la recogieran. En seguida de esto le pegó muy fuerte a Iván Fedorovich en las manos. ¡Y en las manos tenía que ser!… Ellas eran las culpables de haber cogido la torta y no otra parte del cuerpo. A partir de esto, aquella timidez, que era inseparable de él, aumentó todavía más. Puede que dicho incidente fuera la causa de que no quisiera seguir una carrera civil, viendo por experiencia que no siempre se pueden ocultar las cosas. Tenía ya casi quince años cuando pasó a la segunda clase, donde, en vez de catecismo compendiado y las cuatro reglas de aritmética, comenzó a estudiar catecismo superior, deberes del hombre y fracciones.

Luego, al ver que cuanto más se adentra uno en el bosque, más leña se encuentra, y al recibir la noticia de que su padre había pasado a mejor vida, se quedó un par de años más en el colegio, entrando luego, con el beneplácito de su madre, en el regimiento de Infantería de P***. El regimiento de Infantería de P*** no se parecía a otros regimientos de Infantería y, aunque la mayor parte del tiempo acampara en aldeas, se seguía en él un tren de vida que no se quedaba atrás del que se hiciera en la Caballería. La mayoría de los oficiales bebían champaña y sabían tirar de las patillas de los judíos, no peor que los húsares. Unos cuantos hasta bailaban la mazurca, cosa sobre la que el coronel del regimiento de P*** nunca perdía la oportunidad de llamar la atención cuando hablaba con alguien en sociedad.

"En mi regimiento –decía, frotándose la tripa después de cada palabra– hay muchos que bailan la mazurca. Muchos." Para demostrar mejor a los lectores qué grado de instrucción era el del regimiento de Infantería de P*** podemos añadir que dos de sus oficiales eran tremendos jugadores y perdían a los naipes el uniforme, la gorra, el capote y hasta la ropa interior; cosa que no siempre se da entre los de Caballería. Conocer a tales amigos no disminuyó, sin embargo, en absoluto la timidez de Iván Fedorovich. Además, como él no bebía champaña, sino que prefería una copa de vodka antes de la comida y de la cena, no bailaba la mazurca y no jugaba a las cartas, era natural que tuviera que estar solo siempre. Mientras los demás se iban a visitar a los pequeños terratenientes, él se quedaba en su casa ejercitándose en aquellas ocupaciones comunes a las almas buenas y pacíficas. Lo mismo se ponía a limpiar los botones que a leer un libro de la *Buenaventura* o a colocar cepos para los ratones en los rincones de su habitación. O sencillamente se quitaba el uniforme y se quedaba echado en la cama. Pero no había nadie en el regimiento más cumplidor que Iván Fedorovich. Tan bien mandaba a su grupo, que el jefe de la compañía lo ponía siempre como ejemplo. Por ello, once años después de alcanzar el grado de alférez, era ascendido a teniente.

En el curso de este tiempo recibió la noticia de la muerte de su madre. A una prima carnal de ésta y tía suya, a la que conocía solamente porque en su niñez le llevaba, cuando iba a verle y luego más tarde, durante su estancia en Gadiach, peras secas y unas *prianiki*[2] que ella misma hacía, no la había vuelto a ver por estar regañada con su madre. Pero al fallecer ésta, se encargó bondadosamente de regentar su hacienda, cosa que a su debido tiempo le anunció en una carta. Iván Fedorovich, que estaba completamente seguro del buen juicio de su tía, continuó cumpliendo su servicio como siempre. Otro cualquiera, al recibir ese grado, se hubiera envanecido, pero él desconocía completamente el orgullo y, por tanto, al ascender a teniente, siguió siendo el mismo Iván Fedorovich que era cuando sólo tenía el grado de alférez. Habían pasado cuatro años desde aquel notable acontecimiento y estaba a punto de salir con su regimiento de la región de Mogilev para trasladarse a la de Velikorossia, cuando recibió una carta con el siguiente contenido:

"Apreciable sobrino Iván Fedorovich: Te mando tu ropa interior, cinco pares de calcetines y cuatro camisas de algodón fino, diciéndote, además, que deseo hablar contigo sobre un asunto. Como has alcanzado un grado bastante importante (como creo ya sabes) y has llegado a la edad de ocuparte de tu hacienda, me parece que ya no necesitas seguir por más tiempo la carrera militar. Yo ya soy vieja y no puedo vigilarlo todo en tu propiedad. Además, tengo decididamente que hablar contigo sobre muchas cosas. Ven, pues, Vaniuschka.

"En la espera del verdadero placer de verte, sabes que te quiere mucho, tu tía,

Vasilisa Zupchvska."

"*P D.*—En nuestra huerta han crecido unos nabos maravillosos y más parecidos a la patata que a ellos mismos."

Al cabo de una semana de recibir esta carta, Iván Fedorovich escribió la siguiente contestación:

"Estimada tía Vasilisa Kaschporovna: Mucho le agradezco el

---

[2] Especie de pastelitos.

envío de ropa que me hace. Sobre todo el de los calcetines, que tenía muy viejos. El asistente tuvo que remendarlos cuatro veces y me han quedado muy estrechos. Referente a su opinión sobre mi servicio, le diré que estoy completamente de acuerdo con usted, y que ya hace dos días he pedido el retiro. Tan pronto como lo reciba, tomaré el *isvoschik*.[3] Con referencia a su encargo de los granos de trigo de Siberia le comunico que no pude cumplirlo. En toda la región de Mogilev no existe tal trigo, pues aquí a la mayoría de los cerdos se les da de comer *braga* mezclada con un poco de cerveza pasada.

"Con mucho respeto, estimada, queda de usted seguro servidor,

Iván Schpoñka."

Por fin, Iván Fedorovich recibió, junto con el grado de teniente, el retiro; alquiló por cuarenta rublos un carruaje para ir de Mogilev a Gadiach y se sentó en él, en ese momento en que los árboles se visten de tiernas y todavía escasas hojas, la tierra verdea fuertemente y en todo el campo huele a primavera.

III
El camino

En el camino no ocurrió nada excesivamente notable. Puede que Iván Fedorovich, que llevaba poco más de dos semanas viajando, hubiera llegado ya si el devoto judío que le conducía no hubiera dejado de trabajar los sábados, día que pasaba rezando bajo la manta. Pero como hemos tenido antes ocasión de ver, Iván Fedorovich era una persona que no dejaba que le acometiera el aburrimiento. En esos momentos abría la maleta, sacaba la ropa interior, miraba si estaba bien lavada y bien planchada, quitaba con mucho cuidado una motita al uniforme nuevo (hecho ya sin charreteras) y lo volvía a colocar todo de la mejor manera. Libros, en general, no le gustaba leer, y si echaba un vistazo de cuando en cuando al de la *Buenaventura,* era más bien porque le agradaba encontrar en él lo

[3] Coche de alquiler.

que ya había leído varias veces. En fin…, hacía lo que hacen esos ciudadanos que van todos los días al club, no para oír nada nuevo, sino para reunirse con los mismos con los que desde tiempos lejanos se han acostumbrado a charlar. Por eso a un funcionario le causa gran deleite leerse el escalafón varias veces al día, y no por motivos diplomáticos, sino porque le distrae muchísimo ver nombres impresos: "¡Ah!… Iván Gagrilovich… –repite para sí–. ¡Ah!… ¡Aquí estoy yo! ¡Hum!". Y en la primera ocasión, vuelve a leerlo con las mismas exclamaciones.

Después de dos semanas de viaje, Iván Fedorovich alcanzó la aldeíta situada a cien verstas de Gadiach. Era viernes. Hacía mucho que se había puesto el sol cuando con el carruaje y el judío llegó a la posada. Esta posada no se diferenciaba en nada de las demás construidas en las pequeñas aldeas. En ellas, ordinariamente, se obsequiaba a los viajeros con heno y avena como si fueran caballos de posta. Pero si hubieran deseado almorzar como generalmente almuerza la gente decente, hubieran guardado intacto su apetito hasta otra ocasión. Como Iván Fedorovich sabía esto, anticipadamente había hecho provisión de dos juncos de *bubliki*[4] y de salchicha, y pidiendo allí una copa de vodka (que eso no suele faltar nunca en ninguna posada), atacó su cena, sentado sobre el banco ante la mesa de roble, cuyas patas quedaban fijas en el suelo de arcilla.

Durante el curso de este tiempo se oyó el ruido de un carruaje. El portalón rechinó, pero el coche tardó todavía algún tiempo en entrar en el patio.

Una voz fuerte reñía con la vieja dueña de la taberna.

—¡Voy a entrar! –oyó decir Iván Fedorovich–, pero si en tu *jata* me pica una sola chinche, te zurraré. ¡A fe mía que te zurraré, vieja bruja!… ¡Y por el heno no daré nada!

Un minuto después la puerta se abría y entró, o mejor dicho, se introdujo a la fuerza un hombre vestido de levita color verde. Su cabeza descansaba sobre un cuello rechoncho, que parecía aún más gordo por tener su dueño doble barbilla. A juzgar por su exterior, pertenecía a esa clase de personas que no se rompen la cabeza

---

[4] Bollo en forma de rosquilla.

por pequeñeces y cuya vida resbala siempre como si la hubiesen engrasado.

—¡Le deseo mucha salud, señor mío! –dijo, al ver a Iván Fedorovich. Éste saludó en silencio–. ¿Me permite que le pregunte con quién tengo el honor de hablar? –continuó el gordo recién llegado.

Al oír esta pregunta, Iván Fedorovich se levantó del asiento y se cuadró, cosa que regularmente solía hacer cuando le preguntaba algo el coronel.

—Teniente retirado Iván Fedorovich Schpoñka –contestó.

—Me permito preguntarle: ¿A qué lugares tiene intención de dirigirse?

—A mi propia finca Vitrebeñki.

—¡Vitrebeñki!… –exclamó el severo interrogante–. Permítame, señor mío… ¡Permítame! –prosiguió, acercándose a Iván Fedorovich.

Y forcejeando con las manos, como si alguien le impeliera a pasar o como si tuviera que abrirse camino entre una muchedumbre, le estrechó en un abrazo y le besó primero en la mejilla derecha, después en la izquierda y luego otra vez en la derecha.

A Iván Fedorovich le agradaron mucho aquellos besos, porque sus labios tomaron las grandes mejillas del desconocido por unos almohadones.

—¿Me permite usted, señor mío, que me presente? –continuó el gordinflón–. Soy terrateniente en la región de Gadiach y vecino suyo. Vivo en el pueblo de Jortisch y no más lejos que a cinco verstas de su finca de Vitrebeñki. Mi nombre es Grigori Grigorievich Storchenko. ¡Sin falta, sin falta (y si no, no quiero conocerle) ha de venir usted a visitarme a mi pueblo de Jortisch! Ahora llevo prisa por unos asuntos. ¡Ah!, ¿qué es eso? –dijo con voz dulce a su *jockey*, un muchacho vestido de *kaftán* cosaco, con los codos remendados, que acababa de entrar y que con expresión sorprendida ponía sobre la mesa cajones y líos–. ¿Qué es eso? ¿Qué es? –la voz de Grigori Grigorievich se tornaba gradualmente más y más severa–. ¿Acaso te he mandado que pusieras aquí todo esto, monada?… ¿Acaso te he mandado que pusieras aquí todo esto, canalla? ¿Acaso no te he dicho antes que calentaras el pollo, bribón?… ¡Fuera! –gritó, golpeando el suelo con el pie–. ¡Espera, cara de tonto!

¿Dónde está el cofre de vino? Iván Fedorovich –siguió, mientras vertía el vino en una copa–, ¡sírvase aceptar! Es medicinal.

—A fe mía que no puedo. Ya tuve ocasión… –dijo Iván Fedorovich, después de vacilar un poco.

—No quiero oír eso, señor mío, no quiero ni oírlo. Hasta que lo tome, no me muevo de aquí.

Viendo Iván Fedorovich que no podía rehusar, bebió y no sin gusto.

—Esto es gallina, señor mío –prosiguió el gordo Grigori Grigorievich, cortando con el cuchillo dentro del cajón de madera–. Hay que decirle que a mi cocinera Iavdoja, a ratos, le gusta beber un poco, y por eso, a veces, hace la comida demasiado seca. ¡Eh, mozo! –dijo, dirigiéndose al muchacho vestido de *kaftán* cosaco que en ese momento le traía el colchón y las almohadas–. Hazme la cama en el suelo en mitad de la *jata*. Que no se te olvide poner más heno debajo de la almohada. ¡Y que te dé la *baba* un pedacito de cáñamo para taparme las orejas por la noche! Señor mío, tengo que decirle que es mi costumbre taparme las orejas mientras duermo, desde la maldita ocasión en que en una taberna rusa se me metió por ellas una cucaracha. En esas malditas tabernas, como supe después, hasta los *schi*[5] los comen con cucarachas. Es imposible describirle lo que me pasó. La oreja me hacía cosquillas. ¡Y qué cosquillas! ¡Como para subirse por la pared! Ya en nuestra tierra, me curó una triste vieja… sencillamente una curandera. ¿Qué opina usted, señor mío, de los galenos? Yo creo que nos toman el pelo y nada más. Una vieja cualquiera sabe veinte veces más que todos los galenos juntos.

—¡Eso es cierto! –dijo Iván Fedorovich–. Ha tenido usted a bien decir una verdad. Cualquier vieja exactamente… –aquí se detuvo como si no encontrara palabra adecuada.

No estará de más que les diga que en general no era muy espléndido de palabras. Puede que fuera esto timidez, pero también pudiera ser el deseo de expresarse con mayor perfección.

—¡Muévelo bien! ¡Mueve bien el heno! –dijo a su criado Grigori Grigorievich–. El heno aquí es tan malo, que es muy fácil que

[5] Típica sopa rusa.

se escape una astilla. Permítame, señor mío, que le desee muy buenas noches. Ya no nos veremos mañana, porque yo partiré antes del alba; su judío, como es sábado, descansará y usted no tiene por qué levantarse temprano. No olvide mi ruego. Ya sabe que no quiero ni conocerle si no viene usted al pueblo de Jortisch –Mientras tanto, el criado le había quitado la levita y los zapatos y puesto en su lugar una bata, y Grigori Grigorievich se echó sobre la cama, donde parecía un enorme colchón de pluma echado sobre otro–. ¡Oye, mozo!… ¿A dónde vas, canalla? Ven acá. Arréglame la manta. ¡Eh, mozo! Ponme bien el heno por debajo de la cabeza. ¿Y qué? ¿Han dado bien de beber a los caballos? ¡Más heno por aquí! ¡Por este lado!… ¡Arréglame bien la manta, canalla! ¡Bien! ¡Así! ¡Ajá!…

Después de esto, Grigori Grigorievich suspiró dos veces más, dejó escapar por la nariz un silbido extraño que se oyó en toda la habitación, y empezó de cuando en cuando a roncar de tal manera, que la vieja que dormitaba en el camastro, despertando de repente, miraba a todos lados; no viendo nada, se tranquilizaba y se volvía a dormir. Al otro día, cuando se despertó Iván Fedorovich, ya no estaba el gordo terrateniente. Éste fue el único incidente notable que le ocurrió en todo el camino. Al tercer día de viaje comenzó a aproximarse a su finca. Cuando, moviendo sus aspas, asomó en lontananza el molino de viento y vio aparecer –mientras el judío arreaba los jamelgos para ascender la colina– la hilera de sauces, sintió que el corazón empezaba a latirle con más fuerza. Clara y vivamente, exhalando frescor, resplandecía a través de ellos el estanque. En otros tiempos se bañaba en él y en ese mismo estanque buscaba también entonces cangrejos con los chicuelos. El coche subió una pequeña loma e Iván Fedorovich vio aparecer la vieja casita con su tejado de juncos y aquellos manzanos y cerezos a los que en sus días de muchacho trepaba a escondidas. Apenas habían llegado al patio y ya de todos lados salían corriendo perros de todos colores. Negros, marrones, grises o de color mezclado. Unos, con un ladrido, se tiraban a las patas de los caballos, otros corrían tras el coche al darse cuenta de que el eje estaba engrasado con tocino. Un perro, junto a la cocina, sujetaba con la pata un hueso y ladraba a plena garganta. Otro, desde lejos, ladraba corriendo hacia adelante y hacia atrás, movía el rabo y parecía decir: "¡Miren ustedes, buena gente, qué buen mozo soy!". Los chicuelos, de sucias camisas, corrían para mirarlos, y la cerda, que con sus dieciséis lechoncitos paseaba por el patio, levantó con aire interrogativo su jeta y gruñó más fuerte que de costumbre. Sobre el suelo del patio se veían muchos montones de trigo, centeno y avena secándose al sol, y encima del tejado se secaban también diferentes clases de hierbas. Iván Fedorovich estaba tan ocupado en mirar todo esto, que solamente reaccionó cuando un perro color canela mordió en la pantorrilla al judío, que bajaba del pescante. La servidumbre que había acudido se componía de una cocinera, una *baba* y dos mozas con faldas de lana. Después de muchas exclamaciones: "¡Ay!... ¡Pero si es nuestro señorito!", le comunicaron que su tía estaba en la huerta con la moza Palaschka y el cochero Omelka, que desempeñaba, a veces, el cargo de hortelano y de guardián... Pero la tía, que desde lejos había visto el coche, estaba ya aquí. Iván Fedorovich se asombró cuando ésta le levantó en sus brazos, dudando de que fuera la misma que le escribía sobre su vejez y enfermedad.

IV
La tía

La tía Vasilisa Kaschporovna tenía en aquella época cerca de cincuenta años. No se había casado y solía decir que la vida campestre era para ella la más querida. Por lo que puedo acordarme, nadie la pretendió nunca. Esto obedecía a que todos los hombres sentían ante ella una especie de timidez y les faltaba valor para declararse. "Tiene mucho carácter Vasilisa Kaschporovna", decían los galanes, y tenían absoluta razón, porque Vasilisa Kaschporovna era capaz de dominar a cualquiera. Al molinero borracho, que era una perfecta inutilidad, le tiraba todos los días del tupé con su propia y vigorosa mano, y sin otros ajenos procedimientos supo hacer de él, no ya un hombre, sino algo tan valioso como el oro. Su estatura era casi gigantesca, y su fuerza, adecuada a ella. Parecía como si la Naturaleza hubiera cometido una falta imperdonable, destinándola a llevar en días corrientes una bata marrón oscuro, guarnecida de pequeños frunces, y un chal de cachemira rojo el domingo de Pascua y el día de su santo, cuando tan bien le hubieran sentado bigotes de dragón y botas de montar. Sus ocupaciones estaban perfectamente en carácter con su exterior. Paseaba en barca remando con más arte que ningún pescador, tiraba a las aves de caza, vigilaba incesantemente a los segadores, sabía con toda exactitud la cantidad de sandías y melones que tenía, cobraba cinco kopeks de derechos por cada carro que atravesaba su presa, trepaba a los perales, sacudiéndolos para que cayeran las peras; pegaba a sus vasallos perezosos con su terrible mano, y con la misma terrible mano obsequiaba a los que lo merecían con una copa de vodka. Casi al mismo tiempo que regañaba, teñía el lino, corría a la cocina, hacía el *kvas*[6] y las mermeladas a base de miel. El día entero pasaba ajetreada y en todos sitios estaba a su debido tiempo. El resultado de esto fue que la pequeña hacienda de Iván Fedorovich, que constaba de dieciocho almas en la última revisión, prosperó en el verdadero sentido de la palabra. Además quería con pasión a su sobrino y se afanaba en reunir dinero para él. Al llegar a su casa, la vida de Iván Fedorovich cambió por completo y tomó un rumbo enteramente diferente. Diríase que la Naturaleza le había criado expresamente para gobernar la hacienda de las dieciocho almas. La misma tía comprendió que llegaría a ser un buen amo, aunque no le dejaba intervenir en todos los ramos de la administración. "Es muy joven el mozo todavía –decía generalmente y a pesar de que Iván Fedorovich tenía casi cuarenta años–. ¿Cómo va a saber…?" Sin embargo, él estaba siempre en el campo con los segadores del trigo y de la hierba, y esto proporcionaba un goce inexplicable a su alma pacífica. El alzarse, al unísono, de diez o más brillantes guadañas, el ruido de la hierba al caer en los surcos; de cuando en cuando las canciones de los segadores, alegres como la Regada de los invitados o tristes como la separación; la límpida y tranquila tarde… ¡Y qué tarde!… ¡Qué vivo y fresco era en ella el aire! ¡Cómo bullía todo! Enrojecía la estepa tornándose azul y ardía con sus flores. Los pájaros, las gaviotas, los saltamontes, los mil insectos que exhalan un chillido o un zumbido, formaban de repente un armonioso coro.

[6] Bebida típica rusa a base de cereales.

Nada de esto calla un minuto. Mientras tanto, el sol se pone y se esconde. ¡Oh, qué frescura y qué bienestar!... Por aquí y por allí se encienden hogueras en el campo, sobre las que se cuelgan calderos, y a su alrededor se sientan los fatigados segadores. Vuela ascendiendo el vaho de los *galuschki*[7] y el crepúsculo se torna grisáceo...

Es difícil describir lo que ocurría entonces a Iván Fedorovich. Junto a los segadores olvidaba probar sus *galuschki* que le gustaban mucho, y se quedaba inmóvil en el mismo sitio, siguiendo con la mirada la gaviota que se perdía en el cielo, o contando las gavillas de trigo cuya fila parecía engarzar en el campo.

No mucho tiempo después comenzó a hablarse por todas partes de Iván Fedorovich, al que se tenía por un gran amo. La tía, contentísima de su sobrino, no despreciaba nunca ocasión de pavonearse. Un día... —esto fue ya al final de la siega–, y exactamente a fines de julio, Vasilisa Kaschporovna cogió a Iván Fedorovich por la mano con aire misterioso y le dijo que quería hablar con él, en el acto, de algo que desde hacía mucho tiempo la preocupaba.

—¿Tienes conocimiento, querido Iván Fedorovich, de que tu hacienda, en la que había, según la revisión, dieciocho almas, habrá aumentado a unas veinticuatro?... Pero no se trata de eso ahora. ¿Te acuerdas del bosquecito que está detrás de nuestro terreno?... Con seguridad sabes que detrás de ese bosquecillo hay una extensa pradera que tendrá por lo menos veinte hectáreas y que hay en ella tanta hierba que se podrían sacar todos los años más de cien rublos. Sobre todo si, como dicen, en Gadiach hay un regimiento de Caballería.

—¿Cómo no voy a saberlo, tía? Lo sé. La hierba es muy buena.

—También yo lo sé muy bien; pero ¿sabes tú que toda esa tierra, de derecho, es tuya?... ¿Por qué me miras con esos ojos?... Oye, Iván Fedorovich. ¿Te acuerdas de Stepan Kusmich? ¡Pero qué digo yo!... ¡Te acuerdas!... ¡Si entonces eras pequeño y no hubieras podido siquiera pronunciar su nombre!... Precisamente me acuerdo que cuando llegué en vísperas de la vigilia de las fiestas de San Felipe y quise cogerte en brazos, por poco me estropeas el

[7] Plato ucraniano.

vestido. ¡Suerte que tuve tiempo de pasarte a tu nodriza Matrena! ¡Qué feo eras entonces!… Pero no se trata de eso ahora. Toda la tierra que está detrás de nuestra hacienda y el mismo pueblo de Jortisch pertenecían a Stepan Kusmich. Tengo que explicarte que, cuando tú todavía no estabas en el mundo, empezó a ir con frecuencia a visitar a tu madre. A decir verdad, cuando tu padre no estaba en casa. Esto no lo digo por censurarla. ¡Que Dios la tenga en gloria! Aunque la difunta no tuvo razón en ponerse en contra mía. Pero ahora no se trata de esto. Sea lo que sea, es el caso que Stepan Kusmich hizo un legado a tu favor precisamente de esa propiedad de que te he hablado. Sin embargo, tu difunta madre, hay que decirlo entre nosotros, tenía un carácter muy particular, y ni el mismo diablo (que Dios me perdone por esa fea palabra) hubiera podido comprenderla. ¿Dónde puso el escrito? Sólo Dios lo sabe. Yo creo, sencillamente, que está en las manos de ese viejo solterón Grigori Grigorievich Storchenka. Ese tripudo bribón heredó toda la hacienda. Estoy dispuesta a apostar, Dios sabe qué, a que ha escondido ese escrito.

—¿Me permite que le pregunte, tía, si no será Storchenka el mismo con quien hice conocimiento en la estación? —e Iván Fedorovich refirió su encuentro.

—¿Quién sabe? —contestó la tía, después de pensarlo un poco—. Puede que no sea un canalla. Verdad es que sólo vivió aquí medio año, y en ese tiempo es imposible conocer a una persona. He oído decir que la vieja… su madre…, es una mujer muy juiciosa. Me han dicho que tiene mucha habilidad para hacer los pepinos salados y que sus mozas tejen muy bien los tapices. Pero como dices que te recibió muy bien, tienes que visitarlo. Puede que el viejo pecador escuche su conciencia y devuelva lo que no le pertenece. Hubieras podido ir en el coche, pero los malditos niños le han arrancado todos los clavos de detrás. Diré a Omelka que sujete mejor el cuero por todas partes.

—¿Para qué, tiíta?… ¿Para qué? Cogeré el coche pequeño que lleva usted cuando va a tirar a las aves.

Y aquí se acabó la conversación.

V
Comida

A la hora de la comida, Iván Fedorovich llegó al pueblo de Jortisch, sintiéndose un poco azarado al acercarse a la casa de los propietarios. Esta casa era larga y no tenía, como las de los otros terratenientes de los alrededores, tejado de juncos, sino de madera. En el patio había dos graneros también con tejado de madera y un portón de roble. Iván Fedorovich se sentía en aquel momento como uno de esos petimetres que cuando asisten a un baile ven a cuantos los rodean vestidos mejor que ellos. Por respeto, detuvo su cochecito junto a un granero y se dirigió a pie a la escalera principal.

—¡Oh!… ¡Iván Fedorovich!… –gritó el gordo Grigori Grigorievich, que andaba por el patio vestido de levita, pero sin corbata, chaleco ni tirantes. Esta vestimenta parecía pesar sobre su maciza anchura, pues el sudor le caía a chorros–. ¡De manera que decía usted que en cuanto viera a su tía vendría a verme y hasta ahora no ha venido! –después de estas palabras, los labios de Iván Fedorovich encontraron los mismos conocidos almohadones.

—La hacienda ocupa la mayor parte de mi tiempo. Hoy he venido un minuto a verle y, a decir verdad…, para un asunto.

—¿Por un minuto? ¡De ninguna manera!… ¡Eh, mozo! –gritó el gordo amo de la casa. Y el mismo muchacho, vestido de *kaftán* cosaco, salió corriendo de la cocina–. ¡Di a Kasian que cierre el portón en seguida! ¿Me oyes?… ¡Que cierre fuertemente! ¡Y que desenganchen ahora mismo los caballos de este señor! Sírvase pasar a la casa, aquí hace tanto calor, que me he puesto toda la camisa mojada.

Al entrar en la vivienda, Iván Fedorovich decidió no dejar pasar el tiempo en vano y, venciendo su timidez, obrar con decisión.

—Ya la tía tuvo el honor… Me dijo que el escrito de donación del difunto Stepan Kusmich…

Es difícil describir la expresión de desagrado que estas palabras hicieron adquirir al espacioso rostro de Grigori Grigorievich.

—No oigo nada, a fe mía. Tengo que decirle que en mi oreja izquierda ya se metió una vez una cucaracha. En las isbas rusas la maldita gente las ha dejado reproducirse. El sufrimiento que fue

31

no podría describirlo ninguna pluma. Hacía cosquillas y más cosquillas... Me curó una vieja por un procedimiento sencillísimo...

—Yo quería decir –se atrevió a interrumpir Iván Fedorovich, al ver que la reserva mental de Grigori Grigorievich le llevaba a volver la conversación hacia otra cosa– que en el testamento del difunto Stepan Kusmich se hace alusión..., digámoslo así..., al escrito de donación..., según el cual me pertenece...

—Ya sé yo que a su tía le ha faltado tiempo para decirle todo eso. Pero es mentira... A fe mía que es mentira... El tío no hizo ningún escrito de donación, aunque sí es verdad que en el testamento se alude a cierto legado. Pero ¿dónde está el escrito? Nadie lo presentó. Todo esto se lo digo por su bien. A fe mía que es una mentira.

Iván Fedorovich se quedó callado, reflexionando que tal vez la tía había, efectivamente, imaginado todo esto.

—¡Aquí vienen mi madre y mis hermanas! –dijo de pronto Grigori Grigorievich–. Eso quiere decir que la comida está preparada. ¡Vamos! –diciendo esto, tiró de Iván Fedorovich y le llevó casi a rastras al aposento en que estaban preparados los entremeses y el vodka. Al mismo tiempo que él, entró una viejecita bajita, una verdadera cafetera con gorro, y dos damiselas, una rubia y otra morena. Iván Fedorovich, en su calidad de caballero bien educado, se inclinó primeramente sobre la mano de la viejecita, luego sobre las manitas de ambas damiselas.

—Madrecita... Éste es nuestro vecino Iván Fedorovich Schpoñka –dijo Grigori Grigorievich.

La anciana miró fijamente a Iván Fedorovich o puede que pareciera solamente que le miraba. Era toda bondad. Diríase que hubiera querido preguntar a Iván Fedorovich: "¿Cuántos pepinos salados hace usted para el invierno?".

—¿Ha bebido ya vodka? –dijo, en cambio.

—Seguramente ha dormido usted hoy poco –dijo Grigori Grigorievich–. ¿Qué es eso de preguntar al invitado si ha bebido o no ha bebido? Ofrézcale usted..., que si ha bebido o no ha bebido..., ya es asunto nuestro. ¡Iván Fedorovich!... Le ruego... ¿Qué quiere usted? ¿Qué vodka prefiere?... Iván Ivanovich, ¿por qué estás en pie? –añadió, volviéndose.

Iván Fedorovich vio entonces a Iván Ivanovich, vestido con larga levita y con un enorme cuello duro que le cubría la nuca, hasta el punto que su cabeza parecía sentada sobre el cueco como sobre un carruaje, aproximarse al vodka.

Se acercó a la mesa en que estaba éste, miró detenidamente la copa, se frotó las manos, se sirvió, le puso bajo la luz, bebió de un sorbo todo el vodka, pero sin tragarlo; se enjuagó bien con él y acabó tragándoselo. Luego, después de comerse un trozo de pan con pepino salado, se dirigió a Iván Fedorovich.

—¿No es con el señor Iván Fedorovich Schpoñka con quien tengo el honor de hablar?

—Presente –contestó Iván Fedorovich.

—Mucho se ha servido usted cambiar desde los tiempos en que nos conocimos. Recuerdo, en efecto… –continuó Iván Ivanovich–, cuando era usted así –al decir esto, levantó la palma de la mano, señalando una vara sobre el suelo–. Su difunto padre, que Dios lo tenga en su gloria, era una persona excepcional. Sandías y melones como los que él tenía no se encuentran ahora en ningún sitio. Aquí, por ejemplo –prosiguió, llevándole aparte–, servían a la mesa melones, pero ¡qué melones!… ¡No quiere uno ni mirarlos! Créame, señor mío, que tenía unas sandías así –pronunció con aire misterioso y haciendo con los brazos ademán de abrazar un árbol muy gordo–. A fe mía que así.

—¡Vengan a sentarse a la mesa! –dijo Grigori Grigorievich, cogiendo de la mano a Iván Fedorovich.

En su sitio habitual, a un extremo de la mesa, se sentó Grigori Grigorievich con una inmensa servilleta anudada al cuello, que le hacía presentar un aspecto semejante al de los héroes que dibujan los anuncios de las peluquerías. Enrojeciendo, Iván Fedorovich, se sentó en el sitio que le habían indicado, frente a las dos damiselas, e Iván Ivanovich se apresuró a sentarse a su lado, muy contento de tener a quién comunicar todas sus observaciones.

—¡Lástima que se haya usted servido ese pedazo, Iván Fedorovich!

—Es pavo –dijo la viejecita, dirigiéndose también a éste, al que en este momento el criado, vestido de frac gris con un remiendo negro, presentaba la fuente–. Coja usted la espaldita.

—Nadie le ha preguntado nada, madrecita –dijo Grigori Grigorievich–. Tenga la seguridad de que el invitado sabe ya lo que tiene que servirse. Iván Fedorovich…, tome usted ese aloncito… Mejor aquél… ¿Por qué se sirve usted tan poco? Coja usted también ese pedacito. Y tú, ¿qué haces ahí parado con esa fuente y con la boca abierta?… Ofrece… Ponte de rodillas, canalla… Di ahora mismo: "Iván Fedorovich, coja usted este pedacito".

—Iván Fedorovich, coja usted este pedacito –imploró el criado, poniéndose de rodillas, con la fuente entre las manos.

—Hum… ¡Vaya un pavo!… –dijo, a media voz y con aire despreciativo, Iván Ivanovich, dirigiéndose a su vecino–. ¡Los pavos no deben ser así! ¡Si viera usted los que tengo yo! Uno solo de ellos le aseguro que tiene más grasa que diez de estos juntos. Créame, señor mío, que hasta da asco mirarlos pasar por el patio, de grasientos que son.

—¡Mientes, Iván Ivanovich! –pronunció Grigori Grigorievich, que había escuchado este discurso.

—Le diré –prosiguió aquél, como si no hubiera oído las palabras de Grigori Grigorievich–, que el año pasado, cuando los envié a Gadiach, me los pagaban a cincuenta kopeks por pieza, y aún así y todo, no quise aceptar.

—¡Iván Ivanovich, te digo que mientes! –dijo más fuerte y recalcando, como para que quedara más claro, Grigori Grigorievich.

Iván Ivanovich, sin embargo, no pareció darse por aludido, y continuó hablando del mismo modo, aunque ya en voz baja.

—Exactamente lo que digo. No lo quise tomar. En Gadiach ni un solo terrateniente.

—¡Eres tonto, Iván Ivanovich, y nada más! –dijo en voz alta Grigori Grigorievich–. Iván Fedorovich sabe todo eso mejor que tú y seguramente no te cree…

Esta vez Iván Ivanovich se ofendió profundamente. Se quedó callado y empezó a comerse su pavo, puesto que no era tan grasiento como aquéllos que tanto asco daba notar. El ruido de los tenedores, de los cuchillos y de los platos distrajo por algún tiempo la conversación, pero lo que más fuerte se oía era el ruido que hacía Grigori Grigorievich chupando el tuétano del hueso del cordero.

—¿Ha leído usted –preguntó Iván Ivanovich, después de un

silencio sacando la cabeza de su carruaje y dirigiéndola a Iván Fedorovich–, el libro del viaje de Korobeinikov a los Santos Lugares?... Es un verdadero placer para el alma y el corazón. ¡Ahora no hay más libros así! ¡Lástima no haberme fijado de qué año era!

Iván Fedorovich, al oír que la conversación trataba de libros, se puso con afán a servirse la salsa.

—¡Pensar, señor mío, que un solo hombre ha recorrido todas estas tierras, es verdaderamente asombroso! ¡Más de tres mil leguas, señor mío! Dios le inspiró a visitar Palestina y Jerusalén.

—¿Dice usted entonces que él... –dijo Iván Fedorovich, que había oído a su asistente hablar mucho de Jerusalén– estuvo en Jerusalén?

—¿De qué habla, Iván Fedorovich? –preguntó Grigori Grigorievich, desde el otro extremo de la mesa.

—Quiero decir..., que he tenido ocasión de observar que hay en el mundo países lejanos –contestó Iván Fedorovich, muy contento de haber formulado una frase tan larga y difícil.

—¡No le crea, Iván Fedorovich! –dijo Grigori Grigorievich, que no había oído bien–. ¡Miente en todo!

Mientras tanto, se había dado fin a la comida. Grigori Grigorievich, como de costumbre, se retiró a dormir un poco, y los invitados siguieron a la ama viejecita y a las damiselas hasta el salón donde la misma mesa sobre la que estaba el vodka cuando marcharon a comer se veía ahora cubierta de platos conteniendo diferentes clases de mermelada, fuentes de sandías, guindas y melones.

La ausencia de Grigori Grigorievich se percibía en todo. El ama de la casa tornóse más habladora, descubriendo ella misma, sin que se lo rogaran, cómo se hacía el dulce de fruta y se secaban las peras. Hasta las mismas damiselas se pusieron a hablar, aunque la rubia, que parecía tener unos seis años menos que su hermana y a la que se podía echar unos veinticinco, era más callada. Pero más que nadie hablaba y actuaba Iván Ivanovich, en la seguridad de que nadie habría de molestarle o cortarle la palabra; hablaba de los pepinos, de la siembra, de la patata, de cómo en tiempos pasados había gentes tan juiciosas, que no podían compararse con las actuales, y de que cuanto más tiempo pasa, con más inteligencia, se inventan las cosas más complicadas. En una palabra, era una de esas personas que hablaban de todo lo que se puede hablar y se complacen grandemente en conversaciones que agraden al alma. Si éstas tocaban puntos importantes y piadosos, Iván Ivanovich suspiraba después de cada palabra, moviendo ligeramente la cabeza. Si se abordaban temas domésticos, sacaba la cabeza de su carruaje y hacía tales gestos, que en ellos podía leerse lo grandes que eran los referidos melones, cómo se hacía el *kvas* de peras y lo grasientos que eran los pavos que corrían por su patio. Por fin, con mucho trabajo, y ya hacia el atardecer, pudo despedirse Iván Ivanovich y, a pesar de su natural complacencia y de que casi a la fuerza le ofrecían pasar allí la noche, se mantuvo firme en su intención de marcharse, y se marchó.

VI
Una nueva conspiración de la tía

—Bien, ¿y qué?… ¿Le has podido sacar al viejo taimado el escrito?

Con esa pregunta recibió a Iván Fedorovich su tía, que le esperaba en la entrada con impaciencia y que sin poder resistir por más tiempo, salía del portón y se dirigía a su encuentro.

—No, tía –contestó Iván Ivanovich, bajando del coche–; Grigori Grigorievich no tiene ningún escrito.

—¿Y tú te lo has creído? Miente el maldito. ¡Un día iré a verle y le pegaré con mis propias manos! ¡Oh!… ¡Yo haré que se le reduzca la grasa! Pero primero hablaremos con nuestro escribano para ver si hay manera de obligarle judicialmente. Mas ahora no se trata de eso… Di… ¿Era buena la comida?

—Mucho, tía. Muy buena.

—¿Qué platos había? Cuéntame. Ya sé que la vieja es muy habilidosa para la cocina.

—Pues había *vareniki*[8] con crema… Pichones en salsa rellenos…

—¿Había pavo con ciruelas? –preguntó la tía, pues ella misma se daba mucha maña para preparar este plato.

[8] Plato ucraniano.

—También había pavo. Unas señoritas muy bonitas, hermanas de Grigori Grigorievich…

—¡Ah! –dijo la tía, mirando fijamente a Iván Fedorovich que, enrojeciendo, bajó los ojos al suelo. Un nuevo pensamiento le pasó por la cabeza–. Bien, ¿y qué? –preguntó con viveza y curiosidad–. ¿Qué cejas tiene?

Hay que decir que la tía había puesto siempre las cejas en el primer plano de la belleza femenina.

—Sus cejas, tía, son absolutamente iguales a las que tenía usted en su juventud. Y por toda la cara tiene unas pequeñas pecas.

—¡Ah! –dijo la tía, satisfecha de la observación de Iván Fedorovich, aunque éste no había tenido en su pensamiento la intención de hacer un elogio–. ¿Y qué vestido llevaba? ¡Claro que ahora es difícil encontrar telas tan sólidas como, por ejemplo, la de esta bata mía!… Pero ahora no se trata de esto. Bueno, qué ¿hablaste con ella de algo?

—¿Cómo que si hablé?… Yo, tía… Usted puede que piense.

—Bien, ¿y qué tiene eso de extraño?… Si Dios lo quiere… Puede que esté escrito en tu destino emparejar con ella…

—¡Pero, tía!, ¿cómo puede usted decir una cosa así? Eso prueba que no me conoce usted en absoluto.

—Vaya, ya te has ofendido –dijo la tía–.

"Todavía es muy joven el mozo –pensó para sí–. No tiene fundamento… Es menester que se encuentren…, que se conozcan."

Aquí la tía se fue a dar un vistazo a la cocina, dejando solo a Iván Fedorovich. Pero desde aquel tiempo no pensó más que en ver a su sobrino casado lo más pronto posible y en cuidar a sus nietecillos. Los preparativos de la boda ocupaban exclusivamente su cabeza, y en todos los asuntos se mostraba más soliviantada que antes, con lo cual estos marchaban más bien peor que mejor. Ocurría con frecuencia que, mientras hacía uno de esos postres que en general nunca confiaba a la cocinera, olvidada de todo e imaginando que a su lado estaba un nietecillo que le pedía dulce, tendía hacia aquél la mano con el mejor pedazo, y el perro, aprovechando la ocasión, atrapaba el buen bocado, lo que le valía, cuando con el ruido que hacía al triturarlo la sacaba de su abstracción, el ser golpeado con el gancho. Hasta dejó sus más queridas ocupaciones.

No iba de caza. Sobre todo desde que, en vez de una perdiz, mató a un cuervo, cosa que antes no solía ocurrir.

Por fin, unos cuatro días después de esta conversación, vieron todos cómo un carruaje era sacado de la cochera y llevado al patio. El cochero Omelka, hortelano y guardián al mismo tiempo, machacaba desde muy de mañana con el martillo sujetando el cuero del vehículo y espantaba a los perros, que venían a lamer las ruedas. Considero mi deber advertir a los lectores, que este carromato era precisamente el mismo en que un día viajara Adán. Por eso, si alguien dijera de algún otro carruaje que perteneció a Adán, el dicho sería una perfecta mentira y el carruaje falso. Se desconoce por completo la manera como se salvó del Diluvio, y se hace preciso pensar que en el arca de Noé hubo una cochera especial para él. ¡Es lástima no poder describir a los lectores su configuración! Baste decir que Vasilisa Kaschporovna estaba muy satisfecha de aquella arquitectura y que expresaba siempre su sentimiento porque los carruajes antiguos hubieran pasado de moda. La propia construcción del coche era en sí misma un poco *ladeada*. Quiero decir que el costado derecho era bastante más alto que el izquierdo, agradando a ella mucho el que por un lado pudiera penetrar una persona pequeña, y por el otro, otra de alta estatura. Dicho sea de paso, en el interior del vehículo podían haber penetrado cinco de pequeña estatura y tres de la de la tía.

Cerca del mediodía, Omelka, terminado su trabajo con el coche, sacó de la cochera tres caballos poco más jóvenes que aquél, y empezó a engancharlos con unas cuerdas al majestuoso carruaje. Iván Fedorovich y la tía –uno por el lado izquierdo y otra por el derecho– entraron en él, y éste se puso en movimiento. Los mujiks que encontraban en el camino, al ver pasar tan lujoso vehículo –la tía rara vez salía en él–, se paraban con mucho respeto y, quitándose los gorros, saludaban profundamente. Al cabo de unas dos horas, el coche se detuvo ante la entrada. Creo que no hay que decir que ante la entrada de la casa de Storchenka. Grigori Grigorievich no estaba en ella, pero la viejecita y las dos damiselas salieron al comedor al encuentro de los visitantes. La tía avanzó con paso majestuoso Y, adelantando un pie con mucha agilidad, dijo en voz alta:

—Estoy muy contenta, señora mía, de tener el honor de ofrecerle personalmente mis respetos. Permítame que a esto una mi agradecimiento por la buena acogida dispensada a mi sobrino Iván Fedorovich, que este tanto me ha ponderado… ¡Su centeno es maravilloso, señora! Tuve ocasión de verlo cuando nos acercábamos al pueblo. Permítame que le pregunte a cómo le pagan a usted la *desiatina*.[9]

A esto siguió un besarse general. Cuando todos tomaron asiento en el salón, la viejecita comenzó a decir:

—Referente al centeno, nada puedo decirle. Éste es asunto de Grigori Grigorievich. Me he ocupado mucho tiempo de esto, pero ya no puedo ocuparme. ¡Estoy vieja!… En otras épocas teníamos un centeno que llegaba hasta la cintura. ¡Hoy es otra cosa!…, aunque digan que ahora todo es mejor –al llegar a este punto, la viejecita suspiró, y cualquier observador hubiera visto en este suspiro el suspiro del viejo siglo XVIII.

—He oído, señora mía, que sus mozas tejen maravillosamente los tapices –dijo Vasilisa Kaschporovna, tocando la cuerda más sensible de la viejecita.

Ésta, al oír estas palabras, se animó, y su charla fluyó sobre la manera de teñir las madejas y sobre cómo para esto hay que preparar primeramente el hilo. De los tapices, la conversación pasó pronto al modo de hacer pepinos salados y de secar las peras. En una palabra, apenas había pasado una hora y ya las dos damas charlaban entre sí como si se conocieran hacía un siglo. Vasilisa Kaschporovna hablaba ahora con la otra en una voz tan baja, que Iván Fedorovich no podía oír nada.

—Si le place verlo… –dijo el ama viejecita, levantándose.

Tras ella se levantaron las damiselas, y Vasilisa Kaschporovna y todos se dirigieron a la habitación de las mozas. La tía, haciendo señas a Iván Fedorovich de que se quedara, dijo algo en voz baja a la viejecita.

—Mascheñka… –dijo ésta, dirigiéndose a la señorita rubia–. Quédate con el invitado. Háblale para que no se aburra.

La señorita rubia se quedó y se sentó en un diván. Iván Fedorovich permanecía sobre su silla como sobre alfileres. Enrojecía y

[9] Aproximadamente una hectárea.

bajaba los ojos, pero la señorita rubia parecía no reparar en esto e, indiferente, continuaba sentada en el diván, mirando con atención las ventanas y las paredes, o seguía con la vista al gato, que cobardemente se deslizaba corriendo bajo las sillas.

Iván Fedorovich, recobrándose un poco, quiso empezar una conversación, pero le pareció que todas las palabras se le habían quedado perdidas por el camino. No se le ocurría ni un solo pensamiento.

El silencio se prolongó por espacio de un cuarto de hora. La señorita seguía sentada como antes.

Por fin, Iván Fedorovich se armó de valor.

—En verano, señorita —dijo con una voz que casi temblaba—, hay muchas moscas.

—En efecto, hay demasiadas —contestó la señorita—. Mi hermanito ha hecho para ellas un matamoscas de un zapato viejo de mamaíta. Pero todavía quedan muchas.

Aquí la conversación terminó e Iván Fedorovich ya no supo de qué hablar.

Por fin, el ama, la tía y la señorita morenita volvieron. Después de charlar durante un buen rato, Vasilisa Kaschporovna se despidió de la viejecita y de las señoritas, a pesar de la invitación a quedarse a pasar la noche. La vieja y las señoritas salieron al rellano de la escalera a despedir a los invitados y durante mucho tiempo saludaron a la tía y al sobrino asomados al coche.

—Bueno, Iván Fedorovich, ¿de qué habéis hablado? —preguntó en el camino la tía.

—María Grigorievich es una joven muy recatada y de una gran moral dijo Iván Fedorovich.

—Escucha, Iván Fedorovich: quiero hablar contigo seriamente. Ya tienes, a Dios gracias, treinta y siete años. Has alcanzado un buen grado y ya es hora de pensar en los niños. Te hace falta de todo punto una esposa.

—Pero, tía!... —exclamó asustado Iván Fedorovich—, ¿cómo una esposa? ¡No, tía!... ¡Por favor!... ¡Me ha avergonzado usted! No he sido nunca casado. No sabría qué hacer con una esposa.

—Ya sabrás, Iván Fedorovich —dijo sonriendo la tía, y pensó para sí: "Es muy joven todavía el mozo. No tiene fundamento...".—

Sí, Iván Fedorovich –prosiguió en voz alta–, una esposa mejor que
María Grigorievich no podría encontrarse para ti. Además, te ha
gustado mucho. La vieja y yo hemos hablado sobre esto y está muy
contenta de tenerte por yerno. Verdad es que todavía no se sabe lo
que dirá el pecador de Grigorievich. Pero nosotros no vamos a
preocuparnos de él. ¡Que se atreva solamente a no darle dote!
¡Acudiríamos al Juzgado! –en ese momento se acercaban al patio y
los viejos pencos se animaban, presintiendo el cercano pesebre–.
Escucha, Omelka, deja primero descansar bien a los caballos y no
les des de beber en seguida. Están muy acalorados. Bueno, Iván
Fedorovich –prosiguió, saliendo del coche–, te aconsejo que pien-
ses sobre este asunto. Aún tengo que entrar un momento en la cocina. He olvidado decir a Soloja la cena que tenía que poner, y la
infame seguramente no habrá pensado en nada.

Iván Fedorovich se había quedado en pie como aturdido por
un trueno.

"María Grigorievich es una señorita muy guapa. Es verdad…,
¡pero casarse!" Esto le parecía tan raro, que no podía pensarlo sin
miedo. ¡Vivir con una esposa! ¡Incomprensible! No estaría solo en
su habitación. ¡En todas partes tendrían que ser dos! La fuerza con
que se hundía en su pensamiento hacía brotar sudor de su rostro.

Se acostó antes que de ordinario, pero, a pesar de sus esfuerzos, no podía dormir. Por fin, el anhelado sueño, el gran tranquili-
zador vino a visitarle. Pero ¡qué sueño! Sueños tan incoherentes
no había tenido nunca. Unas veces soñaba que todo a su alrededor
hacía ruido y se movía, y que él corría, corría sin sentir sus pies. Ya
estaba casi a punto de perder las fuerzas. De pronto, alguien lo
agarraba por una oreja. "¡Ay!… ¿Quién es?" "Soy yo, tu esposa",
decía en medio del ruido una voz, y él entonces se despertaba.
Otras veces soñaba con que estaba casado, y todo en su casa era
tan raro…, tan portentoso… En su habitación, en vez de una cama
solitaria, había una doble cama, y sobre la silla estaba sentada la esposa. ¡Todo le parecía tan extraño!… No sabía cómo acercarse a
ella…, de qué hablar con ella… ; pero, de pronto, se fijó en que tenía cara de ganso. Sin querer, miró a otro lado y vio a otra esposa
también con cara de ganso. Se volvió a otro lado y… ¡una tercera
esposa! A su espalda, otra más. Lleno de tristeza se echó a correr

por el jardín, pero en el jardín hacía mucho calor. Se quitó el sombrero y vio que dentro del sombrero estaba sentada la esposa. El sudor brotaba de su rostro. Metió la mano en el bolsillo para sacar el pañuelo y en el bolsillo estaba la esposa. Se sacó de la oreja un papelito y en él estaba la esposa también. Luego se puso a saltar sobre un pie, y la tía, al verlo, le decía con aire importante: "Sí. Tienes que saltar, porque ahora eres un hombre casado". Se dirigió a ella, pero la tía ya no era la tía, era un campanario. De repente, sintió que alguien le arrastraba con una cuerda hacia él. "¿Quién me arrastra?", dijo con voz lastimera Iván Fedorovich. "Soy yo, tu esposa. Te arrastro porque eres una campana." "¡Si soy Ivan Fedorovich!", gritaba él. "No. Tú eres una campana", dijo el coronel del regimiento de Infantería de P***, pasando delante de él. Otras veces soñaba con que su esposa no era una persona, sino una tela de nada, y que él, en Mogilev, entraba en una tienda. "¿Qué tela se le ofrece?", decía un comerciante. "Lleve usted la esposa. Es una tela muy buena y la que está más de moda. De ella se hacen ahora todos los uniformes." El comerciante medía y cortaba la esposa. Iván Fedorovich se la metía debajo del brazo y se iba con ella al sastre judío. "Es una tela muy mala. Nadie se hace el uniforme de esto", decía el judío. Iván Fedorovich se despertó lleno de miedo y casi sin sentido. Un sudor frío le caía a chorros.

En cuanto se levantó por la mañana se dirigió al libro de la *Buenaventura*, en cuyo final un virtuoso comerciante, por bondad y desinterés, había añadido una explicación compendiada de los sueños. Pero allí no encontró nada que se pareciera siquiera un poco a un sueño tan descosido.

Mientras tanto, en la cabeza de la tía maduraba un proyecto completamente nuevo, que más adelante conoceremos.

Nikolai Gogol (1809-1852)

La nariz

I

El 25 de marzo ocurrió en Petersburgo un suceso verdaderamente extraordinario. El barbero Iván Yákovlevich, avecindado en la avenida Voznesenski (su apellido no ha llegado hasta nosotros, y ni siquiera figura en el rótulo de su establecimiento, donde se ve a un señor de cara enjabonada y la inscripción: "También se hacen sangrías"), el barbero Iván Yákovlevich, decíamos, se despertó bastante temprano cuando llegó hasta su nariz un olorcillo a pan caliente. Se incorporó en el lecho y vio que su mujer, una señora respetabilísima y apasionada por el café, estaba sacando del horno unos panecillos recién cocidos.

—Hoy no tomaré café, Praskovia Osípovna –dijo Iván Yákovlevich–. En cambio, me comería de buena gana un panecillo caliente con cebolla.

A decir verdad, habría preferido lo uno y lo otro, pero bien sabía que ambas cosas era pedir lo imposible, pues Praskovia Osípovna detestaba tales caprichos.

"Que coma pan el muy tonto. Mejor para mí, me quedaré con su taza de café", pensó la esposa, y echó un panecillo sobre la mesa.

Iván Yákovlevich, por consideraciones de decoro, se puso el frac encima del camisón de dormir, se sentó a la mesa, aprestó sal y dos cebollas, tomó el cuchillo y, adoptando un aire solemne, cortó el pan en dos mitades. Hecho esto, miró al centro de una de ellas y, con gran asombro, vio entre la miga una cosa blanquecina. Iván Yákovlevich hurgó cautelosamente con el cuchillo y palpó con el dedo.

"Pues está duro –dijo para sí–. ¿Qué podrá ser esto?"

Metió los dedos y sacó… ¡una nariz! Iván Yákovlevich se quedó de una pieza. Se restregó los ojos y se puso a palparla: ¡era una nariz, nada menos que una nariz! Más aún: se le figuraba que era la nariz de un conocido. Una expresión de horror se pintó en el semblante de Iván Yákovlevich. Pero ese horror no fue nada en comparación con la furia que se apoderó de su esposa.

—¿A quién has rebanado esa nariz, so fiera? –gritó encolerizada–. ¡Truhán, borracho! Yo misma daré parte a la policía. ¡Habrase visto bandolero! Ya he oído decir a tres clientes que cuando afeitas das cada tirón de las narices que falta poco para que las arranques.

Pero Iván Yákovlevich estaba más muerto que vivo. Acababa de advertir que aquella nariz no era otra que la del asesor colegiado Kovaliov, al que afeitaba los miércoles y domingos.

—Espera, Praskovia Osípovna: ahora mismo la envolveré en un trapo y la dejaré en un rincón. Que se quede allí un ratito; luego me la llevaré.

—¡Lo único que me faltaba! ¿Voy a permitir yo en mi casa una nariz cortada? ¡Animal! No sabes más que pasar la navaja por el suavizador, y pronto serás incapaz de cumplir con tu obligación. ¡Estúpido! ¿Crees que voy a cargar yo con la responsabilidad cuando venga la policía? ¡Cochino, ceporro estúpido! ¡Ya te la estás llevando! ¡Largo de aquí! Llévala adonde quieras. ¡Que yo no la vea ni en pintura!

Iván Yákovlevich estaba anonadado. Por mucho que pensaba, no sabía qué hacer.

"El diablo sabe cómo ha podido ocurrir todo esto –terminó diciéndose, al tiempo que se rascaba la cabeza–. ¿Volví borracho ayer? ¡Vaya usted a saberlo! Pero, a juzgar por todo, la cosa es la mar de rara, porque el pan es algo cocido mientras que la nariz no lo está en absoluto. ¡No entiendo este lío!…"

Iván Yákovlevich no dijo más. La idea de que la policía pudiera encontrarle la nariz e inculparle le tenía completamente aturdido. Ya se imaginaba ver delante de sí un cuello rojo con finos bordados de plata, la espada… y la visión le hacía temblar como un azogado. Por último, echó mano a la ropa interior y a las botas, se puso todos aquellos arreos y, a los acordes de las desabridas reconvenciones de Praskovia Osípovna, envolvió la nariz en un trapo y se lanzó a la calle.

Llevaba la intención de tirar el envoltorio en cualquier parte: bien tras el guardacantón de la salida, o bien soltarlo como por casualidad y torcer luego por una callejuela. Mas, para desdicha suya, a cada paso tropezaba con algún conocido que le paraba para preguntarle:

—¿Adónde vas? ¿A quién vas a afeitar tan temprano?

Por eso, Iván Yákovlevich no podía encontrar una ocasión oportuna. Una vez llegó incluso a dejar caer el envoltorio, pero un guardia municipal le hizo desde lejos señas con la alabarda, añadiendo de palabra:

—¡Eh, recoge eso que se te ha caído!

Iván Yákovlevich tuvo que recoger la nariz y metérsela en el bolsillo. La desesperación le iba embargando, ya que, a medida que se iban abriendo las tiendas, se multiplicaba el número de transeúntes.

Determinó encaminarse al puente Isákievski para ver si conseguía tirarla al Nevá… Pero he de confesarme un tanto culpable por no haber dicho hasta el presente nada acerca de Iván Yákovlevich, persona respetable por muchos conceptos.

Iván Yákovlevich, como todo buen menestral ruso, era un borracho empedernido. Y aunque día tras día afeitaba barbas ajenas, la suya iba siempre sin rasurar. El frac de Iván Yákovlevich (Iván Yákovlevich no usaba jamás levita) era de lunares, o por mejor decirlo, negro, su verdadero color era negro, pero estaba sembrado de manchas pardas, amarillentas y grises; el cuello estaba reluciente del sebo, y en lugar de tres botones no se veían más que unos hilos colgando. Era Iván Yákovlevich un gran cínico. El asesor colegiado Kovaliov le decía cuando le estaba afeitando:

—Iván Yákovlevich, siempre te apestan las manos.

A lo que él replicaba con una pregunta:

—¿Y de qué me van a apestar?

—No lo sé, hermano, pero apestan —volvía a la carga el asesor colegiado.

E Iván Yákovlevich, después de llevarse a la nariz una toma de rapé, a modo de represalia, le enjabonaba la cara, el bigote, detrás de las orejas, el cuello; en una palabra, todo cuanto le daba la gana.

Este digno ciudadano había llegado ya al puente Isákievski. Lo primero, oteó en torno suyo; luego se inclinó sobre el pretil, como mirando si por debajo pasaban muchos peces, y tiró con disimulo el trapo con la nariz. Sintió al instante como si le hubiesen quitado diez *puds*[1] de encima y hasta llegó a esbozar una sonrisa. En vez de rapar barbas oficinescas, puso rumbo a un establecimiento que lucía el rótulo de "Comidas y té", con la idea de tomarse un ponche. Pero he aquí que a la salida del puente divisó a un guardia de noble apostura, de anchas patillas, tricornio y espada. El barbero se quedó petrificado cuando el agente le hizo señas con el dedo mientras le decía:

—Acércate, buen hombre.

Iván Yákovlevich, buen conocedor de las ordenanzas, se quitó la gorra ya desde lejos y, acercándose con presteza, dijo:

—¡A las órdenes de usía!

—No, aguarda, hermano, déjate de usías. A ver, dime qué estabas haciendo ahí en el puente.

—Por Dios se lo juro, señor: venía de afeitar a uno y me he parado a mirar si el río llevaba mucha agua.

—¡Mientes, embustero! A mí no me la das. ¡Contesta!

—Estoy dispuesto a afeitar a su merced dos veces a la semana, tres si hace falta, sin rechistar lo más mínimo –dijo Iván Yákovlevich.

—No, amigo. ¡A mí con esas! Tres barberos me afeitan, y lo tienen a mucho honor. Conque, ea, cuenta lo que hacías.

Iván Yákovlevich palideció… Pero aquí el relato queda absolutamente cubierto por la bruma, y de lo que después aconteció no se sabe absolutamente nada.

II

El asesor colegiado Kovaliov se despertó bastante temprano y dejó escapar un "brrr…", cosa que hacía siempre al despertarse, sin que

---

[1] El *pud* equivale a poco más de 16 kilogramos.

él mismo pudiera aclarar el motivo. Kovaliov se despertó y mandó que le alargasen un espejito que había en la mesa. Quería verse un pequeño grano que la tarde anterior le había salido en la nariz. ¡Cuál no sería su asombro al observar que el sitio dedicado a la nariz estaba liso como una tabla! Kovaliov, sobresaltado, pidió agua, mojó una toalla y se frotó los ojos: ¡nada, que la nariz había desaparecido! Se dio pellizcos para cerciorarse de que no estaba dormido. No, parecía que no era un sueño. El asesor colegiado Kovaliov saltó de la cama y sacudió la cabeza. ¡No tenía nariz!... Pidió al instante la ropa y se fue como una flecha a ver al jefe de policía.

Sin embargo, será cosa de decir unas palabras acerca de Kovaliov para que el lector conozca la categoría de nuestro asesor colegiado. Los asesores colegiados que ganan su título a fuerza de estudios no han de compararse en modo alguno con los que lo obtuvieron en el Cáucaso. Son dos categorías del todo diferente. Los asesores colegiados diplomados... Pero Rusia es una tierra tan peregrina, que basta decir algo de un asesor colegiado para que todos los que poseen dicho título, desde Riga hasta Kamchatka, crean que va con ellos. Y en cuanto a las personas que han alcanzado otro grado o título, sucede tres cuartos de lo mismo.

Kovaliov era asesor colegiado del Cáucaso. Hacía sólo dos años que ostentaba el título, por lo que no lo olvidaba ni un instante, y para dar más peso a su persona, nunca se presentaba como asesor colegiado, sino como mayor.

—Oye, preciosa –solía decir al encontrar en la calle a alguna moza vendiendo pecheras almidonadas–, pásate por mi casa. Está en la calle Sadóvaya. No tienes más que preguntar por el mayor Kovaliov. Todo el mundo te dirá dónde vivo.

Y si la vendedora era de buen ver, le daba, además, un recado confidencial, añadiendo:

—Pregunta, alma mía, por el piso del mayor Kovaliov.

Así pues, en adelante llamaremos "mayor" al asesor colegiado.

El mayor Kovaliov daba un paseo diario por la avenida Nevski. Llevaba siempre el cuello de la pechera extraordinariamente limpio y almidonado. Sus patillas eran como las que todavía usan los agrimensores provinciales y comarcales, los arquitectos y los médicos de regimiento, como los funcionarios de policía y, en general, cuantos varones poseen rubicundos mofletes y juegan admirablemente al *boston*. Las patillas en cuestión atraviesan de lado a lado la cara hasta desembocar directamente en la nariz.

El mayor Kovaliov llevaba en la cadena numerosos sellos a guisa de dijes: unos, de cornalina; otros, con escudos, y otros, con inscripciones grabadas: miércoles, jueves, lunes, etc. El mayor Kovaliov había llegado a Petersburgo para resolver ciertos asuntos; mejor dicho, para gestionar un cargo en consonancia con su rango: de vicegobernador a ser posible, y si no eso, de ejecutor en algún departamento de categoría. Tampoco se opondría al matrimonio, pero sólo a condición de que a la vez que la novia pasase a sus manos un capital de doscientos mil rublos. Juzgue, pues, el lector de la situación del mayor al advertir que, en vez de su nariz, nada deforme y bastante moderada, le había quedado un estúpido lugar liso y plano.

Para colmo de males, no se veía en la calle un solo coche y Kovaliov tuvo que ir a pie, embozado en la capa y tapándose la cara con el pañuelo, como si le sangrara la nariz. "Tal vez será una ilusión mía; es imposible que mi nariz se haya extraviado sin más ni más." Entró en una pastelería para mirarse en un espejo. Por fortuna estaba desierta. Unos chicuelos barrían el suelo y ordenaban las sillas. Otros, de ojos aún soñolientos, llevaban bandejas con empanadillas calientes. Periódicos de la víspera, manchados de café yacían tirados por mesas y sillas.

—Gracias a Dios que no hay nadie –dijo Kovaliov–. Ahora podré contemplarme. –Se acercó tímidamente al espejo y echó una mirada–. ¡Por vida del diablo, vaya una porquería! –exclamó, escupiendo con desagrado–. Si al menos tuviera algo en lugar de la nariz… ¡Pero no hay nada!

Mordiéndose los labios de despecho, abandonó la pastelería y, contrariamente a su costumbre, hizo voto de no mirar ni sonreír a nadie. De repente, se detuvo absorto a la entrada de una casa. Algo inexplicable acababa de ofrecerse a su vista: ante el portal se había detenido un coche; habíase abierto la portezuela e, inclinándose ligeramente, había saltado del coche un caballero de uniforme, que subió a buen paso las escaleras. ¡Imaginaos el horror y la estupefacción de Kovaliov al comprobar que aquel señor era su nariz!

Ante un fenómeno tan sobrenatural, le pareció que todo se trastocaba. Sentíase desfallecer, pero, temblando como un palúdico, resolvió esperar a toda costa que la visión reapareciese. En efecto, al cabo de dos minutos salía la nariz. Iba de uniforme recamado en oro, de cuello alto; pantalón de gamuza y espadín al cinto. Por el plumaje del sombrero podía colegirse que era consejero de Estado. Todo parecía indicar que iba de visita. Miró a ambos lados, pidió a gritos el coche, se metió en él y se alejó.

Poco faltó para que Kovaliov perdiera el juicio. Tan extraño era el suceso que no sabía cómo entenderlo. ¿En qué cabeza cabía que vistiese uniforme una nariz que ayer estaba en su casa y no era capaz de andar por su pie, ni de montar en coche por sí sola? Echó a correr tras el vehículo, que, por suerte para él, no fue muy lejos e hizo alto ante la catedral de Nuestra Señora de Kazán.

Kovaliov se precipitó hacia el templo, abriose paso por entre la fila de mendigas que tanto le hacían reír en otros tiempos con sus caras vendadas sin más que dos orificios para los ojos, y penetró en el sagrado recinto. Los fieles no eran muchos, y se hallaban casi todos en la misma entrada. Tan consternado se hallaba Kovaliov que no se sintió con ánimos para persignarse y empezó a buscar a ese caballero por todos los rincones. Por fin, lo distinguió en un extremo del templo. La nariz había escondido la cara, protegiéndola con el alto cuello, y rezaba con gran devoción.

"¿Cómo abordarlo? –se preguntó Kovaliov–. Su uniforme y su sombrero indican claramente que es un consejero de Estado. ¿Cómo diablos iniciar la conversación?"

Carraspeó varias veces muy cerca de él. Pero la nariz no abandonaba ni por un momento su devota ocupación y no cesaba de hacer inclinaciones.

—Señor mío… –musitó Kovaliov, tratando de infundirse ánimos–. Señor mío…

—¿Qué se le ofrece? –preguntó la nariz, volviendo la cara.

—Me extraña sobremanera, caballero…, me parece… que usted debería saber cuál es su sitio. ¿Dónde vengo a encontrarle? En la iglesia. Comprenderá usted…

—Dispénseme, pero no entiendo qué es lo que me quiere decir… Haga el favor de explicarse.

"¿Qué explicación le voy a dar?", pensó Kovaliov. Y sacando fuerzas de flaqueza, comenzó:

—Evidentemente, yo…, dicho sea de paso, soy mayor. Convendrá usted conmigo en que eso de andar sin nariz es indecoroso. A cualquiera de esas mujeres que venden naranjas heladas en el puente Voskresenski podría faltarle la nariz, pero a mí, que aspiro a obtener… y, además, estoy relacionado con damas como la señora de Chejtariova, esposa de un consejero de Estado, y otras muchas… Juzgue usted por sí mismo… No sé, caballero… –al llegar aquí, el mayor Kovaliov se encogió de hombros–. Dispense… pero si lo consideramos conforme a las reglas del deber y el honor… usted mismo podrá comprender…

—Decididamente, no entiendo nada –replicó la nariz–. Explíquese mejor.

—Señor mío –dijo Kovaliov dignamente–, no sé cómo interpretar sus palabras… Creo que la cosa está perfectamente clara… O es que quiere… ¡Porque usted es mi propia nariz!

La nariz miró fijamente al mayor y frunció un tanto el ceño.

—Se equivoca, caballero. Yo soy yo. Y entre nosotros no puede haber relaciones de intimidad de ningún género. A juzgar por los botones de su uniforme, usted pertenece a un departamento que no es el mío.

Dicho esto, la nariz se volvió y prosiguió sus oraciones.

Kovaliov quedó enteramente turbado, sin saber qué hacer ni qué pensar. En esto se oyó el seductor frufrú que producen las vestiduras femeninas. Se había acercado una señora de cierta edad, toda engalanada de encajes, a la que acompañaba una damisela esbeltísima, ataviada con un vestido blanco, que contorneaba divinamente su armonioso talle, y que se tocaba con un sombrerito de paja, vaporoso como un merengue. A sus espaldas se situó y abrió la caja de rapé un lacayo de elevada estatura y abultadas patillas, que lucía una docena entera de esclavinas superpuestas.

Kovaliov se aproximó, puso al descubierto el cuello de batista de su pechera, ordenó los dijes que colgaban de la cadena de oro y, carraspeando a ambos lados, paró su atención en la vaporosa damisela, que, como una florecilla primaveral, se inclinaba levemente, levantando para santiguarse una mano nacarada, de dedos casi transparentes. La sonrisa de Kovaliov se dilató mucho más cuando vio bajo el sombrero la redonda barbilla de resplandeciente blancura y parte de una mejilla matizada por el color de la más temprana rosa de primavera. Pero de repente dio un salto atrás como si hubiera puesto la mano en un hierro ardiendo. Cayó en la cuenta de que estaba totalmente desnarigado y las lágrimas asomaron a sus ojos. Dio la vuelta, con objeto de anunciar lisa y llanamente al caballero del uniforme que no le engañaba su disfraz de consejero de Estado, que era un vil farsante y que no era otra cosa que su nariz... Pero la nariz se había esfumado, a buen seguro para proseguir sus visitas.

La desesperación se apoderó de Kovaliov. Salió de la iglesia y se detuvo unos instantes en la columnata mirando a su alrededor para ver si reaparecía la nariz. Recordaba perfectamente el plumaje del sombrero y el uniforme recamado en oro; mas no tuvo tiempo de fijarse en cómo era el capote, ni en el color del coche, ni en los caballos, ni si llevaba lacayo, ni en la librea de éste. Además, era tal el número de vehículos que cruzaban raudos en una y otra dirección, que habría sido algo harto difícil el identificar el coche de su nariz. Y aun cuando lo hubiese conseguido, no hubiese sido capaz de detenerlo por ningún medio.

El día era bello y soleado. Un enjambre humano llenaba la avenida Nevski. Las damas formaban un torrente de flores que fluía por la acera desde el puente Politseiski hasta el de Anichkin. Por allí venía un consejero palatino, conocido suyo, al que Kovaliov daba el tratamiento de teniente coronel, sobre todo en público. Ahora pasaba su gran amigo Yaryzhkin, jefe de oficina en el Senado, que siempre era cogido en renuncio cuando jugaba al ocho en el *boston*. Otro mayor, nombrado asesor en el Cáucaso, le hacía señas con la mano para que se acercase...

—¡Maldita sea! –dijo Kovaliov–. ¡Eh, cochero, a la prefectura de policía!

Subió al vehículo y durante todo el trayecto no cesó de vociferar al conductor: "¡Arrea, arrea!"

—¿Está el jefe? –preguntó al entrar en el vestíbulo.

—No, señor –le respondió el portero–. Acaba de salir.

—¡Aviados estamos!

—Así es –añadió el portero–. No hace mucho, pero ha salido. Si llega usted un minuto antes, quizá lo habría encontrado.

Kovaliov, sin quitarse el pañuelo de la cara, volvió a subir al coche y gritó con acento de desesperación:

—¡En marcha!

—¿Adónde? –preguntó el cochero.

—¡Todo seguido!

—¿Cómo seguido? Ahí tenemos un cruce: ¿a la derecha o a la izquierda?

La pregunta dejó cortado a Kovaliov, obligándole a reflexionar. Lo procedente, en su situación, era recurrir, ante todo, a la Dirección de Seguridad; no por la relación directa que guardaba con la policía, sino porque de ella podían esperarse disposiciones mucho más rápidas que en cualquier otra parte. Pedir justicia a las autoridades del departamento a que dijo pertenecer la nariz no era sensato, pues por las propias respuestas de la nariz resultaba evidente que para aquel sujeto no había nada sagrado y que era capaz de volver a mentir como había mentido al afirmar que nunca le había visto.

Así pues, Kovaliov se disponía ya a ordenar al cochero que le llevara a la Dirección de Seguridad, cuando le volvió a asaltar la idea de que aquel impostor, que ya en la primera entrevista había observado una conducta tan indecorosa, podía muy bien aprovechar el tiempo para huir de la ciudad, con lo cual todas las pesquisas serían vanas o durarían, ¡Dios no lo quisiera!, un mes entero.

Por fin, fue como si el propio cielo le hubiera iluminado: Kovaliov decidió dirigirse, sin más rodeos, a la Oficina de Publicidad y presentar en la sección de anuncios con la descripción detallada de las señas del sujeto, a fin de que cuantos lo viesen pudieran conducirlo acto seguido a su presencia o, cuando menos, informarle de su paradero. Habiéndolo, pues, decidido así, ordenó al cochero que se dirigiera a la Oficina de Publicidad, y durante el camino no cesó de aporrearle la espalda con el puño, al mismo tiempo que gritaba:

—¡De prisa, villano! ¡Más rápido, truhán!

—¡Eh, señor! –se lamentaba el cochero, sacudiendo la cabeza y fustigando con las riendas al caballo, un penco lanudo como un perro faldero.

El carruaje se detuvo al fin y Kovaliov entró, precipitado y jadeante, en una pequeña antesala donde un funcionario de pelo canoso, de viejo frac y antiparras, sentado ante una mesa y con la pluma entre los dientes, contaba las monedas de cobre recaudadas.

—¿Quién es el que se hace cargo de los anuncios? –preguntó Kovaliov a voz en grito–. ¡Ah, muy buenos días!

—Muy buenos los tenga usted –contestó el canoso oficinista, alzando un instante los ojos y volviendo a abismarlos en los montones de monedas.

—Quisiera publicar...

—Tenga la bondad de esperar un poco –repuso el funcionario, anotando un número en un papel con la mano derecha y pasando con los dedos de la izquierda dos bolas del ábaco.

Un engalonado lacayo, a juzgar por las apariencias, servidor de una casa aristocrática, que se hallaba ante la mesa con un anuncio en la mano, estimó conveniente exteriorizar su sociabilidad:

—Créame, caballero, el perro no vale ni ochenta kopeks, es decir, yo no daría por él ni ocho ochavos. Pero la condesa se ha encaprichado con él. Le tiene cariño y está dispuesta a gratificar con cien rublos a quien lo encuentre. A decir verdad, tan cierto como que estamos aquí, hay gustos muy extraños. Yo creo que si uno tiene afición, más aún si es cazador, debe mantener un perro de muestra, o un perro de lanas. Si el perro tiene presencia, no hay que reparar en quinientos o hasta en mil rublos.

El respetable funcionario le escuchaba con muestras de interés, sin que por ello cesara en su tarea de contar el número de letras del nuevo anuncio. Había alrededor una multitud de viejas, dependientes de comercio y porteros, todos ellos con su correspondiente anuncio. En uno se ofrecían los servicios de un cochero al que no le gustaba el alcohol. En otro se ofrecía un coche en buen uso, traído de París en 1814. En el de más allá se ofrecía una joven de diecinueve años para lavar y otras faenas. Se vendía una calesa resistente, aunque le faltaba una ballesta; un brioso potro de diecisiete años; una simiente nueva de nabos y de rábanos, recibida de Londres; una casa de campo con todas sus dependencias, dos cuadras para caballos y un terreno en el que se podía plantar abedules o abetos. Había también un anuncio para que quien desease adquirir suelas viejas acudiese diariamente a la almoneda de ocho de la mañana a tres de la tarde.

El aposento en que se había congregado toda aquella gente era muy reducido, y el aire estaba sumamente cargado. Pero el asesor colegiado Kovaliov no podía percibir olor alguno, primero porque se tapaba con el pañuelo y, además, porque Dios sabía dónde se había metido su nariz.

—Señor, permítame… Es muy urgente –dijo al fin, movido por la impaciencia.

—Ahora, en seguida. Dos rublos cuarenta y tres kopeks –decía el señor del pelo entrecano, arrojando las facturas a viejas y porteros–. Y usted, ¿qué desea? –acabó por dirigirse a Kovaliov.

—Yo quisiera… Soy víctima de un fraude, de una superchería que hasta este mismo instante no alcanzo a comprender. Tan sólo le pido que en el anuncio se ofrezca una buena recompensa a quien me traiga a ese canalla.

—¿Cómo se llama usted, por favor?

—No, ¿para qué hace falta mi nombre? No tengo por qué decirlo. Son muy numerosas mis amistades, la señora Chejtariova, esposa de un consejero de Estado, Pelagueya Grigórievna Podtóchina, casada con un oficial superior… ¡Dios quiera que no se enteren! Ponga, sencillamente, un asesor colegiado, o quizá mejor, un caballero con el grado de mayor.

—¿El evadido es algún siervo suyo?

—¿Un siervo? Si así fuera no tendría gran importancia la bribonada. Lo que se me ha escapado es… la nariz…

—¡Ejem! ¡Un apellido por demás extraño! ¿Y es muy elevada la suma que le ha robado ese señor de la Nariz?

—No señor Nariz, sino la nariz…, no me ha entendido usted. La nariz, mi propia nariz ha desaparecido sin dejar rastro. Una broma que ha querido jugarme el demonio.

—¿Cómo es que ha desaparecido? No me hago idea.

—Pues ésa es la cosa, que yo mismo no caigo en cómo ha podido suceder. Pero lo cierto es que ahora anda suelta por la ciudad y se hace pasar por consejero de Estado. Por eso le ruego que lo anuncie, para que quien la encuentre la conduzca a mi presencia sin dilación. Hágase cargo: ¿cómo voy a arreglármelas sin un apéndice tan visible? Porque no se trata de un vulgar dedo pequeño del pie, que va dentro de la bota y no se le ve para nada. Yo voy de visita todos los jueves a casa de la señora Chejtariova, esposa de un consejero de Estado. Pelagueya Grigórievna Podtóchina, casada con un oficial de Estado Mayor, y su hija, que es una monada, me distinguen también con su amistad. Usted verá el compromiso en que me encuentro... Me será imposible presentarme ante ellas.

El funcionario apretó los labios, lo que en él era indicio de preocupación.

—No, semejante anuncio no puedo admitirlo –dijo al cabo de un largo silencio.

—¿Cómo que no? ¿Por qué?

—Porque no. Sería desprestigiar al periódico que lo inserte. Si a cada cual se le antoja anunciar que se le ha escapado la nariz... Ya sin esto murmura la gente que se publican demasiados disparates y bulos.

—Pero, ¿qué tiene esto de disparatado? A mi modo de ver no hay nada de particular.

—Eso es a su modo de ver. Pues verá: la semana pasada se presentó un funcionario de la misma manera que usted ahora, trajo un anuncio, pagó su importe, dos rublos setenta y tres kopeks, y el anuncio consistía en que se había fugado un perro de aguas negro. No tiene nada de particular, ¿verdad? Pues resultó un caso verdaderamente folletinesco: el perro en cuestión era el cajero de no sé qué establecimiento.

—¡Ah!, pero es que mi anuncio no se refiere a ningún perro, sino a mi nariz, o sea, a algo que casi equivale a mi propia persona.

—Que no, que no; un anuncio como ése no se lo admito de ningún modo.

—¿Ni aun siendo verdad que se me ha extraviado la nariz?

—Si la ha perdido, es cosa del médico. Se dice que los hay capaces de poner la nariz que más convenga. Pero estoy viendo que usted es persona de buen humor y amigo de la broma.

—¡Se lo juro por todos los santos! Puestas así las cosas, se lo puedo enseñar.

—¡Oh, no se moleste! –continuó el funcionario, tomando una

pulgarada de rapé–. Pero en fin, si no le importa mucho –agregó con un gesto de curiosidad– lo vería de buena gana.

El asesor colegiado se quitó el pañuelo de la nariz.

—¡Pues sí, es muy raro! –dijo convencido el funcionario–. Está completamente liso. Raso como usted no se puede hacer idea.

—¿Y todavía piensa seguir discutiendo? Usted mismo ve que es imposible no publicarlo. Le quedaré infinitamente agradecido y celebro en el alma que esto me haya proporcionado el placer de conocerle…

De lo dicho se desprende que el mayor creía oportuno recurrir esta vez a la lisonja.

—Publicarlo es lo de menos –dijo el empleado–. Sólo que no veo en ello ninguna ventaja para usted. Puestas así las cosas, busque a alguien que tenga facilidad de pluma para que describa esto como un raro fenómeno de la naturaleza y lo divulgue en un artículo en la *Sévernaya Pchela*[2] –en este punto volvió a aspirar una toma de tabaco–, para instrucción de la juventud –aquí se limpió la nariz– o, simplemente, como un hecho curioso.

El asesor colegiado perdió toda esperanza. Bajó la vista y se fijó en el pie de la página de un periódico, donde estaba la cartelera de espectáculos. Ya iba a asomar una sonrisa en su rostro, pues acababa de tropezar con el nombre de una actriz que era una preciosidad, y ya se llevaba la mano al bolsillo para cerciorarse de si disponía del correspondiente billete azul[3] –pues a juicio de Kovaliov los oficiales superiores debían ir a butaca–, cuando el recuerdo de la nariz dio al traste con su alegría.

El mismo empleado pareció compadecerse de Kovaliov. Deseoso de aliviar algo su infortunio, creyó oportuno mostrarle su sentimiento con algunas palabras amables:

—Le aseguro que lamento muy de veras esta mala jugada de que es víctima. ¿No desea un poco de rapé? Es un gran calmante de los dolores de cabeza y reconforta el ánimo. Va bien hasta para las hemorroides.

Y así hablando, el empleado ofreció a Kovaliov su tabaquera,

---

[2] *La abeja del Norte*. Periódico editado por F. Bulgarin.
[3] De cinco rublos.

abriendo diestramente la tapa, en la que se veía el retrato de una dama con sombrero, de manera que éste quedase oculto.

El impremeditado ofrecimiento acabó con la paciencia de Kovaliov.

—No comprendo cómo encuentra oportunas las bromas –dijo irritado–. ¿O es que no ve usted que carezco de lo que me serviría para aspirar el rapé? ¡Váyase al diablo con su tabaco! No estoy ahora ni para verlo, aunque me ofreciera auténtico rapé y no esa inmundicia de Casa Berezin.

Dicho esto, abandonó la Oficina de Publicidad profundamente irritado y se dirigió al domicilio del comisario de policía, que era un gran adorador del azúcar. Todo el vestíbulo –que hacía las veces de comedor– estaba lleno de pilones de azúcar que le regalaban los comerciantes en prueba de amistad.

La cocinera le estaba quitando al comisario las botas de reglamento; por los rincones pendían ya la espada y demás arreos bélicos; el imponente tricornio había pasado a manos de su hijito, una hermosa criatura de tres años; y el comisario, después de batallar y pelear de todos los días, se disponía a gustar de las mieles de la paz.

Kovaliov lo sorprendió en el momento en que bostezaba comentando: "¡Ah, qué dos horitas de siesta me voy a echar!". De cuyo comentario podía inferirse que el asesor colegiado llegaba muy a destiempo. Y tengo para mí que aunque le hubiese traído una pieza de paño o unas cuantas libras de té, no lo habría recibido con una cordialidad extremada.

El comisario era un gran protector de todas las artes y manufacturas, pero sus mayores preferencias eran para los billetes de banco, de los que solía decir:

—Eso es lo mejor. No hay otra cosa igual: ni piden de comer ni ocupan tanto sitio que no quepan en el bolsillo. Y si se caen, no se rompen.

Dispensó Kovaliov un recibimiento bastante frío, haciéndole ver que después de la comida no era la hora más indicada para realizar investigaciones, que la propia naturaleza tiene dispuesto el reposo después de llenar el estómago (de donde el asesor colegiado dedujo que el comisario no ignoraba las sentencias de los sabios de la antigüedad), que a ningún hombre de bien le arrancan la nariz así como así, y que abundan en el mundo mayores de todo género que ni siquiera tienen una muda decente y arrastran su vida por los lugares más impúdicos.

¡Había puesto el dedo en la llaga! Consignaremos aquí que Kovaliov era un hombre muy susceptible. Podía perdonar cuanto se dijera de su persona, pero ¡que nadie osara tocar su dignidad de funcionario! Pensaba, incluso, que en las obras de teatro se podía permitir todo tratándose de oficiales subalternos, pero consideraba totalmente inadmisible que quedasen maltrechos los oficiales superiores.

El recibimiento del comisario le ofuscó hasta tal extremo que, abriendo los brazos un tanto, dijo con dignidad:

—Confieso que después de manifestaciones tan ofensivas como las suyas, nada me queda que añadir…

Y se retiró.

Cuando llegó a casa apenas si podía tenerse en pie. Anochecía. Después de tan infructuosas gestiones su aposento le parecía triste y sumamente repulsivo. Al entrar en el vestíbulo vio a su criado Iván que, tumbado en un sofá de mugriento cuero, disparaba salivazos al techo con tal puntería que acertaba siempre en el mismo sitio. La impasibilidad de aquel hombre exasperó a Kovaliov, que le dio con el sombrero un golpe en la cabeza, increpándole:

—¡Tú, so cerdo! Siempre haciendo estupideces.

Iván pegó un brinco y acudió como una flecha a quitarle la capa.

Cansado y abatido, el mayor entró en su habitación, prorrumpió en suspiros y se deshizo en lamentaciones.

—¡Dios mío! ¡Dios mío! ¿Por qué tanta desdicha? Si me quedase manco o me faltara una pierna, sería cosa de poca monta. Mal estaría sin orejas, aunque todavía tendría arreglo. Pero un hombre sin nariz sólo el diablo sabe lo que parece: no es ni pájaro ni ciudadano. ¡Como para tirarse por la ventana! Y si todavía la hubiera perdido en una acción de guerra, o en un duelo, o por culpa mía… Pero ¡perderla sin más ni más, a lo tonto, sin pena ni gloria!… Aunque no, no es posible –añadió después de una breve reflexión–. No puedo creer que se haya perdido; es de todo punto inconcebible. Es una pesadilla, o fruto de mi imaginación. A lo mejor resulta que, en vez de beber agua, me bebí el vodka con que me fricciono la cara después de afeitarme. De seguro que ese imbécil de Iván no lo retiró a tiempo, y yo me confundí.

Y para cerciorarse de que no estaba borracho, el mayor se dio un pellizco tan fuerte que lanzó un grito. El dolor le vino a convencer de que no obraba ni vivía en sueños. Se acercó sigilosamente al espejo y entornó al principio los ojos, pensando que, tal vez, al abrirlos encontraría la nariz en su sitio. Pero retrocedió al instante de un salto, comentando:

—¡Qué asco de cara!

La cosa no tenía explicación alguna, en efecto. Si se hubiera extraviado un botón, una cuchara de plata, un reloj, o cualquier otra cosa por el estilo... Pero perderse aquello, ¡y perderse en su propia casa!...

Considerando todas las circunstancias, el mayor Kovaliov sospechó que lo más seguro era que la culpable fuese la señora Podtóchina, esposa de un oficial de Estado Mayor, que pretendía casarlo con su hija, mientras que él, aún aficionado a cortejarla, eludía un arreglo definitivo.

Cuando la señora le declaró a bocajarro que quería dársela en matrimonio, él poco a poco recogió velas en sus galanteos, pretextando su excesiva juventud y que antes de casarse tendría que continuar en el servicio otros cinco años para cumplir exactamente los cuarenta y dos. Y la señora, con ánimo de venganza, habría resuelto desfigurarle la cara, recurriendo a las artimañas de alguna bruja. Suponer que la nariz había sido cortada era, a todas luces, un desatino. Nadie había entrado en su aposento. El barbero Iván Yákovlevich le había afeitado el miércoles, y todo este día, e inclusive el jueves entero, la nariz había permanecido intacta. Lo recordaba muy bien. Por otra parte, de habérsela cortado, habría sentido el dolor y, sin duda alguna, la herida no habría tenido tiempo de cicatrizarse y de quedar lisa como una tabla.

En su cabeza se trazaba distintos planes. ¿Debía presentar una demanda en regla ante los tribunales contra Podtóchina? ¿Sería preferible acudir a su casa y ponerla en evidencia? El hilo de sus pensamientos fue roto por un resplandor que, penetrando por la rendija de la puerta, era claro indicio de que Iván acababa de encender la vela en el vestíbulo. Pronto apareció el propio Iván con la palmatoria, con lo que la habitación quedó iluminada. El primer impulso de Kovaliov fue echar mano al pañuelo y taparse el sitio que todavía ayer ocupaba la nariz, a fin de que aquel estúpido no se quedara con la boca abierta contemplando aquella extravagancia de su señor.

No había vuelto Iván a su tabuco, cuando se oyó en el vestíbulo una voz desconocida que decía:

—¿Vive aquí el asesor colegiado Kovaliov?

—Pase. El mayor Kovaliov está aquí –respondió el requerido, poniéndose en pie precipitadamente y abriendo la puerta.

El visitante era un guardia de buena presencia, de patillas ni muy claras ni muy oscuras y bastante mofletudo. Era el mismo a quien al comienzo de nuestra relación vimos de puesto a la salida del puente Isákievski.

—¿Es usted el que se dignó perder la nariz?

—Efectivamente.

—Pues ya ha aparecido.

—¿Qué me dice usted? –exclamó el mayor Kovaliov. Mudo de contento, quedó con los ojos clavados en el guardia, cuyos carnosos labios y mofletes reflejaban vivamente la trémula luz de la vela–. ¿Cómo ha sido eso?

—Por una rara casualidad. La capturamos casi en camino. Ya se disponía a tomar la diligencia para fugarse a Riga. Llevaba un pasaporte extendido tiempo atrás a nombre de cierto funcionario. Y lo más extraño es que yo mismo la tomé en un principio por un caballero. Por fortuna, llevaba conmigo las gafas y en el acto vi que se trataba de una nariz. Ha de saber que soy miope y, si se pone usted delante de mí, no distingo más que el bulto de la cara, pero no veo ni la nariz, ni la barba, ni nada. Mi suegra, o sea la madre de mi mujer, tampoco ve nada.

Kovaliov ardía de impaciencia.

—¿Dónde está? ¿Dónde? Voy corriendo para allá.

—No se moleste. Sabiendo que le haría falta, la he traído conmigo. Lo curioso es que el autor principal del hecho es un pícaro barbero de la avenida Voznesénskaya, que ahora está a buen recaudo en el cuartelillo. Ya hace tiempo que venía pareciéndome sospechoso como borracho y ladrón. Anteayer sustrajo una docena de botones en una tienda. Su nariz de usted está intacta.

El guardia metió la mano en el bolsillo y sacó la nariz, que estaba envuelta en papel.

—¡Ella es! –se exaltó Kovaliov–. ¡La misma! Quédese a tomar conmigo una taza de té.

—Lo haría con mucho gusto, pero no puedo. Debo ir al manicomio… Han subido mucho las subsistencias… Tengo que mantener a mi suegra, o sea a la madre de mi mujer, y a mis hijos. El mayor promete mucho, es un chico muy avispado, pero carezco de medios para darle estudios…

Kovaliov comprendió por dónde iban los tiros y, tomando de la mesa un billete de diez rublos, se lo puso en la mano. El guardia se cuadró, dando un taconazo, y salió. Casi en el mismo momento, oyó Kovaliov su voz en la calle, donde, con ayuda de los puños, aleccionaba a un obtuso *mujik* que se había metido con su carreta en la acera.

Tras la salida del guardia, el asesor colegiado pasó varios minutos aturdido, antes de recobrar la capacidad de ver y sentir: tal había sido la impresión que le produjo la inopinada alegría. Tomó cuidadosamente la nariz recién hallada entre ambas manos y volvió a contemplarla embelesado.

—¡Es ella, exactamente ella! –balbuceó–. Aquí está el granito que le salió ayer en la aleta izquierda.

Faltó poco para que el mayor diera rienda suelta a la risa. Tal era su júbilo.

Mas en el mundo no hay nada eterno. Por eso, el alborozo del primer minuto no es ya tan vivo en el segundo; en el tercero sigue menguando, hasta que, por último, se funde inadvertidamente con el estado habitual del alma, igual que el círculo originado por la piedra al caer en el agua termina fundiéndose con la tersa superficie.

Kovaliov reflexionó y sacó en claro que no todo estaba hecho: la nariz había sido hallada, pero había que pegarla otra vez en su sitio.

—¿Y si no se pega?

Al hacer esta pregunta, el rostro del mayor quedó lívido.

Poseído de una desazón indescriptible, se sentó a la mesa y acercó el espejo, para evitar que al ponérsela, la nariz le quedase torcida. Con manos temblorosas, la aplicó a su sitio, poniendo sumo cuidado y atención. ¡Horror! ¡La nariz no se sostenía!… Se la acercó entonces a la boca, la calentó con el aliento y la colocó de nuevo en la planicie que se extendía entre los carrillos. Pero no. La nariz volvió a desprenderse.

—¡Ea, tonta, pégate! –la animaba. Pero la nariz parecía talmente un tarugo y caía sobre la mesa con un raro ruido semejante al de un corcho. El rostro del mayor se contrajo convulsivamente.

—¿Será posible que no se pegue? –se preguntaba angustiado. Pero todos sus esfuerzos fueron vanos.

Llamó a Iván y lo mandó en busca del médico, que vivía en el entresuelo, donde ocupaba el mejor apartamento de la casa. El doctor era un hombre apuesto, poseía unas magníficas patillas negras como la pez y una lozana y robusta esposa, se desayunaba con manzanas y cuidaba esmeradamente de la limpieza de su boca, enjuagándosela durante tres cuartos de hora cada mañana y frotándose los dientes con cinco cepillos distintos. El doctor acudió al instante. Preguntó cuándo había ocurrido el accidente, alzó al mayor Kovaliov la barbilla y con el dedo pulgar le dio un papirotazo en el lugar que antes había ocupado la nariz, de modo que el mayor retiró la cabeza tan violentamente que su cogote chocó contra la pared.

El médico le aseguró que la cosa carecía de importancia y, recomendándole que se separase un tanto de la pared, le hizo ladear la cabeza a la derecha, palpó la superficie antes ocupada por la nariz y profirió un "hum". Le mandó luego que inclinase la cabeza hacia la izquierda, repitió el mismo "hum" y, como conclusión, repitió el papirotazo del pulgar, lo que obligó al mayor a dar un respingo igual que un caballo cuando le miran los dientes. Hecha tal prueba, el médico meneó la cabeza y dijo:

—No. Es imposible. Más le valdrá dejarlo así, porque podría quedar peor. Ni que decir tiene que podría adherirse. Yo se la pondría ahora mismo, pero le aseguro que saldría usted perdiendo.

—¡Pues sí que tiene gracia la cosa! ¿De manera que tendré que quedarme sin nariz? –objetó Kovaliov–. Peor que ahora, imposible. ¡Que el diablo lo entienda! ¿Dónde voy a presentarme con esta facha? Sepa que estoy muy bien relacionado. Precisamente hoy tengo que asistir a dos veladas en otras tantas casas. Tengo numerosas amistades: la señora Chejtariova, esposa de un consejero de Estado, la señora Podtóchina, casada con un oficial de Estado Mayor..., aunque después de la jugada que me ha hecho, únicamente pienso tratarla a través de la policía. Por favor se lo pido –prosiguió Kovaliov con voz suplicante–. ¿No hay ningún remedio? Póngamela de cualquier manera, aunque no quede bien, pero que se sostenga. En los casos de más compromiso, yo mismo podría sostenerla ligeramente con la mano. Por otra parte, como no bailo, no es de temer que la estropee con un movimiento brusco. Y en lo que se refiere a su visita, tenga la seguridad de que sabré agradecérselo en la medida de mis posibilidades...

—Créame –replicó el doctor en tono ni alto ni bajo, pero con un acento extraordinariamente persuasivo y magnético–, yo nunca curo por interés. Eso iría contra mis reglas y mi arte. Cierto que cobro las visitas, pero es tan sólo para no ofender a nadie con mi negativa. Naturalmente, me sería fácil ponerle a usted la nariz. Sin embargo, le aseguro por mi honor, si es que mi palabra no le basta, que quedaría mucho peor. Lo más cuerdo es que se abandone usted en manos de la naturaleza. Lávese a menudo con agua fría y puede creerme que se conservará usted tan sano sin nariz como si la tuviera. Y por lo que a la nariz se refiere, le aconsejo que la ponga en un frasco de alcohol, o mejor todavía, añadiendo dos cucharadas de vodka fuerte y vinagre tibio. Podrá sacar una cantidad respetable. Yo mismo se la compro, si me la pone a un precio módico.

—¡No, no! ¡Por nada del mundo la vendería! –gritó desesperado el mayor–. Prefiero que se pierda.

—Usted dispense –concluyó el médico inclinándose–. Quería serle útil... ¡Qué se le va a hacer! Al menos, habrá comprobado usted mi buena intención.

Dicho esto, el doctor se retiró con noble prestancia. Kovaliov ni siquiera se había fijado en su cara. Completamente abatido, sólo acertó a ver unos puños blancos como la nieve que asomaban por las bocamangas del negro frac del doctor.

Al día siguiente, antes de llevar el asunto a los tribunales, decidió escribir a la señora del oficial de Estado Mayor, para ver si ésta accedía a devolverle de buen grado lo que era suyo. La carta estaba concebida así:

Respetable señora Aleksandra Grigórievna:[4]

No alcanzo a comprender su extraño proceder. Tenga la seguridad de que, obrando así, nada conseguirá ni me obligará en lo más mínimo a casarme con su hija. Sepa que estoy muy al corriente de lo que a mi nariz se refiere y de que el primer papel en toda esta historia lo juega usted, y nadie más que usted. La repentina separación de mi nariz, su escapatoria y disfraz, ya en forma de funcionario, ya en su verdadera forma, no son otra cosa que fruto de las hechicerías a que se dedica usted o quienes se ejercitan en menesteres tan nobles como los de usted. Por mi parte, me considero en el deber de prevenirle que si la nariz en cuestión no es reintegrada a su sitio hoy mismo, me veré obligado a recurrir a la defensa y protección de la ley.

Por lo demás, con sumo respeto, tengo el honor de quedar de usted afectísimo y seguro servidor,

PLATÓN KOVALIOV

Respetable señor Platón Kúzmich:

Su carta me ha sorprendido extraordinariamente. Le confieso con sinceridad que no esperaba jamás semejante cosa, y mucho menos los injustos reproches de su parte. Pongo en su conocimiento que nunca recibí al funcionario a que usted alude, con disfraz o sin él. No niego que estuvo a visitarme Filipp Ivánovich Potánchikov. Y si bien es cierto que solicitaba la mano de mi hija, que es buena persona, sobrio y de gran cultura, también es verdad que no le he dado la menor esperanza. Habla también de una nariz. Si ha de entenderse que yo intentaba dejarle a usted con dos palmos de narices, es decir, darle una rotunda negativa, me asombra que diga usted eso, más sabiendo que mi intención es muy otra y que si pide la mano de mi hija ahora mismo y en debida forma, estoy dispuesta a acceder al instante, ya que

[4] Gogol la llama antes Pelagueya Grigórievna.

éste ha sido siempre mi más ferviente deseo, en espera de lo cual queda de usted segura servidora,

ALEKSANDRA PODTÓCHINA

—No –se dijo Kovaliov al leer la carta–. La culpable no es ella. ¡Imposible! Una carta así no puede escribirla quien haya cometido un delito.

El asesor colegiado era experto en la materia, pues había instruido diversos sumarios en la región del Cáucaso.

—¿Cómo ha podido suceder semejante aventura? ¡Que el demonio lo entienda! –concluyó desalentado.

Entretanto, la noticia del insólito acontecimiento se había propagado por la capital entera, sin que faltasen las consiguientes exageraciones.

Por aquella época las mentes se mostraban muy propensas a creer lo extraordinario. Además, la historia de las sillas danzantes de la calle Koniúshennaya estaba muy reciente, así que no tenía nada de extraño que pronto cundiese el rumor de que la nariz del asesor colegiado se paseaba por la avenida Nevski a las tres en punto de la tarde. Una muchedumbre de curiosos se congregaba allí a diario. A alguien se le ocurrió decir que la nariz estaba en la tienda de Junker; frente a la tienda de Junker se aglomeró tal gentío y fueron tantos los empujones, que hasta hubo de intervenir la policía. Un especulador de respetable apariencia y patillas, que vendía pasteles resecos a la entrada del teatro, hizo unos magníficos y sólidos bancos de madera, que alquilaba por ochenta kopeks a cada curioso que quería subirse en ellos. Un benemérito coronel salió antes de su casa con este propósito y a duras penas se pudo abrir paso entre el gentío. Pero, con gran indignación por su parte, en el escaparate de la tienda no estaba la nariz, sino una simple camiseta de lana y una litografía que representaba a una muchacha subiéndose la media y a un lechuguino con chaleco de solapa y barbita que la miraba desde detrás de un árbol. La litografía en cuestión llevaba allí más de diez años. Visto lo cual, el coronel se retiró refunfuñando:

—¿A quién se le ocurre soliviantar a la gente con bulos tan estúpidos e inverosímiles?

Posteriormente corrió el rumor de que no era por la avenida Nevski por donde paseaba la nariz del mayor Kovaliov, sino por el jardín de Taurida. Se dijo que estaba allí desde hacía tiempo y que ya cuando Jozrev Mirzá[5] residía en el jardín le sorprendió lo indecible tan extraño capricho de la naturaleza. Algunos estudiantes de la Academia de Cirugía acudieron a esos lugares. Una ilustre y noble dama envió al administrador del jardín una carta rogándole que mostrara a sus hijos el raro fenómeno y que, a ser posible, les diese a las criaturas una explicación instructiva y, a la vez, edificante.

El suceso fue motivo de extraordinario regocijo para todos los caballeros asiduos de las veladas de sociedad y aficionados a divertir a las damas, ya que con ello venía a renovarse su repertorio, agotado totalmente por aquel entonces. Una minoría de gente respetable mostraba, empero, profundo enojo. Cierto señor llegó a decir, muy indignado, que no le cabía en la cabeza cómo se propalaban infundios tan absurdos en nuestro siglo ilustrado y que le sorprendía que el gobierno no prestase atención a semejantes cosas. Dicho caballero era, a buen seguro, de los que querrían complicar al gobierno en todo, hasta en los diarios altercados con su esposa. Después... Pero aquí el suceso vuelve a verse envuelto en la bruma, y nada se sabe de lo que posteriormente ocurriera.

III

¡Qué disparates se ven en el mundo! Hay veces que no tienen ningún viso de verdad. La misma nariz que anduvo por ahí disfrazada de consejero de Estado y que tanta polvareda levantó en la ciudad, reapareció, de pronto, como si nada hubiese ocurrido, en el sitio que le correspondía, o sea entre los dos carrillos del mayor Kovaliov. Y sucedió esto el 7 de abril.

Aquella mañana, al despertarse, el mayor se miró distraídamente al espejo y se encontró con que la nariz estaba en su sitio. Se la palpó y, efectivamente, ¡era ella! "¡Hola!", exclamó, y en un

---

[5] Príncipe persa que visitó Rusia en 1829.

transporte de júbilo estaba a punto de ponerse a bailar descalzo y todo en la habitación, cuando la entrada de Iván se lo impidió. El mayor pidió al momento los útiles de lavarse y, mientras se enjabonaba, echó una mirada al espejo. ¡La nariz seguía allí! Mientras se secaba con la toalla, volvió a mirar: ¡estaba intacta!

—Fíjate, Iván, parece que tengo un granito en la nariz –dijo al mismo tiempo que pensaba: "¡Qué horrible, si Iván me dijera: Pues no, señor, no veo ni grano ni nariz!"

Pero Iván contestó:

—No, señor, no veo ningún granito. La nariz está completamente sana.

"¡Estupendo, voto al diablo!", exclamó para sus adentros el mayor, al tiempo que hacía chasquear los dedos.

En aquel momento asomó por la puerta la cabeza del barbero Iván Yákovlevich, pero con una expresión de miedo como el gato que acaba de recibir un garrotazo por robar tocino.

—Lo primero de todo, dime si traes limpias las manos –le gritó desde lejos Kovaliov.

—Sí, están limpias.

—No me engañes.

—¡Por Dios se lo juro, señor!

—Bueno. Pero ten cuidado.

Kovaliov se sentó. Iván Yákovlevich le puso el paño y en un santiamén, valiéndose de la brocha, le convirtió la barba y parte de los pómulos en algo semejante a esa crema con que suelen obsequiar a los invitados en las fiestas onomásticas de los comerciantes.

"¡Para que veas lo que son las cosas! –comentó para sus adentros Iván Yákovlevich mirando la nariz; y luego ladeó la cabeza contemplándola de frente–. ¡Ahí lo tienes! Caramba, cuando se piensa…", agregó, sin poder apartar la vista de la nariz. Por último, con toda la delicadeza y esmero imaginables, levantó dos dedos para agarrarla por la punta, pues ése era el sistema que siempre seguía Iván Yákovlevich.

—¡Eh, eh, ten cuidado! –gritó Kovaliov.

Iván Yákovlevich dejó caer la mano, aturdido y confuso como nunca. Una vez repuesto, empezó a rapar el mentón, y aunque la faena se le hacía incómoda y difícil sin tirar del órgano del olfato, se las ingenió para apoyar su áspero pulgar en la mejilla y en la mandíbula inferior, hasta que, superadas todas las dificultades, acabó de afeitarle.

Ya listo, Kovaliov se vistió de prisa y, corriendo, tomó un coche y se fue directamente a la pastelería. Sin pasar del umbral gritó:

—¡Chico, una taza de chocolate!

Al mismo tiempo se acercó al espejo. Tenía nariz. Volvió la cabeza alborozado y, entornando un tanto los párpados, miró con expresión satírica a dos militares, uno de los cuales lucía una nariz que en nada aventajaba a un botón de chaleco.

Luego se encaminó al departamento en que gestionaba el puesto de vicegobernador o, en su defecto, el de ejecutor. Al atravesar la antesala echó una mirada al espejo: la nariz seguía en su sitio. Más tarde fue a visitar a otro asesor colegiado –léase mayor–, un bromista impenitente a quien Kovaliov solía contestar siempre a sus mordaces observaciones:

—Ya te conozco, eres un criticón.

Camino de su casa iba pensando: "Si el mayor no revienta de risa al verme, es seguro que cada cosa ocupa el lugar debido". Pero el asesor colegiado no dijo nada. "¡Excelente, excelente, qué diablos!", pensó Kovaliov.

Se encontró luego con la señora Podtóchina, esposa de un oficial de Estado Mayor, y su hija. Las saludó con una inclinación y fue acogido con exclamaciones de júbilo. Por consiguiente, todo iba a pedir de boca: no tenía ningún defecto. Conversó con ellas un buen rato y sacó adrede la tabaquera. Estuvo cargándose largamente la nariz por ambos conductos al tiempo que mascullaba para sus adentros: "¡Aquí estoy, para que os enteréis, gallinas estúpidas! Y no tengo la menor intención de casarme con la hija. Así, por las buenas, *par amour*, a cualquier hora".

A partir de entonces, el mayor Kovaliov volvió a pasear tan ufano por la avenida Nevski, acudió a los teatros y a cualquier sitio que se le antojara. La nariz, también tan ufana, siguió pegada a su cara, como si nunca se hubiera desprendido de ella. Al mayor Kovaliov se le veía siempre de buen humor, sonriente y persiguiendo a todas las mujeres bonitas. Hubo incluso quien le vio detenerse una vez ante una tienda de Gostini Dvor para comprar el distintivo de una Orden, no se sabe con qué motivo, pues él no era caballero de ninguna.

¡Ahí tenéis lo sucedido en la capital septentrional de nuestro inmenso imperio! Ahora, atando cabos, vemos que hay en ello mucho de inverosímil. Dejando aparte la extraña y sobrenatural escapatoria de la nariz y su aparición en distintos puntos convertida en consejero de Estado, ¿cómo no cayó Kovaliov en la cuenta que era imposible anunciar el caso de su nariz a través de la Oficina de Publicidad? Conste que no es que me parezca caro el anuncio: eso es una futilidad y yo no me cuento entre los roñosos. ¡Pero es que resulta ridículo, violento, feo! Y por otra parte, ¿cómo fue a parar la nariz al panecillo, y cómo el propio Iván Yákovlevich...? ¡No, no hay modo de entenderlo! ¡No comprendo nada en absoluto!

Pero lo más extraño e incomprensible es que los autores elijan semejantes temas. Confieso que esto es de todo punto inconcebible, es enteramente... No, no me cabe en la cabeza. En primer lugar, no proporciona provecho alguno a la patria. Y en segundo, pues, en segundo lugar, tampoco le encuentro utilidad alguna. Sencillamente, no sé qué es esto...

Sin embargo, con todo y con ello, aunque, evidentemente, se puede admitir lo uno y lo otro, y lo de más allá, tal vez pudiera... pues, ¿hay algún sitio donde no se vean cosas absurdas? Y no obstante, pensándolo bien, algo debe de haber en todo esto. Dígase lo que se diga, casos como éste ocurren en el mundo. Raras veces, pero ocurren.

Henry James (1843-1916)

Maud-Evelyn

A una alusión a una señora que yo conocía, pero que era conocida por dos o tres de los que estaban conmigo, uno de éstos preguntó si sabíamos la extraña circunstancia que motivaba su "venida", el golpe de fortuna en el atardecer de la carrera de una persona tan oscura y solitaria. De momento, en nuestra ignorancia, quedamos reducidos a la simple envidia; pero la anciana lady Emma, que desde hacía rato no decía nada y que aparecía para escuchar unas palabras de la conversación y se iba, que estaba sencillamente al margen de la charla, volvió de su ausencia mental para observar que si lo que le había sucedido a Lavinia era maravilloso, ciertamente, lo que había pasado antes, durante años, conducente a ello, era igualmente curioso y singular. Nos dimos cuenta de que lady Emma disponía de una historia superior al somero conocimiento que cualquiera de sus oyentes pudiera tener de la persona apacible objeto de la conversación. Casi lo más raro –como resultó después– fue que aquella situación hubiera quedado tan al fondo en la vida de Lavinia. Por "después" quiero decir, sencillamente, antes de separarnos, porque lo que se supo, se supo en seguida, por estímulo y presión, por nuestra insistencia. Lady Emma, que siempre me recordaba un instrumento musical, antiguo y de gran calidad, que hay que afinar antes de tocar, convino –después de hacerse rogar un rato– en que, dado que ya había dicho tanto, no había por qué abstenerse de contarlo todo sin que su reserva fuera causa de tormento para nosotros, encendida nuestra curiosidad. Lady Emma había conocido a Lavinia, que mencionó siempre sólo por el nombre, hacía ya mucho tiempo; y había conocido también a... Pero lo que ella había sabido debo contarlo como lo contó ella, en la medida que esto sea posible. Nos habló desde un extremo del sofá, y el reflejo de las llamas de la chimenea en su rostro era como el resplandor de la memoria, un juego de fantasía, que salía de su interior.

I

—Entonces, ¿por qué no lo aceptas? —le pregunté.

Creo que fue así, un día, cuando Lavinia tenía unos veinte años —antes de que algunos de vosotros hubieseis nacido—, como empezó, para mí, el asunto. Le hice aquella pregunta porque sabía que había tenido una oportunidad, aunque no podía imaginarme el gran error que resultaría no haberla aprovechado. Me interesé porque me gustaban los dos —ya veis como aún hoy día me gustan los jóvenes— y porque dado que se habían conocido en mi casa, tenía que responder de uno ante el otro. Me parece que debo empezar la historia desde muy atrás, diciendo que si la chica era la hija de mi primera institutriz —de hecho, la única—, con la cual me había mantenido en buenas relaciones y que al dejarme se había casado; yo diría que "bien" para una institutriz, Marmaduke (no es su verdadero nombre) era el hijo de uno de los hombres más inteligentes que habían querido —yo era encantadora, entonces; se lo aseguro— casarse conmigo, años antes, y éste era un viudo. No sé por qué, no me gustaban los viudos, pero aun después de casarme con otro hombre, tenía conciencia de una relación agradable con el muchacho del que pude ser madrastra y a quien, quizá por vanidad, demostraba que como tal habría sido buena. Como no lo fue la mujer con quien su padre se casó después, lo cual indujo al muchacho a cultivar mi amistad maternal.

Lavinia era una entre nueve hermanos, varones y hembras, ninguno de los cuales había hecho nunca nada para ayudarla y que, en diversos países, ayudaban, creo que en la misma escala, a poblar el globo. Entonces se mezclaban en la chica, de manera desconcertante, dos cualidades incompatibles en general: una gran timidez y como el más pequeño defecto que pudiera justificar a una criatura indefensa en un mundo de maldad, una complacencia en sí misma en pequeños e inexplicables detalles, por la cual la regañaba algunas veces, pero que, como comprendí después, habría podido contrarrestar la monotonía de su vida de no evaporarse con todo lo demás. En todo caso era una de esas personas de las cuales no sabes si habrían sido atractivas de ser felices o habrían sido felices de ser atractivas. Si yo me sentía un poco molesta al ver que no se había entusiasmado con Marmaduke era probablemente menos porque hubiera esperado maravillas de él que porque ella daba demasiado por supuestas sus perspectivas. Lavinia había cometido un error y no había tardado mucho en reconocerlo, pero recuerdo que cuando me expuso su convicción de que Marmaduke se le declararía otra vez, yo lo consideré también muy probable, porque entretanto yo había hablado con él. "Lavinia está interesada por ti", le dije; y todavía puedo ver ahora, después de tanto tiempo, su cara joven, hermosa e inexpresiva al oír mis palabras, como si realmente pensara hacerlo. No insistí mucho porque, después de todo, el muchacho no tenía mucho que ofrecer; pero mi conciencia estuvo más tranquila, después, por no haber dicho menos. Marmaduke tenía una renta, unas trescientas cincuenta libras al año heredadas de su madre, y un tío le había prometido algo; no una pensión, sino un empleo, si recuerdo bien, en un negocio. Me aseguró que amaba como ama un hombre –¡un hombre de veintiún años!–, pero sólo una vez. Lo dijo, en todo caso, como un hombre lo dice, pero sólo una vez.

—Bueno, entonces –dije–, ya sabes lo que tienes que hacer.

—¿Hablarle otra vez, quieres decir?

—Sí… Pruébalo.

Me pareció que lo probaba, imaginariamente; después, con algo de sorpresa por mi parte, agregó:

—¿Sería muy malo que ella me hablara a mí?

Le miré fijamente.

—¿Quieres decir que te persiga, que se te declare? ¡Oh, tú estás escurriendo el bulto!

—No estoy escurriendo el bulto –en esto estuvo muy positivo–, pero cuando uno ha llegado ya tan lejos…

—¿No puede ir más? Tal vez –repliqué secamente–. Pero en este caso no debes hablar de "interés" por la chica.

—Pero es que me interesa, me interesa.

Meneé la cabeza.

—No si te muestras tan orgulloso.

Le volví la espalda, pero al momento le miré otra vez, sorprendida por un silencio que parecía ser la aceptación de mi juicio. Me di cuenta de que no lo había aceptado y percibí que en realidad era esencialmente absurdo. Expresó más, sobre esto, de lo que le había oído o visto nunca: con la sonrisa más extraña, más franca y, para un hombre de sus condiciones, triste.

—No soy orgulloso. Esto no está en mi manera de ser. Si no lo eres, no lo eres, ¿sabes? No creo que yo sea lo bastante orgulloso.

Se me ocurrió que esto, después de todo, podía ser verdad; pero, no sé por qué, hablé con cierta aspereza.

—Entonces, ¿qué te pasa?

Dio un par de vueltas a la habitación, como si lo que había dicho le hubiera hecho un poco feliz.

—Bueno, ¿cómo puedo decir más de lo dicho?

Entonces, como si yo fuera a asegurarle que no sabía qué era lo que había dicho, continuó:

—Le juré que nunca me casaría. ¿No debería ser esto suficiente?

—¿Para que ella corra tras de ti?

—No, supongo que no para eso, pero sí para que esté segura de mí, para esperar.

—¿Esperar qué?

—Bueno, a que regrese.

—¿Que regreses de dónde?

—De Suiza. ¿No te lo he dicho? Voy allá el mes próximo con mi tía y mi prima.

Tenía razón al decir que no era orgulloso: esto era una alternativa claramente humilde.

II

No obstante, vean lo que ocurrió, el principio de lo cual fue algo que supe, a principios de otoño, por la pobre Lavinia. Marmaduke le había escrito, luego continuaban siendo amigos; y por esto sabía que la tía y la prima de Marmaduke habían regresado sin él. Marmaduke se había quedado más tiempo y había viajado más: había ido a los lagos italianos y a Venecia, y ahora estaba en París. Esto me sorprendió algo, porque sabía que siempre andaba escaso de dinero y que debía, con la ayuda de su tío, haber empezado el viaje a base de gastos pagados.

—Entonces, ¿a quién se ha pegado? –pregunté.

Lamenté en seguida haber dicho esto, porque vi que Lavinia se ruborizaba. Pareció que yo hubiera sugerido que se había pegado a una señora de mala reputación, aunque en este caso no se lo habría contado a Lavinia y, ¿con qué dinero?

—¡Oh, se hace amigo de la gente con facilidad! A los dos minutos de hablar con uno, es como si se conocieran desde mucho tiempo atrás –dijo la chica–. Y todos están siempre dispuestos a ser amables con él.

Esto era absolutamente verdad, y yo vi lo que Lavinia veía en ello.

—¡Ah, querida, debe de tener un círculo inmenso de amistades preparado para ti!

—Bueno –replicó Lavinia–, si la gente viene tras nosotros, no voy a creer que lo hace por mí. Será por *él*, y la cosa no me importa. Pero me gustará… Ya verás.

Ya vi. Vi por lo menos lo que ella imaginaba ver: su salón lleno de mujeres a la moda y su actitud angélica.

—¿Sabes lo que me dijo antes de salir de viaje? –continuó.

Me pregunté si le habría hablado.

—Que nunca, nunca se casaría…

—Con nadie que no fuera *yo*.

Me miró ingenuamente.

—Entonces, ¿estás enterada?

—Tal vez.

Adiviné.

—¿Y no lo crees?

De nuevo titubeé.

—Sí.

Pero todo esto no me explicaba por qué Lavinia había mudado de color.

—¿Es un secreto, lo de quién le acompaña?

—Oh, no… Parece que son muy simpáticos. Sólo que me impresionó ver lo bien que le conoces, que comprendieras en seguida que era una nueva amistad lo que motiva que no haya regresado. Es su afecto a la familia Dedrick. Viaja con ella.

Otra vez me imaginé lo que sucedía.

—¿Quieres decir que lo llevan con ellos?

—Sí, lo han invitado.

No, realmente, reflexioné, Marmaduke no es orgulloso. Pero lo que dije fue:

—¿Quién demonios es la familia Dedrick?

—Gente amable, bondadosa, que conoció hace un mes, accidentalmente. En Suiza. Se paseaba, solo, sin su tía y su prima, que se habían ido por otro lado para reunirse con él más tarde, en algún sitio. Se puso a llover y él se guareció como pudo. Pasó la familia Dedrick y lo recogió en su coche. Pasaron varias horas juntos, intimaron y quedaron encantados de él.

—¿Son mujeres?

Al parecer se distrajo por un momento.

—Creo que aproximadamente cuarenta.

—¿Cuarenta mujeres?

Se dio cuenta en seguida de su confusión.

—¡Oh, no! Quiero decir que la señora Dedrick tiene unos cuarenta años.

—¿Unos cuarenta?… Entonces, la señorita Dedrick…

—No hay ninguna señorita Dedrick.

—¿Ninguna hija?

—No con ellos, en todo caso. Va el matrimonio solo.

Pensé de nuevo.

—¿Y qué edad tiene el esposo?

Lavinia siguió mi ejemplo.

—Bueno, aproximadamente cuarenta, también.

—Esto está muy bien –dije. Y de momento lo pareció.

La ausencia de Marmaduke se prolongó y vi a Lavinia a menudo. Hablamos siempre de él, aunque esto significara un interés por sus asuntos mayor que el que yo había supuesto asumir. Nunca había buscado la relación de la familia de su padre, ni había visto a su tía y a su prima, de manera que el relato que estas parientes dieron de su separación me llegó finalmente a través de Lavinia, la cual, porque las conocía poco, recibió la explicación de manera indirecta. Las pobres señoras con quienes había empezado el viaje consideraban, al parecer, que Marmaduke las había tratado mal, que las había abandonado, sacrificándolas egoístamente por una compañía encontrada en la carretera, reproche que mortificaba mucho a Lavinia, aunque yo podía darme cuenta de que aquella compañía no le gustaba mucho a ella, tampoco.

—¿Qué puede hacer si es tan atractivo?

Lavinia se mostraba indignada a veces para mostrarse complacida unos minutos después. Marmaduke *era* atractivo; pero también resultó, entre nosotras, que los Dedrick habían de ser extraordinarios. No tuvimos nuevas pruebas porque de pronto dejaron de llegar cartas de Marmaduke y esto, naturalmente, era uno de sus signos. Entretanto tuve tiempo de reflexionar –una especie de estudio de la conducta humana que siempre me ha gustado– acerca de en qué consiste ser atractivo. El resultado de mis meditaciones, que la experiencia no ha hecho más que confirmar, es que es una cualidad que consiste sencillamente en sí misma. Es una cualidad que no implica ninguna otra. Y Marmaduke no *tenía* otras. ¿Para qué, realmente, necesitaba ninguna?

III

Regresó, al fin; pero sucedió que si, al venir a verme, la descripción inmediata de sus nuevos amigos avivó aún más de lo que yo esperaba mi sentido de la variedad de la especie humana, mi curiosidad sobre ellos no fue lo bastante viva para complacer a Marmaduke cuando sugirió que yo debería verlos. Es difícil explicar, y no pretendo hacerlo de una manera acertada, pero ¿no ocurre a menudo que uno piense bien de una persona sin sentir el deseo vehemente de conocerla, por el simple deseo de pensar bien de ella, más de lo que se sienta por otras personas? De todos modos –y de esto poca culpa tiene Marmaduke–, no hacía muy interesantes a los Dedrick el hecho de que estuvieran locos por él. No dije esto –procuré decir poco–, lo cual no impidió que Marmaduke me preguntara si podía traerlos para presentármelos:

—Si no, ¿por qué no? –dijo riéndose. Se reía por cualquier cosa.

—¿Por qué no? Porque me sorprende que tu rendición no requiera ninguna garantía. Debes andar con cuidado.

—Oh, son inofensivos. Tan seguros como el Banco de Inglaterra. Son maravillosos, por su respetabilidad y por su bondad.

—Ésas son precisamente cualidades en las cuales mi trato no puede contribuir con gran cosa.

Yo había observado que Marmaduke no había llegado al extremo de decirme que sus nuevos amigos fueran divertidos y por otra parte se había apresurado a decir que vivían en Westbourne Terrace. No tenían cuarenta, sino cuarenta y cinco años; pero el señor Dedrick se había ya retirado, con alguna fortuna ganada en determinada profesión ejercida. Eran la gente más sencilla y bondadosa y al mismo tiempo más original y más insólita, y nada podía exceder, francamente, al entusiasmo que mostraban por Marmaduke, el cual hablaba de ellos con una resignación plácida que era casi irritante. Supongo que le habría despreciado si, después de aceptar sus favores, hubiera dicho que le aburrían; pero el hecho que no le aburrieran me molestaba a mí más de lo que le desconcertaba a él.

—¿A quién conocen?

—A nadie más que a mí. Hay gente así, en Londres.

—¿Gente que no conoce a nadie más que a ti?

—No, no quise decir eso: gente que no conoce a nadie. Hay gente extraordinaria en Londres y muy simpática. No tienes idea. No podéis conocer a todo el mundo. Tienen sus vidas y siguen su camino… Encuentras en ellas, ¿cómo llamáis a eso?, refinamiento, libros, inteligencia y música y pintura y religión y una mesa excelente… Toda clase de cosas agradables. Te encuentras con ellas sólo por casualidad, pero todo está continuamente en marcha.

Estuve de acuerdo en esto: el mundo es maravilloso y hay que ver lo que se puede. Dentro de mis límites, también yo encuentro bastantes maravillas.

—¿Pero estás tú –le pregunté– tan entusiasmado con ellos…?

—¿Como ellos lo están conmigo?

Había adivinado mi pregunta y me miraba francamente.

—Espero que llegaré a estarlo.

—Entonces, ¿llevarás a Lavinia?

—¿A verlos? No.

Comprendí, en seguida, que había cometido un error.

—¿Con qué pretexto podría presentarla?

Pensé: "Olvidaba que no estáis prometidos".

—Bueno –dijo Marmaduke un momento después–, nunca me casaré con otra.

Estas palabras, repetidas, me irritaban.

—¡Ah!, pero ¿qué puede importarle a ella, o a mí, eso, si no te casas con ella?

No respondió a esto. Volvió la cabeza para mirar algo en la habitación. Después, al encararse conmigo otra vez, estaba enrojecido.

—Debió aceptarme aquel día –dijo grave y dulcemente, mirándome fijamente como si deseara decir algo más.

Recuerdo que aquella dulzura me irritó; un poco de resentimiento habría podido ser una promesa de que el caso podía enderezarse. Pero abandoné el caso sin dejarle nada más y volviendo a los Dedrick le pregunté cómo, sin otra ocupación o sociedad, podían pasar todo su tiempo. Al parecer mi pregunta le desconcertó por un momento, pero en seguida encontró una respuesta, que desde mi punto de vista le convenía más que volver a hablar de Lavinia.

—¡Oh, tienen a Maud-Evelyn!

—¿Quién es Maud-Evelyn?

—Su hija.

—¿Su hija?

Yo creía que no tenían hijos. Marmaduke se explicó a medias.

—Desgraciadamente, la han perdido.

—¿La han perdido?

Yo quería saber más y él titubeó de nuevo.

—Quiero decir que mucha gente se habría resignado, pero ellos, no.

Especulé.

—¿Quieres decir que otra gente se habría desentendido?

—Sí… quizá trataría de olvidarla. Pero los Dedrick no pueden.

Me preguntaba qué habría hecho la joven. ¿Habría sido algo muy malo? Pero no era nada que me afectara y sólo dije:

—¿Se comunican con ella?

—¡Oh, continuamente!

—Entonces ¿por qué no está con ellos?

Marmaduke pensó.

—Está… Ahora.

—¿"Ahora"? ¿Desde cuándo?

—Desde el año pasado.

—Entonces ¿por qué me dices que la han perdido?

—Ah –dijo sonriendo tristemente–, así lo entiendo. Yo, por lo menos, no la veo.

Me sorprendí aún más.

—¿La tienen aparte?

Marmaduke pensó unos momentos.

—No, no es eso. Como te dije, viven para ella.

—Pero no quieren que tú lo hagas. ¿Es esto?

Al oír esto me miró por primera vez, pensé, de una manera un poco extraña.

—¿Cómo *podría*, yo?

Me lo dijo como si fuera una lástima para él no poder; pero puse fin a esto, lo mejor que pude.

—No puedes. ¿Por qué habías de poder? Vive para mi chica. Vive para Lavinia.

IV

Infortunadamente corrí el riesgo de aburrirle con aquella idea y, aunque no la descartó de momento, encontré en ella, al recordarla de nuevo, la razón de que Marmaduke no se dejara ver en algunas semanas. Vi a mi chica, como la había llamado, en el intervalo, pero evitamos el tema de Marmaduke. Fue exactamente esto lo que me dio perspectiva para encontrarla constantemente llena de él. Me determinó, en todas las circunstancias, a no rectificar su error sobre la idea de que los Dedrick no tenían hijos. Pero a pesar de lo que dejé por decir, que Lavinia hablara del joven era sólo una cuestión de tiempo, porque al cabo de un mes me dijo que había estado dos veces en casa de su madre –mi ex institutriz– y que le había visto en las dos ocasiones.

—¿Entonces?

—Es muy feliz.

—Y siempre tan ocupado…

—Como siempre, sí, con esa gente. No me lo dijo, pero pude verlo.

También yo podía, y aun su propio punto de vista.

—¿Qué es lo que te dijo?

—Nada… Pero creo que necesita algo –dijo Lavinia, que agregó–: Sólo que no es lo que tú piensas.

Me pregunté si sería lo que me había dicho la última vez que nos vimos. "Bueno, ¿qué obstáculo hay?"

—¿Para decirlo? No lo sé.

Fue el tono de estas palabras lo que me hizo comprender, al oírlas, la primera nota de una aceptación tan profunda y de una paciencia tan extraña que acabaron proporcionándome más motivos de maravilla que el resto del asunto.

—Si no puede hablar, ¿por qué viene?

Lavinia casi se sonrió.

—Bueno, creo que algún día *sabré*.

La miré fijamente y recuerdo que la besé.

—Eres admirable, pero el asunto es muy feo.

—¡Ah! –respondió ella–. Sólo trata de ser amable.

—¿Con *ellos*? Entonces, podría dejar tranquilos a los demás. Pero lo que yo llamo feo es que se contente con verse obligado por la gratitud…

—¿Con el matrimonio Dedrick?

Lavinia consideraba el caso como si tuviera muchos aspectos.

—Pero ¿por qué no puede hacerles algún bien?

La idea no me sedujo.

—¿Qué bien puede hacer Marmaduke? Hay una cosa –continué–, en el caso de que quiera presentarte a ellos. ¿Me prometes rehusar?

Lavinia pareció desamparada, inexpresiva.

—¿Rehusar a que me presente a ellos?

—A verlos, a ir a su casa…

Se mostró recelosa.

—¿Quieres decir que tú no irías?

—Nunca, nunca.

—Bueno, entonces creo que yo tampoco.

—Ah, pero esto no es una promesa –Me mantuve firme–. Necesito tu palabra.

Lavinia se resistió un poco.

—Pero ¿por qué?

—Así, por lo menos, no podría hacer uso de ti –dije con energía.

Mi energía la dominó, aunque me daba cuenta de que la chica realmente habría accedido.

—Te lo prometo, pero sólo porque es una cosa que sé que nunca me va a pedir.

En aquel momento discrepé de ella, creyendo que la propuesta en cuestión era exactamente lo que ella creía que Marmaduke deseaba decirle. Pero la vez siguiente que nos vimos me habló de otra cuestión, por la cual, en cuanto me habló, la vi muy excitada.

—¿Sabes, de la hija de quien no me había hablado? Fue a verme ayer –me explicó–, y ahora sé que *ha necesitado* hablarme. Al fin me lo ha contado.

Mantenía mi mirada fija en ella.

—¿Qué te ha contado?

—Todo.

Lavinia parecía sorprendida ante mi actitud.

—¿No te ha contado lo de Maud-Evelyn?

Recordé perfectamente, pero de momento me sorprendió.

—Me habló algo de una hija, pero sólo para decir que ocurría algo raro con ella. ¿Qué es?

Lavinia hizo eco de mis palabras.

—¿Qué es? Cosa rara, querida. Lo que ocurre es sencillamente que la hija murió.

—¿Murió?

Me sentía naturalmente desconcertada.

—¿Cuándo murió?

—Hace muchos años… Quince, creo. Cuando era una niña todavía. ¿No lo entendiste así?

—¿Cómo iba a entenderlo, si me hablaba de ella "con" ellos y me decía que ellos vivían "para ella"?

—Bueno –explicó mi joven amiga–, esto fue exactamente lo que quiso decir: que vivían para su memoria. Ella está "con" ellos en el sentido de que no piensan en nada más.

Esta corrección fue motivo de sorpresa para mí, pero también de alivio. Al mismo tiempo dejaba, como vimos, una nueva ambigüedad.

—Si no piensan en nada más que en ella, ¿cómo pueden pensar tanto en Marmaduke?

Lavinia se vio en dificultades para responderme, aunque me dio la impresión de que ya estaba, y así fue, de parte de Marmaduke o, en todo caso –contra su voluntad–, simpatizando con los Dedrick.

Pero su respuesta fue rápida.

—Esto es su razón, precisamente: que pueden hablarle tanto de ella.

—Comprendo –dije, aunque persistía mi sorpresa–, pero ¿cuál es el interés de Marmaduke?

—¿En cultivar esos recuerdos?

Otra vez mi pregunta ponía en apuros a Lavinia.

—Bueno, la chica era muy interesante. Parece que encantadora.

Quedé boquiabierta.

—¿Una niña con delantalito?

—Ya no llevaba delantalito. Creo que cuando murió tenía catorce años. ¡Si no tenía dieciséis! En todo caso, era maravillosa por su belleza.

—Ésta es la regla. Pero ¿qué le importa a él si nunca la vio?

Lavinia pensó otra vez, pero ahora no dio una respuesta.

—Bueno, tendrás que preguntárselo a él.

Decidí preguntárselo en cuanto pudiera, pero antes de poder hacerlo observé otras contradicciones.

—¿No sería mejor preguntarle, al mismo tiempo, qué quiso decir cuando me contó que se "comunicaban"?

Oh, esto era sencillo: lo hacían con la ayuda de médiums.

—¿Comprendes? Con médiums y golpes en las sesiones. Empezaron hace un año o dos.

—¡Ah, idiotas! ¿Le han arrastrado a eso? –exclamé, llevada de mi estrechez mental.

—Nada de esto. No lo desean y Marmaduke no tiene nada que ver con ello.

—Entonces ¿en qué se divierte él?

Lavinia se volvió. Otra vez parecía desconcertada. Al fin me dijo:

—Haz que te muestre la foto de la chica.

Seguía sin comprender.

—¿Le divierte la foto de la chica?

Una vez más Lavinia se ruborizó por él.

—Bueno, muestra una belleza juvenil.

—¿Y va enseñando la foto por ahí?

Lavinia titubeó y dijo:

—Creo que sólo me la ha enseñado a mí.

—¡Ah, tú has sido la última! –me permití decir.

—¿Por qué no, si también yo me siento impresionada?

Había algo en ella que escapaba a mi comprensión y seguramente la miré con dureza.

—Está muy bien, de tu parte, sentirte impresionada.

—No quiero decir sólo por la belleza de la cara –continuó diciendo–. Quiero decir por el asunto en general, por la actitud de los padres, por su extraordinaria fidelidad y por la manera en que, como él dice, han hecho de su memoria una verdadera religión. Esto es, sobre todo, lo que vino a decirme.

Desvié mi mirada y poco después Lavinia se iba, pero no pude contenerme, antes de que saliera de mi casa, y le dije que nunca había supuesto que Marmaduke fuera tan tonto.

V

Si yo tuviera realmente el cinismo que probablemente me atribuís, diría francamente que el principal interés del resto de esta historia está para mí en describir la clase de tonto que yo suponía que era Marmaduke. Pero temo que, después de todo, mi historia resulte sobre todo la explicación de mi propia tontería. Si no hubiera poseído toda la historia no habría acabado por aceptarla y no la habría aceptado si no se hubiera salvado, de alguna manera, de lo grotesco. Dejadme decir en seguida que lo grotesco y aun algo peor me pareció, al principio, que era lo que sazonaba el caso. Después de mi conversación con Lavinia envié a nuestro amigo el aviso de que deseaba verle. Y cuando vino, me tomé la libertad de exigirle que me confirmara o me desmintiera lo que Lavinia me había contado. Había un punto que especialmente deseaba aclarar y que me parecía más importante que el color del pelo de Maud-Evelyn o lo largo de sus delantales: la cuestión, quiero decir, de la buena fe de mi amigo. ¿Era tonto de remate o no era más que un mercenario? Me pareció que de momento la elección se limitaba a estas dos alternativas.

Después de decirme "será tan ridículo como quieras, pero sencillamente me han adoptado", tuve con él, en el acto, en interés de la honestidad común, de la cual él tenía conciencia, una charla sobre la manera como podía corresponder a la generosidad de sus benefactores salvando el respeto que se debía a sí mismo. Me vi obligada a decir que para una persona tan inclinada desde el principio a pelearse con él, su amabilidad pudo resultar persuasiva. Su explicación fue que el equivalente que él representaba era algo para sus amigos fuera de toda medida. Ni por un momento pretendió ser más importante de lo que lo hacía la fantasía de·sus amigos. No les había embaucado, en manera alguna; todo era obra de ellos, de su insistencia, de su excentricidad, sin duda, y aun, si yo quería, de su locura. ¿No bastaba que estuviera dispuesto a declararme, mirándome a los ojos, que les había realmente tomado afecto y que no le aburrían en lo más mínimo? Yo tenía, evidentemente –¿no lo veía?–, un ideal para él que no estaba en condiciones, si se lo permitía, de encarnar. Fue él quien planteó las cosas así y me arrancó la declaración de que había algo de irresistible en el refinamiento de su descaro: "No voy a casa de la señora Jex", me dijo. (La señora Jex era el médium favorito de los Dedrick.) "Me parece fea, vulgar y pesada, y detesto este aspecto del asunto. Además", agregó con palabras que después yo recordaría, "no la necesito. Puedo pasarme de ella. Pero mis amigos, aunque no sean el tipo con el cual no te hayas encontrado a menudo, no son feos, no son vulgares, no son en modo alguno un 'mal trago'. Son, al contrario, en su manera poco convencional, una buena compañía. Son divertidos siempre. Son deliciosamente extraños, anacrónicos y bondadosos... Son como los personajes de una vieja historia o de otro tiempo. Esto es, en todo caso, asunto nuestro –mío y de ellos– y te ruego que creas que no permitiría ninguna reprimenda sobre el asunto a una persona que no fueras tú".

Recuerdo que le dije, tres meses más tarde: "No me has dicho nunca para qué te necesitaban realmente". Pero creo que esto fue una forma de crítica que se me ocurrió precisamente porque había empezado a adivinar. Por aquel tiempo yo había sabido algo y Lavinia también –aunque ella más tarde que yo– y habíamos compartido nuestros conocimientos y yo había formado un cuadro pasablemente exacto de lo que iba a ver. Fue lo que agregó Lavinia lo que lo completó. El retrato de la pequeña niña muerta había evocado algo atractivo, aunque una no haya vivido tanto en el mundo sin oír muchas historias de niñas muertas; y llegó el día en que sentí como si hubiera estado con Marmaduke en cada una de las habitaciones convertidas por los padres de la chica en un templo de dolor y de adoración, con la ayuda no sólo de las pocas reliquias pequeñas y queridas, sino de las más sentidas ficciones, de ingeniosos e imaginarios recuerdos y prendas, de imitaciones del dolor que consuela y de la pasión que devora. La chica, indiscutiblemente bella, había sido, evidentemente, amada con pasión y faltando en sus vidas –supongo que originalmente un simple accidente– otros elementos, ya fueran diversiones o disgustos, abundantes en otra gente, sus sentimientos habían llenado por completo su conciencia y habían llegado a ser una ligera manía. La idea era fija y excluía cualesquiera otras. El mundo, en general, no da oportunidad para semejante ritual, pero el mundo había ignorado de manera consistente aquella pareja sencilla y tímida, que era sensible a las cosas falsas y cuya sinceridad y fidelidad, lo mismo que su mansedumbre y sus rarezas, eran de un carácter rígido, anticuado.

No tengo que decir que ninguno de estos objetos de interés, o que mi curiosidad por sus preocupaciones, absorbiera mis ocios, porque yo tenía muchas cosas que hacer y muchas complicaciones que resolver, demasiadas preocupaciones e inquietudes más pro-

fundas. Por su parte, Lavinia tenía otros contactos y otros problemas también, la pobre; y pasaba períodos de tiempo en que ni veía
a Marmaduke ni oía una palabra de los Dedrick. Una vez, sólo una
vez, en Alemania, en una estación de ferrocarril, le encontré en su
compañía. Eran dos tipos incoloros, corrientes, británicos de cierta
edad, de la especie que se puede identificar por la librea de sus
criados o por las etiquetas de sus equipajes, y a la sola vista de ellos
sentí mi conciencia justificada por haber evitado desde el principio
el difícil problema de conversar con ellos. Marmaduke me vio en el
acto y vino hacia mí. No cabía duda alguna sobre la satisfacción del
joven. Había engordado, pero no hasta el punto de la obesidad, y
podía perfectamente pasar por el bello, feliz y boyante hijo de unos
padres que chocheaban y que no podían perderle de vista, para los
cuales era un modelo de hijo respetuoso y solícito. Le siguieron
con mirada plácida y complacida cuando se me acercó, pero sin
decir nada, ajustados a la manera de él, de no decir nada de ellos.
Tenía su encanto, lo confieso, la manera de ser natural en aquella
situación y al mismo tiempo tener conciencia de ella. Él sabía que
yo, para entonces, estaba enterada de sus cosas; mientras cada uno
de los dos escrutaba con buen humor la cara del otro –porque habiéndolo aceptado todo, al fin yo no sentía más que un poco de curiosidad–, me di cuenta de que medía mis pensamientos. Cuando
volvió a sus padres embobados, tuve que reconocer que chochos
como eran no habían hecho de él un chico mimado. Cosa incon-
gruente en su situación, Marmaduke era más hombre que antes.
Sentí como una sombra de pesar cuando, en aquella ocasión, tomé
mi tren, que no era el suyo, y recordé unas palabras que un par de
años antes había dicho a la pobre Lavinia, la cual me había explicado, refiriéndose a lo que era nuestro tema de conversación más frecuente, algo nuevo que yo llegué a olvidar:

—Ahora siente por Maud-Evelyn lo mismo que los viejos.

—Bueno, no es más que una compasión por la cual paga.

—¿Paga? –interrogó, desconcertada.

—Los lujos y las comodidades –le expliqué– de que goza al vivir con ellos.

Ahora sé que estaba equivocada. Marmaduke pagaba, pero de
una manera diferente, y la clave de ello estaba en lo que nos diji-

mos en la sala de espera de aquella estación. Después seguí el asunto paso a paso.

VI

Puedo ver, por ejemplo, a Lavinia en su traje de luto, feo, después de la muerte de su madre. Había pasado muchas inquietudes con esto y había quedado desmejorada y casi fea. Pero Marmaduke, en su desgracia, había ido a verla y ella se vino en seguida a verme a mí.

—¿No sabes lo que piensa ahora? —empezó diciéndome—. Cree que la conoció.

—¿Que conoció a la chica?

Recibí la noticia como si la hubiera esperado.

—Habla de ella como si no hubiera sido una niña.

Lavinia quedó mirándome con una sonrisa fija en su rostro.

—Como si no fuera tan joven, parece como si hubiera crecido.

La miré con sorpresa.

—¿Cómo puede "parecer"? Todos saben, por lo menos. Los hechos son los hechos.

—Sí —dijo Lavinia—, pero se diría que los ven de una manera diferente. Me habló largo rato y siempre sobre la chica. Me contó cosas.

—¿Qué cosas? Espero que no sean las bobadas de la "comunicación", de que la vea y la oiga.

—Oh, no, no se trata de eso. Eso lo deja a los viejos, que continúan con sus médiums, con sus sesiones y sus trances y encuentran en todo ello consuelo y diversión, que no le molesta, porque lo considera inofensivo. Quiero decir anécdotas, recuerdos propios. Cosas que ella le dijo y cosas que hicieron los dos… Lugares donde estuvieron. No piensa en otra cosa.

—¿Crees que se ha vuelto loco?

Lavinia meneó la cabeza en un gesto de infinita paciencia.

—¡Oh, no! Es tan bello lo que cuenta…

—Entonces, ¿también tú…? Me refiero a esa disparatada teoría.

—Es una teoría, pero no disparatada, necesariamente —me respondió, un poco irritada—. Toda teoría tiene que suponer algo

–continuó diciendo serenamente– y en todo caso depende de ¿qué *es* teoría? Es maravilloso ver cómo funciona ésta.

—Resulta maravilloso ver el engendro de una leyenda –dije, riéndome–. Es una suerte rara encontrarse con una leyenda en formación. Los tres están elaborándola con toda su buena fe. ¿No es esto lo que le sacaste?

Su cara cansada se iluminó ligeramente.

—Sí, lo comprendes y lo explicas mejor que yo. Es el efecto gradual de pensar en el pasado; el pasado, así, crece y se amplía. Lo elaboran. Se han persuadido uno a otro, los padres, de tantas cosas que al fin lo han persuadido a él. Ha sido contagioso.

—Eres tú quien lo explica bien –repliqué–. Es la cosa más rara que haya escuchado en mi vida, pero es una realidad a su manera. Sólo que no debemos hablar de esto a otros.

Lavinia aceptó prontamente esta precaución.

—No, a nadie. Él no lo cuenta… Sólo a mí.

—Comparte contigo ese raro privilegio –dije, riéndome otra vez.

Lavinia desvió la mirada y estuvo callada unos momentos.

—Ha mantenido su promesa.

—¿Te refieres a la de no casarse? ¿Estás segura? –pregunté–. ¿No crees que, tal vez…?

Titubeé ante la osadía de mi broma. Pero al momento me di cuenta de que no era necesario.

—Estaba enamorado de ella –dijo Lavinia.

Estallé en una carcajada, que si bien había sido provocada, sonó a mis propios oídos casi como una ruda profanación.

—¿Te dice claramente que está haciendo una farsa?

Mi joven amiga me hizo frente.

—No creo que él *sepa* que está haciendo una farsa. Está metido en ella.

—¿En la farsa disparatada de los viejos?

Otra vez Lavinia titubeó; pero indudablemente sabía lo que pensaba.

—Bueno, llamémosla como la llamemos, me gusta. Tal como va el mundo no es corriente que uno, y quien dice uno dice dos o tres, sienta y se interese tanto por los muertos. Es un engaño, no hay duda, pero viene de algo que… –Lavinia vaciló de nuevo–.

Bueno, resulta agradable oír hablar de ello. La han hecho mayor y así imaginan que la tuvieron más tiempo; y dicen que ciertas cosas ocurrieron realmente, de manera que la chica tuvo más vida. Han inventado toda una experiencia de su hija, en la cual han metido a Marmaduke. Hay una cosa, sobre todo, que quieren que ella haya tenido.

La cara de Lavinia, a medida que la joven analizaba el misterio, se ponía radiante con la visión. Sentí como una sensación de terror al pensar en lo contagiosa que podía ser la actitud de los Dedrick.

—¡Y la tuvo! –declaró Lavinia.

La admiré positivamente y si pudiera ser racional sin ser ridícula diría que a través de ella me hice la imagen de lo que pasaba.

—¿Tuvo la felicidad de conocer a Marmaduke? Aceptemos esto, pues, ya que ella no está aquí para decirnos lo contrario, pero lo que no acierto a comprender es el interés de él. –Fácilmente puede concebirse lo poco que de momento conseguí entender. Fue la última vez que mi impaciencia fue incontenible y recuerdo que estallé diciendo–: ¡Un hombre que pudo haberte tenido a ti!

Por un momento temí haberla sobresaltado, porque percibí en su cara el temblor de un vago desmayo. Pero Lavinia estuvo soberbia.

—No es que pudo haberme tenido a mí… Esto no es nada; fue a lo sumo, que yo pude tenerlo a él. Bueno, ¿no es esto lo que ocurrió? Es mío desde el momento que nadie más lo tiene. Renuncio al pasado, pero ¿no ves lo que hace del resto de su vida? Estoy más segura que nunca de que no se va a casar.

—Claro que no se va a pelear con esa gente.

Por un momento no me contestó.

—Bueno, por la razón que sea –dijo sencillamente, después.

Pero se le escaparon unas lágrimas y yo hice a un lado la triste comedia.

VII

Pude ponerla de lado, pero no pude realmente librarme de ella; ni, sin duda, lo deseaba, porque tener en la vida de una, año tras año, una cuestión particular, o dos, sobre las cuales no se pueda una decidir, es lo que nos permite no caer en la estupidez. Hubo poca necesidad de que recomendara reserva a Lavinia: obedeció, por lo que hace a su impenetrable reserva excepto conmigo, a un instinto, a un interés propio. Por consiguiente nunca dejamos "de lado" al pobre Marmaduke; fuimos mucho más tiernas y ella, además, orgullosa; en cuanto a mí, no tenía, a fin de cuentas, otra persona que gozara de su confianza. No nos llegó ningún eco del extraño papel que Marmaduke representaba en casa de los Dedrick; y no puedo deciros hasta qué punto este hecho, por sí mismo, hizo que me familiarizara poco a poco con el encanto bajo el cual él vivía. Lo encontré en "salidas" de tarde en tarde, generalmente en cenas. Había llegado a parecer una persona de posición y de historia. Sonrosado, con apariencia de rico, gordo, decididamente gordo al fin, tenía algo de la blandura –aunque no excesiva– de un joven jefe de una empresa hereditaria. Si los Dedrick hubieran sido banqueros, él habría sido el futuro de la casa. Hubo, no obstante, un largo periodo durante el cual, a pesar de que todos estábamos tanto en Londres, Marmaduke desapareció de mis conversaciones con Lavinia. Teníamos conciencia, las dos, de su ausencia en ellas; pero comprendíamos que hay cosas que son inexplicables y que de hecho, en todo caso, no tenían ninguna relación con que viéramos o no a nuestro amigo. Yo estaba segura, y así resultó, de que Lavinia le veía. Pero hubo momentos en que para mí no existía.

Uno de éstos fue cierta tarde de domingo, tan desagradablemente húmeda en que, dando por supuesto que no recibiría ninguna visita, me había sentado junto al fuego con un libro –una novela de actualidad y de éxito– cuya lectura me prometía terminar confortablemente. De pronto, aunque absorta, oí el ruido de alguien que llamaba a la puerta y recuerdo que di un gruñido de inhospitalidad. Pero mi visitante resultó ser Marmaduke, y Marmaduke resultó ser más interesante que la novela que leía, quizá debido a que, dado el punto a que habíamos llegado, no contaba con él. Por una casualidad fue así; por el grueso de un cabello pudo ser lo contrario. No había venido a hablar, había venido sólo a charlar, a demostrar, una vez más, que podíamos continuar siendo buenos amigos sin hablar. Pero contaban las circunstancias: el fuego insidioso de la chimenea, las cosas de la pieza, con sus recuerdos de otros tiempos; quizá también mi libro, mirándolo desde el lugar donde yo lo había dejado para que lo viera y dándole la oportunidad de sentir que podía superar a Wilkie Collins. Había, en todo caso, una promesa de intimidad, de oportunidad para él en la tempestad que se estrellaba contra las ventanas. Estaríamos solos, cómodos y seguros.

Estas impresiones dieron un resultado tanto más interesante cuanto lo que trataban era, después lo vi, no el deseo de un efecto sino sencillamente un espíritu de felicidad que necesitaba rebosar. Había llegado a ser demasiado para él. Su pasado, acumulándose año tras año, había llegado a ser muy interesante. Pero al mismo tiempo, él estaba estupefacto. No recuerdo qué punto de nuestros chismes preliminares hicieron que, para una u otra explicación, Marmaduke dijera: "Cuando un hombre ha tenido durante unos meses lo que yo he tenido, ¡figúrate!" Al aparecer la moraleja era que nada, en cuestiones de experiencia humana de lo exquisito, podía ya importar especialmente. No obstante, se dio cuenta de que yo no ajustaba inmediatamente su reflexión a un caso determinado y continuó, con una franca sonrisa: "Me miras confundida, como si sospecharas que aludo a algo de lo que usualmente no se habla; pero te aseguro que no me refiero a nada más reprensible que nuestro bendito compromiso".

—¿Vuestro bendito compromiso?

No pude evitar el tono en que le contesté, pero la manera en que se desentendió de aquello fue algo de lo cual todavía ahora siento la influencia. Fue sólo una mirada, pero puso fin a mi tono para siempre. Hizo que un instante después yo desviara mi mirada hacia el fuego –una mirada endurecida– e incluso que me ruborizara un poco. En este momento vi mis alternativas y escogí, de manera que cuando nos miramos a los ojos otra vez yo me sentía bastante bien dispuesta.

—¿Todavía te das cuenta –pregunté con simpatía– de lo mucho que hizo por ti?

Había dicho apenas estas palabras cuando comprendí que señalaban desde aquel momento el buen camino. Instantáneamente todo fue diferente. La cuestión principal sería si yo era capaz de seguirlo. Recuerdo que sólo unos minutos después, por ejemplo, esta cuestión lanzó una llamarada. Su contestación había sido abundante e imperturbable y había comprendido alguna alusión a la manera como la muerte hace resaltar las cosas más desanimadas que la hayan precedido; ante lo cual me sentí de pronto tan inquieta como si él me diera miedo. Me levanté para encargar el té y Marmaduke continuó hablando... Hablando de Maud-Evelyn y de lo que la chica había sido para él. Cuando vino el sirviente, prolongué nerviosamente, adrede, la orden, que me permitió hablar sin pensar; en lo que realmente pensaba era en volver al asunto después de una breve pausa. La tentación era fuerte: las mismas influencias que habían pesado sobre mi interlocutor pesaron durante uno o dos minutos sobre mí. *Debería*, sorprendiéndole inadvertido, decirle directamente: "Dime, aclárame esto de una vez para siempre: *¿eres* el más desvergonzado y el más vil de los cazadores de fortunas o sólo es que de una manera más inocente y más agradable se te ha ablandado el cerebro?" Pero perdí la oportunidad, lo cual, más tarde, no tuve que lamentar. Salió el criado y me enfrenté de nuevo con Marmaduke, el cual continuaba hablando. Le miré a los ojos otra vez y sentí el mismo efecto. Si le había ocurrido algo a su cerebro, el efecto era tal vez el dominio de la mirada del loco. Bueno, Marmaduke era el más cómodo y el más amable de los locos. Cuando volvió el sirviente con el té estaba dispuesta a todo. Por "todo" quiero decir mi trato subsiguiente del caso. *Era* –el caso era– realmente interesante. Como todo lo demás, recuerdo la escena: el ruido del viento y de la lluvia, la vista de la plaza vacía, fea, sin coches y la luz de la tempestad primaveral; la manera cómo, absortos, sin que nada nos interrumpiera, tomamos el té junto al fuego de la chimenea. Me encontró receptiva y yo me sentí capaz de parecer sencillamente grave y bondadosa cuando él dijo, por ejemplo: "Su padre y su madre, realmente, el primer día, el día que me recogieron en Splügen, me reconocieron como el hombre adecuado".

—¿El hombre adecuado?

—Para ser su yerno. Querían que su hija hubiera tenido, entiéndeme, todo.

—Bueno, si no lo había tenido –dije, tratando de mostrarme divertida–, ¿no queda todo arreglado?

—Está arreglado ahora –replicó Marmaduke–, ahora que lo tenemos todo. Mira, no podrían quererme tanto –Marmaduke deseaba que yo comprendiera– si no vieran en mí el hombre adecuado.

—Comprendo, es muy natural.

—Esto excluía la posibilidad de cualquier otro.

—Oh, esto no habría dado buen resultado –dije riéndome.

Su satisfacción era impenetrable, espléndida.

—Mira, no podían hacer mucho, los viejos, y ahora menos, con el futuro; de manera que tenían que hacer lo que pudieran con el pasado.

—Y parece que han hecho mucho.

—Todo, sencillamente todo –repitió Marmaduke.

Luego tuvo una idea, aunque sin insistencia ni importunidad. Noté que se le animaba el rostro.

—Si quisieras ir a Westbourne Terrace…

—¡Oh, no me hables de eso! –estallé yo–. No sería muy decente ahora. Habría ido, en todo caso, diez años atrás.

Marmaduke vio, con su buen humor, más allá.

—Entiendo lo que quieres decir. Pero ahora hay allí mucho más que antes.

—Lo creo. Han comprado más cosas. No obstante…

Resistí a mi curiosidad. Marmaduke no me presionó, pero quiso informarme.

—Han amueblado nuestra habitación, completamente, y no creo que hayas visto nunca nada tan bonito, porque *su* buen gusto era extraordinario. Creo que también yo tengo algo que ver en eso.

Luego, como si se diera cuenta de que yo estaba de nuevo desconcertada, continuó diciendo:

—Te estoy hablando de la *suite* preparada para nuestro matrimonio –Hablaba como un príncipe de la Corona–. Las habitaciones estaban amuebladas hasta el último detalle, no había que poner allí nada más. Y están como estaban, no se ha movido ni un mueble, no se ha alterado ningún detalle, nadie más que nosotros entra allí. Se conserva todo con mucho cuidado. Todos nuestros regalos de boda están en la *suite*. Me habría gustado enseñártelos.

Era ya un tormento. Me di cuenta de que había cometido un error. Y me hice atrás.

—¡Oh, no podría soportarlo!

—No están tristes –dijo Marmaduke sonriéndose–. Son demasiado amables para estar tristes. Son felices. Y las cosas…

Parecía, en la excitación de la charla, que las tenía ante sí.

—¿Son realmente tan maravillosas?

—¡Oh, seleccionadas con una paciencia que las hace casi inapreciables! Aquello es como un museo. No hay nada que les pareciera demasiado bueno para ella.

Había perdido el museo, pero pensé que no podría guardar ningún objeto tan raro como mi visitante.

—Bueno, tú les has ayudado. Podías hacer eso.

Asintió seriamente.

—Podía hacerlo, gracias a Dios… ¡Podía hacerlo! Lo sentí desde el primer momento y es lo que he hecho –luego, como si la relación fuera directa, agregó–: Todas mis cosas están allí.

Pensé un momento.

—¿Todos tus regalos?

—Los que le hice a ella. Le gustaban todos y recuerdo lo que decía de cada uno de ellos. Y debo decirte –continuó– que ninguno de los otros se aproxima siquiera a los míos. Los miro cada día y te aseguro que no tengo que avergonzarme.

Evidentemente, dicho sea en pocas palabras, había sido espléndido y habló largo y tendido. Realmente, fanfarroneó de lo lindo.

VIII

En relación con fechas e intervalos, sólo recuerdo que si esta visita que me hizo fue a principios de la primavera, fue en un día del último otoño –un día que no pudo ser en el mismo año, con la diferencia del crepúsculo brumoso y las hojas secas y amarillas– cuando, tomando un atajo a través de Kensington Gardens, encontré, en un camino poco transitado, una pareja sentada en unas sillas, a la sombra de un árbol. No la reconocí en seguida, tal vez porque Marmaduke vestía un traje de luto riguroso. En mi deseo de no parecer confundida y al mismo tiempo de que no se sintieran ellos confundidos, les invité a que volvieran a sentarse, y como viera cerca una silla desocupada, me senté para compartir unos momentos su descanso. Nos sentamos Lavinia y yo, nuestro amigo permanecía de pie y consultaba su reloj. Nos dijo que lo sentía, pero que tenía que dejarnos. Lavinia no dijo nada, pero yo manifesté mi pesar; no podía, me pareció, sin caer en lo falso o lo vulgar, hablar como si hubiera interrumpido la conversación de dos enamorados; mas no podía ignorar su ropa de luto. Para dejarnos no había dado otro pretexto que el de que era tarde y tenía que regresar a casa. "A casa", en boca suya, no tenía más que un significado: yo sabía que estaba instalado en Westbourne Terrace.

—Espero –le dije– que no hayas perdido a alguien que yo conozca.

Marmaduke miró a Lavinia y ésta le miró a él.

—Ha muerto su esposa –dijo Lavinia.

Creo que esta vez estuve a punto de dejarme llevar por la brutalidad.

—¿Tu esposa? No sabía que tuvieras una esposa.

—Bueno –me contestó, positivamente contento en su traje negro, sus guantes negros y la cinta negra en el sombrero–, cuanto más vivimos en el pasado más cosas encontramos en él. Éste es un hecho literal. Comprenderías la verdad de esto si tu vida hubiera tomado este rumbo.

—Yo vivo en el pasado –dijo Lavinia, amablemente, como para ayudarnos a los dos.

—Pero con el resultado, querida –repliqué–, de no hacer, espero, descubrimientos tan extraordinarios.

—Tal vez ninguno de sus descubrimientos sea tan fatal como el mío –dijo Marmaduke.

Marmaduke no se mostraba dramático y en aquella situación tuvo el buen gusto de la simplicidad.

—Han querido esto para ella –continuó diciéndome–, hemos visto lo que nos correspondía hacer… Me refiero a lo que ha dicho Lavinia –Titubeó unos segundos y aclaró–. Maud-Evelyn ha tenido toda su felicidad de joven.

Me quedé mirando, asombrada, pero Lavinia estuvo brillante, a su manera peculiar.

—El matrimonio se *consumó* –me explicó, tranquila, estupendamente.

Estaba resuelta a no quedarme a medias.

—De manera que has quedado viudo –dije gravemente– y guardas luto.

—Sí, lo guardaré siempre.

—Pero ¿no es esto empezar un poco tarde?

Mi pregunta fue estúpida, me di cuenta de ello en seguida; pero no importaba, era apropiada a la situación.

—Oh, tuve que esperar a que me lo permitieran todos los hechos de mi matrimonio.

Consultó de nuevo su reloj.

—Perdóname... Tengo que irme. Adiós, adiós.

Nos estrechó la mano a una y a otra, y mientras, sentadas, veíamos cómo se alejaba me sentí impresionada por la propiedad con que encarnaba el personaje. Me pareció que las dos estábamos de acuerdo con esta idea y no dije nada hasta que se perdió de vista. Entonces, llevadas del mismo impulso, nos miramos una a otra.

—Pensaba que no se iba a casar nunca.

Me miró gravemente, con su fina cara desmejorada.

—No lo hará nunca. Será aún más fiel.

—Más fiel, esta vez, ¿a quién?

—A Maud-Evelyn.

No dije nada, contuve una exclamación, puse una mano sobre las de Lavinia y guardamos silencio durante un minuto.

—Claro, no es más que una idea –dijo Lavinia por fin–, pero me parece bella –Luego agregó, en tono resignado–. Ahora, *ellos* pueden morir.

—¿Los Dedrick? –levanté las orejas–. ¿Es que están enfermos?

—No exactamente, pero la señora está agotada, al parecer; cada día que pasa se siente más débil; menos, según tengo entendido, por algún achaque determinado que por sentir que su obra ha terminado y que la poca cantidad de pasión que sentía, por decirlo con palabras de Marmaduke, se ha agotado. ¡Imagínate, con sus convicciones, las razones que tiene para querer morir! Y si se muere, su marido no le sobrevivirá mucho tiempo. Será exactamente: "Juntos para siempre los dos".

—¿Haciéndole compañía al pie de la colina, tendido junto a ella?

—Sí, habiendo resuelto todas las cosas.

Reflexioné sobre estas cosas mientras nos íbamos y sobre la manera como las habían resuelto, con dignidad para Maud-Evelyn y para provecho de Marmaduke; y antes de que nos separáramos aquella tarde –habíamos tomado un coche en Baywater Road y Lavinia había venido conmigo– le dije:

—Entonces, cuando mueran, él quedará libre, ¿no?

Lavinia me miró como si no comprendiera.

—¿Libre?

—De hacer lo que le guste.

Se sorprendió.

—Pero si ya hace lo que le gusta, ahora.

—Bueno, entonces, lo que te guste a ti.

—Oh, tú sabes muy bien qué es lo que me gustaría.

¡Le cerré la boca!

—¡Te gustan esas horribles mentiras! ¡Lo sé!

Lo que Lavinia había previsto ocurrió con el tiempo. En el curso del año siguiente tuve noticia de la muerte de la señora Dedrick y unos meses más tarde, sin haber visto a Marmaduke, absolutamente dedicado a su desolado protector, supe que también éste, afligidamente, había seguido su suerte. Yo estaba fuera de Inglaterra, entonces. Tuvimos que llevar una vida más económica y alquilamos nuestra casa. Pasé tres inviernos sucesivos en Italia y dediqué los períodos intermedios, en nuestro país, a visitar sobre todo a parientes, que no conocían a estos amigos míos. Lavinia, naturalmente, me escribió. Entre otras cosas, que Marmaduke estaba enfermo y que no parecía el mismo desde la pérdida de su "familia" y esto a pesar de que, como ella ya me había comunicado en su día, le habían dejado, mediante testamento, "casi toda su fortuna". Yo sabía, antes de que regresara para quedarme, que ahora Lavinia le veía a menudo, hasta el extremo de que, viéndole agotado física y moralmente, se había hecho cargo de su cuidado. En cuanto nos vimos, le pregunté por él. Y me respondió:

—Está acabándose gradualmente –Y agregó–. Ha tenido su vida.

—¿Quieres decir, como él dijo de la señora Dedrick, que ha agotado la poca cantidad de pasión que sentía?

Al oír esto, Lavinia volvió la cara.

—Nunca has comprendido.

Yo *había comprendido*, según mi idea, y cuando, después, fui a verle, estuve segura de ello. Pero en aquella ocasión sólo dije a Lavinia que iría a ver a Marmaduke, en seguida, lo cual me llevó al clímax de mi historia.

—Ya no vive –me advirtió– en Westbourne Terrace. Ha alquilado una pequeña casa en Kensington.

—Entonces, ¿no ha guardado las cosas?

—Lo ha guardado todo.

Me miró otra vez como si yo no hubiera comprendido nunca nada.

—¿Quieres decir que las ha trasladado?

Lavinia se mostró paciente conmigo.

—No ha trasladado nada. Todo está como estaba y conservado cuidadosamente.

Me sorprendí.

—Pero si dices que no vive ya allí…

—Es exactamente lo que hace.

—Entonces, ¿cómo puede estar en Kensington?

La joven titubeó, pero dijo:

—Está en Kensington, sin vivir.

—¿Quieres decir que en Westbourne Terrace…?

—Sí, pasa allí la mayor parte de su tiempo. Va en coche cada día y está allí durante horas. Conserva la casa para esto.

—Ya veo. Es todavía el museo.

—¡Es todavía el templo! –replicó Lavinia severamente.

—Entonces ¿por qué se mudó?

—Para que… –respondió Lavinia, titubeando, y terminó con admirable sencillez–. yo pudiera estar a su lado. Me necesita.

Poco a poco comprendía.

—¿No fuiste allá ni siquiera después de la muerte de los padres?

—Nunca.

—Entonces ¿no has visto nada?

—¿De ella? Nada.

Comprendí, oh, perfectamente; pero no puedo negar que quedé decepcionada. Había esperado conocer las maravillas de Marmaduke y me di cuenta en el acto de que no podía dar un paso que Lavinia había declinado. Cuando, algún tiempo después, los vi juntos en Kensington Square –Lavinia pasaba regularmente ciertas horas del día, allí, con Marmaduke– observé que todo en él era nuevo, bello y sencillo. Era en su extraña y final unión –si unión podía llamarse– muy natural y conmovedor; pero estaba muy abatido y el dolor se reflejaba en sus ojos. Se movía como una hermana de la caridad; en todo caso como una hermana. No se le veía ya robusto y sonrosado ni con la atención alerta y en mi fantasía me pregunté por dónde debería rondar y esperar. Pero el pobre Marmaduke fue un caballero hasta el fin, se consumió de buena manera y murió hace ahora diez días. Se abrió su testamento y la semana pasada, habiendo oído algo de su contenido, vi a Lavinia. Le dejó todo lo que él había heredado. Pero me habló de todo ello de una manera que me hizo exclamar, sorprendida:

—Pero ¿no has estado aún en la casa?

—Todavía no. Sólo he visto a los abogados, que me han dicho que no habrá complicaciones.

Algo en su tono me indujo a preguntar:

—¿No sientes curiosidad por ver lo que hay allí?

Me dirigió una mirada casi suplicante, que delataba su turbación y que comprendí. Y dijo:

—¿Quieres ir conmigo?

—Algún día, con mucho gusto –respondí–, pero no la primera vez. Debes ir sola. Las "reliquias" que encontrarás allí –agregué, porque había leído su mirada– no has de considerarlas como de ella…

—¿Sino como de él?

—¿No crees que su muerte, dada la estrecha relación de Marmaduke con las reliquias, las ha hecho tuyas?

Su cara se iluminó. Comprendí que era un punto de vista que me agradecía haber expresado en palabras.

—Comprendo, comprendo… Eran suyas. Iré.

Lavinia fue a Westbourne Terrace y hace tres días vino a verme. Realmente hay allí maravillas, parece, tesoros extraordinarios, y son suyos. La semana próxima la acompañaré y, al fin, los veré. ¿Si te lo contaré, me preguntas? Absolutamente todo, querido.

Traducción de Vicente Riera y Carlos Pujol

Guy de Maupassant (1850-1893)

El Horla

8 de mayo

¡Qué hermoso día! He pasado toda la mañana tendido sobre la hierba, delante de mi casa, bajo el enorme plátano que la cubre, la resguarda y le da sombra. Adoro esta región, y me gusta vivir aquí porque he echado raíces aquí, esas raíces profundas y delicadas que unen al hombre con la tierra donde nacieron y murieron sus abuelos, esas raíces que lo unen a lo que se piensa y a lo que se come, a las costumbres como a los alimentos, a los modismos regionales, a la forma de hablar de sus habitantes, a los perfumes de la tierra, de las aldeas y del aire mismo. Adoro la casa donde he crecido. Desde mis ventanas veo el Sena que corre detrás del camino, a lo largo de mi jardín, casi dentro de mi casa, el grande y ancho Sena, cubierto de barcos, en el tramo entre Ruán y El Havre. A lo lejos y a la izquierda está Ruán, la vasta ciudad de techos azules, con sus numerosas y agudas torres góticas, delicadas o macizas, dominadas por la flecha de hierro de su catedral, y pobladas de campanas que tañen en el aire azul de las mañanas hermosas enviándome su suave y lejano murmullo de hierro, su canto de bronce que me llega con mayor o menor intensidad según que la brisa aumente o disminuya. ¡Qué hermosa mañana!

A eso de las once pasó frente a mi ventana un largo convoy de navíos arrastrados por un remolcador grande como una mosca, que jadeaba de fatiga lanzando por su chimenea un humo espeso. Después pasaron dos goletas inglesas cuyas rojas banderas flameaban sobre el fondo del cielo, y un soberbio bergantín brasileño, blanco y admirablemente limpio y reluciente. Saludé su paso sin saber por qué, pues sentí placer al contemplarlo.

11 de mayo

Tengo algo de fiebre desde hace algunos días. Me siento dolorido o más bien triste. ¿De dónde vienen esas misteriosas influencias que trasforman nuestro bienestar en desaliento y nuestra confianza en angustia? Diríase que el aire, el aire invisible, está poblado de lo desconocido, de poderes cuya misteriosa proximidad experimentamos. ¿Por qué al despertarme siento una gran alegría y ganas de cantar, y luego, sorpresivamente, después de dar un corto paseo por la costa, regreso desolado como si me esperase una desgracia en mi casa? ¿Tal vez una ráfaga fría al rozarme la piel me ha alterado los nervios y ensombrecido el alma? ¿Acaso la forma de las nubes o el color tan variable del día o de las cosas me ha perturbado el pensamiento al pasar por mis ojos? ¿Quién puede saberlo? Todo lo que nos rodea, lo que vemos sin mirar, lo que rozamos inconscientemente, lo que tocamos sin palpar y lo que encontramos sin reparar en ello, tiene efectos rápidos, sorprendentes e inexplicables sobre nosotros, sobre nuestros órganos y, por consiguiente, sobre nuestros pensamientos y nuestro corazón. ¡Cuán profundo es el misterio de lo Invisible! No podemos explorarlo con nuestros mediocres sentidos, con nuestros ojos que no pueden percibir lo muy grande ni lo muy pequeño, lo muy próximo ni lo muy lejano, los habitantes de una estrella ni los de una gota de agua… con nuestros oídos que nos engañan, trasformando las vibraciones del aire en ondas sonoras, como si fueran hadas que convierten milagrosamente en sonido ese movimiento, y que mediante esa metamorfosis hacen surgir la música que trasforma en canto la muda agitación de la naturaleza… con nuestro olfato, más débil que el del perro… con nuestro sentido del gusto, que apenas puede distinguir la edad de un vino. ¡Cuántas cosas descubriríamos a nuestro alrededor si tuviéramos otros órganos que realizaran para nosotros otros milagros!

16 de mayo

Decididamente, estoy enfermo. ¡Y pensar que estaba tan bien el mes pasado! Tengo fiebre, una fiebre atroz, o, mejor dicho, una nerviosidad febril que afecta por igual el alma y el cuerpo. Tengo continuamente la angustiosa sensación de un peligro que me amenaza, la aprensión de una desgracia inminente o de la muerte que se aproxima, el presentimiento suscitado por el comienzo de un mal aún desconocido que germina en la carne y en la sangre.

18 de mayo

Acabo de consultar al médico pues ya no podía dormir. Me ha encontrado el pulso acelerado, los ojos inflamados y los nervios alterados, pero ningún síntoma alarmante. Debo darme duchas y tomar bromuro de potasio.

25 de mayo

¡No siento ninguna mejoría! Mi estado es realmente extraño. Cuando se aproxima la noche, me invade una inexplicable inquietud, como si la noche ocultase una terrible amenaza para mí. Ceno rápidamente y luego trato de leer, pero no comprendo las palabras y apenas distingo las letras. Camino entonces de un extremo a otro de la sala sintiendo la opresión de un temor confuso e irresistible, el temor de dormir y el temor de la cama. A las diez subo a la habitación. En cuanto entro, doy dos vueltas a la llave y corro los cerrojos; tengo miedo... ¿de qué?... Hasta ahora nunca sentía temor por nada... abro mis armarios, miro debajo de la cama; escucho... escucho... ¿qué?... ¿Acaso puede sorprender que un malestar, un trastorno de la circulación, y tal vez una ligera congestión, una pequeña perturbación del funcionamiento tan imperfecto y delicado de nuestra máquina viviente, convierta en un melancólico al más alegre de los hombres y en un cobarde al más valiente? Luego me acuesto y espero el sueño como si esperase al verdugo. Espero su llegada con espanto; mi corazón late intensamente y mis piernas se estremecen; todo mi cuerpo tiembla en medio del calor de la cama hasta el momento en que caigo bruscamente en el sueño como si me ahogara en un abismo de agua estancada. Ya no siento llegar como antes ese sueño pérfido, oculto cerca de mí, que me acecha, se apodera de mi cabeza, me cierra los ojos y me aniquila. Duermo durante dos o tres horas, y luego no es un sueño sino una pesadilla lo que se apodera de mí. Sé perfectamente que estoy acostado y que duermo... lo comprendo y lo sé… y siento también que alguien se aproxima, me mira, me toca, sube sobre la cama, se arrodilla sobre mi pecho y tomando mi cuello entre sus manos aprieta y aprieta… con todas sus fuerzas para estrangularme. Trato de defenderme, impedido por esa impotencia atroz que nos paraliza en los sueños: quiero gritar y no puedo; trato de moverme y no puedo; con angustiosos esfuerzos y jadeante, trato de liberarme, de rechazar ese ser que me aplasta y me asfixia, ¡pero no puedo! Y de pronto me despierto enloquecido y cubierto de sudor. Enciendo una bujía. Estoy solo.

Después de esa crisis, que se repite todas las noches, duermo por fin tranquilamente hasta el amanecer.

2 de junio

Mi estado se ha agravado. ¿Qué es lo que tengo? El bromuro y las duchas no me producen ningún efecto. Para fatigarme más, a pesar de que ya me sentía cansado, fui a dar un paseo por el bosque de Roumare. En un principio, me pareció que el aire suave, ligero y fresco, lleno de aromas de hierbas y hojas vertía una sangre nueva en mis venas y nuevas energías en mi corazón. Caminé por una gran avenida de caza y después por una estrecha alameda, entre dos filas de árboles desmesuradamente altos que formaban un techo verde y espeso, casi negro, entre el cielo y yo. De pronto sentí un estremecimiento, no de frío sino un extraño temblor angustioso. Apresuré el paso, inquieto por hallarme solo en ese bosque, atemorizado sin razón por el profundo silencio. De improviso me pareció que me seguían, que alguien marchaba detrás de mí, muy cerca, muy cerca, casi pisándome los talones. Me volví hacia atrás con brusquedad. Estaba solo. Únicamente vi detrás de mí el resto y amplio sendero, vacío, alto, pavorosamente vacío; y del otro lado se extendía también hasta perderse de vista de modo igualmente solitario y atemorizante.

Cerré los ojos, ¿por qué? Y me puse a girar sobre un pie como un trompo. Estuve a punto de caer; abrí los ojos: los árboles bailaban, la tierra flotaba, tuve que sentarme. Después ya no supe por dónde había llegado hasta allí. ¡Qué extraño! Ya no recordaba nada. Tomé hacia la derecha, y llegué a la avenida que me había llevado al centro del bosque.

3 de junio

He pasado una noche horrible. Voy a irme de aquí por algunas semanas. Un viaje breve sin duda me tranquilizará.

2 de julio

Regreso restablecido. El viaje ha sido delicioso. Visité el monte Saint-Michel que no conocía. ¡Qué hermosa visión se tiene al llegar a Avranches, como llegué yo, al caer la tarde! La ciudad se halla sobre una colina. Cuando me llevaron al jardín botánico, situado en un extremo de la población, no pude evitar un grito de admiración. Una extensa bahía se extendía ante mis ojos hasta el horizonte, entre dos costas lejanas que se esfumaban en medio de la bruma, y en el centro de esa inmensa bahía, bajo un dorado cielo despejado, se elevaba un monte extraño, sombrío y puntiagudo en las arenas de la playa. El sol acababa de ocultarse, y en el horizonte aún rojizo se recortaba el perfil de ese fantástico acantilado que lleva en su cima un fantástico monumento.

Al amanecer me dirigí hacia allí. El mar estaba bajo como la tarde anterior y a medida que me acercaba veía elevarse gradualmente la sorprendente abadía. Luego de varias horas de marcha, llegué al enorme bloque de piedra en cuya cima se halla la pequeña población dominada por la gran iglesia. Después de subir por la calle estrecha y empinada, penetré en la más admirable morada gótica construida por Dios en la tierra, vasta como una ciudad, con numerosos recintos de techo bajo, como aplastados por bóvedas y galerías superiores sostenidas por frágiles columnas. Entré en esa gigantesca joya de granito, ligera como un encaje, cubierta de torres, de esbeltos torreones, a los cuales se sube por intrincadas escaleras, que destacan en el cielo azul del día y negro de la noche sus extrañas cúpulas erizadas de quimeras, diablos, animales fantásticos y flores monstruosas, unidas entre sí por finos arcos labrados.

Cuando llegué a la cumbre, dije al monje que me acompañaba:

—¡Qué bien se debe estar aquí, padre!

—Es un lugar muy ventoso, señor –me respondió. Y nos pusimos a conversar mientras mirábamos subir el mar, que avanzaba sobre la playa y parecía cubrirla con una coraza de acero.

El monje me refirió historias, todas las viejas historias del lugar, leyendas, muchas leyendas. Una de ellas me impresionó mucho. Los nacidos en el monte aseguran que de noche se oyen voces en la playa y después se perciben los balidos de dos cabras, una de voz fuerte y la otra de voz débil. Los incrédulos afirman que son los graznidos de las aves marinas que se asemejan a balidos o a quejas humanas, pero los pescadores rezagados juran haber encontrado merodeando por las dunas, entre dos mareas y alrededor de la pequeña población tan alejada del mundo, a un viejo pastor cuya cabeza nunca pudieron ver por llevarla cubierta con su capa, y delante de él marchan un macho cabrío con rostro de hombre y una cabra con rostro de mujer; ambos tienen largos cabellos blancos y hablan sin cesar: discuten en una lengua desconocida, interrumpiéndose de pronto para balar con todas sus fuerzas.

—¿Cree usted en eso? –pregunté al monje.

—No sé –me contestó.

Yo proseguí:

—Si existieran en la tierra otros seres diferentes de nosotros, los conoceríamos desde hace mucho tiempo; ¿cómo es posible que no los hayamos visto usted ni yo?

—¿Acaso vemos –me respondió– la cienmilésima parte de lo que existe? Observe por ejemplo el viento, que es la fuerza más poderosa de la naturaleza; el viento, que derriba hombres y edificios, que arranca de cuajo los árboles y levanta montañas de agua en el mar, que destruye los acantilados y que arroja contra ellos a las grandes naves, el viento que mata, silba, gime y ruge, ¿acaso lo ha visto alguna vez? ¿Acaso lo puede ver? Y sin embargo existe.

Ante este sencillo razonamiento opté por callarme. Este hombre podía ser un sabio o tal vez un tonto. No podía afirmarlo con certeza, pero me llamé a silencio. Con mucha frecuencia había pensado en lo que me dijo.

3 de julio

Dormí mal; evidentemente, hay una influencia febril, pues mi cochero sufre del mismo mal que yo. Ayer, al regresar, observé su extraña palidez. Le pregunté:

—¿Qué tiene, Jean?

—Ya no puedo descansar; mis noches desgastan mis días. Desde la partida del señor parece que padezco una especie de hechizo.

Los demás criados están bien, pero temo que me vuelvan las crisis.

4 de julio

Decididamente, las crisis vuelven a empezar. Vuelvo a tener las mismas pesadillas. Anoche sentí que alguien se inclinaba sobre mí y con su boca sobre la mía, bebía mi vida. Sí, la bebía con la misma avidez que una sanguijuela. Luego se incorporó saciado, y yo me desperté tan extenuado y aniquilado, que apenas podía moverme. Si eso se prolonga durante algunos días volveré a ausentarme.

5 de julio

¿He perdido la razón? Lo que pasó, lo que vi anoche, ¡es tan extraño que cuando pienso en ello pierdo la cabeza!

Había cerrado la puerta con llave, como todas las noches, y luego sentí sed, bebí medio vaso de agua y observé distraídamente que la botella estaba llena. Me acosté en seguida y caí en uno de mis espantosos sueños del cual pude salir cerca de dos horas después con una sacudida más horrible aún. Imagínense ustedes un hombre que es asesinado mientras duerme, que despierta con un cuchillo clavado en el pecho, jadeante y cubierto de sangre, que no puede respirar y que muere sin comprender lo que ha sucedido.

Después de recobrar la razón, sentí nuevamente sed; encendí una bujía y me dirigí hacia la mesa donde había dejado la botella. La levanté inclinándola sobre el vaso, pero no había una gota de agua. Estaba vacía, ¡completamente vacía! Al principio no comprendí nada, pero de pronto sentí una emoción tan atroz que tuve que sentarme o, mejor dicho, me desplomé sobre una silla. Luego me incorporé de un salto para mirar a mi alrededor. Después volví a sentarme delante del cristal transparente, lleno de asombro y terror. Lo observaba con la mirada fija, tratando de imaginarme lo que había pasado. Mis manos temblaban. ¿Quién se había bebido el agua? Yo, yo sin duda. ¿Quién podía haber sido sino yo? Entonces… yo era sonámbulo, y vivía sin saberlo esa doble vida misteriosa que nos hace pensar que hay en nosotros dos seres, o que a veces existe un ser extraño, desconocido e invisible ánima, y que mientras dormimos, nuestro cuerpo cautivo le obedece como a nosotros y más que a nosotros.

¡Ah! ¿Quién podrá comprender mi abominable angustia? ¿Quién podrá comprender la emoción de un hombre mentalmente sano, perfectamente despierto y en uso de razón al contemplar espantado una botella que se ha vaciado mientras dormía? Y así permanecí hasta el amanecer, sin atreverme a volver a la cama.

6 de julio

Pierdo la razón. ¡Anoche también bebieron el agua de la botella, o tal vez la bebí yo!

10 de julio

Acabo de hacer sorprendentes comprobaciones. ¡Decididamente estoy loco! Y sin embargo... El 6 de julio, antes de acostarme puse sobre la mesa vino, leche, agua, pan y fresas. Han bebido –o he bebido– toda el agua y un poco de leche. No han tocado el vino, ni el pan ni las fresas. El 7 de julio he repetido la prueba con idénticos resultados. El 8 de julio suprimí el agua y la leche, y no han tocado nada. Por último, el 9 de julio puse sobre la mesa solamente el agua y la leche, teniendo especial cuidado de envolver las botellas con lienzos de muselina blanca y de atar los tapones. Luego me froté con grafito los labios, la barba y las manos y me acosté.

Un sueño irresistible se apoderó de mí, seguido poco después por el atroz despertar. No me había movido; ni siquiera mis sábanas estaban manchadas. Corrí hacia la mesa. Los lienzos que envolvían las botellas seguían limpios e inmaculados. Desaté los tapones, palpitante de emoción. ¡Se habían bebido toda el agua y toda la leche! ¡Ah! ¡Dios mío!...

Partiré inmediatamente hacia París.

12 de julio

París. Estos últimos días había perdido la cabeza. Tal vez he sido juguete de mi enervada imaginación, salvo que yo sea realmente sonámbulo o que haya sufrido una de esas influencias comprobadas, pero hasta ahora inexplicables, que se llaman sugestiones. De todos modos, mi extravío rayaba en la demencia, y han bastado veinticuatro horas en París para recobrar la cordura. Ayer, después de paseos y visitas que me han renovado y vivificado el alma, terminé el día en el Théatre-Français. Representábase una pieza de Alejandro Dumas hijo. Este autor vivaz y pujante ha terminado de curarme. Es evidente que la soledad resulta peligrosa para las mentes que piensan demasiado. Necesitamos ver a nuestro alrededor hombres que piensen y hablen. Cuando permanecemos solos durante mucho tiempo, poblamos de fantasmas el vacío.

Regresé muy contento al hotel, caminando por el centro. Al codearme con la multitud, pensé, no sin ironía, en mis terrores y suposiciones de la semana pasada, pues creí, sí, creí que un ser invisible vivía bajo mi techo. Cuán débil es nuestra razón y cuán rápidamente se extravía cuando nos estremece un hecho incomprensible.

En lugar de concluir con estas simples palabras: "Yo no comprendo porque no puedo explicarme las causas", nos imaginamos en seguida impresionantes misterios y poderes sobrenaturales.

14 de julio

Fiesta de la República. He paseado por las calles. Los cohetes y banderas me divirtieron como a un niño. Sin embargo, me parece una tontería ponerse contento un día determinado por decreto del gobierno. El pueblo es un rebaño de imbéciles, a veces tonto y paciente, y otras, feroz y rebelde. Se le dice: "Diviértete". Y se divierte. Se le dice: "Ve a combatir con tu vecino". Y va a combatir. Se le dice: "Vota por el emperador". Y vota por el emperador. Después: "Vota por la República". Y vota por la República.

Los que lo dirigen son igualmente tontos, pero en lugar de obedecer a hombres se atienen a principios, que por lo mismo sólo pueden ser necios, estériles y falsos, es decir, ideas consideradas ciertas e inmutables, tan luego en este mundo donde nada es seguro y donde la luz y el sonido son ilusorios.

16 de julio

Ayer he visto cosas que me preocuparon mucho. Cené en casa de mi prima, la señora Sablé, casada con el jefe del regimiento 76 de cazadores de Limoges. Conocí allí a dos señoras jóvenes, casada una de ellas con el doctor Parent que se dedica intensamente al estudio de las enfermedades nerviosas y de los fenómenos extraordinarios que hoy dan origen a las experiencias sobre hipnotismo y sugestión.

Nos refirió detalladamente los prodigiosos resultados obtenidos por los sabios ingleses y por los médicos de la escuela de Nancy. Los hechos que expuso me parecieron tan extraños que manifesté mi incredulidad.

—Estamos a punto de descubrir uno de los más importantes secretos de la naturaleza –decía el doctor Parent–, es decir, uno de sus más importantes secretos aquí en la tierra, puesto que hay evidentemente otros secretos importantes en las estrellas. Desde que el hombre piensa, desde que aprendió a expresar y a escribir su pensamiento, se siente tocado por un misterio impenetrable para sus sentidos groseros e imperfectos, y trata de suplir la impotencia de dichos sentidos mediante el esfuerzo de su inteligencia. Cuando la inteligencia permanecía aún en un estado rudimentario, la obsesión de los fenómenos invisibles adquiría formas comúnmente terroríficas. De ahí las creencias populares en lo sobrenatural. Las leyendas de las almas en pena, las hadas, los gnomos y los aparecidos; me atrevería a mencionar incluso la leyenda de Dios, pues nuestras concepciones del artífice creador de cualquier religión son las invenciones más mediocres, estúpidas e inaceptables que pueden salir de la mente atemorizada de los hombres. Nada es más cierto que este pensamiento de Voltaire: "Dios ha hecho al hombre a su imagen y semejanza pero el hombre también ha procedido así con él". Aunque desde hace algo más de un siglo parece percibirse algo nuevo. Mesmer y algunos otros nos señalan un nuevo camino y, efectivamente, sobre todo desde hace cuatro o cinco años se han obtenido sorprendentes resultados.

Mi prima, también muy incrédula, sonreía. El doctor Parent le dijo:

—¿Quiere que la hipnotice, señora?

—Sí; me parece bien.

Ella se sentó en un sillón y él comenzó a mirarla fijamente. De improviso me dominó la turbación, mi corazón latía con fuerza y sentía una opresión en la garganta. Veía cerrarse pesadamente los ojos de la señora Sablé, y su boca se crispaba y parecía jadear. Al cabo de diez minutos dormía.

—Póngase detrás de ella –me dijo el médico.

Obedecí su indicación, y él colocó en las manos de mi prima una tarjeta de visita al tiempo que le decía: "Esto es un espejo; ¿qué ve en él?"

—Veo a mi primo –respondió.

—¿Qué hace?

—Se atusa el bigote.

—¿Y ahora?

—Saca una fotografía del bolsillo.

—¿Quién aparece en la fotografía?

—Él, mi primo.

¡Era cierto! Esa misma tarde me habían entregado esa fotografía en el hotel.

—¿Cómo aparece en ese retrato?

—Se halla de pie, con el sombrero en la mano.

Evidentemente, veía en esa tarjeta de cartulina lo que hubiera visto en un espejo.

Las damas decían espantadas: "¡Basta! ¡Basta, por favor!" Pero el médico ordenó: "Usted se levantará mañana a las ocho; luego irá a ver a su primo al hotel donde se aloja, y le pedirá que le preste los cinco mil francos que le pide su esposo y que le reclamará cuando regrese de su próximo viaje". Luego la despertó.

Mientras regresaba al hotel pensé en esa curiosa sesión y me asaltaron dudas, no sobre la insospechable, la total buena fe de mi prima a quien conocía desde la infancia como a una hermana, sino sobre la seriedad del médico. ¿No escondería en su mano un espejo que mostraba a la joven dormida, al mismo tiempo que la tarjeta? Los prestidigitadores profesionales hacen cosas semejantes.

No bien regresé me acosté. Pero a las ocho y media de la mañana me despertó mi mucamo y me dijo:

—La señora Sablé quiere hablar inmediatamente con el señor.

Me vestí de prisa y la hice pasar. Sentóse muy turbada y me dijo sin levantar la mirada ni quitarse el velo:

—Querido primo, tengo que pedirle un gran favor.

—¿De qué se trata, prima?

—Me cuesta mucho decirlo, pero no tengo más remedio. Necesito urgentemente cinco mil francos.

—Pero cómo, ¿tan luego usted?

—Sí, yo, o mejor dicho mi esposo, que me ha encargado conseguirlos.

Me quedé tan asombrado que apenas podía balbucear mis respuestas. Pensaba que ella y el doctor Parent se estaba burlando de mí, y que eso podía ser una mera farsa preparada de antemano y representada a la perfección. Pero todas mis dudas se disiparon cuando la observé con atención. Temblaba de angustia. Evidentemente esta gestión le resultaba muy penosa y advertí que apenas podía reprimir el llanto.

Sabía que era muy rica y le dije:

—¿Cómo es posible que su esposo no disponga de cinco mil francos? —reflexioné—. ¿Está segura de que le ha encargado pedírmelos a mí?

Vaciló durante algunos segundos como si le costara mucho recordar, y luego respondió:

—Sí… sí… estoy segura.

—¿Le ha escrito?

Vaciló otra vez y volvió a pensar. Advertí el penoso esfuerzo de su mente. No sabía. Sólo recordaba que debía pedirme ese préstamo para su esposo. Por consiguiente, se decidió a mentir.

—Sí, me escribió.

—¿Cuándo? Ayer no me dijo nada.

—Recibí su carta esta mañana.

—¿Puede enseñármela?

—No, no… contenía cosas íntimas… demasiado personales… y la he… la he quemado.

—Así que su marido tiene deudas.

Vaciló una vez más y luego murmuró:

—No lo sé.

Bruscamente le dije:

—Pero en este momento, querida prima, no dispongo de cinco mil francos.

Dio una especie de grito de desesperación:

—¡Ay! ¡Por favor! ¡Se lo ruego! Trate de conseguirlos…

Exaltada, unía sus manos como si se tratara de un ruego. Su voz cambió de tono; lloraba murmurando cosas ininteligibles, molesta y dominada por la orden irresistible que había recibido.

—¡Ay! Le suplico… si supiera cómo sufro… los necesito para hoy—. Sentí piedad por ella.

—Los tendrá de cualquier manera. Se lo prometo.

—¡Oh! ¡Gracias, gracias! ¡Qué bondadoso es usted!

—¿Recuerda lo que pasó anoche en su casa? –le pregunté entonces.

—Sí.

—¿Recuerda que el doctor Parent la hipnotizó?

— Sí.

—Pues bien, fue él quien le ordenó venir esta mañana a pedirme cinco mil francos, y en este momento usted obedece a su sugestión.

Reflexionó durante algunos instantes y luego respondió:

—Pero es mi esposo quien me los pide –durante una hora traté infructuosamente de convencerla. Cuando se fue, corrí a casa del doctor Parent. Me dijo:

—¿Se ha convencido ahora?

—Sí, no hay más remedio que creer.

—Vamos a ver a su prima.

Cuando llegamos dormitaba en un sofá, rendida por el cansancio. El médico le tomó el pulso, la miró durante algún tiempo con una mano extendida hacia sus ojos que la joven cerró debido al influjo irresistible del poder magnético.

Cuando se durmió, el doctor Parent le dijo:

—¡Su esposo no necesita los cinco mil francos! Por lo tanto, usted debe olvidar que ha rogado a su primo para que se los preste, y si le habla de eso, usted no comprenderá. Luego le despertó. Entonces saqué mi billetera.

—Aquí tiene, querida prima. Lo que me pidió esta mañana.

Se mostró tan sorprendida que no me atreví a insistir. Traté, sin embargo, de refrescar su memoria, pero negó todo enfáticamente creyendo que me burlaba, y poco faltó para que se enojase.

Acabo de regresar. La experiencia me ha impresionado tanto que no he podido almorzar.

19 de julio

Muchas personas a quienes he referido esta aventura se han reído de mí. Ya no sé qué pensar. El sabio dijo: "Quizá".

21 de julio

Cené en Bougival y después estuve en el baile de los remeros. Decididamente, todo depende del lugar y del medio. Creer en lo sobrenatural en la isla de la Grenouillère sería el colmo del desatino... pero ¿no es así en la cima del monte Saint-Michel, y en la India? Sufrimos la influencia de lo que nos rodea. Regresaré a casa la semana próxima.

30 de julio

Ayer he regresado a casa. Todo está bien.

2 de agosto

No hay novedades. Hace un tiempo espléndido. Paso los días mirando correr el Sena.

4 de agosto

Hay problemas entre mis criados. Aseguran que alguien rompe los vasos en los armarios por la noche. El mucamo acusa a la cocinera y ésta a la lavandera quien a su vez acusa a los dos primeros. ¿Quién es el culpable? El tiempo lo dirá.

6 de agosto

Esta vez no estoy loco. Lo he visto... ¡lo he visto! Ya no tengo la menor duda... ¡lo he visto! Aún siento frío hasta en las uñas... el miedo me penetra hasta la médula... ¡Lo he visto!...

A las dos de la tarde me paseaba a pleno sol por mi rosedal; caminaba por el sendero de rosales de otoño que comienzan a florecer. Me detuve a observar un hermoso ejemplar de *géant des batailles* que tenía tres flores magníficas, y vi entonces con toda claridad cerca de mí que el tallo de una de las rosas se doblaba como movido por una mano invisible: ¡luego, vi que se quebraba como si la misma mano lo cortase! Luego la flor se elevó, siguiendo la curva que habría descrito un brazo al llevarla hacia una boca y permaneció suspendida en el aire transparente, muy sola e inmóvil, como una pavorosa mancha a tres pasos de mí. Azorado, me arrojé sobre ella para tomarla. Pero no pude hacerlo: había desaparecido. Sentí entonces rabia contra mí mismo, pues no es posible que una persona razonable tenga semejantes alucinaciones. Pero, ¿tratábase realmente de una alucinación? Volví hacia el rosal para buscar el tallo cortado e inmediatamente lo encontré, recién cortado, entre las dos rosas que permanecían en la rama. Regresé entonces a casa con la mente alterada; en efecto, ahora estoy convencido, seguro como de la alternancia de los días y las noches, de que existe cerca de mí un ser invisible, que se alimenta de leche y agua, que puede tocar las cosas, tomarlas y cambiarlas de lugar; dotado, por consiguiente, de un cuerpo material aunque imperceptible para nuestros sentidos, y que habita en mi casa como yo...

7 de agosto

Dormí tranquilamente. Se ha bebido el agua de la botella pero no perturbó mi sueño. Me pregunto si estoy loco. Cuando a veces me paseo a pleno sol, a lo largo de la costa, he dudado de mi razón; no son ya dudas inciertas como las que he tenido hasta ahora, sino dudas precisas, absolutas. He visto locos. He conocido algunos que seguían siendo inteligentes, lúcidos y sagaces en todas las cosas de la vida menos en un punto. Hablaban de todo con claridad, facilidad y profundidad, pero de pronto su pensamiento chocaba contra el escollo de la locura y se hacía pedazos, volaba en fragmentos y se hundía en ese océano siniestro y furioso, lleno de olas fragorosas, brumosas y borrascosas que se llama "demencia".

Ciertamente, estaría convencido de mi locura si no tuviera perfecta conciencia de mi estado, al examinarlo con toda lucidez. En suma, yo sólo sería un alucinado que razona. Se habría producido en mi mente uno de esos trastornos que hoy tratan de estudiar y precisar los fisiólogos modernos, y dicho trastorno habría provocado en mí una profunda ruptura en lo referente al orden y a la lógica de las ideas. Fenómenos semejantes se producen en el sueño, que nos muestra las fantasmagorías más inverosímiles sin que ello nos sorprenda, porque mientras duerme el aparato verificador, el sentido del control, la facultad imaginativa vigila y trabaja. ¿Acaso ha dejado de funcionar en mí una de las imperceptibles teclas del teclado cerebral? Hay hombres que a raíz de accidentes pierden la memoria de los nombres propios, de las cifras o solamente de las fechas. Hoy se ha comprobado la localización de todas las partes del pensamiento. No puede sorprender entonces que en este momento se haya disminuido mi facultad de controlar la irrealidad de ciertas alucinaciones.

Pensaba en todo ello mientras caminaba por la orilla del río. El sol iluminaba el agua, sus rayos embellecían la tierra y llenaban mis ojos de amor por la vida, por las golondrinas cuya agilidad constituye para mí un motivo de alegría, por las hierbas de la orilla cuyo estremecimiento es un placer para mis oídos. Sin embargo, paulatinamente me invadía un malestar inexplicable. Me parecía que una fuerza desconocida me detenía, me paralizaba, impidiéndome avanzar, y que trataba de hacerme volver atrás. Sentí ese doloroso deseo de volver que nos oprime cuando hemos dejado en nuestra casa a un enfermo querido y presentimos una agravación del mal.

Regresé entonces, a pesar mío, convencido de que encontraría en casa una mala noticia, una carta o un telegrama. Nada de eso había, y me quedé más sorprendido e inquieto aún que si hubiese tenido una nueva visión fantástica.

8 de agosto

Pasé una noche horrible. Él no ha aparecido más, pero lo siento cerca de mí. Me espía, me mira, se introduce en mí y me domina. Así me resulta más temible, pues al ocultarse de este modo parece manifestar su presencia invisible y constante mediante fenómenos sobrenaturales. Sin embargo he podido dormir.

9 de agosto

Nada ha sucedido, pero tengo miedo.

10 de agosto

Nada; ¿qué sucederá mañana?

116

11 de agosto

Nada, siempre nada; no puedo quedarme aquí con este miedo y estos pensamientos que dominan mi mente; me voy.

12 de agosto, 10 de la noche

Durante todo el día he tratado de partir, pero no he podido. He intentado realizar ese acto tan fácil y sencillo –salir, subir en mi coche para dirigirme a Ruán– y no he podido. ¿Por qué?

13 de agosto

Cuando nos atacan ciertas enfermedades nuestros mecanismos físicos parecen fallar. Sentimos que nos faltan las energías y que todos nuestros músculos se relajan; los huesos parecen tan blandos como la carne y la carne tan líquida como el agua. Todo eso repercute en mi espíritu de manera extraña y desoladora. Carezco de fuerzas y de valor; no puedo dominarme y ni siquiera puedo hacer intervenir mi voluntad. Ya no tengo iniciativa; pero alguien lo hace por mí, y yo obedezco.

14 de agosto

¡Estoy perdido! ¡Alguien domina mi alma y la dirige! ¡Alguien ordena todos mis actos, mis movimientos y mis pensamientos. Ya no soy nada en mí; no soy más que un espectador prisionero y aterrorizado por todas las cosas que realizo. Quiero salir y no puedo. Él no quiere y tengo que quedarme, azorado y tembloroso, en el sillón donde me obliga a sentarme. Sólo deseo levantarme, incorporarme para sentirme todavía dueño de mí. ¡Pero no puedo! Estoy clavado en mi asiento, y mi sillón se adhiere al suelo de tal modo que no habría fuerza capaz de movernos.

De pronto siento la irresistible necesidad de ir al huerto a cortar fresas y comerlas. Y voy. Corto fresas y las como. ¡Oh Dios mío! ¡Dios mío! ¿Será acaso un Dios? Si lo es, ¡salvadme! ¡Libradme! ¡Socorredme! ¡Perdón! ¡Piedad! ¡Misericordia! ¡Salvadme! ¡Oh, qué sufrimiento! ¡Qué suplicio! ¡Qué horror!

15 de agosto

Evidentemente, así estaba poseída y dominada mi prima cuando fue a pedirme cinco mil francos. Obedecía a un poder extraño que había penetrado en ella como otra alma, como un alma parásita y dominadora. ¿Es acaso el fin del mundo? Pero, ¿quién es el ser invisible que me domina? ¿Quién es ese desconocido, ese merodeador de una raza sobrenatural?

Por consiguiente, ¡los invisibles existen! ¿Pero cómo es posible que aún no se hayan manifestado desde el origen del mundo en una forma tan evidente como se manifiestan en mí? Nunca leí nada que se asemejara a lo que ha sucedido en mi casa. Si pudiera abandonarla, irme, huir y no regresar más, me salvaría, pero no puedo.

16 de agosto

Hoy pude escaparme durante dos horas, como un preso que encuentra casualmente abierta la puerta de su calabozo. De pronto sentí que estaba libre y que él se hallaba lejos. Ordené uncir los caballos rápidamente y me dirigí a Ruán. Qué alegría poder decirle a un hombre que obedece: "¡Vamos a Ruán!"

Hice detener la marcha frente a la biblioteca donde solicité en préstamo el gran tratado del doctor Hermann Herestauss sobre los habitantes desconocidos del mundo antiguo y moderno.

Después, cuando me disponía a subir a mi coche, quise decir: "¡A la estación!" –no dije, grité– con una voz tan fuerte que llamó la atención de los transeúntes: "A casa", y caí pesadamente, loco de angustia, en el asiento. Él me había encontrado y volvía a posesionarse de mí.

17 de agosto

¡Ah! ¡Qué noche! ¡Qué noche! Y sin embargo me parece que debería alegrarme. Leí hasta la una de la madrugada. Hermann Herestauss, doctor en filosofía y en teogonía, ha escrito la historia y las manifestaciones de todos los seres invisibles que merodean alrededor del hombre o han sido soñados por él. Describe sus orígenes, sus dominios y sus poderes. Pero ninguno de ellos se parece al que me domina. Se diría que el hombre, desde que pudo pensar,

presintió y temió la presencia de un ser nuevo más fuerte que él
—su sucesor en el mundo— y que como no pudo prever la naturaleza de este amo, creó, en medio de su terror, todo ese mundo fantástico de seres ocultos y de fantasmas misteriosos surgidos del miedo. Después de leer hasta la una de la madrugada, me senté junto a
mi ventana abierta para refrescarme la cabeza y el pensamiento con
la apacible brisa de la noche.

Era una noche hermosa y tibia, que en otra ocasión me hubiera
gustado mucho. No había luna. Las estrellas brillaban en las profundidades del cielo con estremecedores destellos. ¿Quién vive en
aquellos mundos? ¿Qué formas, qué seres vivientes, animales o
plantas, existirán allí? Los seres pensantes de esos universos, ¿serán más sabios y más poderosos que nosotros? ¿Conocerán lo que
nosotros ignoramos? Tal vez cualquiera de estos días uno de ellos
atravesará el espacio y llegará a la tierra para conquistarla, así como
antiguamente los normandos sometían a los pueblos más débiles.
Somos tan indefensos, inermes, ignorantes y pequeños sobre este
trozo de lodo que gira disuelto en una gota de agua.

Pensando en eso me adormecí en medio del fresco viento de la
noche. Pero después de dormir unos cuarenta minutos, abrí los
ojos sin hacer un movimiento, despertado por no sé qué emoción
confusa y extraña. En un principio no vi nada, pero de pronto me
pareció que una de las páginas del libro que había dejado abierto
sobre la mesa acababa de darse vuelta sola. No entraba ninguna
corriente de aire por la ventana. Esperé, sorprendido. Al cabo de
cuatro minutos, vi, sí, vi con mis propios ojos que una nueva página se levantaba y caía sobre la otra, como movida por un dedo. Mi
sillón estaba vacío, aparentemente estaba vacío, pero comprendí
que él estaba leyendo allí, sentado en mi lugar. ¡Con un furioso salto, un salto de fiera irritada que se rebela contra el domador, atravesé la habitación para atraparlo, estrangularlo y matarlo! Pero antes de que llegara, el sillón cayó delante de mí como si él hubiera
huido… la mesa osciló, la lámpara rodó por el suelo y se apagó, y la
ventana se cerró como si un malhechor sorprendido hubiese escapado por la oscuridad, tomando con ambas manos los batientes.
Había escapado; había sentido miedo, ¡miedo de mí!

Entonces, mañana… pasado mañana o cualquiera de estos… podré tenerlo bajo mis puños y aplastarlo contra el suelo. ¿Acaso a veces los perros no muerden y degüellan a sus amos?

18 de agosto

He pensado durante todo el día. ¡Oh!, sí, voy a obedecerle, seguiré sus impulsos, cumpliré sus deseos, seré humilde, sumiso y cobarde. Él es más fuerte. Hasta que llegue el momento…

19 de agosto

¡Ya sé… ya sé todo! Acabo de leer lo que sigue en la Revista del Mundo Científico: "Nos llega una noticia muy curiosa de Río de Janeiro. Una epidemia de locura, comparable a las demencias contagiosas que asolaron a los pueblos europeos en la Edad Media, se ha producido en el Estado de San Pablo. Los habitantes despavoridos abandonan sus casas y huyen de los pueblos, dejan sus cultivos, creyéndose poseídos y dominados, como un rebaño humano, por seres invisibles aunque tangibles, por especies de vampiros que se alimentan de sus vidas mientras los habitantes duermen, y que además beben agua y leche·sin apetecerles aparentemente ningún otro alimento.

"El profesor don Pedro Henríquez, en compañía de varios médicos eminentes, ha partido para el Estado de San Pablo, a fin de estudiar sobre el terreno el origen y las manifestaciones de esta sorprendente locura y poder aconsejar al Emperador las medidas que juzgue convenientes para apaciguar a los delirantes pobladores."

¡Ah! ¡Ahora recuerdo el hermoso bergantín brasileño que pasó frente a mis ventanas remontando el Sena, el 8 de mayo último! Me pareció tan hermoso, blanco y alegre. Allí estaba el que venía de lejos, ¡del lugar de donde es originaria su raza! ¡Y me vio! Vio también mi blanca vivienda, y saltó del navío a la costa. ¡Oh Dios mío!

Ahora ya lo sé y lo presiento: el reinado del hombre ha terminado. Ha venido aquel que inspiró los primeros terrores de los pueblos primitivos. Aquel que exorcizaban los sacerdotes inquietos y que invocaban los brujos en las noches oscuras, aunque sin verlo todavía. Aquél a quien los presentimientos de los transitorios dueños del mundo adjudicaban formas monstruosas o graciosas de gnomos, espíritus, genios, hadas y duendes. Después de las groseras concepciones del espanto primitivo, hombres más perspicaces han presentido con mayor claridad. Mesmer lo sospechaba, y hace ya diez años que los médicos han descubierto la naturaleza de su poder de manera precisa, antes de que él mismo pudiera ejercerlo. Han jugado con el arma del nuevo Señor, con una facultad misteriosa sobre el alma humana. La han denominado magnetismo, hipnotismo, sugestión… ¡qué sé yo! ¡Los he visto divertirse como niños imprudentes con este terrible poder! ¡Desgraciados de nosotros! ¡Desgraciado del hombre! Ha llegado el… el… ¿cómo se llama?… el… parece que me gritara su nombre y no lo oyese… el… sí… grita… Escucho… ¿cómo?… repite… el… Horla… He oído… el Horla… es él… ¡el Horla… ha llegado!…

¡Ah! El buitre se ha comido la paloma, el lobo ha devorado al cordero; el león ha devorado al búfalo de agudos cuernos: el hombre ha dado muerte al león con la flecha, el puñal y la pólvora, pero el Horla hará con el hombre lo que nosotros hemos hecho con el caballo y el buey: lo convertirá en su cosa, su servidor y su alimento, por el solo poder de su voluntad. ¡Desgraciados de nosotros! No obstante, a veces el animal se rebela y mata a quien lo domestica… yo también quiero… yo podría hacer lo mismo… pero primero hay que conocerlo, tocarlo y verlo. Los sabios afirman que los ojos de los animales no distinguen las mismas cosas que los nuestros… Y mis ojos no pueden distinguir al recién llegado que me oprime. ¿Por qué? ¡Oh! Recuerdo ahora las palabras del monje del monte Saint-Michel: "¿Acaso vemos la cienmilésima parte de lo que existe? Observe, por ejemplo, el viento que es la fuerza más poderosa de la naturaleza, el viento que derriba hombres y edificios, que arranca de cuajo los árboles, y levanta montañas de agua en el mar, que destruye los acantilados y arroja contra ellos a las grandes naves; el viento, que silba, gime y ruge. ¿Acaso lo ha visto usted alguna vez? ¿Acaso puede verlo? ¡Y sin embargo existe!"

Y yo seguía pensando: mis ojos son tan débiles e imperfectos que ni siquiera distinguen los cuerpos sólidos cuando son trasparentes como el vidrio… Si un espejo sin azogue obstruye mi camino chocaré contra él como el pájaro que penetra en una habitación y se rompe la cabeza contra los vidrios. Por lo demás, mil cosas nos engañan y desorientan. No puede extrañar entonces que el hombre no sepa percibir un cuerpo nuevo que atraviesa la luz.

¡Un ser nuevo! ¿Por qué no? ¡No podía dejar de venir! ¿Por qué nosotros íbamos a ser los últimos? Nosotros no los distinguimos pero tampoco nos distinguían los seres creados antes que nosotros. Ello se explica porque su naturaleza es más perfecta, más elaborada y mejor terminada que la nuestra, tan endeble y torpemente concebida, trabada por órganos siempre fatigados, siempre forzados como mecanismos demasiado complejos, que vive como una planta o como un animal, nutriéndose penosamente de aire, hierba y carne, máquina animal acosada por las enfermedades, las deformaciones y las putrefacciones; que respira con dificultad, imperfecta, primitiva y extraña, ingeniosamente mal hecha, obra grosera y delicada, bosquejo del ser que podría convertirse en inteligente y poderoso. Existen muchas especies en este mundo, desde la ostra hasta el hombre. ¿Por qué no podría aparecer una más después de cumplirse el período que separa las sucesivas apariciones de las diversas especies? ¿Por qué no puede aparecer una más? ¿Por qué no pueden surgir también nuevas especies de árboles de flores gigantescas y resplandecientes que perfumen regiones enteras? ¿Por qué no pueden aparecer otros elementos que no sean el fuego, el aire, la tierra y el agua? ¡Sólo son cuatro, nada más que cuatro esos padres que alimentan a los seres! ¡Qué lástima! ¿Por qué no serán cuarenta, cuatrocientos o cuatro mil? ¡Todo es pobre, mezquino, miserable! ¡Todo se ha dado con avaricia, se ha inventado secamente y se ha hecho con torpeza! ¡Ah! ¡Cuánta gracia hay en el elefante y el hipopótamo! ¡Qué elegante es el camello!

Se podrá decir que la mariposa es una flor que vuela. Yo sueño con una que sería tan grande como cien universos, con alas cuya forma, belleza, color y movimiento ni siquiera puedo describir. Pero lo veo… va de estrella a estrella, refrescándolas y perfumándolas con el soplo armonioso y ligero de su vuelo… Y los pueblos que allí habitan la miran pasar, extasiados y maravillados…

¿Qué es lo que tengo? Es el Horla que me hechiza, que me hace pensar esas locuras. Está en mí, se convierte en mi alma. ¡Lo mataré!

19 de agosto

Lo mataré. ¡Lo he visto! Anoche yo estaba sentado a la mesa y simulé escribir con gran atención. Sabía perfectamente que vendría a rondar a mi alrededor, muy cerca, tan cerca que tal vez podría tocarlo y asirlo. ¡Y entonces!... Entonces tendría la fuerza de los desesperados; dispondría de mis manos, mis rodillas, mi pecho, mi frente y mis dientes para estrangularlo, aplastarlo, morderlo y despedazarlo.

Yo acechaba con todos mis sentidos sobreexcitados. Había encendido las dos lámparas y las ocho bujías de la chimenea, como si fuese posible distinguirlo con esa luz. Frente a mí está mi cama, una vieja cama de roble, a la derecha, la chimenea; a la izquierda, la puerta cerrada cuidadosamente, después de dejarla abierta durante largo rato a fin de atraerlo; detrás de mi, un gran armario con espejos que todos los días me servía para afeitarme y vestirme y donde acostumbraba mirarme de pies a cabeza cuando pasaba frente a él.

Como dije antes, simulaba escribir para engañarlo, pues él también me espiaba. De pronto, sentí, sentí, tuve la certeza de que leía por encima de mi hombro, de que estaba allí rozándome la oreja. Me levanté con las manos extendidas, girando con tal rapidez que estuve a punto de caer. Pues bien... se veía como si fuera pleno día, ¡y sin embargo no me vi en el espejo!... ¡Estaba vacío, claro, profundo y resplandeciente de luz! ¡Mi imagen no aparecía y yo estaba frente a él! Veía aquel vidrio totalmente límpido de arriba abajo. Y lo miraba con ojos extraviados; no me atrevía a avanzar, y ya no tuve valor para hacer un movimiento más. Sentía que él estaba allí, pero que se me escaparía otra vez, con su cuerpo imperceptible que me impedía reflejarme en el espejo. ¡Cuánto miedo sentí! De pronto, mi imagen volvió a reflejarse pero como si estuviese envuelta en la bruma, como si la observase a través de una capa de agua. Me parecía que esa agua se deslizaba lentamente de izquierda a derecha y que paulatinamente mi imagen adquiría mayor nitidez. Era como el final de un eclipse. Lo que la ocultaba no parecía tener contornos precisos; era una especie de transparencia opaca, que poco a poco se aclaraba. Por último, pude distinguirme completamente como todos los días.

¡Lo había visto! Conservo el espanto que aún me hace estremecer.

20 de agosto

¿Cómo podré matarlo si está fuera de mi alcance? ¿Envenenándolo? Pero él me verá mezclar el veneno en el agua y tal vez nuestros venenos no tienen ningún efecto sobre un cuerpo imperceptible. No… no… decididamente no. Pero entonces… ¿qué haré entonces?

21 de agosto

He llamado a un cerrajero de Ruán y le he encargado persianas metálicas como las que tienen algunas residencias particulares de París, en la planta baja, para evitar los robos. Me haré además una puerta similar. Me debe haber tomado por un cobarde, pero no importa…

10 de septiembre

Ruán, Hotel Continental. Ha sucedido… ha sucedido… pero, ¿habrá muerto? Lo que vi me ha trastornado.

Ayer, después que el cerrajero colocó la persiana y la puerta de hierro, dejé todo abierto hasta medianoche a pesar de que comenzaba a hacer frío. De improviso, sentí que estaba aquí y me invadió la alegría, una enorme alegría. Me levanté lentamente y caminé en cualquier dirección durante algún tiempo para que no sospechase nada. Luego me quité los botines y me puse distraídamente unas pantuflas. Cerré después la persiana metálica y regresé con paso tranquilo hasta la puerta, cerrándola también con dos vueltas de llave. Regresé entonces hacia la ventana, la cerré con un candado y guardé la llave en el bolsillo.

De pronto, comprendí que se agitaba a mi alrededor, que él también sentía miedo, y que me ordenaba que le abriera. Estuve a punto de ceder, pero no lo hice. Me acerqué a la puerta y la entreabrí lo suficiente como para poder pasar retrocediendo, y como soy muy alto mi cabeza llegaba hasta el dintel. Estaba seguro de que no había podido escapar y allí lo acorralé solo, completamente solo. ¡Qué alegría! ¡Había caído en mi poder! Entonces descendí corriendo a la planta baja; tomé las dos lámparas que se hallaban en la sala situada debajo de mi habitación, y, con el aceite que contenían rocié la alfombra, los muebles, todo. Luego les prendí fuego, y me puse a salvo después de cerrar bien, con dos vueltas de llave, la puerta de entrada.

Me escondí en el fondo de mi jardín tras un macizo de laureles. ¡Qué larga me pareció la espera! Reinaba la más completa oscuridad, gran quietud y silencio; no soplaba la menor brisa, no había una sola estrella, nada más que montañas de nubes que aunque no se veían hacían sentir su gran peso sobre mi alma.

Miraba mi casa y esperaba. ¡Qué larga era la espera! Creía que el fuego ya se había extinguido por sí solo o que él lo había extinguido. Hasta que vi que una de las ventanas se hacía astillas debido a la presión del incendio, y una gran llamarada roja y amarilla, larga, flexible y acariciante, ascendió por la pared blanca hasta rebasar el techo. Una luz se reflejó en los árboles, en las ramas y en las hojas, y también un estremecimiento, ¡un estremecimiento de pánico! Los pájaros se despertaban; un perro comenzó a ladrar; parecía que iba a amanecer. De inmediato, estallaron otras ventanas, y pude ver que toda la planta baja de mi casa ya no era más que un espantoso brasero. Pero se oyó un grito en medio de la noche, un grito de mujer horrible, sobreagudo y desgarrador, al tiempo que se abrían las ventanas de dos buhardillas. ¡Me había olvidado de los criados! ¡Vi sus rostros enloquecidos y sus brazos que se agitaban!...

Despavorido, eché a correr hacia el pueblo gritando: "¡Socorro! ¡Socorro! ¡Fuego! ¡Fuego!" Encontré gente que ya acudía al lugar y regresé con ellos para ver.

La casa ya sólo era una hoguera horrible y magnífica, una gigantesca hoguera que iluminaba la tierra, una hoguera donde ardían los hombres, y él también. Él, mi prisionero, el nuevo Ser, el nuevo amo, ¡el Horla!

De pronto el techo entero se derrumbó entre las paredes y un volcán de llamas ascendió hasta el cielo. Veía esa masa de fuego por todas las ventanas abiertas hacia ese enorme horno, y pensaba que él estaría allí, muerto en ese horno... ¿Muerto? ¿Será posible? ¿Acaso su cuerpo, que la luz atravesaba, podía destruirse por los mismos medios que destruyen nuestros cuerpos? ¿Y si no hubiera muerto? Tal vez sólo el tiempo puede dominar al Ser Invisible y Temido. ¿Para qué ese cuerpo transparente, ese cuerpo invisible, ese cuerpo de Espíritu, si también está expuesto a los males, las heridas, las enfermedades y la destrucción prematura?

¿La destrucción prematura? ¡Todo el temor de la humanidad procede de ella! Después del hombre, el Horla. Después de aquél que puede morir todos los días, a cualquier hora, en cualquier minuto, en cualquier accidente, ha llegado aquél que morirá solamente un día determinado en una hora y en un minuto determinado, al llegar al límite de su vida.

No… no… no hay duda, no hay duda… no ha muerto… entonces tendré que suicidarme…

Leopoldo Alas *Clarín* (1852-1901)

¡Adiós, Cordera!

¡Eran tres, siempre los tres!: Rosa, Pinín y la Cordera.

El *prao* Somonte era un recorte triangular de terciopelo verde tendido, como una colgadura, cuesta abajo por la loma. Uno de sus ángulos, el inferior, lo despuntaba el camino de hierro de Oviedo a Gijón. Un palo de telégrafo, plantado allí como pendón de conquista, con sus *jícaras* blancas y sus alambres paralelos, a derecha e izquierda, representaba para Rosa y Pinín el ancho mundo desconocido, misterioso, temible, eternamente ignorado. Pinín, después de pensarlo mucho, cuando a fuerza de ver días y días el poste tranquilo, inofensivo, campechano, con ganas, sin duda, de aclimatarse en la aldea y parecerse todo lo posible a un árbol seco, fue atreviéndose con él, llevó la confianza al extremo de abrazarse al leño y trepar hasta cerca de los alambres. Pero nunca llegaba a tocar la porcelana de arriba, que le recordaba las *jícaras* que había visto en la rectoral de Puao. Al verse tan cerca del misterio sagrado le acometía un pánico de respeto, y se dejaba resbalar de prisa hasta tropezar con los pies en el césped.

Rosa, menos audaz, pero más enamorada de lo desconocido, se contentaba con arrimar el oído al palo del telégrafo, y minutos, y hasta cuartos de hora, pasaba escuchando los formidables rumores metálicos que el viento arrancaba a las fibras del pino seco en contacto con el alambre. Aquellas vibraciones, a veces intensas como las del diapasón, que aplicado al oído parece que quema con su vertiginoso latir, eran para Rosa los *papeles* que pasaban, las *cartas* que se escribían por los *hilos*, el lenguaje incomprensible que lo ignorado hablaba con lo ignorado; ella no tenía curiosidad por entender lo que los de allá, tan lejos, decían a los del otro extremo del mundo. ¿Qué le importaba? Su interés estaba en el ruido por el ruido mismo, por su timbre y su misterio.

La Cordera, mucho más formal que sus compañeros, verdad es que, relativamente, de edad también mucho más madura, se abstenía de toda comunicación con el mundo civilizado, y miraba de lejos el palo del telégrafo como lo que era para ella efectivamente, como cosa muerta, inútil, que no le servía siquiera para rascarse. Era una vaca que había vivido mucho. Sentada horas y horas, pues, experta en pastos, sabía aprovechar el tiempo, meditaba más que comía, gozaba del placer de vivir en paz, bajo el cielo gris y tranquilo de su tierra, como quien alimenta el alma, que también tienen los brutos; y si no fuera profanación, podía decirse que los pensamientos de la vaca matrona, llena de experiencia, debía de parecerse todo lo posible a las más sosegadas y doctrinales odas de Horacio.

Asistía a los juegos de los pastorcicos encargados de *llindarla*, como una abuela. Si pudiera, se sonreiría al pensar que Rosa y Pinín tenían por misión en el prado cuidar de que ella, la Cordera, no se extralimitase, no se metiese por la vía del ferrocarril ni saltara a la heredad vecina. ¡Qué había de saltar! ¡Qué se había de meter!

Pastar de cuando en cuando, no mucho, cada día menos, pero con atención, sin perder el tiempo en levantar la cabeza por curiosidad necia, escogiendo sin vacilar los mejores bocados, y después sentarse sobre el cuarto trasero con delicia, a rumiar la vida, a gozar el deleite del no padecer, y todas las demás aventuras peligrosas. Ya no recordaba cuándo le había picado la mosca.

"El *xatu* (el toro), los altos locos por las praderas adelante…, ¡todo eso estaba tan lejos!"

Aquella paz sólo se había turbado en los días de la inauguración del ferrocarril. La primera vez que la Cordera vio pasar el tren se volvió loca. Saltó la sebe de lo más alto del Somonte, corrió por prados ajenos, y el terror duró muchos días, renovándose, más o menos violento, cada vez que la máquina asomaba por la trinchera vecina. Poco a poco se fue acostumbrando al estrépito inofensivo. Cuando llegó a convencerse de que era un peligro que pasaba, una catástrofe que amenazaba sin dar, redujo sus precauciones a ponerse en pie y a mirar de frente, con la cabeza erguida, al formidable monstruo; más adelante no hacía más que mirarle, sin levantarse, con antipatía y desconfianza; acabó por no mirar el tren siquiera. En Pinín y Rosa la novedad del ferrocarril produjo impresiones más agradables y persistentes. Si al principio era una alegría loca, algo mezclada de miedo supersticioso, una excitación nerviosa, que les hacía prorrumpir en gritos, gestos, pantomimas descabelladas, después fue un recreo pacífico, suave, renovado varias veces al día. Tardó mucho en gastarse aquella emoción de contemplar la marcha vertiginosa, acompañada del viento, de la gran culebra de hierro, que llevaba dentro de sí tanto ruido y tantas caras de gentes desconocidas, extrañas.

Pero telégrafo, ferrocarril, todo eso era lo de menos: un accidente pasajero que se ahogaba en el mar de soledad que rodeaba el *prao* Somonte. Desde allí no se veía vivienda humana; allí no llegaban ruidos del mundo más que al pasar el tren. Mañanas sin fin, bajo los rayos del sol a veces, entre el zumbar de los insectos, la vaca y los niños esperaban la proximidad del mediodía para volver a casa. Y luego, tardes eternas, de dulce tristeza silenciosa, en el mismo prado, hasta venir la noche, con el lucero vespertino por testigo mudo en la altura. Rodaban las nubes allá arriba, caían las sombras de los árboles y de las peñas en la loma y en la cañada, se acostaban los pájaros, empezaban a brillar algunas estrellas en lo más oscuro del cielo azul, y Pinín y Rosa, los niños gemelos, los hijos de Antón de Chinta, teñida el alma de la dulce serenidad soñadora de la solemne y seria Naturaleza, callaban horas y horas, después de sus juegos, nunca muy estrepitosos, sentados cerca de la Cordera, que acompañaba el augusto silencio de tarde en tarde con un blanco son de perezosa esquila.

En este silencio, en esta calma inactiva, había amores. Se amaban los dos hermanos como dos mitades de un fruto verde, unidos por la misma vida, con escasa conciencia de lo que en ellos era distinto, de cuanto los separaba; amaban Pinín y Rosa a la Cordera, la vaca abuela, grande, amarillenta, cuyo testuz parecía una cuna. La Cordera recordaría a un poeta la *zavala* del Ramayana, la vaca santa; tenía en la amplitud de sus formas, en la solemne serenidad de sus pausados y nobles movimientos, aire y contornos de ídolo destronado, caído, contento con su suerte, más satisfecha con ser vaca verdadera que dios falso. La Cordera, hasta donde es posible adivinar estas cosas, puede decirse que también quería a los gemelos encargados de apacentarla.

Era poco expresiva; pero la paciencia con que los toleraba cuando en sus juegos ella les servía de almohada, de escondite, de montura, y para otras cosas que ideaba la fantasía de los pastores, demostraba tácitamente el afecto del animal pacífico y pensativo.

En tiempos difíciles Pinín y Rosa habían hecho por la Cordera los imposibles de solicitud y cuidado. No siempre Antón de Chinta había tenido el prado Somonte. Este regalo era cosa relativamente nueva. Años atrás la Cordera tenía que salir a la *gramática*, esto es, a apacentarse como podía, a la buena ventura de los caminos y callejas de las rapadas y escasas praderías del común, que tanto tenían de vía pública como de pastos. Pinín y Rosa, en tales días de penuria, la guiaban a los mejores altozanos, a los parajes más tranquilos y menos esquilmados, y la libraban de las mil injurias a que están expuestas las pobres reses que tienen que buscar su alimento en los azares de un camino.

En los días de hambre, en el establo, cuando el heno escaseaba y el narvaso para *estrar* el lecho caliente de la vaca faltaba también, a Rosa y a Pinín debía la Cordera mil industrias que le hacían más suave la miseria. ¡Y qué decir de los tiempos heroicos del parto y la cría, cuando se entablaba la lucha necesaria entre el alimento y regalo de la *nación* y el interés de los Chintos, que consistía en robar a las ubres de la pobre madre toda la leche que no fuera absolutamente indispensable para que el ternero subsistiese! Rosa y Pinín, en tal conflicto, siempre estaban de parte de la Cordera, y en cuanto había ocasión, a escondidas, soltaban el recental que, ciego y como loco, a testaradas contra todo, corría a buscar el amparo de la madre, que le albergaba bajo su vientre, volviendo la cabeza agradecida y solícita, diciendo, a su manera:

—Dejad a los niños y a los recentales que vengan a mí.

Estos recuerdos, estos lazos son de los que no se olvidan.

Añádase a todo que la Cordera tenía la mejor pasta de vaca sufrida del mundo. Cuando se veía emparejada bajo el yugo con cualquier compañera, fiel a la gamella, sabía meter su voluntad a la ajena, y horas y horas se la veía con la cerviz inclinada, la cabeza torcida, en incómoda postura, velando en pie mientras la pareja dormía en tierra.

Antón de Chinta comprendió que había nacido para pobre cuando palpó la imposibilidad de cumplir aquel sueño dorado suyo de tener un *corral* propio con dos yuntas por lo menos. Llegó, gracias a mil ahorros, que eran mares de sudor y purgatorios de privaciones, llegó a la primera vaca, la Cordera, y no pasó de ahí; antes de poder comprar la segunda se vio obligado, para pagar atrasos al *amo*, el dueño de la *casería* que llevaba en renta, a llevar al mercado a aquel pedazos de sus entrañas, la Cordera, el amor de sus hijos. Chinta había muerto a los dos años de tener la Cordera en casa. El establo y la cama de matrimonio estaban pared por medio, llamando pared a un tejido de ramas de castaño y de cañas de maíz. Ya Chinta, musa de la economía en aquel hogar miserable, había muerto mirando a la vaca por un boquete del destrozado tabique de ramaje, señalándola como salvación de la familia.

"Cuidadla: es vuestro sustento", parecían decir los ojos de la pobre moribunda, que murió extenuada de hambre y de trabajo.

El amor de los gemelos se había concentrado en la Cordera; el regazo, que tiene su cariño especial, que el padre no puede reemplazar, estaba al calor de la vaca, en el establo, y allá en el Somonte.

Todo esto lo comprendía Antón a su manera, confusamente. De la venta necesaria no había que decir palabra a los *neños*. Un sábado de julio, al ser de día, de mal humor, Antón echó a andar hacia Gijón, llevando la Cordera por delante, sin más atavío que el collar de esquila. Pinín y Rosa dormían. Otros días había que despertarlos a azotes. El padre los dejó tranquilos. Al levantarse se encontraron sin la Cordera. "Sin duda, *mío pá* la había llevado al *xatu*." No cabía otra conjetura. Pinín y Rosa opinaban que la vaca iba de mala gana; creían ellos que no deseaba más hijos, pues todos acababa por perderlos pronto, sin saber cómo ni cuándo.

Al oscurecer, Antón y la Cordera entraban por la *corrada* mohínos, cansados y cubiertos de polvo. El padre no dio explicaciones, pero los hijos adivinaron el peligro.

No había vendido porque nadie había querido llegar al precio que a él se le había puesto en la cabeza. Era excesivo: un sofisma del cariño. Pedía mucho por la vaca para que nadie se atreviese a llevársela. Los que se habían acercado a intentar fortuna se habían alejado pronto echando pestes de aquel hombre que miraba con ojos de rencor y desafío al que osaba insistir en acercarse al precio fijo en que él se abroquelaba. Hasta el último momento del mercado estuvo Antón de Chinta en el Humedal, dando plazo a la fatalidad. "No se dirá –pensaba– que yo no quiero vender: son ellos que no me pagan la Cordera en lo que vale." Y, por fin, suspirando, si no satisfecho, con cierto consuelo, volvió a emprender el camino por la carretera de Candás, adelante, entre la confusión y el ruido de cerdos y novillos, bueyes y vacas, que los aldeanos de muchas parroquias del contorno conducían con mayor o menor trabajo, según eran de antiguo las relaciones entre dueños y bestias.

En el Natahoyo, en el cruce de dos caminos, todavía estuvo expuesto el de Chinta a quedarse sin la Cordera: un vecino de Carrió que le había rondado todo el día ofreciéndole pocos duros menos de los que pedía, le dio el último ataque, algo borracho.

El de Carrió subía, subía, luchando entre la codicia y el capricho de llevar la vaca. Antón, como una roca. Llegaron a tener las manos enlazadas, parados en medio de la carretera, interrumpiendo el paso… Por fin la codicia pudo más; el pico de los cincuenta los separó como un abismo; se soltaron las manos, cada cual tiró por su lado; Antón, por una calleja que, entre madreselvas que aún no florecían y zarzamoras en flor, le condujo hasta su casa.

Desde aquel día en que adivinaron el peligro, Pinín y Rosa no sosegaron. A media semana se *personó* el mayordomo en el *corral* de Antón. Era otro aldeano de la misma parroquia, de malas pulgas, cruel con los *caseros* atrasados. Antón, que no admitía reprimendas, se puso lívido ante las amenazas de desahucio.

El amo no esperaba más. Bueno, vendería la vaca a vil precio, por una merienda. Había que pagar o quedarse en la calle.

El sábado inmediato acompañó al Humedal Pinín a su padre. El niño miraba con horror a los contratistas de carne, que eran los tiranos del mercado. La Cordera fue comprada en su justo precio por un rematante de Castilla. Se la hizo una señal en la piel y volvió a su establo de Puao, ya vendida, ajena, tañendo tristemente la esquila. Detrás caminaban Antón de Chinta, taciturno, y Pinín, con ojos como puños. Rosa, al saber la venta, se abrazó al testuz de la Cordera, que inclinaba la cabeza a las caricias como al yugo.

"¡Se iba la vieja!", pensaba con el alma destrozada Antón el huraño.

"¡Ella será una bestia, pero sus hijos no tenían otra madre ni otra abuela!"

Aquellos días, en el pasto, en la verdura del Somonte, el silencio era fúnebre. La Cordera, que ignoraba su suerte, descansaba y pacía como siempre, *sub specie aeternitatis*, como descansaría y comería un minuto antes de que el brutal porrazo la derribase muerta. Pero Rosa y Pinín yacían desolados, tendidos sobre la hierba, inútil en adelante. Miraban con rencor los trenes que pasaban, los alambres del telégrafo. Era aquel mundo desconocido, tan lejos de ellos por un lado y por otro, el que les llevaba su Cordera.

El viernes, al oscurecer, fue la despedida. Vino un encargado del rematante de Castilla por la res. Pagó; bebieron un trago Antón y el comisionado, y se sacó a la *quintana* la Cordera. Antón había apurado de la botella; estaba exaltado; el peso del dinero en el bolsillo le animaba también. Quería aturdirse. Hablaba mucho, alababa las excelencias de la vaca. El otro sonreía, porque las alabanzas de Antón eran impertinentes. ¿Que daba la res tanto y tantos *xarros* de leche? ¿Que era noble en el yugo, fuerte con la carga? ¿Y qué, si dentro de pocos días había de estar reducida a chuletas y otros bocados suculentos? Antón no quería imaginar esto; se la figuraba viva, trabajando, sirviendo a otro labrador, olvidada de él y de sus hijos, pero viva, feliz… Pinín y Rosa, sentados sobre el montón de *cucho*, recuerdo para ellos sentimental de la Cordera y de los propios afanes, unidos por las manos, miraban al enemigo con ojos de espanto. En el supremo instante se arrojaron sobre su amiga; besos, abrazos: hubo de todo. No podían separarse de ella. Antón, agotada de pronto la excitación del vino, cayó como en un marasmo; cruzó los brazos, y entró en el *corral* oscuro.

Los hijos siguieron un buen trecho por la calleja, de altos setos, el triste grupo del indiferente comisionado y la Cordera, que iba de mala gana con un desconocido y a tales horas. Por fin, hubo que separarse. Antón malhumorado, clamaba desde casa:

—¡Bah, bah, *neños*, acá vos digo; basta de *pamemes*! –así gritaba de lejos el padre, con voz de lágrimas.

Caía la noche; por la calleja oscura, que hacían casi negra los altos setos, formando casi bóveda, se perdió el bulto de la Cordera que parecía negra de lejos. Después no quedó de ella más que el *tintán* pausado de la esquila, desvanecido con la distancia, entre los chirridos melancólicos de cigarras infinitas.

—¡Adiós, Cordera! –gritaba Rosa deshecha en llanto–. ¡Adiós, Cordera de *mío* alma!

—¡Adiós, Cordera –repetía Pinín, no más sereno.

—Adiós –contestó por último, a su modo, la esquila, perdiéndose su lamento triste, resignado, entre los demás sonidos de la noche de julio en la aldea…

Al día siguiente, muy temprano, a la hora de siempre, Pinín y Rosa fueron al *prao* Somonte. Aquella soledad no había sido nunca para ellos triste; aquel día, el Somonte sin la Cordera parecía el desierto.

De repente silbó la máquina, apareció el humo, luego el tren. En un furgón cerrado, en unas estrechas ventanas altas o respiraderos, vislumbraron los hermanos gemelos cabezas de vacas que, pasmadas, miraban por aquellos tragaluces.

—¡Adiós, Cordera! –gritó Rosa, adivinando allí a su amiga, a la vaca abuela.

—¡Adiós, Cordera! –vocifero Pinín con la misma fe, enseñando los puños al tren, que volaba camino a Castilla.

Y, llorando, repetía el rapaz, más enterado que su hermana de las picardías del mundo:

—La llevan al Matadero… Carne de vaca, para comer los señores, los curas…, los indianos.

—¡Adiós, Cordera!

—¡Adiós, Cordera!

Y Rosa y Pinín miraban con rencor la vía, el telégrafo, los símbolos de aquel mundo enemigo que les arrebataba, que les devora-

ba a su compañera de tantas soledades, de tantas ternuras silencio-
sas, para sus apetitos, para convertirla en manjares de ricos glotones...

—¡Adiós, Cordera!...

—¡Adiós, Cordera!...

Pasaron muchos años. Pinín se hizo mozo y se lo llevó el rey. Ardía
la guerra carlista. Antón de Chinta era casero de un cacique de los
vencidos; no hubo influencia para declarar inútil a Pinín que, por
ser, era como un roble.

Y una tarde triste de octubre, Rosa en el *prao* Somonte, sola,
esperaba el paso del tren correo de Gijón, que le llevaba a sus únicos amores, su hermano. Silbó a lo lejos la máquina, apareció el
tren en la trinchera, pasó como un relámpago. Rosa, casi metida
por las ruedas, pudo ver un instante en un coche de tercera multitud de cabezas de pobres quintos que gritaban, gesticulaban, saludando a los árboles, al suelo, a los campos, a toda la patria familiar,
a la pequeña, que dejaban para ir a morir en las luchas fraticidas
de la patria grande, al servicio de un rey y de unas ideas que no conocían.

Pinín, con medio cuerpo afuera de una ventanilla, tendió los
brazos a su hermana; casi se tocaron. Y Rosa pudo oír entre el estrépito de las ruedas y la gritería de los reclutas la voz distinta de su
hermano, que sollozaba exclamando, como inspirado por un recuerdo de dolor lejano:

—¡Adiós, Rosa!... ¡Adiós, Cordera!

—¡Adios, Pinín! ¡Pinín de *mío* alma!...

"Allá iba, como la otra, como la vaca abuela. Se lo llevaba el
mundo. Carne de vaca para los glotones, para los indianos; carne
de su alma, carne de cañón para las locuras del mundo, para las
ambiciones ajenas."

Entre confusiones de dolor y de ideas, pensaba así la pobre
hermana viendo el tren perderse a lo lejos, silbando triste, con silbidos que repercutían los castaños, las vegas y los peñascos...

¡Qué sola se quedaba! Ahora sí, ahora sí que era un desierto el
prao Somonte.

—¡Adiós, Pinín! ¡Adiós, Cordera!

Con qué odio miraba Rosa la vía manchada de carbones apagados; con qué ira los alambres del telégrafo. ¡Oh!, bien hacía la Cordera en no acercarse. Aquello era el mundo, lo desconocido, que se lo llevaba todo. Y sin pensarlo, Rosa apoyó la cabeza sobre el palo clavado como un perdón en la punta del Somonte. El viento cantaba en las entrañas del pino seco su canción metálica. Ahora ya lo comprendía Rosa. Era canción de lágrimas, de abandono, de soledad, de muerte.

En las vibraciones rápidas, como quejidos, creía oír, muy lejana, la voz que sollozaba por la vía adelante:

—¡Adiós, Rosa! ¡Adiós, Cordera!

Anton Chéjov (1860-1904)

Casa con desván
(Relato de un pintor)

I

Todo sucedió hace unos seis o siete años, cuando yo vivía en uno de los distritos de la provincia de T., en la propiedad del hacendado Belokúrov, un hombre joven que se levantaba muy temprano, iba vestido con un largo abrigo, bebía cerveza por la noche y no paraba de quejarse de que nadie ni nada le ofrecía consuelo. Vivía en un pabellón levantado en el jardín, mientras yo me alojaba en la vieja casa señorial, en una enorme sala con columnas carente de cualquier mobiliario, a excepción de un amplio diván que me servía de cama y una mesa en la que hacía solitarios. En aquella casa, al llegar el buen tiempo, algo zumbaba siempre en las viejas estufas, y durante las tormentas la casa entera temblaba y parecía que iba a hacerse pedazos; daba algo de miedo, sobre todo por la noche, cuando hasta diez grandes ventanas se iluminaban de pronto con el resplandor de los relámpagos.

Condenado por el destino a una constante ociosidad, no hacía absolutamente nada. Pasaba horas enteras contemplando desde las ventanas el cielo, los pájaros, la alameda, leía todo lo que me llegaba a través del correo, dormía. A veces salía de la casa y vagaba por los alrededores hasta la caída de la tarde.

En una ocasión, al regresar a casa, entré sin darme cuenta en una propiedad desconocida. El sol ya se había puesto y sobre el centeno florido caían las sombras vespertinas. Dos filas de altos y viejos abetos, plantados muy cerca unos de otros, se alzaban como dos muros compactos, formando una sombría y bella alameda.

Atravesé con facilidad la cerca y me adentré en el sendero, deslizándome sobre las agujas de los abetos, que cubrían la tierra con una capa de varios centímetros de espesor. En el lugar reinaban la oscuridad y el silencio; tan sólo en las copas de los árboles temblaba algún brillante rayo dorado, que se irisaba en las telas de araña. Los abetos exhalaban un olor intenso, sofocante. Al poco tiempo me interné en una larga alameda de tilos. También allí tenía todo un aspecto abandonado y viejo; las hojas del pasado año susurraban tristemente bajo mis pies, y las sombras se extendían entre los árboles a la luz del crepúsculo. A la derecha, en un viejo jardín con árboles frutales, resonaba el débil y desganado canto de una oropéndola, probablemente también vieja. Al poco tiempo las hileras de tilos desaparecieron; pasé junto a una casa blanca con terraza y desván y de pronto surgieron ante mí un patio señorial, un amplio estanque con casetas de baño, una multitud de verdes sauces y una aldea en la otra orilla del estanque, con un campanario alto y estrecho en cuya cruz se reflejaban los rayos del sol poniente. Por un instante se apoderó de mí la sensación de que estaba contemplando un cuadro familiar y conocido, un panorama ya visto en algún momento de la infancia.

Junto al blanco portón que separaba el patio de los campos circundantes, viejo, fuerte y adornado con leones de piedra, había dos muchachas. Una de ellas, de mayor edad, delgada, pálida, muy bella, con espesos cabellos castaños y una boca pequeña y rígida, lucía una expresión severa y apenas me prestaba atención; la otra, bastante joven aún –tendría diecisiete o dieciocho años, no más–, también delgada y pálida, con una gran boca y unos grandes ojos, me miró con asombro cuando pasé a su lado, profirió un comentario en inglés y se mostró confundida; de mí se apoderó la impresión de que esos hermosos rostros también me resultaban conocidos, y regresé a casa con la sensación de haber vivido un bello sueño.

Poco tiempo después, cuando paseaba a mediodía con Belokúrov por los alrededores de la casa, entró en el patio de manera inesperada, susurrando sobre la hierba, un coche con ballestas en el que iba sentada una de esas muchachas, en concreto la mayor. Venía con una lista de suscripción en favor de las víctimas de un incendio. Sin mirarnos, con gran seriedad y detalle, nos informó de cuántas casas habían ardido en la aldea de Sianov, de cuántos hombres, mujeres y niños se habían quedado sin hogar y de cuáles serían las primeras medidas del comité de salvación, del que ella formaba parte. Una vez que obtuvo nuestra firma, guardó la lista e inició la despedida.

—Nos ha olvidado usted por completo, Piotr Petróvich –le dijo a Belokúrov, tendiéndole la mano–. Venga a vernos, y si *monsieur* N. (en ese momento pronunció mi apellido) quiere ver cómo viven los admiradores de su talento y se digna visitarnos, tanto mi madre como yo nos sentiremos muy reconocidas.

Hice una reverencia.

Cuando se marchó, Piotr Petróvich me contó algunas cosas. Esa muchacha, según sus palabras, era de buena familia y se llamaba Lidia Volchanínov; en cuanto a la hacienda en la que vivía con su madre y su hermana, recibía el nombre de Shelkovka, lo mismo que la aldea de la otra orilla del estanque. En el pasado, el padre había ocupado un puesto importante en Moscú y había muerto con el grado de consejero privado. A pesar de su buena posición, las Volchanínov vivían en la aldea de manera permanente, tanto en verano como en invierno, y Lidia trabajaba como profesora en la escuela rural de Shelkovka, actividad por la que percibía veinticinco rublos mensuales. Para sus gastos sólo empleaba esa cantidad, y se enorgullecía de vivir a sus expensas.

—Es una familia interesante –exclamó Belokúrov–. Deberíamos visitarlas en alguna ocasión. Se alegrarán mucho de conocerle.

Un día festivo, después de la comida, nos acordamos de las Volchanínov y decidimos dirigirnos a Shelkovka. Tanto la madre como las hijas estaban en casa. La madre, Yekaterina Pávlovna, que había sido bella en el pasado, aunque ahora estaba gorda, padecía de asma y tenía un aspecto triste y distraído, trataba de entablar conmigo una conversación sobre pintura. Cuando su hija le informó de que quizás iría a visitarlas, se había acordado apresuradamente de dos o tres paisajes míos contemplados en exposiciones de Moscú, y ahora me preguntaba qué había querido expresar en ellos. Lidia o Lida, como la llamaban en casa, hablaba más con Belokúrov que conmigo. Seria, sin sonreír, le preguntaba por qué no prestaba ningún servicio en el *zemstvo* y por qué no había acudido hasta la fecha a ninguna de sus reuniones.

—Esto no está bien, Piotr Petróvich –le dijo en tono de reproche–. Eso no está bien. Debería darle vergüenza.

—Tienes razón, Lida, tienes razón –convino su madre–. Eso no está bien.

—Todo nuestro distrito se encuentra en manos de Balaguin –continuó Lida, dirigiéndose a mí–. Él mismo es presidente del consejo y ha repartido todos los cargos del distrito entre sus sobrinos y yernos, de modo que puede hacer cuanto se le antoja. Hay que luchar. Los jóvenes deberían componer un partido fuerte, pero ya ve usted qué jóvenes tenemos. ¡Debería darle vergüenza, Piotr Petróvich!

La hermana pequeña, Zhenia, guardó silencio mientras se habló del *zemstvo*. No tomaba parte en las conversaciones serias, pues en la familia aún no se le consideraba adulta. Como si aún fuera pequeña, la llamaban Misius, nombre que en la infancia ella había dado a su *miss*, a su institutriz. Estuvo mirándome todo el tiempo con curiosidad y cuando me puse a hojear el álbum de fotografías, me ofreció algunas explicaciones: "Ése es mi tío... Ése es mi padrino", decía, al tiempo que pasaba el dedo por los retratos y me rozaba infantilmente con su hombro, permitiéndome contemplar de cerca su pecho débil, poco desarrollado, sus finos hombros, su trenza y su cuerpo delgado, ceñido con fuerza por el cinturón.

Jugamos al *croquet* y al *lawn-tennis*, paseamos por el parque, tomamos el té y estuvimos largo rato cenando. Después de la enorme sala vacía con columnas, me sentía a gusto en ese pequeña y acogedora casa en cuyas paredes no había oleografías y donde a la servidumbre se la trataba de "usted"; además, gracias a la presencia de Lida y de Misius, todo se me antojaba joven y pulcro, rodeado de un aura de corrección. Después de la cena Lida volvió a hablar con Belokúrov del *zemstvo*, de Balaguin, de las bibliotecas escolares. Era una muchacha vivaz, sincera, convencida, y su conversación resultaba interesante, aunque hablaba mucho y en voz demasiado alta –probablemente había adquirido esa costumbre en la escuela. En cambio Piotr Petróvich, que desde los tiempos de estudiante estaba habituado a convertir cualquier conversación en una discusión, hablaba con indiferencia, desapasionamiento y prolijidad, mostrando un claro deseo de aparecer como una persona inteligente y avanzada. En un determinado momento, volcó la salsera con la manga y sobre el mantel apareció una gran mancha; no obstante, al parecer, sólo yo reparé en ese hecho.

Durante el camino de regreso a casa, todo estaba oscuro y en silencio.

—La buena educación consiste no en no volcar la salsa sobre el mantel, sino en no darte cuenta cuando lo hace otro –exclamó Belokúrov y suspiró–. Sí, una familia encantadora, inteligente. ¡Cuánto me he apartado de la buena sociedad! ¡Cuánto me he apartado! ¡Y es que tengo tantos quehaceres! ¡Me paso el día ocupado!

Habló de lo mucho que debe trabajar una persona cuando quiere convertirse en un agricultor ejemplar. Pero yo pensaba: ¡qué hombre tan indolente y perezoso! Cuando hablaba con seriedad de algún asunto, arrastraba con esfuerzo la "e", y así era como trabajaba: con lentitud, desgana y constantes retrasos. Me resultaba difícil creer en su diligencia, porque las cartas que le confiaba para que las depositara en el correo pasaban semanas enteras en su bolsillo.

—Lo más duro de todo –murmuraba, mientras caminaba a mi lado–, lo más duro de todo es que te pasas todo el tiempo trabajando y no encuentras comprensión en nadie. ¡Ninguna comprensión!

II

Empecé a frecuentar la casa de las Volchanínov. Por lo común, me sentaba en el escalón inferior de la terraza. Me sentía descontento conmigo mismo, me apenaba mi vida, que tan deprisa y de forma tan banal pasaba, y no hacía más que pensar en lo bueno que sería extirparme del pecho el corazón, que tanto me pesaba. A mi lado, en la terraza, se oían voces, rumores de vestidos, el roce de las páginas de un libro. Pronto me habitué a las actividades de Lida, que durante el día recibía enfermos, repartía libros y a menudo marchaba hasta la aldea con la cabeza descubierta, bajo una sombrilla, mientras por la noche hablaba en voz alta del *zemstvo* y de las escuelas. Esa muchacha delgada, hermosa, invariablemente estricta, con una boca pequeña, de delicados contornos, siempre que iniciaba una conversación seria me decía con sequedad:

—Esto no puede interesarle a usted.

No le caía simpático. Le desagradaba porque era paisajista y en mis cuadros no representaba las necesidades del pueblo y porque, según su parecer, mostraba indiferencia por aquellos principios en los que ella creía con tanto apasionamiento. Recuerdo que en una ocasión, a orillas del lago Baikal, conocí a una muchacha buriata que iba montada a caballo y vestía camisa y pantalones azules de tela china; le pregunté si quería venderme su pipa; mientras hablábamos, ella contemplaba con desprecio mi rostro europeo y mi sombrero; al cabo de un minuto se aburrió de mi conversación, dio un alarido y partió al galope. De la misma manera, Lida me consideraba un extraño y me despreciaba por ello. No exteriorizaba su antipatía por mí, pero yo me percataba de ella. A veces, cuando estaba sentado en el peldaño inferior de la terraza me sentía dominado por la ira y me decía que curar campesinos sin ser médicos equivale a engañarles y que es fácil practicar la filantropía cuando se poseen dos mil *desiatinas* de tierra.

En cuanto a su hermana Misius, no tenía ninguna preocupación y pasaba la vida en una completa ociosidad, como yo. Nada más levantarse por la mañana, cogía su libro y se ponía a leer; se sentaba en la terraza, en un sillón tan hondo que sus pequeños pies apenas alcanzaban el suelo o se ocultaba con el libro en la alameda de tilos o atravesaba el portón y se dirigía al campo. Se pasaba el día entero leyendo, devorando con avidez una página tras otra, y sólo en el cansancio y aturdimiento de su mirada y en la intensa palidez de su rostro se adivinaba lo mucho que esa lectura fatigaba su cerebro. Cuando yo llegaba, ella se ruborizaba, dejaba el libro, fijaba en mi cara su grandes ojos y me contaba algún suceso de la jornada: por ejemplo, que en las dependencias de los criados había empezado a arder el hollín o que un trabajador había pescado en el estanque un enorme pez. Los días de diario solía ir vestida con una camisa de color claro y una falda azul oscuro. Paseábamos juntos, cogíamos cerezas para hacer mermelada, remábamos por el estanque, y cuando ella saltaba para atrapar una cereza o manejaba los remos, a través de las anchas mangas se transparentaban sus delgados y débiles brazos. En ocasiones, mientras yo pintaba un esbozo, ella permanecía en pie a mi lado y contemplaba mi trabajo con admiración.

Un domingo de finales de julio fui a visitar a las Volchanínov por la mañana, a eso de las nueve. Estuve vagando por el parque, a bastante distancia de la casa, buscando setas blancas, muy abundantes ese verano, y dejando una señal junto a ellas para recogerlas luego con Zhenia. Soplaba un viento tibio. Al poco rato vi cómo Zhenia y su madre, ambas con vestidos de domingo de color claro, regresaban a casa desde la iglesia; Zhenia sujetaba con la mano su sombrero para que el viento no se lo llevara. Más tarde oí cómo tomaban el té en la terraza.

Para mí, una persona desocupada en busca de una justificación para su constante ociosidad, esas festivas mañanas veraniegas en nuestras haciendas poseían un especial atractivo. Cuando el verde jardín, aún húmedo a causa del rocío, resplandece risueño a la luz del sol; cuando en los alrededores de la casa huele a reseda y a adelfa y los jóvenes recién llegados de la iglesia beben té en el jardín, tan alegres y bien vestidos; y cuando uno sabe que esas personas saludables, bien alimentadas y hermosas se pasarán el día entero sin hacer nada, quisiera uno que toda la vida fuera así. En eso mismo pensaba yo entonces, mientras vagaba por el jardín, dispuesto a prolongar esos paseos sin rumbo y sin objeto todo el día, todo el verano.

Zhenia llegó con una cesta; por la expresión de su cara parecía como si supiera o presintiera que iba a encontrarse conmigo en el jardín. Estuvimos recogiendo setas y charlando; cuando me hacía alguna pregunta se adelantaba unos pasos para verme el rostro.

—Ayer en nuestra aldea se produjo un milagro –exclamó–. La coja Pelagueia llevaba enferma todo el año, sin que médicos ni medicamentos pudieran aliviarla; pero ayer una vieja le susurró unas palabras y la enfermedad desapareció.

—Eso no tiene importancia –le dije yo–. No hay que buscar milagros sólo en los enfermos y en las viejas. ¿Acaso la salud no es un milagro? ¿Y la misma vida? Todo lo que es incomprensible es un milagro.

—¿Y a usted no le asusta lo incomprensible?

—No. Me aproximo con seguridad a los acontecimientos que no comprendo, sin someterme a ellos, situándome por encima. El hombre debe sentirse superior a los leones, a los tigres, a la estrellas, superior a todo cuanto hay en la naturaleza, superior incluso a lo que no comprende y parece milagroso; de otro modo, no es un hombre sino un ratón que se asusta de todo.

Zhenia pensaba que yo, al ser pintor, sabía muchas cosas y podía adivinar otras muchas. Le gustaba que la condujera a las regiones de lo eterno y de lo bello, a ese mundo superior que, según su opinión, me era propio, y hablaba conmigo de Dios, de la vida eterna, de los milagros. Y yo, que no podía admitir que mi persona y mi imaginación desaparecerían para siempre después de la muerte, contestaba: "Sí, el hombre es inmortal"; "Sí, nos espera la vida eterna". Y ella me escuchaba, me creía y no me exigía pruebas.

Cuando nos dirigíamos a la casa, se detuvo de repente y exclamó:

—Lida es una persona extraordinaria. ¿No es verdad? La quiero muchísimo y estaría dispuesta a sacrificar mi vida por ella en cualquier momento. Pero dígame —en ese momento Zhenia me tocó la manga con un dedo—, dígame, ¿por qué está discutiendo usted siempre con ella? ¿Por qué se muestra tan irritado?

—Porque no tiene razón.

Zhenia negó con la cabeza y unas lágrimas asomaron a sus ojos:

—¡Qué incomprensible es todo esto! —exclamó.

En ese momento Lida, que acababa de regresar de algún lugar, apareció junto al porche con una fusta en la mano, esbelta, hermosa, iluminada por el sol, e impartió alguna orden a un trabajador. Con gran premura y destempladas voces, atendió a dos o tres enfermos, con aspecto preocupado y hacendoso, se paseó por las habitaciones, abriendo ya un armario, ya otro, subiendo al desván. Estuvieron largo tiempo buscándola y llamándola para que viniera a comer, pero cuando se presentó ya habíamos acabado la sopa. Por alguna razón recuerdo y aprecio todos esos pequeños detalles; de hecho, mi memoria guarda una imagen precisa de toda esa jornada, aunque no sucedió en ella nada especial. Después de la comida, Zhenia se tumbó en un hondo sillón y se puso a leer; yo me senté en el peldaño inferior de la escalera. Guardamos silencio. Todo el cielo se cubrió de nubes y empezó a caer una lluvia fina e intermitente. Hacía calor, el viento se había aquietado hacía tiempo; parecía como si ese día no fuera a concluir nunca. Yekaterina Pávlovna, soñolienta, con un abanico, salió a la terraza y se acercó a nosotros.

—Ay, mamá –exclamó Zhenia, besándole la mano–, no te sienta bien dormir de día.

Se adoraban. Cuando una salía al jardín, la otra ya estaba en la terraza y, mirando hacia los árboles, llamaba: "¡Zhenia!", o bien: "Mamaíta, ¿dónde estás?" Rezaban siempre juntas, tenían las mismas creencias y se comprendían muy bien, incluso cuando guardaban silencio. Además, su actitud hacia la gente era la misma. Yekaterina Pávlovna también se acostumbró pronto a mí y me cogió cariño, y cuando dejaba de aparecer durante dos o tres días, mandaba a alguien a preguntar por mi salud. Contemplaba mis esbozos con admiración, me contaba con la misma locuacidad y sinceridad de Misius lo que había sucedido a lo largo de la jornada y con frecuencia me confiaba sus secretos domésticos.

Reverenciaba a su hija mayor. Lida nunca era cariñosa y sólo hablaba de cosas serias; vivía su propia vida y para su madre y su hermana era una persona sagrada y algo enigmática, como para los marineros el almirante que pasa todo el tiempo en su camarote.

—Nuestra Lida es una persona extraordinaria –solía decir la madre–. ¿No es verdad?

También entonces, mientras lloviznaba, hablábamos de Lida.

—Es una persona extraordinaria –exclamó la madre y añadió en voz baja, mirando temerosamente a su alrededor, como si estuviera conspirando–: Mujeres así se cuentan con los dedos de una mano, pero, sabe usted, empiezo a estar algo preocupada. La escuela, los dispensarios, los libros: todo eso está muy bien, ¿pero por qué llegar a esos extremos? Ya tiene veinticuatro años, es hora de que empiece a pensar seriamente en sí misma. Con tanto libro y tantos dispensarios no ves cómo pasa la vida... Hay que casarse.

Zhenia, pálida a causa de la lectura, con el pelo desordenado, levantó la cabeza y dijo como para sí misma, mirando a su madre:

—¡Mamá, todo está en manos de Dios!

Y de nuevo se sumergió en la lectura.

Llegó Belokúrov con su largo abrigo y una camisa bordada. Jugamos al *croquet* y al *lawn-tennis*; luego, cuando oscureció, cenamos y disfrutamos de una larga sobremesa; Lida volvió a ocuparse de las escuelas y de Balaguin, el que tenía en sus manos todo el distrito. Esa noche, al salir de casa de las Volchanínov, tuve la impresión de que había gozado de un día festivo largo, larguísimo, pero también me asaltó el triste convencimiento de que todo en esta vida, por muy largo que sea, tiene su fin. Zhenia nos acompañó hasta el portón; tal vez por que había pasado el día entero con ella, de la mañana a la noche, sentía que en su ausencia todo me resultaría aburrido y que esa simpática familia estaba muy unida a mí. Por primera vez en todo el verano me entraron ganas de pintar.

—Dígame, ¿por qué lleva una vida tan insulsa y anodina? –le pregunté a Belokúrov de camino a casa–. Mi vida es aburrida, pesada y monótona porque soy un artista, un hombre extraño; desde los tiempos de la juventud estoy trabajando por la envidia, por la insatisfacción, por la desconfianza en mi actividad; siempre he sido pobre y no he dejado de ir de un lado para otro, pero usted es un hombre sano, normal, un propietario, un señor, ¿por qué lleva una vida tan poco interesante? ¿Por qué disfruta tan poco de la existencia? Por qué, por ejemplo, no se ha enamorado todavía de Lida o de Zhenia?

—Olvida usted que estoy enamorado de otra mujer –respondió Belokúrov.

Se refería a su amiga Liubov Ivánovna, que vivía con él en el pabellón. Todos los días veía cómo esa dama, corpulenta, rolliza, grave, semejante a un ganso bien cebado, se paseaba por el jardín con un vestido ruso adornado de abalorios, siempre bajo una sombrilla, mientras la criada venía a buscarla a cada momento, bien para comer, bien para tomar el té. Tres años antes había alquilado uno de los pabellones cercanos a la casa, y desde entonces se había quedado a vivir con Belokúrov, al parecer para siempre. Era diez años mayor que él y le controlaba de cerca, hasta el punto de que él debía pedirle permiso para ausentarse de la casa. A menudo sollozaba con voz de hombre; en tales ocasiones yo mandaba decir que si no paraba me iría del apartamento; y ella, entonces, dejaba de llorar.

Cuando llegamos a casa, Belokúrov se sentó en un diván y se hundió en sus pensamientos; yo empecé a pasear por la sala, experimentando una ligera inquietud, como un enamorado. Me apetecía hablar de las Volchanínov.

—Lida sólo puede enamorarse de un funcionario del *zemstvo* tan interesado como ella en los hospitales y las escuelas –exclamé–. Por una muchacha como ésa puede uno convertirse en funcionario del *zemtsvo* e incluso gastar zapatos de hierro, como los personajes de los cuentos. ¿Y Misius? ¡Qué encanto es esa Misius!

Belokúrov, alargando mucho la "e", empezó a hablar de la enfermedad del siglo: el pesimismo. Habló con convencimiento y con un tono de voz como si yo estuviera discutiendo con él. Cientos de kilómetros de desierta, monótona y ardiente estepa no puede causar hastío como un hombre que se sienta, se pone a hablar y no hace ningún indicio de marcharse.

—No se trata de pesimismo ni de optimismo –exclamé yo con irritación–. El problema es que noventa y nueve personas de cada cien no tienen inteligencia.

Belokúrov se dio por aludido, se ofendió y se marchó.

III

—El príncipe está de visita en Maloziómovo y te manda saludos –dijo Lida a su madre. Acababa de llegar y se estaba quitando los guantes–. Contó muchas cosas interesantes… Prometió elevar de nuevo al consejo provincial la cuestión del centro médico, pero dice que hay pocas esperanzas–. Y dirigiéndose a mí, añadió: –Perdone, siempre me olvido de que estos asuntos no pueden interesarle.

Me sentí irritado.

—¿Por qué no pueden interesarme? –pregunté y me encogí de hombros–. A usted no le importa mi opinión, pero le aseguro que esa cuestión me interesa mucho.

—¿Sí?

—Sí. A mi modo de ver, en Maloziómovo no hace falta ningún centro médico.

Mi irritación se transmitió también a ella. Me miró, entornó los ojos y preguntó:

—¿Y qué es lo que hace falta? ¿Paisajes?

—Tampoco paisajes. Allí no hace falta nada.

Terminó de quitarse los guantes y desplegó un periódico que acababan de traer del correo, al cabo de un minuto dijo en voz baja, tratando de contenerse:

—La semana pasada Anna murió durante el parto; si hubiera habido un centro médico cerca aún estaría viva. Y los señores paisajistas, me parece, deberían tener alguna opinión sobre el particular.

—Tengo una opinión muy concreta sobre el particular, se lo aseguro —contesté yo, pero ella se cubría con el periódico como si no quisiera escucharme—. Según mi parecer, los centros médicos, las escuelas, las bibliotecas y los dispensarios, dadas las actuales condiciones de vida, sólo sirven para subyugar. El pueblo está sujeto por una gran cadena, y ustedes, en lugar de romper esa cadena, añaden nuevos eslabones: ésa es mi opinión.

Me miró a los ojos y sonrió con aire burlón, pero yo continué, tratando de expresar mi idea principal:

—Lo importante no es que Anna haya muerto durante el parto, sino que todas las Annas, Mavras y Pelagueias van con la espalda doblada de la mañana a la noche, enferman a causa del trabajo excesivo, se pasan la vida sufriendo por sus hijos enfermos y hambrientos, se sienten acuciadas por la enfermedad y la muerte, están siempre luchando por restablecerse, se marchitan pronto, envejecen de manera prematura y mueren cercadas por la suciedad y la inmundicia; sus hijos, al crecer, inician el mismo camino, y así pasan cientos de años; millones de personas, para ganar un pedazo de pan, viven peor que los animales, experimentado un terror continuo. Todo el horror de su situación reside en que no tienen tiempo de pensar en su alma, de recordar que han sido creadas a imagen y semejanza de Dios; el hambre, el frío, el terror cerval, el trabajo agobiante, lo mismo que aludes de nieves, les obstruyen todos los caminos que conducen a la actividad espiritual, lo único que distingue al hombre del animal, lo único por lo que merece la pena vivir. Ustedes tratan de ayudarlos con hospitales y escuelas, pero esas cosas no los liberan de sus cadenas; al contrario, los esclavizan ustedes aún más, ya que, al introducir en sus vidas nuevos prejuicios, aumenta el número de sus necesidades, por no hablar ya de que por los emplastos y los libros deben pagar al *zemstvo* y, por tanto, doblar aún más la espalda.

—No quiero discutir con usted –exclamó Lida, bajando el periódico–. Ya he escuchado antes esas razones. Sólo le diré una cosa: no puede uno quedarse con los brazos cruzados. Es verdad que no vamos a salvar a la humanidad entera y que quizás cometemos muchos errores, pero hacemos lo que podemos y tenemos razón. La tarea más elevada y sagrada de una persona cultivada es ayudar a sus semejantes, y nosotros tratamos de ayudarlos como podemos. A usted no le gusta, pero no se puede dar satisfacción a todo el mundo.

—Tienes razón, Lida, tienes razón –exclamó la madre.

En presencia de Lida siempre se sentía intimidada y cuando conversaba con ella la miraba con inquietud, temiendo decir algo superfluo o inconveniente. Nunca la contradecía; al contrario, siempre estaba de acuerdo con ella: "Tienes razón, Lida, tienes razón".

—La alfabetización de los campesinos, los libros con lamentables instrucciones y máximas y los centros médicos no pueden reducir la ignorancia ni la mortalidad, lo mismo que la luz de sus ventanas no basta para iluminar este enorme jardín –exclamé yo–. Ustedes no aportan nada; con su intromisión en la vida de esas personas sólo crean nuevas necesidades, nuevos motivos para el trabajo.

—¡Ah, Dios mío, pero algo hay que hacer! –dijo Lida con enfado; y en el tono de su voz se adivinaba que juzgaba mis reflexiones insignificantes y las despreciaba.

—Hay que liberar a las personas del pesado trabajo físico –exclamé yo–. Hay que aligerar su yugo, concederles un respiro para que no se pasen toda la vida junto a las estufas, junto a las artesas o en el campo, para que tengan también tiempo de pensar en su alma, en Dios, para que puedan desarrollar más ampliamente sus aptitudes espirituales. La más alta vocación del hombre es la actividad espiritual, la búsqueda constante de la verdad y el sentido de la vida. Consiga liberarlos del rudo y bestial trabajo, permítales sentir la libertad y entonces verá qué absurdos son en realidad esos libros y esos hospitales. Una vez que el hombre tiene conciencia de su verdadera vocación, sólo pueden satisfacerle la religión, la ciencia, el arte, y no esas naderías.

—¡Liberarles del trabajo! –se rió Lida–. ¿Acaso eso es posible?

—Sí. Asuman ustedes una parte de su trabajo. Si todos nosotros, habitantes de la ciudad y del campo, todos sin excepción, nos pusiéramos de acuerdo para repartir entre nosotros el trabajo que la humanidad realiza para la satisfacción de sus necesidades físicas, probablemente a cada uno de nosotros no nos corresponderían más de dos o tres horas al día. Imagínese que todos nosotros, ricos y pobres, trabajáramos sólo tres horas al día y dispusiéramos libremente del resto del tiempo. Imagínese también que, para depender menos de nuestro cuerpo y fatigarnos menos, inventamos máquinas que se ocupen del trabajo y tratamos de reducir el número de nuestras necesidades al mínimo. Imagínese que nos armamos de valor para no temerles al hambre y al frío, para no sufrir constantemente por la salud de nuestros hijos, como sufren Anna, Mavra y Pelagueia. Imagínese que no nos curamos, no mantenemos farmacias, ni fábricas de tabaco ni destilerías de alcohol: ¡cuánto tiempo libre nos quedaría entonces! Todos nosotros emplearíamos ese ocio en las ciencias y las artes. Así como a veces los campesinos se unen para arreglar un camino, de la misma manera todos nosotros, en paz, buscaríamos la verdad y el sentido de la vida, y esa verdad –estoy convencido de ello– se nos revelaría muy pronto; el hombre se libraría de ese constante, angustioso y opresivo miedo a la muerte e incluso de la misma muerte.

—Se contradice usted –exclamó Lida–. No deja de referirse a la ciencia, y sin embargo rechaza la alfabetización.

—Para qué vale la alfabetización cuando el hombre sólo tiene la posibilidad de leer los letreros de las tabernas y libros que no comprende; esa alfabetización existe entre nosotros desde los tiempos de Riurik; el gogoliano Petruhska hace ya tiempo que sabe leer, pero las aldeas siguen igual que en tiempos de Riurik. No es alfabetización lo que se necesita, sino una libertad que permita una amplia manifestación de las aptitudes espirituales. No se necesitan escuelas, sino universidades.

—Rechaza usted también la medicina.

—Sí. Sólo sería necesaria para estudiar las enfermedades como manifestaciones de la naturaleza, no para curarlas. No se trata de curar enfermedades, sino de prevenir sus causas. Elimine usted la causa principal –el trabajo físico– y desaparecerán las enfermedades. No reconozco una ciencia que cura –añadí con apasionamiento–. Las ciencias y las artes, cuando son verdaderas, no ambicionan fines temporales o parciales, sino otros eternos y universales: buscan la verdad y el sentido de la vida, buscan a Dios, el alma; cuando descienden a las necesidades y cuestiones diarias, a los dispensarios y las bibliotecas, lo único que hacen es complicar y entorpecer la vida. Entre nosotros hay muchos médicos, farmacéuticos, juristas, mucha gente sabe leer y escribir, pero carecemos de biólogos, matemáticos, filósofos, poetas. Toda la inteligencia, toda la energía espiritual se ha gastado en la satisfacción de necesidades temporales y pasajeras... Los sabios, los escritores y los artistas están abarrotados de trabajo; gracias a su talento, las comodidades de la vida aumentan día a día. Nuestras demandas físicas se multiplican, pero estamos aún lejos de la verdad, y el hombre, lo mismo que antes, sigue siendo el más cruel y ruin de los animales; todo contribuye a que los seres humanos, en su gran mayoría, degeneren y pierdan para siempre cualquier capacidad vital. En esas condiciones la vida del artista no tiene ningún sentido, pues cuanto más talento tiene, más extraña e incomprensible resulta su posición, ya que en realidad trabaja para entretener a un animal cruel y ruin, y contribuye a mantener el orden establecido. Yo no quiero trabajar y no trabajaré... Nada es necesario. ¡Que la tierra se hunda en el infierno!

—Misius, retírate –dijo Lida a su hermana, considerando, por lo visto, que mis palabras eran perjudiciales para una muchacha tan joven.

Zhenia miró con ojos tristes a su hermana y a su madre y salió de la habitación.

—La gente suele decir todas esas cosa cuando quiere justificar su indiferencia –exclamó Lida–. Rechazar los hospitales y las escuelas es más fácil que curar y enseñar.

—Tienes razón, Lida, tienes razón —convino su madre.

—Amenaza usted con dejar de trabajar —continuó Lida–. Es evidente que valora usted mucho su trabajo. Pero dejemos de discutir; no vamos a ponernos de acuerdo, ya que la más deficiente de todas las bibliotecas o dispensarios, de los que usted acaba de hablar con tanto desprecio, es más importante para mí que todos los paisajes del mundo. –En ese momento, dirigiéndose a su madre, añadió en un tono completamente distinto–: el príncipe está delgado y ha cambiado mucho desde que estuvo en nuestra casa. Lo envían a Vichy.

Hablaba con su madre del príncipe para no tener que dirigirse a mí. Su rostro ardía; para ocultar su agitación se inclinaba mucho sobre la mesa, como si fuera miope, y aparentaba leer el periódico. Mi presencia le desagradaba. Me despedí y salí de la casa.

IV

Todo era tranquilidad en el patio; la aldea del otro lado del estanque ya dormía. No se veía ni una luz; tan sólo en el estanque lucían los pálidos reflejos de las estrellas. Junto al portón con los leones, Zhenia, inmóvil, me esperaba para acompañarme.

—Todos duermen en la aldea –le dije, tratando de distinguir en la oscuridad su rostro; al fin vislumbré sus ojos tristes y oscuros, fijos en los míos–. El tabernero y el cuatrero duermen plácidamente, mientras nosotros, personas honradas, nos irritamos y discutimos.

Era una melancólica noche de agosto; melancólica porque olía ya a otoño. La luna estaba saliendo detrás de una nube púrpura e iluminaba levemente el camino y los oscuros campos otoñales que lo rodeaban. Caían estrellas fugaces. Zhenia iba a mi lado, tratando de no mirar el cielo para no ver la caída de las estrellas, que por algún motivo le asustaba.

—Yo creo que tiene usted razón –dijo, temblando a causa de la humedad de la noche–. Si las personas, conjuntamente, pudieran entregarse a las actividades espirituales, pronto lo sabrían todo.

—Claro que sí. Somos criaturas superiores; si fuéramos conscientes de toda la fuerza del genio humano y pensáramos sólo en los fines supremos, acabaríamos siendo como dioses. Pero eso no sucederá nunca: la humanidad degenerará y del genio no quedará ni huella.

Cuando ya no se veía el portón, Zhenia se detuvo y apresuradamente me apretó la mano.

—Buenas noches –exclamó temblando, encogiéndose de frío, pues sus hombros sólo estaban cubiertos por una blusa–. Venga mañana.

Me aterraba la idea de quedarme solo, irritado, descontento conmigo mismo y con los otros; también yo trataba de no mirar las estrellas fugaces.

—Quédese conmigo un minuto más –exclamé–. Se lo ruego.

Amaba a Zhenia. Ese amor acaso se debiera a que salía a recibirme y me acompañaba, a que me miraba con ternura y admiración. ¡Qué conmovedores y bellos eran su pálido rostro, sus finas manos, su debilidad, su ociosidad, sus libros! ¿Y la inteligencia? Tenía la sospecha de que poseía una inteligencia poco común; me admiraba la amplitud de sus opiniones, quizás porque razonaba de otro modo que la severa y hermosa Lida, que no me quería. A Zhenia le atraía mi condición de artista; había conquistado su corazón con mi talento y ahora sentía unos enormes deseos de pintar sólo para ella. Soñaba que era una pequeña reina que dominaría conmigo esos árboles, esos campos, la niebla, el amanecer, esa naturaleza maravillosa y encantada, en medio de la cual me había sentido hasta entonces desesperadamente solo y superfluo.

—Quédese un minuto más –le pedí–. Se lo suplico.

Me quité el abrigo y se lo puse sobre los hombros ateridos; ella, temiendo parecer ridícula y fea con un abrigo de hombre, se echó a reír y se lo quitó; en ese momento la abracé y empecé a cubrir de besos su rostro, sus hombros, sus manos.

—¡Hasta mañana! –susurró ella, y con mucho cuidado, como si temiera destruir la quietud de la noche, me abrazó–. No existen secretos entre nosotras; debo contárselo todo ahora mismo a mi madre y a mi hermana… ¡Qué miedo me da! No por mi madre, mi madre le quiere, ¡pero Lida!

Volvió corriendo al portón.

—¡Adiós! –gritó.

Luego, durante unos dos minutos, la oí correr. No me apetecía volver a mi alojamiento, pues nada tenía que hacer allí. Permanecí inmóvil unos instantes y después, en silencio, volví sobre mis pasos para mirar una vez más la casa en la que ella vivía, la encantadora, ingenua y vieja casa, que parecía mirarme con las ventanas del desván, semejantes a ojos, y comprenderlo todo. Pasé junto a la terraza, me senté en el banco junto a la pista de *lawn-tennis*, en la oscuridad, bajo el viejo olmo, y desde allí contemplé la mansión. En las ventanas del desván, donde vivía Misius, lució una brillante luz, que luego se volvió de un verde suave: habían cubierto la lámpara con una pantalla. Unas sombras se movieron... Me sentía lleno de ternura, de paz, de satisfacción; de satisfacción porque me había dejado llevar por mis sentimientos y me había enamorado, aunque al mismo tiempo me causaba inquietud el pensamiento de que en ese momento, a unos pocos pasos de mí, en una de las habitaciones de esa casa, se encontraba Lida, que no me quería, que probablemente me odiaba. Seguía sentado, esperando que saliera Zhenia, y al aguzar el oído me pareció oír voces en el desván.

Pasó cerca de una hora. La luz verde se apagó y las sombras dejaron de verse. La luna se elevaba ya sobre la casa y alumbraba el jardín dormido y los senderos; los macizos de dalias y de rosas que había delante de la casa, claramente visibles, parecían de un mismo color. Empezó a hacer mucho frío. Salí del jardín, recogí el abrigo del suelo y sin mayores premuras me encaminé a la casa.

Al día siguiente, cuando llegué a la mansión de las Volchanínov después de la comida, la puerta de cristal del jardín estaba abierta de par en par. Me senté en la terraza, esperando que de un momento a otro, desde detrás del parterre de la plazoleta o por una de las alamedas, apareciera Zhenia o me llegara su voz desde las habitaciones; al cabo de un rato pasé a la sala, al comedor. No había nadie. Del comedor me dirigí al recibidor, atravesando un largo pasillo; luego volví sobre mis pasos. En el pasillo había algunas puertas; tras una de ellas resonó la voz de Lida.

—A un cuervo en cierto lugar... Dios... —decía en voz alta y alargando las palabras, probablemente dictando—. Dios envió un pedazo de queso... a un cuervo... en cierto lugar... ¿Quién está ahí? —exclamó de pronto, al escuchar mis pasos.

—Soy yo.

—¡Ah! Perdone, ahora no puedo atenderle, estoy ocupada con Dasha.

—¿Yekaterina Pávlovna está en el jardín?

—No, se ha ido hoy con mi hermana a casa de mi tía, en la provincia de Penza. Y en invierno, probablemente, se marcharán al extranjero… –añadió, después de una pausa– A un cuervo en cierto lugar… Dios envió un pedazo de queso… ¿Lo has escrito?

Salí al vestíbulo y sin pensar en nada me quedé mirando el estanque y la aldea; hasta mí llegaban algunas palabras:

—Un pedazo de queso… A un cuervo en cierto lugar Dios envió un pedazo de queso…

Salí de la hacienda siguiendo el mismo camino que la primera vez, sólo que en sentido contrario: primero pasé del patio al jardín que rodeaba la casa; después a la alameda de tilos… Allí me alcanzó un muchacho que me entregó una nota: "Se lo he contado todo a mi hermana, y ella exige que me separe de usted –leí–. No sería capaz de entristecerla con mi desobediencia. Que Dios le conceda felicidad, perdóneme. ¡Si supiera con qué amargura lloramos mi madre y yo!"

Luego la sombría alameda de abetos, la cerca desmoronada… En ese mismo campo en el que antaño florecía el centeno y piaban las perdices, pastaban ahora las vacas y los caballos trabados. Más allá, en las colinas, destacaba el intenso verdor de la sementera de otoño. Un humor sobrio y prosaico se apoderó de mí; me dio vergüenza todo cuanto había dicho en casa de las Volchanínov. Volví a sentir el tedio de la vida. Al llegar a casa, hice las maletas y por la noche me marché a San Petersburgo.

No he vuelto a ver las Volchanínov. Hace poco, yendo a Crimea, me encontré en el tren con Belokúrov. Lo mismo que antes, iba vestido con un abrigo largo y una camisa bordada. Cuando le pregunté por su salud, me contestó: "Bien, gracias a sus oraciones". Nos pusimos a charlar. Había vendido su hacienda y comprado otra más pequeña, que había puesto a nombre de Liubov Ivánovna. Me contó algunas cosas de las Volchanínov. Lida, según sus palabras, seguía viviendo en Shelkovka, y enseñaba a los niños en la escuela; poco a poco, había conseguido reunir en torno suyo un grupo de gentes afines que, tras constituir un partido fuerte, había "desalojado" en las últimas elecciones del *zemstvo* a Balaguin, aquel que hasta entonces había tenido todo el distrito en su poder. De Zhenia sólo me dijo que no vivía en la casa y que no sabía dónde se encontraba.

Empiezo ya a olvidarme de la casa con desván; sólo alguna que otra vez, cuando pinto o leo, de repente, sin causa ninguna, me acuerdo de la luz verde en la ventana, del rumor de mis pasos en el campo por la noche, cuando regresaba a casa lleno de amor y a causa del frío me frotaba las manos. Y en muy raros momentos, cuando me atormenta la soledad y me agobia la tristeza, algunos vagos recuerdos me visitan; entonces, por alguna razón, empieza a parecerme que también ella se acuerda de mí y me espera, y que algún día nos encontraremos...

Misius, ¿dónde estás?

Anton Chéjov (1860-1904)

El estudiante

El tiempo, al principio, estaba hermoso, apacible. Los mirlos gritaban, y en la vecindad de los pantanos algo vivo ululaba quejumbrosamente, como si soplaran en una botella vacía. Una chocha se retardó, y el respectivo disparo resonó en el aire primaveral, con estrépito y alborozo. Pero cuando oscureció en el bosque, un viento frío y penetrante sopló de forma intempestiva desde el oriente, y todo quedó en silencio. Por los charcos se extendieron las agujas heladas, y el bosque se tornó áspero, apagado y huraño. Olió a invierno.

Iván Velikopolskii, estudiante de la academia eclesiástica, hijo de un sacristán, regresaba apurado a casa, iba todo el tiempo por un sendero de la pradera anegada. Tenía los dedos entumecidos y el rostro encendido por el viento. Le parecía que ese frío, surgido de súbito, interrumpía el orden y la armonía de todo, que la misma naturaleza sentía espanto, y que por eso las tinieblas nocturnas se espesaban con mayor rapidez de la debida. A su alrededor estaba desierto, y en particular algo sombrío. Sólo en las huertas de las viudas, junto al río, brillaba una luz; en la lejanía, a su alrededor y allí, donde estaba la aldea, a unas cuatro *verstas,* todo se sumergía en la fría bruma nocturna. El estudiante recordó que, al salir de casa, su madre, sentada en el suelo del zaguán, descalza, limpiaba el *samovar,* y su padre yacía sobre la estufa y tosía; con motivo del Viernes Santo, no se había cocido nada en casa, y el hambre lo atormentaba. Y ahora, encogiéndose de frío, el estudiante pensaba que ese mismo viento había soplado en los tiempos de Riurik, de Iván el Terrible y de Pedro, y que en esos tiempos hubo la misma terrible pobreza, hambre; los mismos techos de paja agujereados, ignorancia, tristeza, el mismo desierto alrededor, oscuridad, sensación de opresión –todos esos horrores fueron, eran y serían, y aunque pasaran mil años, la vida no sería mejor. Y no quería llegar a casa.

La huerta se llamaba "de las viudas" porque la cuidaban dos viudas, la madre y la hija. La hoguera ardía vivamente, con crujido, iluminando en la lejanía a su alrededor la tierra arada. La viuda Vasilisa, una vieja alta, rolliza, con una pelliza de hombre, estaba parada junto a ésta y miraba al fuego pensativa; su hija Lukeria, una muchacha pequeña, de rostro tonto, picado de viruelas, estaba sentada en la tierra y lavaba el caldero y las cucharas. Evidentemente, recién acababan de cenar. Se escuchaban unas voces masculinas; eran los trabajadores locales que abrevaban a los caballos en el río.

—Ahí tiene, llegó el invierno de nuevo –dijo el estudiante, acercándose a la hoguera–. ¡Saludos!

Vasilisa se estremeció, pero al instante lo reconoció y sonrió afablemente.

—No te reconocí, Dios esté contigo –dijo ésta–. Vas a ser rico.[1]

Empezaron a conversar. Vasilisa, una mujer curtida, que sirvió alguna vez de nodriza con los señores, y después de nana, se expresaba con delicadeza y su rostro mostraba todo el tiempo una suave y grave sonrisa; su hija Lukeria, una mujer de aldea, apocada por el marido, sólo entornaba los ojos sobre el estudiante y callaba; su expresión era extraña, como la de una sordomuda.

—Exactamente en una noche tan fría como ésta se calentaba a la hoguera el apóstol Pedro –dijo el estudiante, tendiendo las manos hacia el fuego–. Eso significa, que entonces también hacía frío. ¡Ah, qué noche terrible fue ésa, abuela! ¡Una noche triste y larga hasta lo indecible!

Mirando a las tinieblas a su alrededor, sacudió convulsivamente la cabeza y preguntó:

[1] En Rusia, según una superstición popular, no reconocer a una persona significa buena suerte para ésta.

—¿Seguro estuviste en los doce Evangelios?[2]

—Estuve —respondió Vasilisa.

—Si recuerdas, durante la última cena, Pedro le dijo a Jesús: "Aparejado estoy para ir contigo a la cárcel y aun a la muerte". Y el Señor le respondió: "Te digo, Pedro, que no acabará de cantar hoy el gallo, sin que tres veces hayas negado que me conoces". Después de la cena, Jesús se lamentó profundamente en el jardín y rezó, y el pobre Pedro, cansado de cuerpo y alma, se debilitó, los parpados le pesaban, y no podía vencer el sueño de ningún modo. Se durmió. Después, como escuchaste, Judas, esa noche, besó a Jesús y lo entregó a los verdugos. Lo llevaron atado ante el Sumo Pontífice y lo azotaron, y Pedro, sin fuerzas, torturado por la tristeza y la inquietud, entiendes, falto de sueño, presintiendo que en la tierra iba a ocurrir algo terrible, iba detrás... Él amaba apasionadamente a Jesús, sin límite, y ahora veía desde lejos cómo lo azotaban...

Lukeria dejó las cucharas y clavó su mirada inmóvil en el estudiante.

—Llegaron a casa del pontífice —continuó éste—, empezaron a interrogar a Jesús, y los trabajadores, mientras tanto, hacían fuego en medio del patio, porque hacía frío, y se calentaban. Con ellos, junto a la hoguera, estaba Pedro, y también se calentaba, como yo ahora. Una mujer, al verlo, dijo: "Éste también estaba con Jesús", o sea, que a él también había que llevarlo al interrogatorio. Y todos los trabajadores que estaban junto al fuego, debe ser, lo miraron con sospecha y severidad, porque él se turbó y dijo: "Yo no lo conozco". Un poco después, alguien reconoció en él de nuevo a uno de los discípulos de Jesús y dijo: "Tú también eres de ellos". Pero él lo negó de nuevo. Y por tercera vez alguien se dirigió a él: "¿Y no fue a ti al que yo vi hoy con él en el jardín?". Él lo negó por tercera vez. Y después de esa vez, al instante, cantó el gallo, y Pedro, mirando desde lejos a Jesús, recordó las palabras que éste le dijo en la cena... Recordó, despertó, salió del patio y lloró amargamente". El Evangelio dice: "Y habiendo salido afuera,

---

[2] En las iglesias de las aldeas, comúnmente, se leían las doce partes del Evangelio.

lloró amargamente". Me imagino: el jardín silencioso, oscuro, y en el silencio apenas se escuchan los sollozos apagados...

El estudiante suspiró y se quedó pensativo. Sin dejar de sonreír, Vasilisa de pronto sollozó, las gruesas, abundantes lágrimas rodaron por sus mejillas, y se cubrió el rostro del fuego con la manga, como avergonzada de sus lágrimas; y Lukeria, mirando fijamente al estudiante, enrojeció, y su expresión se tornó penosa, tensa, como la de una persona que contiene un fuerte dolor.

Los trabajadores regresaban del río, y uno de ellos, montado a caballo, estaba ya cerca, y la luz de la hoguera temblaba sobre él. El estudiante dio las buenas noches a las viudas y prosiguió su camino. Y de nuevo surgieron las tinieblas, y las manos empezaron a helarse. Soplaba un viento cruel, en realidad volvía el invierno, y no parecía que pasado mañana fuera Pascua.

Ahora el estudiante pensaba en Vasilisa: si ella había llorado, eso significa que todo lo ocurrido esa terrible noche a Pedro tenía una cierta relación con ella...

Miró atrás. El fuego solitario titilaba apaciblemente en la oscuridad, y junto a éste no se veía ya gente. El estudiante pensó de nuevo que si Vasilisa había llorado y su hija se había turbado, era evidentemente porque lo que él recién había contado, que había ocurrido hacía diecinueve siglos, estaba relacionado con el presente –con ambas mujeres y, probablemente, con esta aldea desierta, con él mismo, con todos los hombres. Si la vieja había llorado, no era porque él sabía contar de forma conmovedora, sino porque Pedro le resultaba cercano a ella, y porque ella estaba interesada con todo su ser en lo que ocurría en el alma de Pedro.

Y el júbilo, de pronto, se agitó en su alma; y hasta se detuvo por un instante para cobrar aliento. El pasado –pensaba– está ligado al presente por una cadena incesante de acontecimientos, que derivan uno de otro. Y le parecía que recién había visto los dos extremos de esa cadena: que al tocar un extremo, había vibrado el otro...

Y cuando cruzaba el río en la almadía, y después ascendía por la montaña, miró a su aldea natal y al poniente, donde brillaba la estrecha franja de la fría aurora púrpura, y pensó que la verdad y la belleza, que dirigían la vida humana allí, en el jardín y en el patio del Sumo Pontífice, perduraban incesantes hasta el día de hoy y, por lo visto, habían constituido siempre lo esencial de la vida humana y, en general, de la tierra; y la sensación de juventud, de salud, de fuerza –solo tenía veintidós años–, y la inefable, dulce esperanza de una dicha desconocida, de una dicha misteriosa se apoderaban de él poco a poco, y la vida le parecía maravillosa, encantadora y plena de elevado sentido.

Rudyard Kipling (1865-1936)

La iglesia que había en Antioquía

Pero cuando Pedro fue a Antioquía, en su propia cara le resistí, porque su conducta era criticable.

EPÍSTOLA DE SAN PABLO A LOS GÁLATAS 2:11

Su madre, una viuda romana devota y de buena cuna, decidió que él no estaba haciendo nada de provecho en una legión oriental tan próxima a la librepensadora Constantinopla y consiguió que le destacaran a la administración civil de Antioquía, donde su tío, Lucius Sergius, era el jefe de la policía urbana. Valente obedeció como hijo y como joven ávido de ver mundo, y poco después se presentó en la puerta de su tío.

—Esa cuñada mía –dijo el viejo– sólo se acuerda de mí cuando quiere algo. ¿Qué has estado haciendo?

—Nada, tío.

—¿Quieres decir que todo?

—Es lo que piensa madre. Pero no es así.

—Veremos. Tu alojamiento está al otro lado del patio interior. Tu… esto… tu equipaje ya se encuentra allí… ¡Oh, no voy a inmiscuirme en tus asuntos privados! No soy la clase de tío que echa broncas. Date un baño. Hablaremos en la cena.

Pero antes de esa hora "Padre Serga", como llamaban al prefecto de policía, supo por el Tesoro que su sobrino había viajado por tierra desde Constantinopla al mando de un convoy que, tras una escaramuza con unos bandoleros en un desfiladero a las afueras de Tarso, había llegado sano y salvo a su destino.

—¿Por qué no me lo dijiste? –le preguntó el tío en la cena.

—Primero tenía que informar al Tesoro –fue la respuesta. Serga le miró.

—¡Dioses! *Eres* como tu padre –dijo–. Cilicia está escandalosamente vigilada.

—Eso he notado. Nos asaltaron a menos de cinco millas de la ciudad de Tarso. ¿Son frecuentes aquí esas celadas?

—No tardarás en sentirte como en casa. No. No lo son, pero Siria es una provincia no sometida, ni a la autoridad del emperador ni a la del senado. Por un lado tenemos a todo el imprevisible oriente; la hez del Mediterráneo por el otro; y Judea, la arpía, al sur. En Siria puede ocurrir cualquier cosa. ¿Te gusta la perspectiva?

—Me gustará… a tus órdenes.

—Se lleva en la sangre. Tanto los hombres como los caballos. Y bien, ¿qué has hecho para afligir tanto a tu madre?

—Está un poco anticuada, señor. Sigue la vieja escuela, desde luego: los cultos domésticos y la estricta trinidad latina. No creo que reconozca más dioses que Júpiter, Juno y Minerva.

—Yo tampoco… oficialmente.

—Ni yo, como funcionario, señor. Pero uno quiere algo más que eso, y… y… lo que he aprendido en Bizancio encaja con lo que he visto en la Quince.

—No sigas. Todas las legiones orientales son parecidas. Eres seguidor de Mitra, ¿eh?

El joven inclinó ligeramente la cabeza.

—Descuida, muchacho. Es una religión de la milicia, aunque provenga de fuera.

—Eso pensé. Pero madre se enteró. No lo aprobó, y… supongo que por eso estoy aquí.

—¡Sin tridente y dentro de la red! ¡Como una mujer! Toda Siria esta infestada de mitraísmo. *Mi* objeción a las religiones estrafalarias es que por lo general celebran sus reuniones después de anochecer, y eso representa más trabajo para la policía. Tenemos aquí un colegio de hebreos ceremoniosos que se denominan cristianos.

—He oído hablar de ellos –dijo Valente–. No hay ceremonia o símbolo que no hayan plagiado del ritual de Mitra.

163

—¡No es nuevo para mí! Las religiones forman parte de mi labor burocrática; y formarán parte de la tuya. Los judíos de nuestra sinagoga están combatiendo como escitas por esa nueva fe.

—¿Importa mucho eso?

—Con tal de que se peleen entre ellos, nosotros sólo tenemos que mantener vivo el combate. Dividir y gobernar, sobre todo con los hebreos. Hasta esos cristianos están divididos ahora. Fíjate, parte de su culto consiste en comer juntos.

—¡Otro robo! La cena es nuestro símbolo esencial –le interrumpió Valente.

—En nuestro caso, es el símbolo esencial de problemas para tu tío, querido. Todo el mundo puede hacerse cristiano. Un judío puede; pero sigue viviendo con arreglo a la ley de Moisés (he tenido que aprender ese maldito código, también), que rige todas sus obras. Luego participa en un banquete de amor cristiano en compañía de un griego o un occidental, que no matan corderos ni puercos (¡no! ¡no! Los judíos no prueban el puerco), como establece la ley judía. Entonces las mesas se parten, pero no de risa, no: ¡de la reyerta!

—Es pueril –dijo Valente.

—Ojalá lo fuera. Pero mis lictores tienen que salir a poner orden, y yo tengo que tomar declaración a los judíos de la sinagoga, que denuncian a los cristianos como traidores al César. Si tuviera que actuar según las acusaciones juradas por sus rabinos, todas las semanas tendría que arrestar por conspiración a pequeños comerciantes judíos respetables. ¡Nunca decidas con arreglo a las pruebas si estás tratando con hebreos! Ya te hartarás tú también, ¡ya verás! Mañana tienes guardia en el mercado, en la sala del Pequeño Circo, rebosante de hebreos. Y, ahora, ¡que duermas bien! Llevo en esta frontera tanto tiempo que ya nadie lo recuerda; por eso me llaman el Padre de Siria, y... ah, ¡agrada volver a ver a un ejemplar de la vieja estirpe!

A la mañana siguiente, y durante muchas semanas a partir de entonces, Valente cumplió su turno de inspección del mercado con un edil gordo que montaba en cólera porque los tenderetes no estaban recogidos a la hora debida. Le fueron asignados un par de los hombres de su tío que, naturalmente, le enseñaron los barrios de ladrones y prostitutas, le presentaron a los gladiadores destacados y todo lo demás.

Un día, detrás del Pequeño Circo, cerca de la calle Singon, topó con una chusma en la que había un grupo de aurigas que trataban de cobrar o de no pagar apuestas hechas sobre recientes carreras de carros. El edil dijo que no era de su incumbencia y se marchó. Los lictores cerraron filas detrás de Valente, pero dejaron que él encarase la situación. En eso empujaron hasta él a un hombrecillo nervudo con gruesas cejas, entre aullidos que le proclamaban como el cabecilla de una conspiración.

—Sí –dijo Valente–, ese viejo truco se usaba en Bizancio; pero creo que *a ti* te hemos pillado, amigo.

Puso en libertad al hombrecillo y emplazó a sus acusadores más ruidosos para que comparecieran ante su tío.

—Estabas en lo cierto –dijo Serga al día siguiente–. Aquel caballero hacía el trabajillo por cuenta de algún otro. He ordenado que le den una docena de latigazos. ¿Averiguaste el nombre del tipo que intentaron endilgarte?

—Sí. Gaius Julius Paulus. ¿Por qué?

—Me lo figuraba. Es un viejo conocido mío, un cilicio de Tarso. Bien nacido… Ciudadano por nacimiento, e instruido, pero su familia le ha repudiado. Por eso trabaja, para ganarse la vida.

—Habló como bien nacido. Y además está en espléndida forma. Le toqué. Todo músculo.

—No me extraña. Puede dejar atrás a un camello. Es en realidad el prefecto de esa nueva secta. Viaja por todas nuestras provincias orientales fundando sus colegios y manteniéndolos a la altura apetecida. Por eso le acosan los judíos de la sinagoga. Si pudieran endosarle una acusación política, acabarían con él.

—¿Es sedicioso, entonces?

—Ni lo más mínimo. Aunque lo fuese, yo no se lo serviría en bandeja a los judíos simplemente porque codician la presa. Uno de nuestros gobernadores intentó ese juego en la costa, en aras de la paz, hace unos años. Él no mordió el anzuelo. ¿Te gusta tu trabajo en el mercado, muchacho?

—Es interesante. ¿Sabes una cosa, tío? Creo que los judíos de la sinagoga son mejores que nosotros para las matanzas.

—Así es. Eso es lo que les hace tan duros. Una docena de latigazos no son nada para Apella, aunque sus aullidos estremezcan el patio cuando los recibe. El colegio de los cristianos está en tu barrio. ¿Qué opinión te merecen?

—Bastante silenciosos. Les preocupa un poco la cuestión de lo que deberían comer en sus banquetes fraternos.

—Lo sé. Oh, quería decirte que ahora no debemos cargar la mano, Valente. Mi oficina me informa de que Paulus, tu amiguito, se va al interior del país por unos días para reunirse con otro sacerdote del colegio y traérselo aquí para que le ayude a limar asperezas respecto a la cuestión de las vituallas. Eso significa que su congregación estará en desorden hasta que vuelvan. Rebaño sin pastor siempre se extravía. O sea que es ahora cuando los judíos de la sinagoga tratarán de comprometerlos. No quiero que los pobres diablos se precipiten en lo que pudiera presentarse como un delito político. ¿Entendido?

Valente asintió. Entre las charlas discursivas de su tío por la noche, salpicadas de griego doméstico y desfasados versos de sociedad romanos, sus recorridos matutinos con el edil resoplante y las confidencias de sus lectores a todas horas, creía que comprendía Antioquía.

De modo que sometió a una discreta vigilancia la columnata que había detrás del Pequeño Circo, donde la nueva fe se congregaba. Uno de los muchos carniceros judíos le dijo que Paulus había dejado los asuntos en manos de un hombre llamado Bernabé, pero que volvería acompañado de otro, Petrus (evidentemente un personaje famoso), que zanjaría desavenencias alimentarias entre griegos y cristianos hebreos. El carnicero no tenía reparos contra los cristianos como tales, con tal de que por lo menos matasen la carne como judíos decentes.

Serga se rió al escuchar esto, pero prestó a Valente un par de hombres más y le dijo que dentro de poco le sería encomendada la tarea de atajar a aquel león.

El muchacho se vio arrojado a la palestra un atardecer caluroso en que circulaba la noticia de que la noche iba a ser ajetreada. Apostó a sus lictores en un callejón donde pudiesen oír su señal, y entró en la sala común del colegio, donde se celebraban los banquetes. Todo el mundo parecía tan cordial como un cristiano (por utilizar la jerga del barrio), y especialmente Bernabé, un hombre sonriente y majestuoso que estaba junto a la puerta.

—Me alegro de conocerte –dijo–. Ayudaste a nuestro Paulus en la refriega del otro día. No podemos permitirnos el lujo de perderle. ¡Ojalá hubiera vuelto!

Escrutó nerviosamente el vestíbulo a medida que se iba llenando de gente, de linaje medio y bajo, que disponía su cena sobre las mesas desnudas y se saludaba con especial cortesía.

—Te aseguro –prosiguió, con la mirada todavía errática– que no tenemos intención de ofender a ninguno de los hermanos. Nuestras diferencias podrían zanjarse con sólo...

Como obedeciendo a una señal, un clamor se alzó al instante en media docena de mesas, con gritos de "¡Contaminación! ¡Profanación! ¡Paganos! ¡La ley! ¡La ley! ¡Que informen al César!". Mientras Valente se recostaba contra la pared, la concurrencia se enzarzó en una lluvia de tajadas de carne y loza, hasta que finalmente aparecieron, como por ensalmo, piedras.

—Estaba preparado de antemano –dijo Valente a Bernabé.

—Sí. Entran con piedras escondidas en el pecho. ¡Ten cuidado! Tiran hacia donde estás –contestó Bernabé. La multitud estaba enardecida ahora. Una parte se dirigía hacia ellos, clamando por la justicia de Roma. Sus dos lictores se colocaron detrás de Valente, y un hombre se abalanzó sobre él con un cuchillo.

Valente apartó el cuchillo de un golpetazo en la mano del atacante, y los lictores lo tuvieron a su merced en cuanto el arma cayó al suelo. El ruido que hizo al caer calmó un poco los ánimos. Valente aprovechó la tregua para decir lentamente:

—Ciudadanos –gritó–, ¿tenéis que empezar vuestro banquete con una trifulca? La sociedad funeraria de nuestros carniceros tiene mejores modales.

Un murmullo de risas alivió la tensión.

—La sinagoga ha preparado esta escena –susurró Bernabé–. La responsabilidad recaerá sobre mí.

—¿Quién es el jefe de vuestro colegio? –gritó Valente al gentío.

Los gritos se alzaron nuevamente, unos contra otros.

—¡Paulus! ¡Saulo! *Él* conoce el mundo... ¡No, no! ¡Petrus! ¡Nuestra roca! Él no nos traicionará. Petrus. La roca viva.

—¿Cuándo volverán? –preguntó Valente. Se mencionaron, juraron y desmintieron varias fechas–. Esperad a que vuelvan para pelearos. No soy un sacerdote; pero si no ponéis orden en estas salas, nuestro edil –Valente le llamó por su zafio apodo en el barrio– os va a multar hasta por las sandalias de los pies. Y tampoco pisoteéis buenos alimentos. Cuando hayáis acabado, yo cerraré tras de vosotros. Daos prisa. No sé vosotros, pero yo sí conozco al prefecto.

Ellos se afanaron, como niños reprendidos. Valente sonreía al verlos desfilar con cubos de desechos hacia la salida. La disputa no habría de ir más lejos.

—Aquí está nuestra llave –dijo Bernabé por fin–. La sinagoga jurará que contraté a este hombre para asesinarte.

—¿Tú crees? Vamos a echarle una ojeada.

Los lictores empujaron al preso hacia él.

—¡Mala suerte! –dijo el hombre–. Te la tenía jurada por la muerte de mi hermano en el desfiladero de Tarso.

—Tu hermano intentó matarme –replicó Valente.

El sujeto asintió.

—Decretaremos que la deuda ha sido saldada –Valente hizo una señal a los lictores, que soltaron al preso–. A no ser que prefieras ver a mi tío.

El hombre se esfumó como una trucha en el crepúsculo. Valente devolvió la llave a Bernabé y dijo:

—Si yo fuera tú, no dejaría entrar a tu gente hasta que vuelvan vuestros dirigentes. Tú no conoces Antioquía como yo.

Volvió a casa, con los lictores sonriendo a su espalda, y se lo contaron a su tío, que también esbozó una amplia sonrisa, pero dijo que había hecho lo correcto; incluso protegiendo a Bernabé.

—Por supuesto, *yo* no conozco Antioquía como tú; pero seriamente, hijo, creo que esta vez les has salvado su iglesia a los cristianos. Tengo ya tres declaraciones afirmando que tu amigo cilicio era un cristiano contratado por Bernabé. Afortunadamente para Bernabé has dejado en libertad a ese rufián.

—Me dijiste que no querías que se desmandaran. Además había un buen motivo. Puede ser que yo haya matado a su hermano. Al fin y al cabo, tuvimos que matar a dos.

—¡Bien! No pierdas la cabeza en un atolladero. Va a hacerte falta. ¡Aquí no ganduleamos panza arriba en parques privados! Tengo que ver a Paulus y a Petrus cuando vuelvan y averiguar qué han decidido acerca de sus festines infernales. ¿Por qué no se emborrachan como todo el mundo y tienen la fiesta en paz?

—En el centro de la ciudad hablan de ellos como si fuesen dioses. A propósito, tío, el disturbio fue provocado por judíos de la sinagoga enviados desde Jerusalén, no por los nuestros.

—¿Qué me dices? ¡Ahora quizá entenderás por qué te puse de guardia en el mercado con nuestro amigo Barrigón! Va a resultar que acabarás siendo todo un oficial de policía.

Valente departió con la congregación asustada, que hormigueaba alrededor de las fuentes y los tenderetes, cuando hizo su recorrido por el barrio. Manifestaban más bien alivio por haber sido expulsados por un tiempo de sus salas, así como por la noticia de que Paulus y Petrus comparecerían ante el prefecto de policía antes de dirigirse a ellos sobre la magna cuestión de la comida.

Valente no estuvo presente en la primera parte de esta entrevista, que fue oficial. La segunda parte, celebrada en el patio fresco y cubierto por un toldo, con bebidas y *hors-d'oeuvre*, todo ello dispuesto bajo el vasto anochecer limón y espliego, fue mucho menos formal.

—Os conocéis, creo –dijo Serga al flaco y menado Paulus cuando Valente entró.

—Pues sí. Ante Dios, somos tus deudores por dos veces –fue la rápida respuesta.

—Oh, formaba parte de mi deber. Espero que en tu viaje no hayas tenido percances en nuestras carreteras –dijo Valente.

—No, la verdad. No hemos tenido –dijo Paulus, como si no pensara en ellos.

—Hubiera sido mejor en barco –dijo su compañero, Petrus, un hombre corpulento y obeso, con unos ojos que parecían no ver nada y una mano diestra semiparalizada que descansaba ociosa en su regazo.

—Valente vino de Bizancio por tierra —dijo su tío—. Le gusta bastante ejercitar las piernas.

—Conviene, a su edad. ¿Cuál fue tu mejor día de marcha en la vía Sebaste? —preguntó Paulus con interés y, antes de que se diera cuenta, Valente estaba recitando su recorrido por caminos montañosos, cada tramo de los cuales Paulus parecía haber hollado.

—Está bien —fue el comentario—. Y supongo que caminarías más cargado que yo.

—¿Cuál dirías que fue tu mejor marca diaria? —preguntó a su vez Valente.

—He recorrido… —Paulus se contuvo—. No yo, sino Dios —murmuró—. Es difícil curarse de la vanagloria.

Un espasmo retorció la cara de Petrus.

—Muy difícil —dijo. Luego dirigió la palabra a Paulus como si no hubiera nadie más presente—. Es cierto que he comido con gentiles, y a la manera en que comen ellos. Pero en aquel momento dudé de que fuese juicioso.

—Eso queda atrás ahora —dijo Paulus, suavemente—. Ya se ha tomado la decisión sobre la Iglesia…, esa pequeña Iglesia que has salvado, hijo —se volvió hacia Valente con una sonrisa que casi cautivó el corazón del joven—. Veamos… Como romano y como oficial de policía, ¿qué opinas de nosotros, los cristianos?

—Que tengo que mantener el orden en mi distrito.

—¡Bien! Hay que servir al César. Pero… digamos que como servidor de Mitra, ¿cuál es tu parecer sobre nuestras disputas alimenticias?

Valente dudó. Su tío le alentó con un movimiento de cabeza.

—Como servidor de Mitra comparto la mesa con cualquier iniciado, siempre que la comida sea pura —dijo.

—Pero eso es justamente el quid de la cuestión —dijo Petrus.

—Mitra también nos dice —prosiguió Valente— que compartamos un hueso cubierto de tierra, si no hay nada mejor.

—¿No hacéis distinción, entonces, entre los comensales de vuestros banquetes? —inquirió Paulus.

—¿Cómo osarlo? Todos nosotros somos sus hijos. Los hombres hacen las leyes. No los dioses —citó Valente del viejo ritual.

—¡Dilo otra vez, hijo!

—Los dioses no hacen las leyes. Ellos cambian el corazón de los hombres. Lo demás es el Espíritu.

—¿Has oído, Petrus? ¿Lo has oído? ¡Es la pura doctrina! –insistió Paulus a su compañero mudo.

Un poco avergonzado por haber hablado de su fe, Valente dijo:

—Me han dicho que los carniceros judíos de la ciudad reclaman el monopolio de matar por vosotros. El interés comercial yace en el fondo de toda la disputa.

—Hay algo más que eso, quizá –dijo Paulus–. Escúchame un minuto.

Emprendió un curioso relato sobre el Dios de los cristianos, que, según dijo, había adoptado la forma de un hombre y a quien los judíos de Jerusalén, años atrás, habían denunciado a las autoridades para que lo juzgaran por conspirador. Dijo que él mismo, a la sazón un auténtico judío, había aprobado plenamente la sentencia y delatado a los que seguían al nuevo Dios. Pero un día la luz y la voz de Dios se le mostraron y experimentó un desgarrador cambio de opinión; exactamente como en el credo de Mitra. Luego conoció a unos hombres que le habían instruido; ellos habían caminado, hablado y, más particularmente, comido con el nuevo Dios antes de que le mataran, y le habían visto después de que, como Mitra, se hubiera levantado de su tumba. Paulus y aquellos otros hombres, Petrus entre ellos, habían intentado a continuación predicar su doctrina a los judíos, pero no tuvieron éxito; y, una cosa llevando a la otra, Paulus había regresado a su casa de Tarso, donde su gente le repudió por renegado. Allí había sucumbido a la desesperación y al exceso de trabajo. Hasta entonces, dijo, no se les había ocurrido predicar la nueva religión a nadie más que a los auténticos judíos, porque su Dios había nacido en el seno de esa raza. El mismo Paulus sólo poco a poco llegó a percatarse de las posibilidades de la labor externa. Dijo que ahora todos los extranjeros estaban predicando en su nombre y que iban a cambiar el mundo entero con sus enseñanzas.

Entonces hizo que Petrus concluyese su relato y explicase, hablando muy despacio, que unos años antes había recibido órdenes de Dios para que predicara a un oficial romano de tropas irregulares del país; después de lo cual dicho oficial y la mayor parte de sus hombres quisieron hacerse cristianos. De modo que Petrus les había instruido esa misma noche, aunque ninguno de ellos era hebreo.

—Y –terminó Petrus– vi que no hay nada bajo el cielo que podamos atrevernos a llamar impuro.

Paulus se volvió hacia él como una centella y gritó:

—¡Lo admites! Dicho por tu boca es evidente.

Petrus temblaba como una hoja y casi levantó su mano derecha.

—¿*Tú* también vas a recriminarme mi acento? –empezó, pero la cara se le descompuso y se atragantó.

—¡No! ¡Dios me libre! ¡Y perdóname, Dios, una vez más!

Paulus parecía tan consternado como él, mientras Valente observaba el extraordinario rapto.

—Y, hablando de lo puro y lo impuro –dijo su tío, con tacto–, ha vuelto a oírse en la ciudad esa canción espantosa. Ayer la estaban cantando en la ribera, Valente. ¿Estás enterado?

Miró a su sobrino, que captó la insinuación.

—Sí era "Pescado en salmuera", señor, la estaban cantando. ¿Traerá problemas?

—Con tanta seguridad como que este pescado –había un tarro encima de la mesa– provoca la sed. ¿Cómo era? Ah, sí.

Serga tarareó:

Desde el tiburón a la sardina,
lo puro y lo impuro,
hasta el pescado en salmuera de Galilea, dijo Petrus, serán míos.

La entonó hasta adoptar el sonsonete exacto de la calle.

¿Cómo?
En las redes o el sedal
hasta de los dioses la hora fatal.
¿Cuándo?
¡Cuando el pez de Galilea suba al Esquilina![1]

---

[1] Una de las siete colinas de Roma (N. del T.)

—Será una especie de inundación; ¡peor que peces vivos en los árboles! ¿No?

—Sucederá un día –dijo Paulus.

Se volvió hacia Petrus, a quien había estado tranquilizando tiernamente, y prosiguió con su voz natural, un tanto dura:

—Sí. Debemos mucho a aquel centurión que se convirtió cuando lo hizo. Nos enseñó que el mundo entero podría recibir a Dios; y me mostró a mí mi próxima tarea. Vine desde Tarso a predicar aquí una temporada. Y no olvidaré lo amable que fue entonces con nosotros el prefecto de policía.

—En primer lugar, Cornelius era un colega de juventud –Serga sonrió ampliamente por encima de su fuerte copa–. "Excelente camarada", ¿cómo sigue...?, "bebimos juntos todo un largo día oriental", etc. En segundo, conozco a un buen artesano cuando lo veo. Esos avíos de camello, Paulus, que me hiciste para mis expediciones al desierto, siguen tan sólidos como siempre. Y en tercer término, lo que para un hombre de mis costumbres es lo más importante, ese médico griego que me recomendaste es el único que entiende mi hígado tumefacto.

Pasó la copa de vino casi sin mezcla que Paulus tendió a Petrus, cuyos labios eran de un blanco escamoso en las comisuras.

—Pero tus problemas –prosiguió el prefecto– vendrán de tu propia gente. Jerusalén nunca perdona. Tarde o temprano causarán tu ruina bajo la acusación de *laesa maiestatis*.

—¿Quién lo ha de saber mejor que yo? –dijo Petrus–. Y la decisión que todos hemos tomado respecto a nuestros banquetes puede unir a hebreos y griegos contra nosotros. Como te dije, prefecto, estamos pidiendo a los cristianos griegos que no pongan las cosas difíciles a los cristianos hebreos comiendo carne que no haya sido lícitamente matada. (Nuestro método es mucho más saludable, de todas maneras.) Pero podemos limar esa aspereza. Hay, sin embargo, un punto vital. Algunos de nuestros cristianos griegos llevan al banquete comida que han comprado de vuestros sacerdotes, después de ofrendar sus sacrificios. Eso no lo podemos consentir.

Paulus se volvió imperiosamente hacia Valente.

—Te refieres a los desechos del altar –dijo el joven–. Pero sólo los compran los más pobres; y son sobre todo recortes del tajo. La venta es una prebenda de los carniceros del altar. No les gustaría que se la prohibiesen.

—Permite mesas separadas para hebreos y griegos, como indiqué una vez –dijo Petrus de repente.

—Eso daría lugar a iglesias separadas. Solamente habrá una Iglesia –Paulus habló por encima del hombro, y sus palabras golpearon como varas–. ¿Crees que puede haber disturbios, Valente?

—Mi tío… –empezó el joven.

—¡No, no! –rió el prefecto–. Los mercados de la calle Singon son tu Siria. Oigamos lo que nuestro legado opina de su provincia.

Valente enrojeció y trató de serenarse.

—En principio –dijo– es el puerco, supongo. Los hebreos detestan el puerco.

—Enteramente cierto. ¡No seré yo el que coma puerco al este del Adriático! No quiero morir de lombrices. ¡A mí dame un buen jabalí de colmillos crecidos! ¡He dicho!

Serga se sirvió otra copa pura y cogió pescados en salmuera del lago para realzar el sabor.

—Pero aun así –dijo Petrus, inclinándose hacia delante como un hombre sordo–, si consentimos que los cristianos hebreos y griegos tengan mesas separadas evitaríamos…

—Nada, excepto la salvación –dijo Paulus–. Hemos roto totalmente con la ley de Moisés. Vivimos por y para según nuestro Dios, únicamente. Sin Él no somos nada. ¿Qué sentido tiene acatar la ley antigua a las horas de comer? ¿A quién engañamos? ¿A Jerusalén? ¿A Roma? ¿A Dios? ¡Tú mismo has comido con gentiles! Tú mismo has dicho…

—Uno dice más de lo que quiere cuando pierde la cabeza –respondió Petrus, con un nuevo tic facial.

—Esta vez dirás exactamente lo que quieres decir –dijo Paulus, entre dientes–. Mantendremos la unidad de las iglesias… por y para el Señor. ¿No te atreverás a negar esto?

—No me atrevo a nada…, ¡bien lo sabe Dios! Pero le he negado a Él… Le negué… y Él me dijo… Dijo que yo era la roca sobre la cual edificaría su Iglesia.

—Yo me ocuparé de que se sostenga y, sin embargo, yo no…

–Paulus bajó otra vez la voz–. Mañana hablarás a la única Iglesia de la única mesa en todo el mundo.

—Eso es cosa tuya –dijo el prefecto–. Pero te advierto una vez más de que es tu propia gente la que te traerá problemas.

Paulus se levantó para despedirse, pero al hacerlo se tambaleó, se llevó la mano a la frente y, cuando Valente le encaminaba hacia un diván, se desplomó, fulminado por esa implacable malaria siria que golpea como una serpiente. Valente, que la había sufrido, fue a sus habitaciones en busca de su pesada piel de viaje. Su chica, a la que había comprado en Constantinopla unos meses antes, se la entregó. Petrus envolvió con ella torpemente el cuerpo magro que tiritaba; el prefecto encargó zumo de lima y agua caliente, y Paulus les dio las gracias y se disculpó, mientras sus dientes castañeteaban contra la copa.

—Mejor hoy que mañana –dijo el prefecto–. Bebe… suda y duerme aquí esta noche. ¿Quieres que traiga a mi médico?

Pero Paulus dijo que el ataque pasaría solo, y en cuanto pudo sostenerse en pie insistió en marcharse con Petrus, a pesar de que era tarde, para preparar su comunicado a la Iglesia.

—¿Quién era ese hombre grande y torpe? –preguntó la chica a Valente cuando recogió la piel–. Hacía más ruido que el pequeño, el que estaba enfermo de verdad.

—Es un sacerdote del nuevo colegio que hay al lado del Pequeño Circo, querida. Mi tío me ha dicho que cree que una vez negó a su Dios, quien, dice, murió por su culpa.

Ella se detuvo a la luz de la luna, con las brillantes pieles de chacal sobre el brazo.

—¿Eso hizo? Mi dios me compró a los tratantes como a un caballo. Pagó demasiado, además. ¿No es cierto? ¿No es así, señor?

—¡No, trátame de tú! –dijo él, enfáticamente.

—Pero yo no negaría a mi dios… ¡ni en vida ni muerto! Oh…, ¡pero no muerto! Mi dios va a vivir… para mí. Vive… ¡vive para siempre, sangre de mi corazón!

Más habría valido que Paulus y Petrus no hubieran abandonado tan tarde la casa del prefecto, pues por la ciudad corría el rumor, que el prefecto mismo conocía, y que la larga entrevista parecía confirmar, de que el secretario de estado del César en Roma estaba organizando, por medio de Paulus, una deshonra general de los hebreos ante los cristianos griegos, y que después de haberla consumado, mediante banquetes promiscuos de comidas ilícitas, todos los judíos serían agrupados como cristianos, es decir, miembros de una mera secta librepensadora en vez de la muy particular y fastidiosa "Nación de judíos dentro del imperio". El rumor anunciaba que al final perderían sus derechos como ciudadanos romanos y podrían ser vendidos en cualquier tarima de esclavos.

—Por supuesto –explicó Serga a Valente al día siguiente– ha sido la sinagoga de Jerusalén la que ha propalado el infundio. Nuestros judíos de Antioquía no son tan inteligentes. ¿Ves la maniobra? Petrus es el deshonrador de la nación hebrea. Tanto mejor si esta noche lo asesina un joven fanático convenientemente adoctrinado.

—No lo hará –dijo Valente–. Le estoy protegiendo.

—Eso espero. Pero, si no le acuchillan –continuó Serga–, intentarán promover alborotos urbanos con el pretexto de que, cuando todos los judíos hayan perdido sus derechos civiles, él se erigirá en una especie de rey de los cristianos.

—¿En Antioquía? ¿En el año presente de Roma? Es un disparate, tío.

—Toda muchedumbre es disparatada. ¿Por qué, si no, nos pagan? Pero escucha. Aposta una patrulla de policía a caballo en la trasera del Pequeño Circo. Que dispersen a la gente cuando salga la congregación. Pon dos hombres en el pórtico del colegio mismo. Diles a Paulus y Petrus que esperen allí con ellos hasta que las calles estén despejadas. Luego tráelos aquí. No cargues hasta que tengas que hacerlo. Carga sin miramientos antes de que las piedras vuelen. Que no descalabren a mis pobres caballos más de lo inevitable, y... ¡ojo con "Pescado en salmuera"!

Conociendo su barrio, a Valente le pareció, mientras hacía su ronda esa noche, que las precauciones de su tío habían sido excesivas. La iglesia cristiana, desde luego, estaba atestada, y una gran multitud esperaba fuera para conocer la decisión sobre los banquetes. La mayor parte de los presentes eran simpatizantes cristianos, pero también había un grupo de antioqueños gesticulantes y holgazanes, y, como todas las turbas, se entretenían cantando canciones populares mientras aguardaban. Reinó la calma hasta que un grupo de cristianos entonó un himno bastante explosivo cuya letra era:

¡Rey más alto que el César y juez de la tierra!
Esperamos tu venida, ¡no te demores mucho!
Como los reyes de oriente
blandieron espada en tu nacimiento,
asimismo nosotros nos armamos
¡esta noche de oprobio e injusticia!

—Sí… Y si un camello derriba uno de sus tenderetes de pescado, ¡es culpa mía! –dijo Valente–. ¡Ahora ya la han armado!

Efectivamente, unas voces, en las inmediaciones, atacaron "Pescado en salmuera", pero antes de que Valente pudiera abrir la boca, las acalló alguien que gritaba:

—Silencio, o tendréis la salmuera antes que el pescado.

Era cerca del crepúsculo cuando un grito se alzó en el interior de la iglesia colmada y su congregación salió a juntarse con la multitud. Todos hablaban de las nuevas normas para los banquetes, y casi todos convenían en que eran sensatas y cómodas. Concordaban, también, en que Petrus (Paulus no parecía haber intervenido mucho en el debate) había hablado como un orador inspirado, y estaban sumamente orgullosos de ser cristianos. Algunos empezaron a enlazar los brazos de un lado a otro del callejón, y a cantar a coro "Rey más alto que el César".

—Y ahora –gritó Valente al joven comandante de la patrulla a caballo– creo que es el momento de empezar a guiarlos hacia casa. ¡Oh! Y "Que la noche también tenga su himno bien merecido", como diría el tío.

De detrás del Pequeño Circo emergió un desfile de cuatro trompetas, un estandarte y una docena de policías montados.

Sus monturas árabes, caballos tordos pequeños y dóciles, avanzaban sigilosamente, abriendo un pasillo, empujando y hendiendo suavemente el gentío, como si pidieran caricias, mientras las trompetas ensordecían la calle angosta. Una plaza abierta, próxima, no tardó en aliviar la apretura. Allí la patrulla se dividió en formación de a cuatro y emparrilló la plaza, saludando a las estatuas de los dioses en cada esquina y en el centro. La gente se paraba, como de costumbre, a contemplar la habilidad con que el incienso se arrojaba, por encima de la cruz de los caballos, a los crisoles humeantes; los niños alargaban la mano para dar una palmada a los corceles a los que, según ellos, conocían; los grupos familiares se reencontraban en la penumbra humeante; los buhoneros ofrecían platos de comida preparada; y pronto la muchedumbre se fundió con el tráfico de las principales avenidas. Valente se llegó al pórtico de la iglesia, donde Petrus y Paulus esperaban entre los lictores.

—Buen trabajo –empezó a decir Paulus.

—¿Cómo va la fiebre? –le preguntó Valente.

—Hoy me ha respetado. Creo también que hemos impuesto nuestro criterio.

—¡Grata nueva! Mi tío me ha pedido que os invite a su casa.

—Eso es siempre una orden –dijo Paulus, con un rápido ademán–. Será un placer, ya descargado el fardo del día.

Petrus se sumó a la comitiva, como un buey cansado. Valente le saludó, pero él no respondió.

—Déjale tranquilo –susurró Paulus–. La virtud me ha… le ha abandonado por un rato.

También su cara parecía fatigada y pálida.

La calle estaba vacía, y Valente tomó un atajo por una callejuela, donde unas damas ligeras se asomaron a las ventanas y se rieron. Los tres caminaban con paso fácil, los lictores a la zaga y a lo lejos oyeron las trompetas del Caballo de Noche saludando a alguna estatua de un césar, lo cual indicaba el final de su ronda. Paulus le estaba diciendo a Valente que lo que los cristianos habían acordado respecto a sus banquetes fraternos cambiaría la totalidad del imperio romano, cuando un desvergonzado niño judío se les puso detrás, tocando "Pescado en salmuera" con una especie de gaita del desierto.

—Eh, ¡uno de vosotros!, ¿no podéis callar a ese pelmazo? –dijo Valente riendo–. No está bien que hagan burla de ti en tu gran noche, Paulus.

Los lictores retrocedieron unos pasos y arrimaron una antorcha al crío, pero él se retiró y prosiguió su acoso. En eso oyeron gritar a Paulus, y a llegar corriendo donde estaba vieron a Valente tendido y tosiendo; su sangre manchaba el dobladillo de la túnica de Paulus que estaba arrodillado. Petrus se agachó, agitando una mano impotente sobre ellos.

—Alguien salió corriendo de detrás de esa fuente. Le ha apuñalado mientras corría, y ha seguido corriendo. ¡Oíd! –dijo Paulus.

Pero ni siquiera se oía del eco de una pisada, y el niño judío se había esfumado como un murciélago. Valente dijo desde el suelo:

—¡A casa! ¡De prisa! ¡Me ha herido!

Arrancaron un postigo de un escaparate, le levantaron y le transportaron mientras Paulus caminaba a su lado. Le acostaron en el patio interior iluminado de la casa del prefecto, y un lictor se precipitó en busca del médico de Serga.

Paulus observó la cara del joven y, mientras Valente tiritaba un poco, llamó a la muchacha para que trajera la manta de piel de la víspera. Ella la trajo, descansó la cabeza de Valente sobre su pecho y se tumbó a su lado.

—No es grave. No sangra mucho. No puede ser grave entonces, ¿verdad? –repetía.

La sonrisa de Valente la tranquilizó hasta la llegada del prefecto, que examinó la puñalada mortal ascendente desde debajo de las costillas. Se volvió hacia los hebreos.

—Mañana no encontraréis el sitio donde estaba vuestra iglesia –dijo.

Valente levantó la mano que la chica no estaba besando.

—¡No! ¡No! –jadeó–. ¡Ha sido el cilicio! ¡Por su hermano! Me lo ha dicho.

—¿El cilicio a quien dejaste ir para salvar a esos cristianos porque yo…?

Valente indicó a su tío, mediante una señal, que así era, al tiempo que la muchacha le suplicaba que conservara las fuerzas en atención a ella hasta que el médico llegara.

—Perdóname –dijo Serga a Paulus–. Y, sin embargo, me gustaría que vuestro Dios estuviese en el Hades de una vez por todas… ¿Qué voy a escribirle a su madre? ¿Podéis decirme, uno de vosotros dos, par de charlatanes, qué voy a decirle a su madre?

—¿Qué tiene que ver ella con él? –gritó la muchacha esclava–.

¡Es mío! ¡Es mío! ¡Testimonio delante de todos los dioses que él compró! Soy suya. Él es mío.

—Más tarde nos ocuparemos del cilicio y sus amigos –dijo uno de los lictores–. ¿Pero qué hacemos ahora?

Por alguna razón, el hombre, aunque habituado al quehacer de carnicero, miró a Petrus.

—Dale de beber y espera –dijo Petrus–. Yo he visto... heridas semejantes.

Valente bebió un ápice de color y volvió a su semblante. Hizo un gesto al prefecto para que se agachara.

—¿Qué quieres? Hijo queridísimo, ¿qué te aflige?

—El cilicio y sus amigos... No seas duro con ellos. Les han enloquecido... No saben lo que están haciendo... ¡Prométemelo!

—No puedo hacerlo, hijo. Es la ley.

—No importa. Eres el hermano de mi padre... Los hombres hacen las leyes, no los dioses... ¡Promételo...! Para mí todo ha terminado.

Valente recostó la cabeza sobre la blanda almohada.

Petrus parecía sumido en un trance. El temblor abandonó su cara cuando repitió:

—Perdónales porque no saben lo que hacen. ¿Has oído eso, Paulus? ¡Lo ha dicho él, un pagano y un idólatra!

—Lo he oído. ¿Qué impide ahora que le bauticemos? –respondió prontamente Paulus.

Petrus le miró como si acabara de verle surgir del mar.

—Sí –dijo por fin–. Es el pequeño fabricante de lonas... ¿Y qué ordena ahora?

Paulus repitió la propuesta.

Dolorosamente, el otro alzó la mano paralizada que en una ocasión había levantado en una sala para negar una acusación.

—¡Silencio! –dijo–. ¿Crees que alguien que ha pronunciado esas palabras necesita persona como nosotros para presentarle ante ningún Dios?

Paulus se acobardó en presencia del colega desconocido, abrumador y autoritario, que se revelaba al cabo de todos aquellos años.

—Como quieras..., como quieras –tartamudeó, sin tener en cuenta la blasfemia–. Además está la concubina.

La muchacha no prestó atención al comentario, porque la frente que besaban sus labios estaba gélida, a pesar de que ella invocaba a su dios, que la había comprado por un precio tan alto que no debía morir, sino seguir con vida.

Traducción de Jaime Zulaika

Marcel Schwob (1867-1905)

Relato del leproso

Si deseáis comprender lo que quiero deciros, sabed que tengo la cabeza cubierta con un capuchón blanco y que agito una matraca de madera dura. Ya no sé cómo es mi rostro, pero tengo miedo de mis manos. Van ante mí como bestias escamosas y lívidas. Quisiera cortármelas. Tengo vergüenza de lo que tocan. Me parece que hacen desfallecer los frutos rojos que tomo; y creo que bajo ellas se marchitan las raíces que arranco. *Domine ceterorum libera me!* El Salvador no expió mi pálido pecado. Estoy olvidado hasta la resurrección. Como el sapo empotrado al frío de la luna en una piedra obscura, permaneceré encerrado en mi escoria odiosa cuando los otros se levanten con su cuerpo claro. *Domine ceterorum, fac me liberum: leprosus sum.* Soy solitario y tengo horror. Sólo mis dientes han conservado su blancura natural. Los animales se asustan, y mi alma quisiera huir. El día se aparta de mí. Hace mil doscientos doce años que su Salvador los salvó, y no ha tenido piedad de mí. No fui tocado con la sangrienta lanza que lo atravesó. Tal vez la sangre del Señor de los otros me habría curado. Sueño a menudo con la sangre; podría morder con mis dientes; son blancos. Puesto que Él no ha querido dármelo, tengo avidez de tomar lo que le pertenece. He aquí por qué aceché a los niños que descendían del país de Vendome hacia esta selva del Loira. Tenían cruces y estaban sometidos a Él. Sus cuerpos eran Su cuerpo y Él no me ha hecho parte de su cuerpo. Me rodea en la tierra una condenación pálida. Aceché para chupar en el cuello de uno de Sus hijos, sangre inocente. *Et caro nova fiet in die irae.* El día del terror será nueva mi carne. Y tras de los otros caminaba un niño fresco de cabellos rojos. Lo vi;

salté de improviso; le tomé la boca con mis manos espantosas. Sólo estaba vestido con una camisa ruda; tenía desnudos los pies y sus ojos permanecieron plácidos. Me contempló sin asombro. Entonces, sabiendo que no gritaría, tuve el deseo de escuchar todavía una voz humana y quité mis manos de su boca, y él no se la enjugó. Y sus ojos estaban en otra parte.

—¿Quién eres? –le dije.

—Johannes el Teutón –respondió. Y sus palabras eran límpidas y saludables.

—¿A dónde vas? –repliqué.

Y él respondió:

—A Jerusalén, para conquistar la Tierra Santa.

Entonces me puse a reír, y le pregunté:

—¿A dónde está Jerusalén?

Y él respondió:

—No lo sé.

Y yo dije todavía:

—¿Qué es Jerusalén?

Y él respondió:

—Es Nuestro Señor.

Entonces, me puse de nuevo a reír, y le pregunté:

—¿Quién es tu Señor?

Y él me dijo:

—No lo sé; es blanco.

Y esta palabra me llenó de furor, y abrí la boca bajo mi capuchón, y me incliné hacia su cuello fresco, y no retrocedió, y yo le dije:

—¿Por qué no tienes miedo de mí?

Y él dijo:

—¿Por qué habría de tener miedo de ti, hombre blanco?

Entonces me inundaron grandes lágrimas, y me tendí en el suelo, y besé la tierra con mis labios terribles, y grité:

—¡Porque soy leproso!

Y el niño teutón me contempló, y dijo límpidamente:

—No lo sé.

¡No tuvo miedo de mí! ¡No tuvo miedo de mí! Mi monstruosa blancura es semejante para él a la del Señor. Y tomé un puñado de hierba y enjugué su boca y sus manos. Y le dije:

—Ve en paz hacia tu Señor blanco, y dile que me ha olvidado.

Y el niño me miró sin decir nada. Le acompañé fuera de lo negro de esta selva. Caminaba sin temblar. Vi desaparecer a lo lejos sus cabellos rojos en el sol. *Domine infantium, libera me!* ¡Que el sonido de mi matraca de madera llegue hasta ti, como el puro sonido de las campanas! ¡Maestro de los que no saben, libértame!

Lu-Sim (1881-1936)

Diario de un loco

Tuve, en mis años de escuela, dos magníficos amigos, dos hermanos, cuyos nombres me reservaré; pero después de algunos años de separación perdí contacto con ellos. Hace algún tiempo me enteré de que uno se encontraba gravemente enfermo, así que aproveché un viaje a mi aldea para hacerle una visita. Vi sólo al hermano mayor, por lo que deduje que el enfermo no debía ser él sino el menor.

—Has viajado tanto para venir a visitarnos que me siento realmente conmovido –me dijo–; mi hermano ha sanado desde hace varios años y se ha marchado a otra provincia donde encontró un empleo.

Después, con una sonrisa, me mostró dos cuadernos (el diario de su hermano) y me dijo que me podían servir para comprender la naturaleza de su mal. Como yo era un buen amigo, no le parecía impropio prestármelos. Tomé el diario y al leerlo descubrí que mi amigo había padecido de una especie de manía persecutoria. Estaba escrito de un modo incoherente y confuso, y contenía muchas afirmaciones absurdas; para colmo, no había ninguna fecha, y sólo por el color de la tinta y las diferencias en la caligrafía se podía deducir que el diario había sido escrito en épocas distintas. He copiado algunos fragmentos no del todo inconexos, pensando que podrían servir de material para un trabajo de investigación médica. No he cambiado una sola palabra de este diario, fuera de los nombres, que, de cualquier manera, pertenecen a hombres del campo, desconocidos para el resto de los mortales. En cuanto al título, lo eligió el mismo autor después de su restablecimiento. No he querido cambiarlo.

I

Esta noche hay una luna bellísima.

Desde hace treinta años no la veía, de modo que me siento especialmente feliz. Empiezo a comprender que desde hace treinta años he vivido en el vacío; pero ahora debo ponerme en guardia. ¿Por qué me habrá mirado dos veces el perro de la familia Chao?

Tengo razón en temer.

II

Esta noche no se ve un solo rayo de luna, y sé que eso no promete nada bueno. Por la mañana, mientras salía con toda precaución, el señor Chao me ha mirado con un extraño fulgor en los ojos, como si me tuviera miedo, como si quisiera asesinarme. Había otras siete u ocho personas que hablaban de mí en voz baja, y también tenían miedo, miedo de que las viera. En la calle descubrí la misma expresión en el rostro de los campesinos: el más feroz de ellos me observó, mientras una mueca le descubría los dientes; entonces me estremecí de la cabeza a los pies, porque comprendí que habían terminado los preparativos.

A pesar de todo no experimenté miedo y pude proseguir mi camino. De pronto me encontré frente a un grupo de niños que también hablaban de mí; descubrí en sus ojos el mismo fulgor que había en los del señor Chao; sus rostros eran lívidos, espectrales. Me pregunté qué podrían tener contra mí para comportarse de semejante manera, y sin poder contenerme les grité:

—¡Hablad!

Pero escaparon a la carrera.

Me gustaría saber qué tienen contra mí el señor Chao y la gente de la aldea. Recuerdo que hace veinte años pisé, sin quererlo, el libro de cuentas del señor Ku chiu[1] con anotaciones hechas durante varios años y que él se enfureció. Y si bien es cierto que el señor Chao no conoce al señor Ku chiu, de alguna manera debe haberse

[1] Ku chiu significa "los antiguos tiempos". (N. del T.)

enterado de aquel incidente y se decidió a vengarlo. He aquí por qué conspira contra mí con la gente de la aldea. Pero, ¿y los niños? En aquel tiempo no habían nacido aún. Entonces, ¿por qué me miraron de ese modo tan extraño, como si me tuvieran miedo y quisieran asesinarme? Todo esto me asusta, me sorprende y me perturba a la vez.

Ahora lo entiendo: ¡se habrán enterado por sus padres!

III

Por la noche no logro dormir. Todas las cosas, para ser comprendidas, exigen arduas reflexiones. Nunca esta gente, que ha sido llevada a la picota por los magistrados, golpeada por los señores locales, estos hombres a quienes los jueces les han arrebatado a sus mujeres, y que han visto a sus padres suicidarse para huir de los acreedores, nunca han mostrado tanto terror ni tanta ferocidad como ayer.

Lo más extraordinario que vi ayer en la calle fue a una mujer que golpeaba a su hijo y gritaba:

—¡Canalla! ¡Me gustaría despedazarte a dentelladas para desahogar esta rabia que me bulle en el cuerpo!

Y mientras decía eso se me quedó mirando. Me alejé de allí, trastabillando, incapaz de reprimir la emoción, y entonces todos aquellos hombres de cara lívida y dientes saltones comenzaron a reír. El viejo Chen se abrió paso inmediatamente y trató de llevarme a casa por la fuerza.

Lo logró; mis familiares fingieron no conocerme; me miraban con ojos semejantes a los de los campesinos. Cuando entré en el estudio me encerraron, como a una gallina o a un pato en el gallinero. Este incidente me ha dejado todavía más perplejo.

Hace algunos días un arrendatario nuestro, que vive en la aldea de los lobeznos, vino a decirnos que la cosecha había sido mala, y al hablar, le contó a mi hermano mayor que en la aldea habían matado a palos a un famoso delincuente. Hubo quienes se atrevieron a sacarle el corazón y el hígado, los frieron en aceite y se los comieron. De esa manera lograrían acrecentar su valor. Cuando lo interrumpí, tanto el arrendatario como mi hermano me miraron fijamente. Advertí que sus ojos no lograban ocultar el mismo fulgor que había visto en los ojos de la gente de la calle.

Siento escalofríos de sólo pensarlo.

Si comen a seres humanos, ¿qué puede impedirles devorarme también a mí?

Ahora comprendo claramente por qué decía la mujer:

"Me gustaría despedazarte a dentelladas", como comprendo la risa de aquellos hombres de cara lívida y dientes largos y saltones y la historia del arrendatario. Ahora comprendo el veneno que se esconde en sus discursos, su risa cortante. Tienen dientes de una blancura deslumbrante: son devoradores de hombres.

Yo no soy una mala persona, pero desde el día en que por descuido pisé el cuaderno del señor Ku no estoy ya seguro de nada. Se diría que tienen secretos que no logro penetrar; cuando se enfurecen me maltratan. Recuerdo que cuando mi hermano me daba lecciones, si exponía argumentos contra alguien, aunque se tratara del mejor de los hombres, subrayaba el fragmento en cuestión para demostrarme su aprobación; y si encontraba justificaciones para algún malvado, me decía: "Muy bien, muy bien, demuestras razonar de un modo muy original". ¿Pero cómo adivinar sus pensamientos más secretos si está dispuesto a devorar a sus semejantes?

Para comprender cualquier cosa se requiere reflexionar profundamente. En la antigüedad, si mal no recuerdo, era frecuente que el hombre devorara a sus semejantes, aunque no tengo ideas muy claras al respecto. He consultado un manual de historia, pero carecía de cuadros cronológicos y en todas las páginas encontré estas dos palabras: VIRTUD Y MORALIDAD, escritas en todos los sentidos. Como no podía dormir pasé la mitad de la noche inmerso en la lectura, y de golpe, advertí que entre líneas estaba escrito: "¡Devorad a la gente!", y estas palabras llenaban todo el libro.

Además, los ideogramas contenidos en el libro, reforzados por las palabras del arrendatario, me miraban de manera extraña, con una sonrisa ambigua.

También yo soy un hombre; ellos quieren devorarme.

IV

Esta mañana he permanecido, durante un buen rato, sentado tranquilamente. El viejo Chen me trajo la comida: un tazón de verdura y otro de pescado hervido al vapor. Los ojos del pescado eran blancos y duros y la boca estaba enteramente abierta, como la de los devoradores de hombres. Después de ingerir unos cuantos bocados de aquella carne viscosa, no sabía ya si era pescado o carne humana; tuve que vomitar.

Dije:

—Viejo Chen, dile a mi hermano que me siento sofocar aquí y que me gustaría salir a pasear por el jardín.

El viejo Chen salió en silencio y poco después volvió para abrirme la puerta.

Permanecí inmóvil; me preguntaba qué se propondrían hacer, porque tenía la seguridad de que no iban a dejarme salir. En efecto, llegó mi hermano: caminaba con paso lento acompañando a un anciano. Este hombre tenía una mirada terrible, pero, por temor a que lo viera, inclinó la cabeza, lanzándome sin embargo miradas furtivas desde detrás de sus gafas.

—Hoy tienes un aspecto magnífico –dijo mi hermano.

—Sí –respondí.

—Le he pedido al señor Ho que viniera a visitarte –continuó mi hermano.

—Está bien –dije, a pesar de que sabía perfectamente que el viejo no era sino un verdugo disfrazado.

Con el pretexto de tomarme el pulso, aquel individuo comprobó cuán gordo estaba (estoy seguro de que por este servicio recibirá un trozo de mi carne). Y sin embargo no he sentido miedo. A pesar de que no como carne humana soy más valiente que ellos. Tendí los brazos y con los ojos cerrados me tomó el pulso por largo rato. Durante todo ese tiempo no dijo una sola palabra; después abrió por fin sus ojos diabólicos y exclamó:

—No hay que dejarse seducir por la fantasía. Es necesario que estés tranquilo y que te tomes unos días de reposo; verás cómo después te sentirás mucho mejor.

¡No hay que dejarse seducir por la fantasía! ¡Es necesario que estés tranquilo y que te tomes unos días de reposo! Naturalmente, cuando haya engordado tendrán más carne que comer. ¿Cómo voy a poder sentirme mejor? ¡Esta gente que desea comer carne humana pero que no se atreve a hacerlo abiertamente, a fin de guardar las apariencias, me hace morir de risa! La idea me divirtió tanto que no logré contener un acceso de risa; sabía que mi risa era una demostración de valor e integridad. El anciano y mi hermano palidecieron: tanto valor y tanta integridad los desconcertaban.

Pero el valor que demuestro no logrará sino exacerbar sus deseos de comerme, para apoderarse de parte de él. El anciano abandonó la habitación, pero apenas había dado unos cuantos pasos por el corredor cuando escuché que le decía a mi hermano, en voz baja:

—Debe ser comido inmediatamente.

Y mi hermano asintió con la cabeza. ¡Así que también tú participas en la conjura! Este descubrimiento extraordinario, del todo imprevisto, no me llegó a sorprender del todo. ¡También mi hermano está entre los que desean devorarme!

¡Mi hermano mayor es un devorador de hombres!

¡Soy el hermano menor de un devorador de hombres!

¡Yo mismo seré devorado por los demás, pero eso no quita que sea el hermano menor de un devorador de hombres!

V

He pasado los últimos días reflexionando. Aunque aquel viejo no fuera verdugo disfrazado sino un verdadero médico continúa, de cualquier modo, siendo un devorador de seres humanos. En un tratado sobre hierbas medicinales, escrito por su famoso predecesor Li Shih-chen, se establece con toda claridad que la carne humana puede comerse hervida. ¿Cómo sostiene, pues, que no come carne humana?

En cuanto a mi hermano mayor, tengo algunas razones privadas para acusarlo. Me estaba dando clase cuando le oí decir, con mis propios oídos: "La gente cambia a sus hijos para comérselos". En otra ocasión en que se hablaba de un individuo especialmente malvado, afirmó que no bastaba matarlo, sino que era necesario "comer su carne y dormir sobre su piel". En aquella época yo era todavía muy joven, y durante un buen rato mi corazón latió desenfrenadamente. El otro día, cuando nuestro arrendatario de la aldea de los lobeznos contó la historia de aquellos hombres que se habían comido el corazón y el hígado de otro hombre, él, por supuesto, no mostró la menor sorpresa sino que continuó meneando la cabeza en señal de aprobación. Es evidente que no ha cambiado en nada. Si es posible "cambiar a los hijos para comérselos", también se puede trocar cualquier cosa que sea comestible. En otros tiempos disfrutaba oyendo sus explicaciones y no profundizaba demasiado en ellas, pero ahora sé que mientras me daba aquellas explicaciones había grasa humana en sus labios y su corazón ardía por el deseo de comer carne humana.

VI

Oscuridad total. No sé si es de día o de noche. El perro de la familia Chao ha vuelto a ladrar.

La ferocidad del león, la timidez de la liebre, la astucia del zorro...

VII

Conozco sus métodos: no quieren ni se atreven a matar directamente, por miedo a las consecuencias. Así que se han puesto de acuerdo para tenderme una trampa y constreñirme al suicidio. Esto me resultó claro el otro día por el comportamiento de la gente de la aldea y la actitud de mi hermano en los últimos tiempos. Quieren que uno se saque el cinto y se cuelgue de una viga; de este modo realizan su anhelo secreto sin que puedan ser acusados de asesinato. Naturalmente esto los hace estallar de felicidad. Pero, por otra parte, si uno tiene miedo y se tortura, y termina por enflacar, igualmente se muestran satisfechos.

¡Comen sólo la carne de los cadáveres! Recuerdo haber leído

en alguna parte que existe un animal inmundo de mirada maligna, llamado hiena; se alimenta sólo de cadáveres. Tritura hasta los huesos más resistentes y luego los vomita; basta para hacer temblar a cualquiera. Las hienas son parientes de los lobos, y los lobos pertenecen a la familia de los perros. El otro día el perro de la familia Chao me miró varias veces: lo que demuestra que es cómplice y que forma parte de la conjura. El anciano permanecía con la mirada gacha, pero no me he dejado engañar por sus estratagemas.

El caso más deplorable es, por supuesto, el de mi hermano. También él es un hombre; pero, ¿por qué no tiene miedo?, ¿por qué se asocia con los demás para devorarme? ¿Se habrá acostumbrado y ya no lo considera un delito? Tal vez haya logrado acallar la voz de la conciencia e incurra en el mal sabiendo que lo está cometiendo.

Cuando maldiga a los devoradores de hombres comenzaré por mi hermano. Pero será también el primero a quien trataré de disuadir.

VIII

En realidad debí de haber comprendido estas cosas desde hace muchos años…

De repente entró alguien. Era un muchacho de unos veinte años, pero no lograba distinguir sus facciones. Sonreía, pero cuando me saludó con un movimiento de cabeza, aquella sonrisa no me pareció sincera.

—¿Es justo comer carne humana? –le pregunté.

Sin dejar de sonreír me respondió:

—Salvo en casos de hambruna, ¿quién iba a querer comer carne humana?

Comprendí inmediatamente que era uno de ellos, pero me armé de valor e insistí:

—¿Es justo?

—¿Por qué me preguntas estas cosas? Estarás bromeando… Hace hoy un hermoso día.

—Muy hermoso, y esta noche tendremos una luna espléndida.

Pero lo que quiero que me respondas es si consideras justo comer carne humana.

Pareció desconcertarse; logró balbucear:

—No...

—¿No? Entonces, ¿por qué lo hacéis?

—¿Qué quieres decir?

—¿Qué quiero decir? Que en la aldea de los lobeznos comen carne humana y que eso está escrito en letras rojas en todos los libros. Todavía está fresca la tinta.

Cambió de expresión y se puso lívido como un muerto.

—Tal vez tengas razón –dijo, mirándome fijamente–. Siempre ha sido así...

—¿Y el que siempre se haya hecho probaría que es justo?

—No quiero discutir estas cosas contigo. Además, no debieras hablar. ¡Hablar es un error!

Di un salto con los ojos bien abiertos, pero el joven había desaparecido. Estaba yo empapado de sudor. Este hombre es mucho más joven que mi hermano y sin embargo forma parte de la misma banda. Debe ser la educación de los padres. Temo que ya le hayan enseñado esas cosas a su hijo. Eso me aclararía por qué los niños me miran con ojos feroces.

IX

Tienen deseos de carne humana y al mismo tiempo tienen miedo de ser comidos, por eso me miran de soslayo, con recelo, con profunda suspicacia...

Sería hermoso que lograran liberarse de esta obsesión y pudieran trabajar, pasear, comer y dormir enteramente tranquilos. Ése sería el único paso que debería darse. Pero padres e hijos, maridos y mujeres, hermanos y amigos, maestros y discípulos, enemigos jurados, y hasta desconocidos están unidos en esta conjura, disuadiéndose, impidiéndose unos a otros dar tal paso.

X

Esta mañana muy temprano fui en busca de mi hermano. Lo encontré en el umbral de la puerta que da a la calle; contemplaba el cielo. Me acerqué a él; me daba la espalda. Le hablé con tono extremadamente sereno y cortés.

—Hermano, quiero decirte algo.

—Habla, pues —respondió, volviéndose hacia mí y haciendo una señal de asentimiento.

—Es algo trivial, pero no sé cómo decírtelo. Hermano, es posible que los hombres primitivos hayan sido todos un poco caníbales. Más tarde cambiaron de modo de pensar y algunos abandonaron esas prácticas en su afán de mejorar y así se transformaron en hombres, en hombres verdaderos. Pero otros, aún hoy, continúan practicando el canibalismo... Lo mismo que ocurre con los reptiles: algunos se han transformado en peces, en pájaros, en simios y finalmente en hombres; otros no han tratado de mejorar de condición y siguen siendo reptiles. Pero cuando los devoradores de hombres se encuentran frente a quienes han dejado de serlo, deben sentir una gran vergüenza, tal vez más que los reptiles frente a los simios. En tiempos remotos, según cuenta la historia, I Ya cocinó a su hijo y lo sirvió en un banquete a los tiranos Chieh y Chou. Sin embargo, la verdad es que los hombres comenzaron a comerse unos a otros desde el día en que Pan Ky creó el cielo y la tierra, y luego lo han seguido haciendo siempre: desde los tiempos de I Ya hasta los de Hsü-Hsi-lin, y hasta el día de hoy como lo demuestra la historia del hombre capturado y devorado en la aldea de los lobeznos. El año pasado, en la ciudad, ejecutaron a un criminal, y un tuberculoso empapó un pedazo de pan en su sangre y se lo comió. Quieren comerme, y tú, naturalmente, no puedes hacer nada. Pero, ¿por qué tienes que estar con ellos? Los devoradores de hombres son capaces de todo. Si me comen, también pueden comerte a ti; es más, los miembros de un mismo grupo pueden terminar por devorarse unos a otros. Si dieras un solo paso, si cambiaras de pronto tus costumbres, todos podrían vivir en paz. Aunque esto ocurra desde tiempos inmemoriales, es posible hacer hoy un esfuerzo para ser mejores y proclamar que es necesario terminar con estas prácticas. Yo te creo capaz de hacerlo, hermano, aunque el otro día, cuando nuestro arrendatario te pidió una reducción de la renta le dijiste que no era posible.

Mi hermano se conformó al principio con reír cínicamente, luego en sus ojos apareció un relámpago de ferocidad, y cuando le revelé sus secretos, el rostro se le desencajó. Afuera del portón había un grupo de personas, entre ellas el señor Chao y su perro, y todos estiraban el pescuezo para tratar de ver qué ocurría adentro. Yo no logré distinguir todos los rostros, porque algunos estaban cubiertos con velos; otros tenían la misma palidez espectral y los labios contraídos en una sonrisa forzada. Sabía que formaban parte de la misma banda, que todos eran devoradores de hombres, pero también sabía que no todos pensaban de la misma manera. Algunos consideraban inevitable que el hombre devorara a sus semejantes, porque así había ocurrido siempre; otros, a pesar de saber que el hombre no debía comer carne humana, lo seguían haciendo, y lo único que temían era ser descubiertos. Por eso me escuchaban hinchados de cólera, pero continuaban sonriendo cínicamente, con los labios semiabiertos.

De pronto mi hermano estalló, preso de furia:

—¡Fuera de aquí todos! ¿No veis que está loco? ¿Qué tenéis que husmear aquí?

Comprendí entonces que se trataba de una nueva táctica. No sólo no cambiaría, sino que ya todo estaba preparado: me acusaba de estar loco. De esa manera cuando llegara el momento de devorarme, no sólo no tendría ningún escrúpulo para hacerlo, sino que la gente probablemente le quedaría agradecida. Cuando nuestro arrendatario habló del hombre comido por los habitantes de la aldea lo había calificado de trastornado; mi hermano había recurrido al mismo expediente. ¡Se trataba, pues, de un viejo truco!

Más tarde llegó el viejo Chen, también furibundo; pero no logró hacerme cerrar la boca. Tenía algo que decirle a aquella gente, por eso comencé:

—¡Debéis cambiar, cambiar desde lo más profundo de vuestros corazones! Sabed que en el futuro no habrá en esta tierra sitio para los devoradores de hombres. Si no cambiáis, también vosotros seréis devorados. Y aunque logren nacer muchos más, todos serán exterminados por los hombres verdaderos, como los lobos por los cazadores, como los reptiles.

El viejo Chen logró expulsar a todos, y mi hermano desapareció. El anciano me obligó a volver a mi cuarto. La habitación estaba sumida en la más densa penumbra; las vigas temblaban sobre mi cabeza, luego las vi crecer; de golpe me cayeron encima.

El peso fue tal que no pude moverme; habían hecho aquello para asesinarme. Comprendí entonces que aquel peso no era real, y traté de liberarme. Logré hacerlo empapado de sudor; sin embargo, continué repitiendo:

—¡Debéis cambiar inmediatamente! Saber que en el futuro no habrá ya sitio en la Tierra para los devoradores de hombres...

XI

No logro ver el sol, la puerta no se abre; dos comidas al día.

Al tomar los palillos volví a pensar en mi hermano; ahora sé que fue él quien decretó la muerte de mi hermanita. Tenía entonces cinco años, era muy dulce y graciosa; me parece verla aún. Mi madre lloró durante diez días y diez noches, y mi hermano trataba de consolarla, tal vez por haber sido él quien se la había comido y aquellas lágrimas lo hacían sentirse avergonzado. ¡Si es que aún sabía lo que era vergüenza!

Fue mi hermano quien devoró a mi hermanita, aunque no sé si madre llegó a saberlo.

Creo que mi madre lo sabía, pero mientras lloraba no le decía nada a nadie, tal vez porque le parecía natural. Recuerdo que en una ocasión en que estaba sentado en el pórtico tomando el fresco (tendría yo entonces cuatro o cinco años), mi hermano dijo que si los padres se enferman, un hijo debe estar dispuesto a cortarse un pedazo de carne y cocinarla para ellos; sólo así demostraría tener nobles sentimientos, y mi madre no lo contradijo. Pero si se puede comer un pedazo de carne humana igualmente se puede comer a una persona entera. Sin embargo, al pensar en el llanto de entonces, mi corazón sangra todavía; eso es lo más extraño de todo....

XII

No puedo pensar.

Apenas hoy advierto que he vivido toda mi vida entre gente que se alimenta de carne humana desde hace cuatro mil años. Mi hermanita murió cuando mi hermano se hizo cargo de la dirección de la familia. ¿Y si hubiera mezclado en el arroz y en los otros platillos un poco de su carne y nos la hubiera hecho comer sin que nos enterásemos?

Tal vez sin quererlo he comido muchos bocados del cuerpo de mi hermana; ahora me llega mi turno.

¿Cómo voy a poder, después de cuatro mil años de canibalismo (antes en verdad no lo advertía), encontrar a un hombre verdadero?

XIII

Tal vez sea posible encontrar aún niños que no hayan probado la carne humana.

¡Salvad a los niños!

Franz Kafka (1883-1924)

La metamorfosis

I

Cuando Gregorio Samsa se despertó una mañana después de un sueño intranquilo, se encontró sobre su cama convertido en un monstruoso insecto. Estaba tumbado sobre su espalda dura, y en forma de caparazón y, al levantar un poco la cabeza veía un vientre abombado, pardusco, dividido por partes duras en forma de arco, sobre cuya protuberancia apenas podía mantenerse el cobertor, a punto ya de resbalar al suelo. Sus muchas patas, ridículamente pequeñas en comparación con el resto de su tamaño, se agitaban desvalidas ante los ojos.

"¿Qué me ha ocurrido?", pensó.

No era un sueño. Su habitación, una auténtica habitación humana, si bien algo pequeña, permanecía tranquila entre las cuatro paredes harto conocidas. Por encima de la mesa, sobre la que se encontraba extendido un muestrario de paños desempaquetados –Samsa era viajante de comercio–, estaba colgado aquel cuadro que hacía poco había recortado de una revista y había colocado en un bonito marco dorado. Representaba a una dama ataviada con sombrero y boa de piel, que estaba allí, sentada muy erguida y levantaba hacia el observador un pesado manguito de piel, en el cual había desaparecido su antebrazo.

La mirada de Gregorio se dirigió después hacia la ventana, y el tiempo lluvioso –se oían caer gotas de lluvia sobre la chapa del alféizar de la ventana– lo ponía muy melancólico.

"¿Qué pasaría –pensó– si durmiese un poco más y olvidase todas las chifladuras?"

Mas esto era algo absolutamente imposible porque estaba acostumbrado a dormir del lado derecho, pero en su estado actual no podía adoptar esa posición. Aunque se lanzase con mucha fuerza hacia el lado derecho, una y otra vez se volvía a balancear sobre la espalda. Lo intentó cien veces, cerraba los ojos para no ver las patas que pataleaban, y sólo cejaba en su empeño cuando comenzaba a notar en el costado un dolor leve y sordo que antes nunca había sentido.

"¡Dios mío! –pensó–. ¡Qué profesión tan dura he elegido! Un día sí y otro también de viaje. Los esfuerzos profesionales son mucho mayores que en el mismo almacén de la ciudad, y además se me ha endosado este ajetreo de viajar, el estar al tanto de los empalmes de tren, la comida mala y a deshora, una relación humana constantemente cambiante, nunca duradera, que jamás llega a ser cordial. ¡Que se vaya todo al diablo!"

Sintió sobre el vientre un leve picor, con la espalda se deslizó lentamente más cerca de la cabecera de la cama para poder levantar mejor la cabeza; se encontró con que la parte que le picaba estaba totalmente cubierta por unos pequeños puntos blancos, que no sabía a qué se debían, y quiso palpar esa parte con una pata, pero inmediatamente la retiró, porque el roce le producía escalofríos.

Se deslizó de nuevo a su posición inicial.

"Esto de levantarse temprano –pensó– hace a uno desvariar. El hombre tiene que dormir. Otros viajantes viven como pachás. Si yo, por ejemplo, a lo largo de la mañana vuelvo a la pensión para pasar en limpio los pedidos que he conseguido, estos señores todavía están sentados tomando el desayuno. Eso podría intentar yo con mi jefe, pero en ese momento iría a parar a la calle. Quién sabe, por lo demás, si no sería lo mejor para mí. Si no tuviera que dominarme por mis padres, ya me habría despedido hace tiempo, me habría presentado ante el jefe y le habría dicho mi opinión con toda mi alma. ¡Se habría caído de la mesa! Sí que es una extraña costumbre la de sentarse sobre la mesa y, desde esa altura, hablar hacia abajo con el empleado que, además, por culpa de la sordera del jefe, tiene que acercarse mucho. Bueno, la esperanza todavía no está perdida del todo; si alguna vez tengo el dinero suficiente para pagar las deudas que mis padres tienen con él –puedo tardar todavía entre cinco y seis años–, lo haré con toda seguridad. Entonces habrá llegado el gran momento; ahora, por lo pronto, tengo que levantarme porque el tren sale a las cinco", y miró hacia el despertador que hacía tic tac sobre el armario.

"¡Dios del cielo!", pensó.

Eran las seis y media y las manecillas seguían tranquilamente hacia delante, ya había pasado incluso la media, eran ya casi las menos cuarto. "¿Es que no habría sonado el despertador?" Desde la cama se veía que estaba correctamente puesto a las cuatro, seguro que también había sonado. Sí, pero… ¿era posible seguir durmiendo tan tranquilo con ese ruido que hacía temblar los muebles? Bueno, tampoco había dormido tranquilo, pero quizá tanto más profundamente.

¿Qué iba a hacer ahora? El siguiente tren salía a las siete, para cogerlo tendría que haberse dado una prisa loca, el muestrario todavía no estaba empaquetado, y él mismo no se encontraba especialmente espabilado y ágil; e incluso si consiguiese coger el tren, no se podía evitar una reprimenda del jefe, porque el mozo de los recados habría esperado en el tren de las cinco y ya hacía tiempo que habría dado parte de su descuido. Era un esclavo del jefe, sin agallas ni juicio. ¿Qué pasaría si dijese que estaba enfermo? Pero esto sería sumamente desagradable y sospechoso, porque Gregorio no había estado enfermo ni una sola vez durante los cinco años de servicio. Con toda certeza aparecería el jefe con el médico del seguro, haría reproches a sus padres por tener un hijo tan vago y se salvaría de todas las objeciones remitiéndose al médico del seguro, para el que sólo existen hombres totalmente sanos, pero con aversión al trabajo. ¿Y es que en este caso no tendría un poco de razón? Gregorio, a excepción de una modorra realmente superflua después del largo sueño, se encontraba bastante bien e incluso tenía mucha hambre.

Mientras reflexionaba sobre todo esto con gran rapidez, sin poderse decidir a abandonar la cama –en este mismo instante el despertador daba las siete menos cuarto–, llamaron cautelosamente a la puerta que estaba a la cabecera de su cama.

—Gregorio –dijeron (era la madre)–, son las siete menos cuarto. ¿No ibas a salir de viaje?

¡Qué dulce voz! Gregorio se asustó, en cambio, al contestar. Escuchó una voz que, evidentemente, era la suya, pero en la cual, como desde lo más profundo, se mezclaba un doloroso e incontenible piar, que en el primer momento dejaba salir las palabras con claridad para, al prolongarse el sonido, destrozarlas de tal forma que no se sabía si se habían podido escuchar bien. Gregorio querría haber contestado detalladamente y explicarlo todo, pero en estas circunstancias se limitó a decir:

—Sí, sí, gracias madre, ya me levanto.

Probablemente a causa de la puerta de madera no se notaba desde fuera el cambio en la voz de Gregorio, porque la madre se tranquilizó con esta respuesta y se marchó de allí. Pero merced a la breve conversación, los otros miembros de la familia se habían dado cuenta de que Gregorio, en contra de todo lo esperado, estaba todavía en casa, y ya el padre llamaba suavemente, pero con el puño, a una de las puertas laterales.

—¡Gregorio, Gregorio! –gritó–. ¿Qué ocurre? –tras unos instantes insistió de nuevo con voz más grave–. ¡Gregorio, Gregorio!

Desde la otra puerta lateral se lamentaba en voz baja la hermana.

—Gregorio, ¿no te encuentras bien?, ¿necesitas algo?

Gregorio contestó hacia ambos lados:

—Ya estoy preparado –y con una pronunciación lo más cuidadosa posible, y haciendo largas pausas entre las palabras, se esforzó por despojar a su voz de todo lo que pudiese llamar la atención. El padre volvió a su desayuno, pero la hermana susurró:

—Gregorio, abre, te lo suplico –pero Gregorio no tenía la menor intención de abrir, más bien elogió la precaución de cerrar las puertas que había adquirido durante sus viajes, y esto incluso en casa.

Al principio tenía la intención de levantarse tranquilamente y, sin ser molestado, vestirse y, sobre todo, desayunar, y después pensar en todo lo demás, porque en la cama, eso ya lo veía, no llegaría con sus cavilaciones a una conclusión sensata. Recordó que ya en varias ocasiones había sentido en la cama algún leve dolor, quizá producido por estar mal tumbado, dolor que al levantarse había resultado ser sólo fruto de su imaginación, y tenía curiosidad por ver cómo se iban desvaneciendo paulatinamente sus fantasías de hoy. No dudaba en absoluto de que el cambio de voz no era otra cosa que el síntoma de un buen resfriado, la enfermedad profesional de los viajantes.

Tirar el cobertor era muy sencillo, sólo necesitaba inflarse un poco y caería por sí solo, pero el resto sería difícil, especialmente porque él era muy ancho. Hubiera necesitado brazos y manos para incorporarse, pero en su lugar tenía muchas patitas que, sin interrupción, seguían haciendo los más variados movimientos y que, además, no podía dominar. Si quería doblar alguna de ellas, entonces era la primera la que se estiraba, y si por fin lograba realizar con esta pata lo que quería, entonces todas las demás se movían, como liberadas, con una agitación grande y dolorosa.

"No hay que permanecer en la cama inútilmente", se decía Gregorio.

Quería salir de la cama en primer lugar con la parte inferior de su cuerpo, pero esta parte inferior que, por cierto, no había visto todavía y que no podía imaginar exactamente, demostró ser difícil de mover; el movimiento se producía muy despacio, y cuando finalmente, casi furioso, se lanzó hacia delante con toda su fuerza sin pensar en las consecuencias, había calculado mal la dirección, se golpeó fuertemente con la pata trasera de la cama y el dolor punzante que sintió le enseñó que precisamente la parte inferior de su cuerpo era quizá en estos momentos la más sensible.

Así pues, intentó en primer lugar sacar de la cama la parte superior del cuerpo y volvió la cabeza con cuidado hacia el borde de la cama. Lo logró con facilidad y, a pesar de su anchura y su peso, el cuerpo siguió finalmente con lentitud el giro de la cabeza. Pero cuando, por fin, tenía la cabeza colgando en el aire fuera de la cama, le entró miedo de continuar avanzando de este modo porque, si se dejaba caer en esta posición, tenía que ocurrir realmente un milagro para que la cabeza no resultase herida, y precisamente ahora no podía de ningún modo perder la cabeza, antes prefería quedarse en la cama.

Pero cuando volvió a su posición inicial, con los mismos esfuerzos y jadeos, y volvió a ver sus patitas de nuevo luchando entre sí, quizá con más fuerza aún, y no encontraba posibilidad de poner sosiego y orden a este atropello, se decía otra vez que de ningún modo podía permanecer en la cama y que lo más sensato era sacrificarlo todo, si es que así existía la más mínima esperanza de liberarse de ella. Pero al mismo tiempo no olvidaba recordar de vez en cuando que reflexionar serena, muy serenamente, es mejor que tomar decisiones desesperadas. En tales momentos dirigía sus ojos lo más agudamente posible hacia la ventana, pero, por desgracia, poco optimismo y ánimo se podía sacar del espectáculo de la niebla matinal, que ocultaba incluso el otro lado de la estrecha calle.

"Las siete ya –se dijo cuando sonó de nuevo el despertador–, las siete ya y todavía semejante niebla", y durante un instante permaneció tumbado, tranquilo, respirando débilmente, como si esperase del absoluto silencio el regreso del estado real y cotidiano. Pero después se dijo:

"Antes de que den las siete y cuarto tengo que haber salido de la cama del todo, como sea. Por lo demás, para entonces habrá venido alguien del almacén a preguntar por mí, porque el almacén se abre antes de las siete." Y entonces, de forma totalmente regular, comenzó a balancear su cuerpo, cuan largo era, hacia afuera de la cama. Si se dejaba caer de ella de esta forma, la cabeza, que pretendía levantar con fuerza en la caída, permanecería probablemente ilesa. La espalda parecía ser fuerte, seguramente no le pasaría nada al caer sobre la alfombra. Lo más difícil, a su modo de ver, era tener cuidado con el ruido que se produciría, y que posiblemente provocaría al otro lado de todas las puertas, si no temor, al menos preocupación. Pero había que intentarlo.

Cuando Gregorio ya sobresalía a medias de la cama –el nuevo método era más un juego que un esfuerzo, sólo tenía que balancearse a empujones–, se le ocurrió lo fácil que sería si alguien viniese en su ayuda. Dos personas fuertes –pensaba en su padre y en la criada– hubiesen sido más que suficientes; sólo tendrían que introducir sus brazos por debajo de su abombada espalda, descascararle así de la cama, agacharse con el peso, y después solamente tendrían que haber soportado que diese con cuidado una vuelta impetuosa en el suelo, sobre el cual, seguramente, las patitas adquirirían su razón de ser. Bueno, aparte de que las puertas estaban cerradas, ¿debía de verdad pedir ayuda? A pesar de la necesidad, no pudo reprimir una sonrisa al concebir tales pensamientos.

Ya había llegado el punto en el que, al balancearse con más fuerza, apenas podía guardar el equilibrio y pronto tendría que decidirse definitivamente, porque dentro de cinco minutos serían las siete y cuarto. En ese momento sonó el timbre de la puerta de la calle.

"Seguro que es alguien del almacén", se dijo, y casi se quedó petrificado mientras sus patitas bailaban aún más deprisa. Durante un momento todo permaneció en silencio.

"No abren", se dijo Gregorio, confundido por alguna absurda esperanza.

Pero entonces, como siempre, la criada se dirigió, con naturalidad y con paso firme, hacia la puerta y abrió. Gregorio sólo necesitó escuchar el primer saludo del visitante y ya sabía quién era, el gerente en persona. ¿Por qué había sido condenado Gregorio a prestar sus servicios en una empresa en la que al más mínimo descuido se concebía inmediatamente la mayor sospecha? ¿Es que todos los empleados, sin excepción, eran unos bribones? ¿Es que no había entre ellos un hombre leal y adicto a quien, simplemente porque no hubiese aprovechado para el almacén un par de horas de la mañana, se lo comiesen los remordimientos y francamente no estuviese en condiciones de abandonar la cama? ¿Es que no era de verdad suficiente mandar a preguntar a un aprendiz, si es que este "pregunteo" era necesario? ¿Tenía que venir el gerente en persona y había con ello que mostrar a toda una familia inocente que la investigación de este sospechoso asunto solamente podía ser confiada al juicio del apoderado? Y, más como consecuencia de la irritación a la que le condujeron estos pensamientos que como consecuencia de una auténtica decisión, se lanzó de la cama con toda su fuerza. Se produjo un golpe fuerte, pero no fue un auténtico ruido. La caída fue amortiguada un poco por la alfombra y además la espalda era más elástica de lo que Gregorio había pensado; a ello se debió el sonido sordo y poco aparatoso. Solamente no había mantenido la cabeza con el cuidado necesario y se la había golpeado, la giró y la restregó contra la alfombra de rabia y dolor.

—Ahí dentro se ha caído algo –dijo el gerente en la habitación contigua de la izquierda.

Gregorio intentó imaginarse si quizá alguna vez no pudiese ocurrirle al gerente algo parecido a lo que le ocurría hoy a él; había al menos que admitir la posibilidad. Pero, como cruda respuesta a esta pregunta, el gerente dio ahora un par de pasos firmes en la habitación contigua e hizo crujir sus botas de charol. Desde la habitación de la derecha, la hermana, para advertir a Gregorio, susurró:

—Gregorio, el gerente está aquí.

"Ya lo sé", se dijo Gregorio para sus adentros, pero no se atrevió a alzar la voz tan alto que la hermana pudiera haberlo oído.

—Gregorio –dijo entonces el padre desde la habitación de la derecha–, el señor gerente ha venido y desea saber por qué no has salido de viaje en el primer tren. No sabemos qué debemos decirle, además desea también hablar personalmente contigo, así es que, por favor, abre la puerta. El señor ya tendrá la bondad de perdonar el desorden en la habitación.

—Buenos días, señor Samsa –interrumpió el gerente amablemente.

—No se encuentra bien –dijo la madre al gerente mientras el padre hablaba ante la puerta–, no se encuentra bien, créame usted, señor gerente. ¡Cómo si no iba Gregorio a perder un tren! El chico no tiene en la cabeza nada más que el negocio. A mí casi me disgusta que nunca salga por la tarde; ahora ha estado ocho días en la ciudad, pero pasó todas las tardes en casa. Allí está, sentado con nosotros a la mesa y lee tranquilamente el periódico o estudia horarios de trenes. Para él es ya una distracción hacer trabajos de marquetería. Por ejemplo, en dos o tres tardes ha tallado un pequeño marco, se asombrará usted de lo bonito que es, está colgado ahí dentro, en la habitación; en cuanto abra Gregorio lo verá usted enseguida. Por cierto, que me alegro de que esté usted aquí, señor gerente, nosotros solos no habríamos conseguido que Gregorio abriese la puerta; es muy testarudo y seguro que no se encuentra bien a pesar de que lo ha negado esta mañana.

—Voy enseguida –dijo Gregorio, lentamente y con precaución, y no se movió para no perderse una palabra de la conversación.

—De otro modo, señora, tampoco puedo explicármelo yo –dijo el gerente–. Espero que no se trate de nada serio, si bien tengo que decir, por otra parte, que nosotros, los comerciantes, por suerte o por desgracia, según se mire, tenemos sencillamente que sobreponernos a una ligera indisposición por consideración a los negocios.

—Vamos, ¿puede pasar el gerente a tu habitación? –preguntó impaciente el padre.

—No –dijo Gregorio.

En la habitación de la izquierda se hizo un penoso silencio, en la habitación de la derecha comenzó a sollozar la hermana.

¿Por qué no se iba la hermana con los otros? Seguramente acababa de levantarse de la cama y todavía no había empezado a vestirse; y ¿por qué lloraba? ¿Porque él no se levantaba y dejaba entrar al gerente?, ¿porque estaba en peligro de perder el trabajo y entonces el jefe perseguiría otra vez a sus padres con las viejas deudas? Éstas eran, de momento, preocupaciones innecesarias. Gregorio todavía estaba aquí y no pensaba de ningún modo abandonar a su familia. De momento yacía en la alfombra y nadie que hubiese tenido conocimiento de su estado hubiese exigido seriamente de él que dejase entrar al gerente. Pero por esta pequeña descortesía, para la que más tarde se encontraría con facilidad una disculpa apropiada, no podía Gregorio ser despedido inmediatamente. Y a Gregorio le parecía que sería mucho más sensato dejarle tranquilo en lugar de molestarle con lloros e intentos de persuasión. Pero la verdad es que era la incertidumbre la que apuraba a los otros hacia perdonar su comportamiento.

—Señor Samsa –exclamó entonces el gerente levantando la voz–. ¿Qué ocurre? Se atrinchera usted en su habitación, contesta solamente con sí o no, preocupa usted grave e inútilmente a sus padres y, dicho sea de paso, falta usted a sus deberes de una forma verdaderamente inaudita. Hablo aquí en nombre de sus padres y de su jefe, y le exijo seriamente una explicación clara e inmediata. Estoy asombrado, estoy asombrado. Yo le tenía a usted por un hombre formal y sensato, y ahora, de repente, parece que quiere usted empezar a hacer alarde de extravagancias extrañas. El jefe me insinuó esta mañana una posible explicación a su demora, se refería al cobro que se le ha confiado desde hace poco tiempo. Yo realmente di casi mi palabra de honor de que esta explicación no podía ser cierta. Pero en este momento veo su incomprensible obstinación y pierdo todo el deseo de dar la cara en lo más mínimo por usted, y su posición no es, en absoluto, la más segura. En principio tenía la intención de decirle todo esto a solas, pero ya que me hace usted perder mi tiempo inútilmente no veo la razón de que no se enteren también sus señores padres. Su rendimiento en los últimos tiempos ha sido muy poco satisfactorio, cierto que no es la época del año apropiada para hacer grandes negocios, eso lo reconocemos, pero una época del año para no hacer negocios no existe, señor Samsa, no debe existir.

—Pero, señor gerente –gritó Gregorio, fuera de sí, y en su irritación olvidó todo lo demás–, abro inmediatamente la puerta. Una ligera indisposición, un mareo, me han impedido levantarme. Todavía estoy en la cama, pero ahora ya estoy otra vez despejado. Ahora mismo me levanto de la cama. ¡Sólo un momentito de paciencia! Todavía no me encuentro tan bien como creía, pero ya estoy mejor. ¡Cómo puede atacar a una persona una enfermedad así! Ayer por la tarde me encontraba bastante bien, mis padres bien lo saben o, mejor dicho, ya ayer por la tarde tuve una pequeña corazonada, tendría que habérseme notado. ¡Por qué no lo avisé en el almacén! Pero lo cierto es que siempre se piensa que se superará la enfermedad sin tener que quedarse. ¡Señor gerente, tenga consideración con mis padres! No hay motivo alguno para todos los reproches que me hace usted; nunca se me dijo una palabra de todo eso; quizá no haya leído los últimos pedidos que he enviado. Por cierto, en el tren de las ocho salgo de viaje, las pocas horas de sosiego me han dado fuerza. No se entretenga usted, señor gerente; yo mismo estaré enseguida en el almacén, tenga usted la bondad de decirlo y de saludar de mi parte al jefe.

Y mientras Gregorio farfullaba atropelladamente todo esto, y apenas sabía lo que decía, se había acercado un poco al armario, seguramente como consecuencia del ejercicio ya practicado en la cama, e intentaba ahora levantarse apoyado en él. Quería de verdad abrir la puerta, deseaba sinceramente dejarse ver y hablar con el gerente; estaba deseoso de saber lo que los otros, que tanto deseaban verle, dirían ante su presencia. Si se asustaban, Gregorio no tendría ya responsabilidad alguna y podría estar tranquilo, pero si lo aceptaban todo con tranquilidad entonces tampoco tenía motivo para excitarse y, de hecho, podría, si se daba prisa, estar a las ocho en la estación. Al principio se resbaló varias veces del liso armario, pero finalmente se dio con fuerza un último impulso y permaneció erguido; ya no prestaba atención alguna a los dolores de vientre, aunque eran muy agudos. Entonces se dejó caer contra el respaldo de una silla cercana, a cuyos bordes se agarró fuertemente con sus patitas. Con esto había conseguido el dominio sobre sí, y enmudeció porque ahora podía escuchar al apoderado.

—¿Han entendido ustedes una sola palabra? –preguntó el gerente a los padres–. ¿O es que nos toma por tontos?

—¡Por el amor de Dios! –exclamó la madre entre sollozos–, quizá esté gravemente enfermo y nosotros lo atormentamos. ¡Greta! ¡Greta! –gritó después.

—¿Qué, madre? –dijo la hermana desde el otro lado. Se comunicaban a través de la habitación de Gregorio–. Tienes que ir inmediatamente al médico, Gregorio está enfermo. Rápido, a buscar al médico. ¿Acabas de oír hablar a Gregorio?

—Es una voz de animal –dijo el gerente en un tono de voz extremadamente bajo comparado con los gritos de la madre.

—¡Anna! ¡Anna! –gritó el padre en dirección a la cocina a través de la antesala, y dando palmadas–. ¡Ve a buscar inmediatamente un cerrajero!

Y ya corrían las dos muchachas haciendo ruido con sus faldas por la antesala –¿cómo se habría vestido la hermana tan deprisa?– y abrieron la puerta de par en par. No se oyó cerrar la puerta, seguramente la habían dejado abierta como suele ocurrir en las casas en las que ha ocurrido una gran desgracia.

Pero Gregorio ya estaba mucho más tranquilo. Así es que ya no se entendían sus palabras a pesar de que a él le habían parecido lo suficientemente claras, más claras que antes, sin duda, como consecuencia de que el oído se iba acostumbrando. Pero en todo caso ya se creía en el hecho de que algo andaba mal respecto a Gregorio, y se estaba dispuesto a prestarle ayuda. La decisión y seguridad con que fueron tomadas las primeras disposiciones le sentaron bien. De nuevo se consideró incluido en el círculo humano y esperaba de ambos, del médico y del cerrajero, sin distinguirlos del todo entre sí, excelentes y sorprendentes resultados. Con el fin de tener una voz lo más clara posible en las decisivas conversaciones que se avecinaban, tosió un poco, esforzándose, sin embargo, por hacerlo con mucha moderación, porque posiblemente incluso ese ruido sonaba de una forma distinta a la voz humana, hecho que no confiaba poder distinguir él mismo. Mientras tanto, en la habitación contigua reinaba el silencio. Quizá los padres estaban sentados a la mesa con el apoderado y cuchicheaban, quizá todos estaban arrimados a la puerta y escuchaban.

Gregorio se acercó lentamente a la puerta con la ayuda de la silla, allí la soltó, se arrojó contra la puerta, se mantuvo erguido sobre ella –las callosidades de sus patitas estaban provistas de una sustancia pegajosa– y descansó allí durante un momento del esfuerzo realizado. A continuación comenzó a girar con la boca la llave, que estaba dentro de la cerradura. Por desgracia, no parecía tener dientes propiamente dichos –¿con qué iba a agarrar la llave?–, pero, por el contrario, las mandíbulas eran, desde luego, muy poderosas. Con su ayuda puso la llave, efectivamente, en movimiento, y no se daba cuenta de que, sin duda, se estaba causando algún daño, porque un líquido pardusco le salía de la boca, chorreaba por la llave y goteaba hasta el suelo.

—Escuchen ustedes –dijo el gerente en la habitación contigua–, está dando la vuelta a la llave.

Esto significó un gran estímulo para Gregorio; pero todos debían haberle animado, incluso el padre y la madre. "¡Vamos, Gregorio! –debían haber aclamado–. ¡Duro con ello, duro con la cerradura!" Y ante la idea de que todos seguían con expectación sus esfuerzos, se aferró ciegamente a la llave con todas las fuerzas que fue capaz de reunir. A medida que avanzaba el giro de la llave, Gregorio se movía en torno a la cerradura, ya sólo se mantenía de pie con la boca, y, según era necesario, se colgaba de la llave o la apretaba de nuevo hacia dentro con todo el peso de su cuerpo. El sonido agudo de la cerradura, que se abrió por fin, despertó del todo a Gregorio. Respirando profundamente dijo para sus adentros: "No he necesitado al cerrajero", y apoyó la cabeza sobre el picaporte para abrir la puerta del todo.

Como tuvo que abrir la puerta de esta forma, ésta estaba ya bastante abierta y todavía no se le veía. En primer lugar tenía que darse lentamente la vuelta sobre sí mismo, alrededor de la hoja de la puerta, y ello con mucho cuidado si no quería caer torpemente de espaldas justo ante el umbral de la habitación. Todavía estaba absorto en llevar a cabo aquel difícil movimiento y no tenía tiempo de prestar atención a otra cosa, cuando escuchó al gerente lanzar en voz alta un "¡Oh!" que sonó como un silbido del viento, y en ese momento vio también cómo aquél, que era el más cercano a la puerta, se tapaba con la mano la boca abierta y retrocedía lentamente como si le empujase una fuerza invisible que actuaba regularmente. La madre –a pesar de la presencia del gerente, todavía tenía los cabellos revueltos, despeinados– miró en primer lugar al padre con las manos juntas, dio a continuación dos pasos hacia Gregorio y, con el rostro completamente oculto en su pecho, cayó al suelo en medio de sus faldas, que quedaron extendidas a su alrededor. El padre cerró el puño con expresión amenazadora, como si quisiera empujar de nuevo a Gregorio a su habitación, miró inseguro a su alrededor por el cuarto de estar, después se tapó los ojos con las manos y lloró de tal forma que su robusto pecho se estremecía por el llanto.

Gregorio no entró, pues, en la habitación, sino que se apoyó en la parte intermedia de la hoja de la puerta que permanecía cerrada, de modo que sólo podía verse la mitad de su cuerpo y sobre él la cabeza, inclinada a un lado, con la cual miraba hacia los demás. Entre tanto el día había aclarado; al otro lado de la calle se distinguía claramente una parte del edificio de enfrente, negruzco e interminable –era un hospital–, con sus ventanas regulares que rompían duramente la fachada. Todavía caía la lluvia, pero sólo a grandes gotas que eran lanzadas hacia abajo aisladamente sobre la tierra. Las piezas de la vajilla del desayuno se extendían en gran cantidad sobre la mesa porque para el padre el desayuno era la comida principal del día, que prolongaba durante horas con la lectura de diversos periódicos. Justamente en la pared de enfrente había una fotografía de Gregorio, de la época de su servicio militar, que le representaba con uniforme de teniente, y cómo, con la mano sobre la espada, sonriendo despreocupadamente, exigía respeto para su actitud y su uniforme. La puerta del vestíbulo estaba abierta y se podía ver el rellano de la escalera y el comienzo de la misma, que conducían hacia abajo.

—Bueno —dijo Gregorio, y era completamente consciente de que era el único que había conservado la tranquilidad—, me vestiré inmediatamente, empaquetaré el muestrario y saldré de viaje. ¿Quieren dejarme marchar? Bueno, señor gerente, ya ve usted que no soy obstinado y me gusta trabajar, viajar es fatigoso, pero no podría vivir sin viajar. ¿Adónde va usted, señor? ¿Al almacén? ¿Sí? ¿Lo contará usted todo tal como es en realidad? En un momento dado puede uno ser incapaz de trabajar, pero después llega el momento preciso de acordarse de los servicios prestados y de pensar que después, una vez superado el obstáculo, uno trabajará, con toda seguridad, con más celo y concentración. Yo le debo mucho al jefe, bien lo sabe usted. Por otra parte, tengo a mi cuidado a mis padres y a mi hermana. Estoy en un aprieto, pero saldré de él. Pero no me lo haga usted más difícil de lo que ya es. ¡Póngase de mi parte en el almacén! Ya sé que no se quiere bien al viajante. Se piensa que gana un montón de dinero y se da la gran vida. Es cierto que no hay una razón especial para meditar a fondo sobre este prejuicio, pero usted, señor, usted tiene una visión de conjunto de las circunstancias mejor que la que tiene el resto del personal; sí, en confianza, incluso una visión de conjunto mejor que la del mismo jefe, que, en su condición de empresario, cambia fácilmente de opinión en perjuicio del empleado. También sabe usted muy bien que el viajante, que casi todo el año está fuera del almacén, puede convertirse fácilmente en víctima de murmuraciones, casualidades y quejas infundadas, contra las que le resulta absolutamente imposible defenderse, porque la mayoría de las veces no se entera de ellas y más tarde, cuando, agotado, ha terminado un viaje, siente sobre su propia carne, una vez en el hogar, las funestas consecuencias cuyas causas no puede comprender. Señor gerente, no se marche usted sin haberme dicho una palabra que me demuestre que, al menos en una pequeña parte, me da usted la razón.

Pero el gerente se había dado la vuelta a las primeras palabras de Gregorio, y por encima del hombro, que se movía convulsivamente, miraba hacia Gregorio poniendo los labios en forma de morro, y mientras Gregorio hablaba no estuvo quieto ni un momento, sino que, sin perderle de vista, se iba deslizando hacia la puerta, pero muy lentamente, como si existiese una prohibición secreta de abandonar la habitación. Ya se encontraba en el vestíbulo y, a juzgar por el movimiento repentino con que sacó el pie por última vez del cuarto de estar, podría haberse creído que acababa de quemarse la suela. Ya en el vestíbulo, extendió la mano derecha lejos de sí y en dirección a la escalera, como si allí le esperase realmente una salvación sobrenatural.

Gregorio comprendió que de ningún modo debía dejar marchar al gerente en este estado de ánimo, si es que no quería ver extremadamente amenazado su trabajo en el almacén. Los padres no entendían todo esto demasiado bien: durante todos estos largos años habían llegado al convencimiento de que Gregorio estaba colocado en este almacén para el resto de su vida, y además, con las preocupaciones actuales, tenían tanto que hacer, que habían perdido toda previsión. Pero Gregorio poseía esa previsión. El gerente tenía que ser retenido, tranquilizado, persuadido y, finalmente, atraído. ¡El futuro de Gregorio y de su familia dependía de ello! ¡Si hubiese estado aquí la hermana! Ella era lista; ya había llorado cuando Gregorio todavía estaba tranquilamente sobre su espalda, y seguro que el gerente, aficionado a las mujeres, se hubiese dejado llevar por ella; ella habría cerrado la puerta principal y en el vestíbulo le hubiese disuadido de su miedo. Pero lo cierto es que la hermana no estaba aquí y Gregorio tenía que actuar. Y sin pensar que no conocía todavía su actual capacidad de movimiento, y que sus palabras posiblemente, seguramente incluso, no habían sido entendidas, abandonó la hoja de la puerta y se deslizó a través del hueco abierto. Pretendía dirigirse hacia el gerente que, de forma grotesca, se agarraba ya con ambas manos a la barandilla del rellano; pero, buscando algo en que apoyarse, se cayó inmediatamente sobre sus múltiples patitas, dando un pequeño grito. Apenas había sucedido esto, sintió por primera vez en esta mañana un bienestar físico: las patitas tenían suelo firme por debajo, obedecían a la perfección, como advirtió con alegría; incluso intentaban transportarle hacia donde él quería; y ya creía Gregorio que el alivio definitivo de todos sus males se encontraba a su alcance; Pero en el mismo momento en que, balanceándose por el movimiento reprimido, no lejos de su madre, permanecía en el suelo justo enfrente de ella, ésta, que parecía completamente sumida en sus propios pensamientos, dio un salto hacia arriba, con los brazos extendidos, con los dedos muy separados entre sí, y exclamó:

—¡Socorro, por el amor de Dios, socorro!

Mantenía la cabeza inclinada, como si quisiera ver mejor a Gregorio, pero, en contradicción con ello, retrocedió atropelladamente; había olvidado que detrás de ella estaba la mesa puesta; cuando hubo llegado a ella, se sentó encima precipitadamente, como fuera de sí, y no pareció notar que, junto a ella, el café de la cafetera volcada caía a chorros sobre la alfombra.

—¡Madre, madre! –dijo Gregorio en voz baja, y miró hacia ella. Por un momento había olvidado completamente al gerente; por el contrario, no pudo evitar, a la vista del café que se derramaba, abrir y cerrar varias veces sus mandíbulas al vacío.

Al verlo la madre gritó nuevamente, huyó de la mesa y cayó en los brazos del padre, que corría a su encuentro. Pero Gregorio no tenía ahora tiempo para sus padres. El gerente se encontraba ya en la escalera; con la barbilla sobre la barandilla miró de nuevo por última vez. Gregorio tomó impulso para alcanzarle con la mayor seguridad posible. El hombre debió adivinar algo, porque saltó de una vez varios escalones y desapareció; pero lanzó aún un "¡Uh!", que se oyó en toda la escalera. Lamentablemente esta huida del apoderado pareció desconcertar del todo al padre, que hasta ahora había estado relativamente sereno, pues en lugar de perseguir él mismo al gerente o, al menos, no obstaculizar a Gregorio en su persecución, agarró con la mano derecha el bastón que aquél había dejado sobre la silla junto con el sombrero y el gabán; tomó con la mano izquierda un gran periódico que había sobre la mesa y, dando patadas en el suelo, comenzó a hacer retroceder a Gregorio a su habitación blandiendo el bastón y el periódico. De nada sirvieron los ruegos de Gregorio, tampoco fueron entendidos, y por mucho que girase humildemente la cabeza, el padre pataleaba aún con más fuerza. Al otro lado, la madre había abierto de par en par una ventana, a pesar del tiempo frío, e inclinada hacia fuera se cubría el rostro con las manos.

Entre la calle y la escalera se estableció una fuerte corriente de aire, las cortinas de las ventanas volaban, se agitaban los periódicos de encima de la mesa, las hojas sueltas revoloteaban por el suelo. El padre le acosaba implacablemente y daba silbidos como un loco. Pero Gregorio todavía no tenía mucha práctica en andar hacia atrás, andaba realmente muy despacio. Si Gregorio se hubiese podido dar la vuelta, enseguida hubiese estado en su habitación, pero tenía miedo de impacientar al padre con su lentitud al darse la vuelta, y a cada instante le amenazaba el golpe mortal del bastón en la espalda o la cabeza. Finalmente, no le quedó a Gregorio otra solución, pues advirtió con angustia que andando hacia atrás ni siquiera era capaz de mantener la dirección, y así, mirando con temor constantemente a su padre de reojo, comenzó a darse la vuelta con la mayor rapidez posible, pero, en realidad, con una gran lentitud. Quizá advirtió el padre su buena voluntad, porque no sólo no le obstaculizó en su empeño, sino que, con la punta de su bastón, le dirigía de vez en cuando, desde lejos, en su movimiento giratorio. ¡Si no hubiese sido por ese insoportable silbar del padre! Por su culpa Gregorio perdía la cabeza por completo. Ya casi se había dado la vuelta del todo cuando, siempre oyendo ese silbido, incluso se equivocó y retrocedió un poco en su vuelta. Pero cuando por fin, feliz, tenía ya la cabeza ante la puerta, resultó que su cuerpo era demasiado ancho para pasar por ella sin más. Naturalmente, al padre, en su actual estado de ánimo, ni siquiera se le ocurrió ni por lo más remoto abrir la otra hoja de la puerta para ofrecer a Gregorio espacio suficiente. Su idea fija consistía solamente en que Gregorio tenía que entrar en su habitación lo más rápidamente posible; tampoco hubiera permitido jamás los complicados preparativos que necesitaba Gregorio para incorporarse y, de este modo, atravesar la puerta. Es más, empujaba hacia delante a Gregorio con mayor ruido aún, como si no existiese obstáculo alguno. Ya no sonaba tras de Gregorio como si fuese la voz de un solo padre; ahora ya no había que andarse con bromas, y Gregorio se empotró en la puerta, pasase lo que pasase. Uno de los costados se levantó, ahora estaba atravesado en el hueco de la puerta, su costado estaba herido por completo, en la puerta blanca quedaron marcadas unas manchas desagradables, pronto se quedó atascado y solo no hubiera podido moverse, las patitas de un costado estaban colgadas en el aire, y temblaban, las del otro lado permanecían aplastadas dolorosamente contra el suelo.

Entonces el padre le dio por detrás un fuerte empujón que, en esta situación, le produjo un auténtico alivio, y Gregorio penetró profundamente en su habitación, sangrando con intensidad. La puerta fue cerrada con el bastón y a continuación se hizo, por fin, el silencio.

II

Hasta la caída de la tarde no se despertó Gregorio de su profundo sueño, similar a una pérdida de conocimiento. Seguramente no se hubiese despertado mucho más tarde, aun sin ser molestado, porque se sentía suficientemente repuesto y descansado; sin embargo, le parecía como si le hubiesen despertado unos pasos fugaces y el ruido de la puerta que daba al vestíbulo al ser cerrada con cuidado. El resplandor de las farolas eléctricas de la calle se reflejaba pálidamente aquí y allí en el techo de la habitación y en las partes altas de los muebles, pero abajo, donde se encontraba Gregorio, estaba oscuro. Tanteando todavía torpemente con sus antenas, que ahora aprendía a valorar, se deslizó lentamente hacia la puerta para ver lo que había ocurrido allí. Su costado izquierdo parecía una única y larga cicatriz que le daba desagradables tirones y le obligaba realmente a cojear con sus dos filas de patas. Por cierto, una de las patitas había resultado gravemente herida durante los incidentes de la mañana –casi parecía un milagro que sólo una hubiese resultado herida–, y se arrastraba sin vida.

Sólo cuando ya había llegado a la puerta advirtió que lo que lo había atraído hacia ella era el olor a algo comestible, porque allí había una escudilla llena de leche dulce en la que nadaban trocitos de pan. Estuvo a punto de llorar de alegría porque ahora tenía aún más hambre que por la mañana, e inmediatamente introdujo la cabeza dentro de la leche casi hasta por encima de los ojos. Pero pronto volvió a sacarla con desilusión. No sólo comer le resultaba difícil debido a su delicado costado izquierdo –sólo podía comer si todo su cuerpo cooperaba jadeando–, sino que, además, la leche, que siempre había sido su bebida favorita, y que seguramente por eso se la había traído la hermana, ya no le gustaba; es más, se retiró casi con repugnancia de la escudilla y retrocedió a rastras hacia el centro de la habitación.

En el cuarto de estar, por lo que veía Gregorio a través de la rendija de la puerta, estaba encendido el gas, pero mientras que –como era habitual a estas horas del día– el padre solía leer en voz alta a la madre, y a veces también a la hermana, el periódico vespertino, ahora no se oía ruido alguno. Bueno, quizá esta costumbre de leer en voz alta, tal como le contaba y le escribía siempre su hermana, se había perdido del todo en los últimos tiempos. Pero todo a su alrededor permanecía en silencio, a pesar de que, sin duda, la casa no estaba vacía. "¡Qué vida tan apacible lleva la familia!", se dijo Gregorio, y, mientras miraba fijamente la oscuridad que reinaba ante él, se sintió muy orgulloso de haber podido proporcionar a sus padres y a su hermana la vida que llevaban en una vivienda tan hermosa. Pero ¿qué ocurriría si toda la tranquilidad, todo el bienestar, toda la satisfacción, llegase ahora a un terrible final? Para no perderse en tales pensamientos, prefirió Gregorio ponerse en movimiento y arrastrarse de acá para allá por la habitación.

En una ocasión, durante el largo anochecer, se abrió una pequeña rendija una vez en una puerta lateral y otra vez en la otra, y ambas se volvieron a cerrar rápidamente; probablemente alguien tenía necesidad de entrar, pero, al mismo tiempo, sentía demasiada vacilación. Entonces Gregorio se paró justamente delante de la puerta del cuarto de estar, decidido a hacer entrar de alguna manera al indeciso visitante, o al menos para saber de quién se trataba; pero la puerta ya no se abrió más y Gregorio esperó en vano. Por la mañana temprano, cuando todas las puertas estaban bajo llave, todos querían entrar en su habitación. Ahora que había abierto una puerta, y que las demás habían sido abiertas sin duda durante el día, no venía nadie y, además, ahora las llaves estaban metidas en las cerraduras desde fuera.

Muy tarde, ya de noche, se apagó la luz en el cuarto de estar y entonces fue fácil comprobar que los padres y la hermana habían permanecido despiertos todo ese tiempo, porque tal y como se podía oír perfectamente, se retiraban de puntillas los tres juntos en este momento. Así pues, seguramente hasta la mañana siguiente no entraría nadie más en la habitación de Gregorio; disponía de mucho tiempo para pensar, sin que nadie le molestase, sobre cómo debía organizar de nuevo su vida. Pero la habitación de techos altos y que daba la impresión de estar vacía, en la cual estaba obligado a permanecer tumbado en el suelo, lo asustaba sin que pudiera descubrir cuál era la causa, puesto que era la habitación que ocupaba desde hacía cinco años, y con un giro medio inconsciente y no sin una cierta vergüenza, se apresuró a meterse bajo el canapé, en donde, a pesar de que su caparazón era algo estrujado y a pesar de que ya no podía levantar la cabeza, se sintió pronto muy cómodo y solamente lamentó que su cuerpo fuese demasiado ancho para poder desaparecer por completo debajo del canapé.

Allí estuvo toda la noche, que pasó inmerso en parte en una duermeda, de la que una y otra vez lo despertaba el hambre con un sobresalto, y, en parte, en preocupaciones y confusas esperanzas, que lo llevaban a la conclusión de que, de momento, debía calma y, con paciencia y una gran consideración de la familia, hacer soportables las molestias que Gregorio no podía evitar producirles.

Ya por la mañana temprano, casi de noche, tuvo Gregorio la oportunidad de poner a prueba las decisiones que acababa de tomar, porque la hermana, casi vestida del todo, abrió la puerta desde el vestíbulo y miró con expectación hacia dentro. No lo encontró enseguida, pero cuando lo descubrió debajo del canapé –¡Dios mío, tenía que estar en alguna parte, no podía haber volado!– se asustó tanto que, sin poder dominarse, volvió a cerrar la puerta desde afuera. Pero como si se arrepintiese de su comportamiento, inmediatamente la abrió de nuevo y entró de puntillas, como si se tratase de un enfermo grave o de un extraño. Gregorio había adelantado la cabeza casi hasta el borde del canapé y la observaba. ¿Se daría cuenta de que había dejado la leche, y no por falta de hambre, y le traería otra comida más adecuada? Si no caía en la cuenta por sí misma Gregorio preferiría morir de hambre antes que llamarle la atención sobre esto, a pesar de que sentía unos enormes deseos de salir de debajo del canapé, arrojarse a los pies de la hermana y rogarle que le trajese algo bueno de comer. Pero la hermana reparó con sorpresa en la escudilla llena, a cuyo alrededor se había vertido un poco de leche, y la levantó del suelo, aunque no lo hizo directamente con las manos, sino con un trapo, y se la llevó. Gregorio tenía mucha curiosidad por saber qué le traería en su lugar, e hizo al respecto las más diversas conjeturas. Pero nunca hubiese podido adivinar lo que la bondad de la hermana iba realmente a hacer. Para poner a prueba su gusto, le trajo muchas cosas para elegir, todas ellas extendidas sobre un viejo periódico. Había verduras pasadas medio podridas, huesos de la cena, rodeados de una salsa blanca que se había ya endurecido, algunas uvas pasas y almendras, un queso que, hacía dos días, Gregorio había calificado de incomible, un trozo de pan, otro trozo de pan untado con mantequilla y otro trozo de pan untado con mantequilla y sal. Además añadió a todo esto la escudilla que, a partir de ahora, probablemente estaba destinada a Gregorio, en la cual había echado agua. Y por delicadeza, como sabía que Gregorio nunca comería delante de ella, se retiró rápidamente e incluso echó la llave, para que Gregorio se diese cuenta de que podía ponerse todo lo cómodo que desease. Las patitas de Gregorio zumbaban cuando se acercaba el momento de comer. Por cierto, sus heridas ya debían estar curadas del todo porque ya no notaba molestia alguna; se asombró y pensó en cómo, hacía más de un mes, se había cortado un poco un dedo y esa herida todavía anteayer le dolía bastante. ¿Tendré ahora menos sensibilidad?, pensó, y ya chupaba con voracidad el queso, que fue lo que más fuertemente y de inmediato lo atrajo de todo. Sucesivamente, a toda velocidad, y con los ojos llenos de lágrimas de alegría, devoró el queso, las verduras y la salsa; los alimentos frescos, por el contrario, no le gustaban, ni siquiera podía soportar su olor, e incluso alejó un poco las cosas que quería comer. Ya hacía tiempo que había terminado y permanecía tumbado perezosamente en el mismo sitio, cuando la hermana, como señal de que debía retirarse, giró lentamente la llave. Esto lo asustó, a pesar de que ya dormitaba, y se apresuró a esconderse bajo el canapé, pero le costó una gran fuerza de voluntad permanecer debajo del canapé aun el breve tiempo en el que la hermana estuvo en la habitación, porque, a causa de la abundante comida, el vientre se había redondeado un poco y apenas podía respirar en el reducido espacio. Entre pequeños ataques de asfixia, veía con ojos un poco saltones cómo la hermana, que nada imaginaba de esto, no solamente barría con su escoba los restos, sino también los alimentos que Gregorio ni siquiera había tocado, como si éstos ya no se pudiesen utilizar, y cómo lo tiraba todo precipitadamente a un cubo, que cerró con una tapa de madera, después de lo cual se lo llevó todo. Apenas se había dado la vuelta cuando Gregorio salía ya de debajo del canapé, se estiraba y se inflaba.

De esta forma recibía Gregorio su comida diaria una vez por la mañana, cuando los padres y la criada todavía dormían, y la segunda vez después de la comida del mediodía, porque entonces los padres dormían un ratito y la hermana mandaba a la criada a algún recado. Sin duda los padres no querían que Gregorio se muriese de hambre, pero quizá no hubieran podido soportar enterarse de sus costumbres alimenticias más de lo que de ellas les dijese la hermana; quizá la hermana quería ahorrarles una pequeña pena porque, de hecho, ya sufrían bastante.

Gregorio no pudo enterarse de las excusas con las que el médico y el cerrajero habían sido despedidos de la casa en aquella primera mañana, puesto que, como no podían entenderle, nadie, ni siquiera la hermana, pensaba que él pudiera entender a los demás, y así, cuando la hermana estaba en su habitación, tenía que conformarse con escuchar de vez en cuando sus suspiros y sus invocaciones a los santos. Sólo más tarde, cuando ya se había acostumbrado un poco a todo –naturalmente nunca podría pensarse en que se acostumbrase del todo–, cazaba Gregorio a veces una observación hecha amablemente o que así podía interpretarse: "Hoy sí que le ha gustado", decía cuando Gregorio había comido con abundancia, mientras que, en el caso contrario, que poco a poco se repetía con más frecuencia, solía decir casi con tristeza: "Hoy ha sobrado todo".

Mientras que Gregorio no se enteraba de novedad alguna de forma directa, escuchaba algunas cosas procedentes de las habitaciones contiguas. Y allí donde escuchaba voces una sola vez, corría enseguida hacia la puerta correspondiente y se estrujaba con todo su cuerpo contra ella. Especialmente en los primeros tiempos no había ninguna conversación que de alguna manera, si bien sólo en secreto, no tratase de él. A lo largo de dos días se escucharon durante las comidas discusiones sobre cómo se debían comportar ahora; pero también entre las comidas se hablaba del mismo tema, porque siempre había en casa al menos dos miembros de la familia, ya que seguramente nadie quería quedarse solo en casa, y tampoco podían dejar de ningún modo la casa sola. Incluso ya el primer día la criada (no estaba del todo claro qué y cuánto sabía de lo ocurrido) había pedido de rodillas a la madre que la despidiese inmediatamente, y cuando, un cuarto de hora después, se marchaba con lágrimas en los ojos, daba gracias por el despido como por el favor más grande que pudiese hacérsele, y sin que nadie se lo pidiese hizo un solemne juramento de no decir nada a nadie.

Ahora la hermana, junto con la madre, tenía que cocinar, si bien esto no ocasionaba demasiado trabajo porque apenas se comía nada. Una y otra vez escuchaba Gregorio cómo uno animaba en vano al otro a que comiese y no recibía más contestación que: "¡Gracias, tengo suficiente!", o algo parecido. Quizá tampoco se bebía nada. A veces la hermana preguntaba al padre si quería tomar una cerveza, y se ofrecía amablemente a ir ella misma a buscarla, y como el padre permanecía en silencio, añadía para que él no tuviese reparos, que también podía mandar a la portera, pero entonces el padre respondía, por fin, con un poderoso "no", y ya no se hablaba más del asunto.

Ya en el transcurso del primer día el padre explicó tanto a la madre como a la hermana toda la situación económica y las perspectivas. De vez en cuando se levantaba de la mesa y recogía de la pequeña caja marca Wertheim, que había salvado de la quiebra de su negocio ocurrida hacía cinco años, algún documento o libro de anotaciones. Se oía cómo abría el complicado cerrojo y lo volvía a cerrar después de sacar lo que buscaba. Estas explicaciones del padre eran, en parte, la primera cosa grata que Gregorio oía desde su encierro. Gregorio había creído que al padre no le había quedado nada de aquel negocio, al menos el padre no le había dicho nada en sentido contrario, y, por otra parte, tampoco Gregorio le había preguntado. En aquel entonces la preocupación de Gregorio había sido hacer todo lo posible para que la familia olvidase rápidamente el desastre comercial que los había sumido a todos en la más completa desesperación, y así había empezado entonces a trabajar con un ardor muy especial y, casi de la noche a la mañana, había pasado de ser un simple dependiente a ser un viajante que, naturalmente, tenía otras muchas posibilidades de ganar dinero, y cuyos éxitos profesionales, en forma de comisiones, se convierten inmediatamente en dinero contante y sonante, que se podía poner sobre la mesa en casa ante la familia asombrada y feliz. Habían sido buenos tiempos y después nunca se habían repetido, al menos con ese esplendor, a pesar de que Gregorio, después, ganaba tanto dinero, que estaba en situación de cargar con todos los gastos de la familia y así lo hacía. Se habían acostumbrado a esto tanto la familia como Gregorio; se aceptaba el dinero con agradecimiento, él lo entregaba con gusto, pero ya no emanaba de ello un calor especial. Solamente la hermana había permanecido unida a Gregorio, y su intención secreta consistía en mandarla el año próximo al conservatorio sin tener en cuenta los grandes gastos que ello traería consigo y que se compensarían de alguna otra forma, porque ella, al contrario que Gregorio, sentía un gran amor por la música y tocaba el violín de una forma conmovedora. Con frecuencia, durante las breves estancias de Gregorio en la ciudad, se mencionaba el conservatorio en las conversaciones con la hermana, pero sólo como un hermoso sueño en cuya realización no podía ni pensarse, y a los padres ni siquiera les gustaba escuchar estas inocentes alusiones; pero Gregorio pensaba decididamente en ello y tenía la intención de darlo a conocer solemnemente en Nochebuena.

Este tipo de pensamientos, completamente inútiles en su estado actual, eran los que le pasaban por la cabeza mientras permanecía allí pegado a la puerta y escuchaba. A veces ya no podía escuchar más de puro cansando y, en un descuido, se golpeaba la cabeza contra la puerta, pero inmediatamente volvía a levantarla, porque incluso el pequeño ruido que había producido con ello había sido escuchado al lado y había hecho enmudecer a todos.

—¿Qué es lo que hará? —decía el padre pasados unos momentos y dirigiéndose a todas luces hacia la puerta; después se reanudaba poco a poco la conversación que había sido interrumpida.

De esta forma Gregorio se enteró muy bien –el padre solía repetir con frecuencia sus explicaciones, en parte porque él mismo ya hacía tiempo que no se ocupaba de estas cosas, y, en parte también, porque la madre no entendía todo a la primera– de que, a pesar de la desgracia, todavía quedaba una pequeña fortuna; que los intereses, aún intactos, habían aumentado un poco más durante todo este tiempo. Además, el dinero que Gregorio había traído todos los meses a casa –él sólo había guardado para sí unos pocos florines– no se había gastado del todo y se había convertido en un pequeño capital. Gregorio, detrás de su puerta, asentía entusiasmado, contento por la inesperada previsión y ahorro. La verdad es que con ese dinero sobrante Gregorio podía haber ido liquidando la deuda que tenía el padre con el jefe y el día en que, por fin, hubiese podido abandonar ese trabajo habría estado más cercano; pero ahora era sin duda mucho mejor así, tal y como lo había organizado el padre.

Sin embargo, este dinero no era del todo suficiente como para que la familia pudiese vivir de los intereses; bastaba quizá para mantener a la familia uno, como mucho dos años, más era imposible. Así pues, se trataba de una suma de dinero que, en realidad, no podía tocarse, y que debía ser reservada para un caso de necesidad, pero el dinero para vivir había que ganarlo. Ahora bien, el padre era ciertamente un hombre sano, pero ya viejo, que desde hacía cinco años no trabajaba y que, en todo caso, no debía confiar mucho en sus fuerzas; durante estos cinco años, que habían sido las primeras vacaciones de su esforzada y, sin embargo, infructuosa existencia, había engordado mucho, y por ello se había vuelto muy torpe. ¿Y la anciana madre? ¿Tenía ahora que ganar dinero, ella que padecía de asma, a quien un paseo por la casa producía fatiga, y que pasaba uno de cada dos días con dificultades respiratorias, tumbada en el sofá con la ventana abierta? ¿Y la hermana también tenía que ganar dinero, ella que todavía era una criatura de diecisiete años, a quien uno se alegraba de poder proporcionar la forma de vida que había llevado hasta ahora, y que consistía en vestirse bien, dormir mucho, ayudar en la casa, participar en algunas diversiones modestas y, sobre todo, tocar el violín? Cuando se empezaba a hablar de la necesidad de ganar dinero Gregorio acababa por abandonar la puerta y arrojarse sobre el fresco sofá de cuero, que estaba junto a la puerta, porque se ponía al rojo vivo de vergüenza y tristeza.

A veces permanecía allí tumbado durante toda la noche, no dormía ni un momento, y se restregaba durante horas sobre el cuero. O bien no retrocedía ante el gran esfuerzo de empujar una silla hasta la ventana, trepar a continuación hasta el antepecho y, subido en la silla, apoyarse en la ventana y mirar a través de la misma, sin duda como recuerdo de lo libre que se había sentido siempre que anteriormente había estado apoyado aquí. Porque, efectivamente, de día en día, veía cada vez con menos claridad las cosas que ni siquiera estaban muy alejadas: ya no podía ver el hospital de enfrente, cuya visión constante había antes maldecido, y si no hubiese sabido muy bien que vivía en la tranquila pero central Charlottenstrasse, podría haber creído que veía desde su ventana un desierto en el que el cielo gris y la gris tierra se unían sin poder distinguirse uno de otra. Sólo dos veces había sido necesario que su atenta hermana viese que la silla estaba bajo la ventana para que, a partir de entonces, después de haber recogido la habitación, la colocase siempre bajo aquélla, e incluso dejase abierta la contraventana interior.

Si Gregorio hubiese podido hablar con la hermana y darle las gracias por todo lo que tenía que hacer por él, hubiese soportado mejor sus servicios, pero de esta forma sufría con ellos. Ciertamente, la hermana intentaba hacer más llevadero lo desagradable de la situación, y, naturalmente, cuanto más tiempo pasaba, tanto más fácil le resultaba conseguirlo, pero también Gregorio adquirió con el tiempo una visión de conjunto más exacta. Ya el solo hecho de que la hermana entrase le parecía terrible.

Apenas había entrado, sin tomarse el tiempo necesario para cerrar la puerta, y eso que siempre ponía mucha atención en ahorrar a todos el espectáculo que ofrecía la habitación de Gregorio, corría derecha hacia la ventana y la abría de par en par, con manos presurosas, como si se asfixiase y, aunque hiciese mucho frío, permanecía durante algunos momentos ante ella, y respiraba profundamente. Estas carreras y ruidos asustaban a Gregorio dos veces al día; durante todo ese tiempo temblaba bajo el canapé y sabía muy bien que ella le hubiese evitado con gusto todo esto, si es que le hubiese sido posible permanecer con la ventana cerrada en la habitación en la que se encontraba Gregorio.

Una vez, hacía aproximadamente un mes de la transformación de Gregorio, y el aspecto de éste ya no era para la hermana motivo especial de asombro, llegó un poco antes de lo previsto y encontró a Gregorio mirando por la ventana, inmóvil y realmente colocado para asustar. Para Gregorio no hubiese sido inesperado si ella no hubiese entrado, ya que él, con su posición, impedía que ella pudiese abrir de inmediato la ventana, pero ella no solamente no entró, sino que retrocedió y cerró la puerta; un extraño habría podido pensar que Gregorio la había acechado y había querido morderla. Gregorio, naturalmente, se escondió enseguida bajo el canapé, pero tuvo que esperar hasta mediodía antes de que la hermana volviese de nuevo, y además parecía mucho más intranquila que de costumbre. Gregorio llegó a la conclusión de que su aspecto todavía le resultaba insoportable y continuaría pareciéndoselo, y que ella tenía que dominarse a sí misma para no salir corriendo al ver incluso la pequeña parte de su cuerpo que sobresalía del canapé. Para ahorrarle también ese espectáculo, transportó un día sobre la espalda –para ello necesitó cuatro horas– la sábana encima del canapé, y la colocó de tal forma que él quedaba tapado del todo, y la hermana, incluso si se agachaba, no podía verlo. Si, en opinión de la hermana, esa sábana no hubiese sido necesaria, podría haberla retirado, porque estaba suficientemente claro que Gregorio no se aislaba por gusto, pero dejó la sábana tal como estaba, e incluso Gregorio creyó adivinar una mirada de gratitud cuando, con cuidado, levantó la cabeza un poco para ver cómo acogía la hermana la nueva disposición.

Durante los primeros catorce días, los padres no consiguieron decidirse a entrar en su habitación, y Gregorio escuchaba con frecuencia cómo ahora reconocían el trabajo de la hermana, a pesar de que anteriormente se habían enfadado muchas veces con ella, porque les parecía una chica un poco inútil. Pero ahora, a veces, ambos, el padre y la madre, esperaban ante la habitación de Gregorio mientras la hermana la recogía y, apenas había salido, tenía que contar con todo detalle qué aspecto tenía la habitación, lo que había comido Gregorio, cómo se había comportado esta vez y si, quizá, se advertía una pequeña mejoría. Por cierto, la madre quiso entrar a ver a Gregorio relativamente pronto, pero el padre y la hermana se lo impidieron, al principio con argumentos racionales, que Gregorio escuchaba con mucha atención, y con los que estaba muy de acuerdo, pero más tarde hubo que impedírselo por la fuerza, y cuando gritaba: "¡Déjenme entrar a ver a Gregorio, pobre hijo mío! ¿Es que no comprenden que tengo que entrar a verlo?" Gregorio pensaba que quizá sería bueno que la madre entrase, naturalmente no todos los días, pero sí una vez a la semana; ella comprendía todo mucho mejor que la hermana, que, a pesar de todo su valor, no era más que una niña, y, en última instancia, quizá sólo se había hecho cargo de una tarea tan difícil por irreflexión infantil.

El deseo de Gregorio de ver a la madre pronto se convirtió en realidad. Durante el día Gregorio no quería mostrarse por la ventana, por consideración a sus padres, pero tampoco podía arrastrarse demasiado por los pocos metros cuadrados del suelo; ya soportaba con dificultad estar tumbado tranquilamente durante la noche, pronto ya ni siquiera la comida le producía alegría alguna y así, para distraerse, adoptó la costumbre de arrastrarse en todas direcciones por las paredes y el techo. Le gustaba especialmente permanecer colgado del techo; era algo muy distinto a estar tumbado en el suelo; se respiraba con más libertad; un ligero balanceo atravesaba el cuerpo; y sumido en la casi feliz distracción en la que se encontraba allí arriba, podía ocurrir que, para su sorpresa, se dejase caer y se golpease contra el suelo. Pero ahora, naturalmente, dominaba su cuerpo de una forma muy distinta a como lo había hecho antes y no se hacía daño, incluso después de semejante caída. La hermana se dio cuenta inmediatamente de la nueva diversión que Gregorio había descubierto —al arrastrarse dejaba tras de sí, por todas partes, huellas de su sustancia pegajosa— y entonces se le metió en la cabeza proporcionar a Gregorio la posibilidad de arrastrarse a gran escala y sacar de allí los muebles que lo impedían, es decir, sobre todo el armario y el escritorio. Ella no era capaz de hacerlo todo sola, tampoco se atrevía a pedir ayuda al padre; la criada no la hubiese ayudado seguramente, porque esa chica, de unos dieciséis años, resistía ciertamente con valor desde que se despidió a la cocinera anterior, pero había pedido el favor de poder mantener la cocina constantemente cerrada y abrirla solamente a una señal determinada. Así pues, no le quedó a la hermana más remedio que valerse de la madre, una vez que estaba el padre ausente.

Con exclamaciones de excitada alegría se acercó la madre, pero enmudeció ante la puerta de la habitación de Gregorio. Primero la hermana se aseguró de que todo en la habitación estaba en orden, después dejó entrar a la madre. Gregorio se había apresurado a colocar la sábana aún más bajo y con más pliegues, de modo que, de verdad, tenía el aspecto de una sábana lanzada casualmente sobre el canapé. Gregorio se abstuvo esta vez de espiar por debajo de la sábana; renunció a ver esta vez a la madre y se contentaba sólo conque hubiese venido.

—Vamos, acércate, no se le ve –dijo la hermana, y, sin duda, llevaba a la madre de la mano. Gregorio oyó entonces cómo las dos débiles mujeres movían de su sitio el pesado y viejo armario, y cómo la hermana siempre se cargaba la mayor parte del trabajo, sin escuchar las advertencias de la madre que temía que se esforzase demasiado. Duró mucho tiempo. Aproximadamente después de un cuarto de hora de trabajo dijo la madre que deberían dejar aquí el armario, porque, en primer lugar, era demasiado pesado y no acabarían antes de que regresase el padre, y con el armario en medio de la habitación le bloqueaban a Gregorio cualquier camino y, en segundo lugar, no era del todo seguro que se le hiciese a Gregorio un favor con retirar los muebles. A ella le parecía precisamente lo contrario, la vista de las paredes desnudas le oprimía el corazón, y por qué no iba a sentir Gregorio lo mismo, puesto que ya hacía tiempo que estaba acostumbrado a los muebles de la habitación, y por eso se sentiría abandonado en la habitación vacía.

—Y es que acaso no... –finalizó la madre en voz baja, aunque ella hablaba siempre casi susurrando, como si quisiera evitar que Gregorio, cuyo escondite exacto ella ignoraba, escuchase siquiera el sonido de su voz, porque ella estaba convencida de que él no entendía las palabras.

—¿Y es que acaso no parece que retirando los muebles le mostramos que perdemos toda esperanza de mejoría y lo abandonamos a su suerte sin consideración alguna? Yo creo que lo mejor sería que intentásemos conservar la habitación en el mismo estado en que se encontraba antes, para que Gregorio, cuando regrese de nuevo con nosotros, encuentre todo tal como estaba y pueda olvidar más fácilmente este paréntesis de tiempo.

Al escuchar estas palabras de la madre, Gregorio reconoció que la falta de toda conversación inmediata con un ser humano, junto a la vida monótona en el seno de la familia, tenía que haber confundido sus facultades mentales a lo largo de estos dos meses, porque de otro modo no podía explicarse que hubiese podido desear seriamente que se vaciase su habitación. ¿Deseaba realmente permitir que transformasen la cálida habitación amueblada confortablemente, con muebles heredados de su familia, en una cueva en la que, efectivamente, podría arrastrarse en todas direcciones sin obstáculo alguno, teniendo, sin embargo, como contrapartida, olvidarse al mismo tiempo, rápidamente y por completo, de su pasado humano? Ya se encontraba a punto de olvidar y solamente le había animado la voz de su madre, que no había oído desde hacía tiempo. Nada debía retirarse, todo debía quedar como estaba, no podía prescindir en su estado de la bienhechora influencia de los muebles, y si los muebles le impedían arrastrarse sin sentido de un lado para otro, no se trataba de un perjuicio, sino de una gran ventaja.

Pero la hermana era, lamentablemente, de otra opinión; no sin cierto derecho, se había acostumbrado a aparecer frente a los padres como experta al discutir sobre asuntos concernientes a Gregorio, y de esta forma el consejo de la madre era para la hermana motivo suficiente para retirar no sólo el armario y el escritorio, como había pensado en un principio, sino todos los muebles a excepción del imprescindible canapé. Naturalmente, no sólo se trataba de una terquedad pueril y de la confianza en sí misma que en los últimos tiempos, de forma tan inesperada y difícil, había conseguido, lo que la impulsaba a esta exigencia; ella había observado, efectivamente, que Gregorio necesitaba mucho sitio para arrastrarse y que, en cambio, no utilizaba en absoluto los muebles, al menos por lo que se veía. Pero quizá jugaba también un papel importante el carácter exaltado de una chica de su edad, que busca su satisfacción en cada oportunidad, y por el que Greta ahora se dejaba tentar con la intención de hacer más que ahora, porque en una habitación en la que sólo Gregorio era dueño y señor de las paredes vacías, no se atrevería a entrar ninguna otra persona más que Greta.

Así pues, no se dejó disuadir de sus propósitos por la madre, que también, de pura inquietud, parecía sentirse insegura en esta habitación; pronto enmudeció y ayudó a la hermana con todas sus fuerzas a sacar el armario. Bueno, en caso de necesidad, Gregorio podía prescindir del armario, pero el escritorio tenía que quedarse; y apenas habían abandonado las mujeres la habitación con el armario, en el cual se apoyaban gimiendo, cuando Gregorio sacó la cabeza de debajo del canapé para ver cómo podía tomar cartas en el asunto lo más prudente y discretamente posible. Pero, por desgracia, fue precisamente la madre quien regresó primero, mientras Greta, en la habitación contigua, sujetaba el armario rodeándolo con los brazos y lo empujaba sola de acá para allá, naturalmente, sin moverlo un ápice de su sitio. Pero la madre no estaba acostumbrada a ver a Gregorio, podría haberse puesto enferma por su culpa, y así Gregorio, andando hacia atrás, se alejó asustado hasta el otro extremo del canapé, pero no pudo evitar que la sábana se moviese un poco por la parte de delante. Esto fue suficiente para llamar la atención de la madre. Ésta se detuvo, permaneció allí un momento en silencio y luego volvió con Greta.

A pesar de que Gregorio se repetía una y otra vez que no ocurría nada fuera de lo común, sino que sólo se cambiaban de sitio algunos muebles, sin embargo, como pronto habría de confesarse a sí mismo, este ir y venir de las mujeres, sus breves gritos, el arrastre de los muebles sobre el suelo, le producían la impresión de un gran barullo, que crecía procedente de todas las direcciones y, por mucho que encogía la cabeza y las patas sobre sí mismo y apretaba el cuerpo contra el suelo, tuvo que confesarse irremisiblemente que no soportaría todo esto mucho tiempo. Ellas le vaciaban su habitación, le quitaban todo aquello a lo que tenía cariño, el armario en el que guardaba la sierra y otras herramientas ya lo habían sacado; ahora ya aflojaban el escritorio, que estaba fijo al suelo, en el cual había hecho sus deberes cuando era estudiante de comercio, alumno del instituto e incluso alumno de la escuela primaria. Ante esto no le quedaba ni un momento para comprobar las buenas intenciones que tenían las dos mujeres, y cuya existencia, por cierto, casi había olvidado, porque de puro agotamiento trabajaban en silencio y solamente se oían las sordas pisadas de sus pies.

Y así salió de repente –las mujeres estaban en ese momento en la habitación contigua, apoyadas en el escritorio para tomar aliento–, cambió cuatro veces la dirección de su marcha, no sabía a ciencia cierta qué era lo que debía salvar primero, cuando vio en la pared ya vacía, llamándole la atención, el cuadro de la mujer envuelta en pieles. Se arrastró apresuradamente hacia arriba y se apretó contra el cuadro, cuyo cristal lo sujetaba y le aliviaba el ardor de su vientre. Al menos este cuadro, que Gregorio tapaba ahora por completo, seguro que no se lo llevaba nadie. Volvió la cabeza hacia la puerta del cuarto de estar para observar a las mujeres cuando volviesen.

No se habían permitido una larga tregua y ya volvían; Greta había rodeado a su madre con el brazo y casi la llevaba en volandas.

—¿Qué nos llevamos ahora? –dijo Greta, y miró a su alrededor. Entonces sus miradas se cruzaron con las de Gregorio, que estaba en la pared. Seguramente sólo a causa de la presencia de la madre conservó su serenidad, inclinó su rostro hacia la madre, para impedir que ella mirase a su alrededor, y dijo temblando y aturdida:

—Ven, ¿nos volvemos un momento al cuarto de estar?

Gregorio veía claramente la intención de Greta, quería llevar a la madre a un lugar seguro y luego echarle de la pared. Bueno, ¡que lo intentase! Él permanecería sobre su cuadro y no renunciaría a él. Prefería saltarle a Greta a la cara.

Pero justamente las palabras de Greta inquietaron a la madre, quien se echó a un lado y vio la gigantesca mancha pardusca sobre el papel pintado de flores y, antes de darse realmente cuenta de que aquello que veía era Gregorio, gritó con voz ronca y estridente:

—¡Ay Dios mío, ay Dios mío! –y con los brazos extendidos cayó sobre el canapé, como si renunciase a todo, y se quedó allí inmóvil.

—¡Cuidado, Gregorio! –gritó la hermana levantando el puño y con una mirada penetrante–. Desde la transformación eran estas las primeras palabras que le dirigía directamente. Corrió a la habitación contigua para buscar alguna esencia con la que pudiese despertar a su madre de su inconciencia; Gregorio también quería ayudar –había tiempo más que suficiente para salvar el cuadro–, pero estaba pegado al cristal y tuvo que desprenderse con fuerza, luego corrió también a la habitación de al lado como si pudiera dar a la hermana algún consejo, como en otros tiempos, pero tuvo que quedarse detrás de ella sin hacer nada; cuando Greta volvía entre diversos frascos, se asustó al darse la vuelta y un frasco se cayó al suelo y se rompió y un trozo de cristal hirió a Gregorio en la cara; una medicina corrosiva se derramó sobre él. Sin detenerse más tiempo, Greta cogió todos los frascos que podía llevar y corrió con ellos hacia donde estaba la madre; cerró la puerta con el pie. Gregorio estaba ahora aislado de la madre, que quizá estaba a punto de morir por su culpa; no debía abrir la habitación, no quería echar a la hermana que tenía que permanecer con la madre; ahora no tenía otra cosa que hacer que esperar; y, afligido por los remordimientos y la preocupación, comenzó a arrastrarse, se arrastró por todas partes: paredes, muebles y techos, y finalmente, en su desesperación, cuando ya la habitación empezaba a dar vueltas a su alrededor, se desplomó en medio de la gran mesa.

Pasó un momento, Gregorio yacía allí extenuado, a su alrededor todo estaba tranquilo, quizá esto era una buena señal. Entonces sonó el timbre. La chica estaba, naturalmente, encerrada en su cocina y Greta tenía que ir a abrir. El padre había llegado.

—¿Qué ha ocurrido? –fueron sus primeras palabras.

El aspecto de Greta lo revelaba todo. Greta contestó con voz ahogada, si duda apretaba su rostro contra el pecho del padre:

—Madre se quedó inconsciente, pero ya está mejor. Gregorio ha escapado.

—Ya me lo esperaba –dijo el padre–, se los he dicho una y otra vez, pero ustedes, las mujeres, nunca hacen caso.

Gregorio se dio cuenta de que el padre había interpretado mal la escueta información de Greta y sospechaba que Gregorio había hecho uso de algún acto violento. Por eso ahora tenía que intentar apaciguar al padre, porque para darle explicaciones no tenía ni el tiempo ni la posibilidad. Así pues, Gregorio se precipitó hacia la puerta de su habitación y se apretó contra ella para que el padre, ya desde el momento en que entrase en el vestíbulo, viese que Gregorio tenía la más sana intención de regresar inmediatamente a su habitación, y que no era necesario hacerle retroceder, sino que sólo hacía falta abrir la puerta e inmediatamente desaparecería. Pero el padre no estaba en situación de advertir tales sutilezas.

—¡Ah! –gritó al entrar, en un tono como si al mismo tiempo estuviese furioso y contento. Gregorio retiró la cabeza de la puerta y la levantó hacia el padre. Nunca se hubiese imaginado así al padre, tal y como estaba allí; bien es verdad que en los últimos tiempos, puesta su atención en arrastrarse por todas partes, había perdido la ocasión de preocuparse como antes de los asuntos que ocurrían en el resto de la casa, y tenía realmente que haber estado preparado para encontrar las circunstancias cambiadas. Aun así, aun así. ¿Era este todavía el padre? ¿El mismo hombre que yacía sepultado en la cama, cuando, en otros tiempos, Gregorio salía en viaje de negocios? ¿El mismo hombre que, la tarde en que volvía, le recibía en bata sentado en su sillón, y que no estaba en condiciones de levantarse, sino que, como señal de alegría, sólo levantaba los brazos hacia él? ¿El mismo hombre que, durante los poco frecuentes paseos en común, un par de domingos al año o en las festividades más importantes, se abría paso hacia delante entre Gregorio y la madre, que ya de por sí andaban despacio, aún más despacio que ellos, envuelto en su viejo abrigo, siempre apoyando con cuidado el bastón, y que, cuando quería decir algo, casi siempre se quedaba parado y congregaba a sus acompañantes a su alrededor? Pero ahora estaba muy derecho, vestido con un rígido uniforme azul con botones, como los que llevan los ordenanzas de los bancos; por encima del cuello alto y tieso de la chaqueta sobresalía su gran papada; por debajo de las pobladas cejas se abría paso la mirada, despierta y atenta, de unos ojos negros. El cabello blanco, en otro tiempo desgreñado, estaba ahora ordenado en un peinado a raya brillante y exacto. Arrojó su gorra, en la que había bordado un monograma dorado, probablemente el de un banco, sobre el canapé a través de la habitación formando un arco, y se dirigió hacia Gregorio con el rostro enconado, las puntas de la larga chaqueta del uniforme echadas hacia atrás, y las manos en los bolsillos del pantalón. Probablemente ni él mismo sabía lo que iba a hacer, sin embargo levantaba los pies a una altura desusada y Gregorio se asombró del tamaño enorme de las suelas de sus botas. Pero Gregorio no permanecía parado, ya sabía desde el primer día de su nueva vida que el padre, respecto a él, sólo consideraba oportuna la mayor rigidez. Y así corría delante del padre, se paraba si el padre se paraba, y se apresuraba a seguir hacia delante con sólo que el padre se moviese. Así recorrieron varias veces la habitación sin que ocurriese nada decisivo y sin que ello hubiese tenido el aspecto de una persecución, como consecuencia de la lentitud de su recorrido. Por eso Gregorio permaneció de momento sobre el suelo, especialmente porque temía que el padre considerase una especial maldad por su parte la huida a las paredes o al techo. Por otra parte, Gregorio tuvo que confesarse a sí mismo que no soportaría por mucho tiempo estas carreras, porque mientras el padre daba un paso, él tenía que realizar un sinnúmero de movimientos. Ya comenzaba a sentir ahogos, bien es verdad que tampoco anteriormente había tenido unos pulmones dignos de confianza. Mientras se tambaleaba con la intención de reunir todas sus fuerzas para la carrera, apenas tenía los ojos abiertos; en su embotamiento no pensaba en otra posibilidad de salvación que la de correr; y ya casi había olvidado que las paredes estaban a su disposición, bien es verdad que éstas estaban obstruidas por muelles llenos de esquinas y picos. En ese momento algo, lanzado sin fuerza, cayó junto a él, y echó a rodar por delante de él. Era una manzana; inmediatamente siguió otra; Gregorio se quedó inmóvil del susto; seguir corriendo era inútil, porque el padre había decidido bombardearle. Con la fruta procedente del frutero que estaba sobre el aparador se había llenado los bolsillos y lanzaba manzana tras manzana sin apuntar con exactitud, de momento. Estas pequeñas manzanas rojas rodaban por el suelo como electrificadas y chocaban unas con otras. Una manzana lanzada sin fuerza rozó la espalda de Gregorio, pero resbaló sin causarle daños. Sin embargo, otra que la siguió inmediatamente, se incrustó en la espalda de Gregorio; éste quería continuar arrastrándose, como si el increíble y sorprendente dolor pudiese aliviarse al cambiar de sitio; pero estaba como clavado y se estiraba, totalmente desconcertado.

Sólo al mirar por última vez alcanzó a ver cómo la puerta de su habitación se abría de par en par y por delante de la hermana, que chillaba, salía corriendo la madre en enaguas, puesto que la hermana la había desnudado para proporcionarle aire mientras permanecía inconsciente; vio también cómo, a continuación, la madre corría hacia el padre y, en el camino, perdía una tras otra sus enaguas desatadas, y cómo tropezando con ellas, caía sobre el padre, y abrazándole, unida estrechamente a él –ya empezaba a fallarle la vista a Gregorio–, le suplicaba, cruzando las manos por detrás de su nuca, que perdonase la vida de Gregorio.

III

La grave herida de Gregorio, cuyos dolores soportó más de un mes –la manzana permaneció empotrada en la carne como recuerdo visible, ya que nadie se atrevía a retirarla–, pareció recordar, incluso al padre, que Gregorio, a pesar de su triste y repugnante forma actual, era un miembro de la familia, a quien no podía tratarse como a un enemigo, sino frente al cual el deber familiar era aguantarse la repugnancia y resignarse, nada más que resignarse.

Y si Gregorio ahora, por culpa de su herida, probablemente había perdido agilidad para siempre, y por lo pronto necesitaba para cruzar su habitación como un viejo inválido largos minutos –no se podía ni pensar en arrastrarse por las alturas–, sin embargo, en compensación por este empeoramiento de su estado, recibió, en su opinión, una reparación más que suficiente: hacia el anochecer se abría la puerta del cuarto de estar, la cual solía observar fijamente ya desde dos horas antes, de forma que, tumbado en la oscuridad de su habitación, sin ser visto desde el comedor, podía ver a toda la familia en la mesa iluminada y podía escuchar sus conversaciones, en cierto modo con el consentimiento general, es decir, de una forma completamente distinta a como había sido hasta ahora.

Naturalmente, ya no se trataba de las animadas conversaciones de antaño, en las que Gregorio, desde la habitación de su hotel, siempre había pensado con cierta nostalgia cuando, cansado, tenía que meterse en la cama húmeda. La mayoría de las veces transcurría el tiempo en silencio. El padre no tardaba en dormirse en la silla después de la cena, y la madre y la hermana se recomendaban mutuamente silencio; la madre, inclinada muy por debajo de la luz, cosía ropa fina para un comercio de moda; la hermana, que había aceptado un trabajo como dependienta, estudiaba por la noche estenografía y francés, para conseguir, quizá más tarde, un puesto mejor. A veces el padre se despertaba y, como si no supiera que había dormido, decía a la madre: "¡Cuánto coses hoy también!", e inmediatamente volvía a dormirse mientras la madre y la hermana se sonreían mutuamente.

Por una especie de obstinación, el padre se negaba a quitarse el uniforme mientras estaba en casa; y mientras la bata colgaba inútilmente de la percha, dormitaba el padre en su asiento, completamente vestido, como si siempre estuviese preparado para el servicio e incluso en casa esperase también la voz de su superior. Como consecuencia, el uniforme, que no era nuevo ya en un principio, empezó a ensuciarse a pesar del cuidado de la madre y de la hermana. Gregorio se pasaba con frecuencia tardes enteras mirando esta brillante ropa, completamente manchada, con sus botones dorados siempre limpios, con la que el anciano dormía muy incómodo y, sin embargo, tranquilo.

En cuanto el reloj daba las diez, la madre intentaba despertar al padre en voz baja y convencerle para que se fuese a la cama, porque éste no era un sueño auténtico y el padre tenía necesidad de él, porque tenía que empezar a trabajar a las seis de la mañana. Pero con la obstinación que se había apoderado de él desde que se había convertido en ordenanza, insistía en quedarse más tiempo a la mesa, a pesar de que, normalmente, se quedaba dormido y, además, sólo con grandes esfuerzos podía convencérsele de que cambiase la silla por la cama. Ya podían la madre y la hermana insistir con pequeñas amonestaciones, durante un cuarto de hora daba cabezadas lentamente, mantenía los ojos cerrados y no se levantaba. La madre le tiraba del brazo, diciéndole al oído palabras cariñosas, la hermana abandonaba su trabajo para ayudar a la madre, pero esto no tenía efecto sobre el padre. Se hundía más profundamente en su silla. Sólo cuando las mujeres lo cogían por debajo de los hombros, abría los ojos, miraba alternativamente a la madre y a la hermana, y solía decir: "¡Qué vida ésta! ¡Ésta es la tranquilidad de mis últimos días!", y apoyado sobre las dos mujeres se levantaba pesadamente, como si él mismo fuese su más pesada carga, se dejaba llevar por ellas hasta la puerta, allí les hacía una señal de que no las necesitaba, y continuaba solo, mientras que la madre y la hermana dejaban apresuradamente su costura y su pluma para correr tras el padre y continuar ayudándolo.

¿Quién en esta familia, agotada por el trabajo y rendida de cansancio, iba a tener más tiempo del necesario para ocuparse de Gregorio? El presupuesto familiar se reducía cada vez más, la criada acabó por ser despedida. Una asistenta gigantesca y huesuda, con el pelo blanco y desgreñado, venía por la mañana y por la noche, y hacía el trabajo más pesado; todo lo demás lo hacía la madre, además de su mucha costura. Ocurrió incluso el caso de que varias joyas de la familia, que la madre y la hermana habían lucido entusiasmadas en reuniones y fiestas, hubieron de ser vendidas, según se enteró Gregorio por la noche por la conversación acerca del precio conseguido. Pero el mayor motivo de queja era que no se podía dejar esta casa, que resultaba demasiado grande en las circunstancias presentes, ya que no sabían cómo se podía trasladar a Gregorio. Pero Gregorio comprendía que no era sólo la consideración hacia él lo que impedía un traslado, porque se le hubiera podido transportar fácilmente en un cajón apropiado con un par de agujeros para el aire, lo que, en primer lugar, impedía a la familia un cambio de casa era, aún más, la desesperación total y la idea de que habían sido azotados por una desgracia como no había igual en todo su círculo de parientes y amigos. Todo lo que el mundo exige de la gente pobre lo cumplían ellos hasta la saciedad: el padre iba a buscar el desayuno para el pequeño empleado de banco, la madre se sacrificaba por la ropa de gente extraña, la hermana, a la orden de los clientes, corría de un lado para otro detrás del mostrador, pero las fuerzas de la familia ya no daban para más. La herida de la espalda comenzaba otra vez a dolerle a Gregorio como recién hecha cuando la madre y la hermana, después de haber llevado al padre a la cama, regresaban, dejaban a un lado el trabajo, se acercaban una a otra, sentándose muy juntas. Entonces la madre, señalando hacia la habitación de Gregorio, decía: "Cierra la puerta, Greta", y cuando Gregorio se encontraba de nuevo en la oscuridad, afuera las mujeres confundían sus lágrimas o miraban fijamente a la mesa sin llorar.

Gregorio pasaba las noches y los días casi sin dormir. A veces pensaba que la próxima vez que se abriese la puerta él se haría cargo de los asuntos de la familia como antes; en su mente aparecieron de nuevo, después de mucho tiempo, el jefe y el gerente; los dependientes y los aprendices; el mozo de los recados, tan corto de luces; dos, tres amigos de otros almacenes; una camarera de un hotel de provincias; un recuerdo amado y fugaz: una cajera de una tienda de sombreros a quien había hecho la corte seriamente, pero con demasiada lentitud; todos ellos aparecían mezclados con gente extraña o ya olvidada, pero en lugar de ayudarle a él y a su familia, todos ellos eran inaccesibles, y Gregorio se sentía aliviado cuando desaparecían. Pero después ya no estaba de humor para preocuparse por su familia, solamente sentía rabia por el mal cuidado de que era objeto y, a pesar de que no podía imaginarse algo que le hiciese sentir apetito, hacía planes sobre cómo podría llegar a la despensa para tomar de allí lo que quisiese, incluso aunque no tuviese hambre alguna. Sin pensar más en qué es lo que podría gustar a Gregorio, la hermana, por la mañana y al mediodía, antes de marcharse a la tienda, empujaba apresuradamente con el pie cualquier comida en la habitación de Gregorio, para después recogerla por la noche con el palo de la escoba, tanto si la comida había sido probada como si —y éste era el caso más frecuente— ni siquiera hubiera sido tocada. Recoger la habitación, cosa que ahora hacía siempre por la noche, no podía hacerse más deprisa. Franjas de suciedad se extendían por las paredes, por todas partes había ovillos de polvo y suciedad.

Al principio, cuando llegaba la hermana, Gregorio se colocaba en el rincón más significativamente sucio para, en cierto modo, hacerle reproches mediante esta posición. Pero seguramente hubiese podido permanecer allí semanas enteras sin que la hermana hubiese mejorado su actitud por ello; ella veía la suciedad lo mismo que él, pero se había decidido a dejarla allí. Al mismo tiempo, con una susceptibilidad completamente nueva en ella y que, en general, se había apoderado de toda la familia, ponía especial atención en el hecho de que se reservase solamente a ella el cuidado de la habitación de Gregorio. En una ocasión la madre había sometido la habitación de Gregorio a una gran limpieza, que había logrado solamente después de utilizar varios cubos de agua –la humedad, sin embargo, también molestaba a Gregorio, que yacía extendido, amargado e inmóvil sobre el canapé–, pero el castigo de la madre no se hizo esperar, porque apenas había notado la hermana por la tarde el cambio en la habitación de Gregorio, cuando, herida en lo más profundo de sus sentimientos, corrió al cuarto de estar y, a pesar de que la madre suplicaba con las manos levantadas, rompió en un mar de lágrimas, que los padres –el padre se despertó sobresaltado en su silla–, al principio, observaban asombrados y sin poder hacer nada, hasta que, también ellos, comenzaron a sentirse conmovidos. El padre, a su derecha, reprochaba a la madre que no hubiese dejado al cuidado de la hermana la limpieza de la habitación de Gregorio; a su izquierda, decía a gritos a la hermana que nunca más volvería a limpiar la habitación de Gregorio. Mientras que la madre intentaba llevar al dormitorio al padre, que no podía más de irritación, la hermana, sacudida por los sollozos, golpeaba la mesa con sus pequeños puños, y Gregorio silbaba de pura rabia porque a nadie se le ocurría cerrar la puerta para ahorrarle este espectáculo y este ruido.

Pero incluso si la hermana, agotada por su trabajo, estaba ya harta de cuidar de Gregorio como antes, tampoco la madre tenía que sustituirla y no era necesario que Gregorio hubiese sido abandonado, porque para eso estaba la asistenta. Esa vieja viuda, que en su larga vida debía haber superado lo peor con ayuda de su fuerte constitución, no sentía repugnancia alguna por Gregorio. Sin sentir verdadera curiosidad, una vez había abierto por casualidad la puerta de la habitación de Gregorio y, al verle, se quedó parada, asombrada con los brazos cruzados, mientras éste, sorprendido y a pesar de que nadie le perseguía, comenzó a correr de un lado a otro.

Desde entonces no perdía la oportunidad de abrir un poco la puerta por la mañana y por la tarde para echar un vistazo a la habitación de Gregorio. Al principio le llamaba hacia ella con palabras que, probablemente, consideraba amables, como: "¡Ven aquí, viejo escarabajo pelotero!" o "¡Miren al viejo escarabajo pelotero!" Gregorio no contestaba nada a tales llamadas, sino que permanecía inmóvil en su sitio, como si la puerta no hubiese sido abierta. ¡Si se le hubiese ordenado a esa asistenta que limpiase diariamente la habitación en lugar de dejar que le molestase inútilmente a su antojo! Una vez, por la mañana temprano –una intensa lluvia golpeaba los cristales, quizá como signo de la primavera que ya se acercaba–, cuando la asistenta empezó otra vez con sus improperios, Gregorio se enfureció tanto que se dio la vuelta hacia ella como para atacarla, pero de forma lenta y débil. Sin embargo, la asistenta, en vez de asustarse, alzó simplemente una silla, que se encontraba cerca de la puerta, y, tal como permanecía allí, con la boca completamente abierta, estaba clara su intención de cerrar la boca sólo cuando la silla que tenía en la mano acabase en la espalda de Gregorio.

—¿Conque no seguimos adelante? –preguntó, al ver que Gregorio se daba de nuevo la vuelta, y volvió a colocar la silla tranquilamente en el rincón.

Gregorio ya no comía casi nada. Sólo si pasaba por casualidad al lado de la comida tomaba un bocado para jugar con él en la boca, lo mantenía allí horas y horas y, la mayoría de las veces acababa por escupirlo. Al principio pensó que lo que le impedía comer era la tristeza por el estado de su habitación, pero precisamente con los cambios de la habitación se reconcilió muy pronto. Se habían acostumbrado a meter en esta habitación cosas que no podían colocar en otro sitio, y ahora había muchas cosas de éstas, porque una de las habitaciones de la casa había sido alquilada a tres huéspedes. Estos señores tan severos –los tres tenían barba, según pudo comprobar Gregorio por una rendija de la puerta– ponían especial atención en el orden, no sólo ya de su habitación, sino de toda la casa, puesto que se habían instalado aquí, y especialmente en el orden de la cocina. No soportaban trastos inútiles ni mucho menos sucios. Además, habían traído una gran parte de sus propios muebles. Por ese motivo sobraban muchas cosas que no se podían vender ni tampoco se querían tirar. Todas estas cosas acababan en la habitación de Gregorio. Lo mismo ocurrió con el cubo de la ceniza y el cubo de la basura de la cocina. La asistenta, que siempre tenía mucha prisa, arrojaba simplemente en la habitación de Gregorio todo lo que, de momento, no servía; por suerte, Gregorio sólo veía, la mayoría de las veces, el objeto correspondiente y la mano que lo sujetaba. La asistenta tenía, quizá, la intención de recoger de nuevo las cosas cuando hubiese tiempo y oportunidad, o quizá tirarlas todas de una vez, pero lo cierto es que todas se quedaban tiradas en el mismo lugar en que habían caído al arrojarlas, a no ser que Gregorio se moviese por entre los trastos y los pusiese en movimiento, al principio obligado a ello porque no había sitio libre para arrastrarse, pero más tarde con creciente satisfacción, a pesar de que después de tales paseos acababa mortalmente agotado y triste, y durante horas permanecía inmóvil.

Como los huéspedes a veces tomaban la cena en el cuarto de estar, la puerta permanecía algunas noches cerrada, pero Gregorio renunciaba gustoso a abrirla, incluso algunas noches en las que había estado abierta no se había aprovechado de ello, sino que, sin que la familia lo notase, se había tumbado en el rincón más oscuro de la habitación. Pero en una ocasión la asistenta había dejado un poco abierta la puerta que daba al cuarto de estar y se quedó abierta incluso cuando los huéspedes llegaron y se dio la luz. Se sentaban a la mesa en los mismos sitios en que antes habían comido el padre, la madre y Gregorio, desdoblaban las servilletas y tomaban en la mano cuchillo y tenedor. Al momento aparecía por la puerta la madre con una fuente de carne, y poco después lo hacía la hermana con una fuente llena de patatas. La comida humeaba. Los huéspedes se inclinaban sobre las fuentes que había ante ellos como si quisiesen examinarlas antes de comer, y, efectivamente, el señor que estaba sentado en medio y que parecía ser el que más autoridad tenía de los tres, cortaba un trozo de carne en la misma fuente con el fin de comprobar si estaba lo suficientemente tierna, o quizá tenía que ser devuelta a la cocina. La prueba le satisfacía, la madre y la hermana, que habían observado todo con impaciencia, comenzaban a sonreír respirando profundamente.

La familia comía en la cocina. A pesar de ello, el padre, antes de entrar en ésta, entraba en la habitación y con una sola reverencia y la gorra en la mano, daba una vuelta a la mesa. Los huéspedes se levantaban y murmuraban algo para el cuello de su camisa. Cuando ya estaban solos, comían casi en absoluto silencio. A Gregorio le parecía extraño el hecho de que, de todos los variados ruidos de la comida, una y otra vez se escuchasen los dientes al masticar, como si con ello quisieran mostrarle a Gregorio que para comer se necesitan los dientes y que, aun con las más hermosas mandíbulas, sin dientes no se podía conseguir nada.

—Pero si yo no tengo apetito –se decía Gregorio preocupado–, pero me apetecen estas cosas. ¡Cómo comen los huéspedes y yo me muero!

Precisamente aquella noche –Gregorio no se acordaba de haberlo oído en todo el tiempo– se escuchó el violín. Los huéspedes ya habían terminado de cenar, el de en medio había sacado un periódico, había dado una hoja a cada uno de los otros dos, y los tres fumaban y leían echados hacia atrás. Cuando el violín comenzó a sonar escucharon con atención, se levantaron y, de puntillas, fueron hacia la puerta del vestíbulo, en la que permanecieron quietos de pie, apretados unos junto a otros. Desde la cocina se les debió oír, porque el padre gritó:

—¿Les molesta a los señores la música? Inmediatamente puede dejar de tocarse.

—Al contrario –dijo el señor de en medio–. ¿No desearía la señorita entrar con nosotros y tocar aquí en la habitación, donde es mucho más cómodo y agradable?

—Naturalmente –exclamó el padre, como si el violinista fuese él mismo.

Los señores regresaron a la habitación y esperaron. Pronto llegó el padre con el atril, la madre con la partitura y la hermana con el violín. La hermana preparó con tranquilidad todo lo necesario para tocar. Los padres, que nunca antes habían alquilado habitaciones, y por ello exageraban la amabilidad con los huéspedes, no se atrevían a sentarse en sus propias sillas; el padre se apoyó en la puerta, con la mano derecha colocada entre dos botones de la librea abrochada; a la madre le fue ofrecida una silla por uno de los señores y, como la dejó en el lugar en el que, por casualidad, la había colocado el señor, permanecía sentada en un rincón apartado.

La hermana empezó a tocar; el padre y la madre, cada uno desde su lugar, seguían con atención los movimientos de sus manos; Gregorio, atraído por la música, había avanzado un poco hacia delante y ya tenía la cabeza en el cuarto de estar. Ya apenas se extrañaba de que en los últimos tiempos no tenía consideración con los demás; antes estaba orgulloso de tener esa consideración y precisamente ahora hubiese tenido mayor motivo para esconderse, porque, como consecuencia del polvo que reinaba en su habitación, y que volaba por todas partes al menor movimiento, él mismo estaba también lleno de polvo. Sobre su espalda y sus costados arrastraba consigo por todas partes hilos, pelos, restos de comida... Su indiferencia hacia todo era demasiado grande como para tumbarse sobre su espalda y restregarse contra la alfombra, tal como hacía antes varias veces al día. Y, a pesar de este estado, no sentía vergüenza alguna de avanzar por el suelo impecable del comedor.

Por otra parte, nadie le prestaba atención. La familia estaba completamente absorta en la música del violín; por el contrario, los huéspedes, que al principio, con las manos en los bolsillos, se habían colocado demasiado cerca detrás del atril de la hermana, de forma que podrían haber leído la partitura, lo cual sin duda tenía que estorbar a la hermana, hablando a media voz, con las cabezas inclinadas, se retiraron pronto hacia la ventana, donde permanecieron observados por el padre con preocupación. Realmente daba a todas luces la impresión de que habían sido decepcionados en su suposición de escuchar una pieza bella o divertida al violín, de que estaban hartos de la función y sólo permitían que se les molestase por amabilidad. Especialmente la forma en que echaban a lo alto el humo de los cigarrillos por la boca y por la nariz denotaba gran nerviosismo. Y, sin embargo, la hermana tocaba tan bien... Su rostro estaba inclinado hacia un lado, atenta y tristemente seguían sus ojos las notas del pentagrama. Gregorio avanzó un poco más y mantenía la cabeza pegada al suelo para, quizá, poder encontrar sus miradas. ¿Es que era ya una bestia a la que le emocionaba la música?

Le parecía como si se le mostrase el camino hacia el desconocido y anhelado alimento. Estaba decidido a acercarse hasta la hermana, tirarle de la falda y darle así a entender que ella podía entrar con su violín en su habitación porque nadie podía recompensar su música como él quería hacerlo. No quería dejarla salir nunca de su habitación, al menos mientras él viviese; su horrible forma le sería útil por primera vez; quería estar a la vez en todas las puertas de su habitación y tirarse a los que le atacasen; pero la hermana no debía quedarse con él por la fuerza, sino por su propia voluntad; debería sentarse junto a él sobre el canapé, inclinar el oído hacia él, y él deseaba confiarle que había tenido la firme intención de enviarla al conservatorio y que si la desgracia no se hubiese cruzado en su camino la Navidad pasada –probablemente la Navidad ya había pasado–, se lo hubiese dicho a todos sin preocuparse de réplica alguna. Después de esta confesión, la hermana estallaría en lágrimas de emoción y Gregorio se levantaría hasta su hombro y le daría un beso en el cuello, que, desde que iba a la tienda, llevaba siempre al aire sin cintas ni adornos.

—¡Señor Samsa! –gritó el señor de en medio al padre y señaló, sin decir una palabra más, con el índice hacia Gregorio, que avanzaba lentamente. El violín enmudeció. En un principio el huésped de en medio sonrió a sus amigos moviendo la cabeza y, a continuación, miró hacia Gregorio. El padre, en lugar de echar a Gregorio, consideró más necesario, ante todo, tranquilizar a los huéspedes, a pesar de que ellos no estaban nerviosos en absoluto y Gregorio parecía distraerles más que el violín. Se precipitó hacia ellos e intentó, con los brazos abiertos, empujarles a su habitación y, al mismo tiempo, evitar con su cuerpo que pudiesen ver a Gregorio. Ciertamente se enfadaron un poco, no se sabía ya si por el comportamiento del padre, o porque ahora se empezaban a dar cuenta de que, sin saberlo, habían tenido un vecino como Gregorio. Exigían al padre explicaciones, levantaban los brazos, se tiraban intranquilos de la barba y, muy lentamente, retrocedían hacia su habitación.

Entre tanto, la hermana había superado el desconcierto en que había caído después de interrumpir su música de una forma tan repentina, había reaccionado de pronto, después de que durante unos momentos había sostenido en las manos caídas con indolencia el violín y el arco, y había seguido mirando la partitura como si todavía tocase, había colocado el instrumento en el regazo de la madre, que todavía seguía sentada en su silla con dificultades para respirar y agitando violentamente los pulmones, y había corrido hacia la habitación de al lado, a la que los huéspedes se acercaban cada vez más deprisa ante la insistencia del padre. Se veía cómo, gracias a las diestras manos de la hermana, las mantas y almohadas de las camas volaban hacia lo alto y se ordenaban. Antes de que los señores hubiesen llegado a la habitación, había terminado de hacer las camas y se había escabullido hacia fuera. El padre parecía estar hasta tal punto dominado por su obstinación, que olvidó todo el respeto que, ciertamente, debía a sus huéspedes. Sólo les empujaba y les empujaba hasta que, ante la puerta de la habitación, el señor de enmedio dio una patada atronadora contra el suelo y así detuvo al padre.

—Participo a ustedes –dijo, levantando la mano y buscando con sus miradas también a la madre y a la hermana– que, teniendo en cuenta las repugnantes circunstancias que reinan en esta casa y en esta familia –en este punto escupió decididamente sobre el suelo–, en este preciso instante dejo la habitación. Por los días que he vívido aquí no pagaré, naturalmente, lo más mínimo: por el contrario, me pensaré si no procedo contra ustedes con algunas reclamaciones muy fáciles, créanme, de justificar.

Calló y miró hacia delante como si esperase algo. En efecto, sus dos amigos intervinieron inmediatamente con las siguientes palabras:

—También nosotros dejamos en este momento la habitación.

A continuación agarró el picaporte y cerró la puerta de un portazo. El padre se tambaleaba tanteando con las manos en dirección a su silla y se dejó caer en ella. Parecía como si se preparase para su acostumbrada siestecita nocturna, pero la profunda inclinación de su cabeza, abatida como si nada la sostuviese, mostraba que de ninguna manera dormía. Gregorio yacía todo el tiempo en silencio en el mismo sitio en que le habían descubierto los huéspedes. La decepción por el fracaso de sus planes, pero quizá también la debilidad causada por el hambre que pasaba, le impedían moverse. Temía . con cierto fundamento que dentro de unos momentos se desenca-

denase sobre él una tormenta general, y esperaba. Ni siquiera se sobresaltó con el ruido del violín que, por entre los temblorosos dedos
de la madre, se cayó de su regazo y produjo un sonido retumbante.

—Queridos padres –dijo la hermana y, como introducción, dio
un golpe sobre la mesa–, esto no puede seguir así. Si ustedes no se
dan cuenta, yo sí me doy. No quiero, ante esta bestia, pronunciar el
nombre de mi hermano, y por eso solamente digo: tenemos que intentar quitárnoslo de encima. Hemos hecho todo lo humanamente
posible por cuidarlo y aceptarlo; creo que nadie puede hacernos el
menor reproche.

—Tienes razón una y mil veces –dijo el padre para sus adentros. La madre, que aún no tenía aire suficiente, comenzó a toser
sordamente sobre la mano que tenía ante la boca, con una expresión de enajenación en los ojos.

La hermana corrió hacia la madre y le sujetó la frente. El padre
parecía estar enfrascado en determinados pensamientos; gracias a
las palabras de la hermana, se había sentado más derecho, jugue-
teaba con su gorra por entre los platos, que desde la cena de los
huéspedes seguían en la mesa, y miraba de vez en cuando a Gregorio, que permanecía en silencio.

—Tenemos que intentar quitárnoslo de encima –dijo entonces
la hermana, dirigiéndose sólo al padre, porque la madre, con su
tos, no oía nada–. Los va a matar a los dos, ya lo veo venir. Cuando
hay que trabajar tan duramente como lo hacemos nosotros no se
puede, además, soportar en casa este tormento sin fin. Yo tampoco
puedo más –y rompió a llorar de una forma tan violenta, que sus
lágrimas caían sobre el rostro de la madre, la cual las secaba mecánicamente con las manos.

—Pero hija –dijo el padre compasivo y con sorprendente comprensión–. ¡Qué podemos hacer!

Pero la hermana sólo se encogió de hombros como signo de la
perplejidad que, mientras lloraba, se había apoderado de ella, en
contraste con su seguridad anterior.

—Sí él nos entendiese… –dijo el padre en tono medio interrogante.

La hermana, en su llanto, movió violentamente la mano como
señal de que no se podía ni pensar en ello.

—Sí él nos entendiese… –repitió el padre, y cerrando los ojos hizo suya la convicción de la hermana acerca de la imposibilidad de ello–, entonces sería posible llegar a un acuerdo con él, pero así…

—Tiene que irse –exclamó la hermana–, es la única posibilidad, padre. Sólo tienes que desechar la idea de que se trata de Gregorio. El haberlo creído durante tanto tiempo ha sido nuestra auténtica desgracia, pero ¿cómo es posible que sea Gregorio? Si fuese Gregorio hubiese comprendido hace tiempo que una convivencia entre personas y semejante animal no es posible, y se hubiese marchado por su propia voluntad: ya no tendríamos un hermano, pero podríamos continuar viviendo y conservaríamos su recuerdo con honor. Pero esta bestia nos persigue, echa a los huéspedes, quiere, evidentemente, adueñarse de toda la casa y dejar que pasemos la noche en la calle. ¡Mira, padre –gritó de repente–, ya empieza otra vez!

Y con un miedo completamente incomprensible para Gregorio, la hermana abandonó incluso a la madre, se arrojó literalmente de su silla, como si prefiriese sacrificar a la madre antes de permanece cerca de Gregorio, y se precipitó detrás del padre que, principalmente irritado por su comportamiento, se puso también en pie y levantó los brazos a media altura por delante de la hermana para protegerla.

Pero Gregorio no pretendía, ni por lo más remoto, asustar a nadie, ni mucho menos a la hermana. Solamente había empezado a darse la vuelta para volver a su habitación y esto llamaba la atención, ya que, como consecuencia de su estado enfermizo, para dar tan difíciles vueltas tenía que ayudarse con la cabeza, que levantaba una y otra vez y que golpeaba contra el suelo. Se detuvo y miró a su alrededor; su buena intención pareció ser entendida; sólo había sido un susto momentáneo, ahora todos lo miraban tristes y en silencio. La madre yacía en su silla con las piernas extendidas y apretadas una contra otra, los ojos casi se le cerraban de puro agotamiento. El padre y la hermana estaban sentados uno junto a otro, y la hermana había colocado su brazo alrededor del cuello del padre.

"Quizá pueda darme la vuelta ahora", pensó Gregorio, y empezó de nuevo su actividad. No podía contener los resuellos por el esfuerzo y de vez en cuando tenía que descansar. Por lo demás, nadie le apremiaba, se le dejaba hacer lo que quisiera. Cuando hubo dado la vuelta del todo comenzó enseguida a retroceder todo recto… Se asombró de la gran distancia que le separaba de su habitación y no comprendía cómo, con su debilidad, hacía un momento había recorrido el mismo camino sin notarlo. Concentrándose constantemente en avanzar con rapidez, apenas se dio cuenta de que ni una palabra, ni una exclamación de su familia le molestaba. Cuando ya estaba en la puerta volvió la cabeza, no por completo, porque notaba que el cuello se le ponía rígido, pero sí vio aún que tras de él nada había cambiado, sólo la hermana se había levantado. Su última mirada acarició a la madre que, por fin, se había quedado profundamente dormida. Apenas entró en su habitación se cerró la puerta y echaron la llave.

Gregorio se asustó tanto del repentino ruido producido detrás de él, que las patitas se le doblaron. Era la hermana quien se había apresurado tanto. Había permanecido en pie allí y había esperado, con ligereza había saltado hacia delante, Gregorio ni siquiera la había oído venir, y gritó un "¡Por fin!" a los padres mientras echaba la llave.

"¿Y ahora?", se preguntó Gregorio, y miró a su alrededor en la oscuridad.

Pronto descubrió que ya no se podía mover. No se extrañó por ello, más bien le parecía antinatural que, hasta ahora, hubiera podido moverse con estas patitas. Por lo demás, se sentía relativamente a gusto. Bien es verdad que le dolía todo el cuerpo, pero le parecía como si los dolores se hiciesen más y más débiles y, al final, desapareciesen por completo. Apenas sentía ya la manzana podrida de su espalda y la infección que producía a su alrededor, cubiertas ambas por un suave polvo. Pensaba en su familia con cariño y emoción, su opinión de que tenía que desaparecer era, si cabe, aún más decidida que la de su hermana. En este estado de apacible y letárgica meditación permaneció hasta que el reloj de la torre dio las tres de la madrugada. Vivió todavía el comienzo del amanecer detrás de los cristales. A continuación, contra su voluntad, su cabeza se desplomó sobre el suelo y sus orificios nasales exhalaron el último suspiro.

Cuando, por la mañana temprano, llegó la asistenta –de pura fuerza y prisa daba tales portazos que, aunque repetidas veces se le había pedido que procurase evitarlo, desde el momento de su llegada era ya imposible concebir el sueño en toda la casa– en su acostumbrada y breve visita a Gregorio nada le llamó al principio la atención. Pensaba que estaba allí tumbado tan inmóvil a propósito y se hacía el ofendido, le creía capaz de tener todo el entendimiento posible. Como tenía por casualidad la larga escoba en la mano, intentó con ella hacer cosquillas a Gregorio desde la puerta. Al no conseguir nada con ello, se enfadó, y pinchó a Gregorio ligeramente, y sólo cuando, sin que él opusiese resistencia, le había movido de su sitio, le prestó atención. Cuando se dio cuenta de las verdaderas circunstancias abrió mucho los ojos, silbó para sus adentros, pero no se entretuvo mucho tiempo, sino que abrió de par en par las puertas del dormitorio y exclamó en voz alta hacia la oscuridad.

—¡Fíjense, ha reventado, ahí está, ha reventado del todo!

El matrimonio Samsa estaba sentado en la cama e intentaba sobreponerse del susto de la asistenta antes de llegar a comprender su aviso. Pero después, el señor y la señora Samsa, cada uno por su lado, se bajaron rápidamente de la cama. El señor Samsa se echó la colcha por los hombros, la señora Samsa apareció en camisón, así entraron en la habitación de Gregorio. Entre tanto, también se había abierto la puerta del cuarto de estar, en donde dormía Greta desde la llegada de los huéspedes; estaba completamente vestida, como si no hubiese dormido, su rostro pálido parecía probarlo.

—¿Muerto? –dijo la señora Samsa, y levantó los ojos con gesto interrogante hacia la asistenta a pesar de que ella misma podía comprobarlo e incluso podía darse cuenta de ello sin necesidad de comprobarlo.

—Digo, ¡ya lo creo! –dijo la asistenta, y como prueba empujó el cadáver de Gregorio con la escoba un buen trecho hacia un lado. La señora Samsa hizo un movimiento como si quisiera detener la escoba, pero no lo hizo.

—Bueno –dijo el señor Samsa–, ahora podemos dar gracias a Dios –se santiguó y las tres mujeres siguieron su ejemplo.

Greta, que no apartaba los ojos del cadáver, dijo:

—Miren qué flaco estaba, ya hacía mucho tiempo que no comía nada. Las comidas salían tal como entraban.

Efectivamente, el cuerpo de Gregorio estaba completamente plano y seco, sólo se daban realmente cuenta de ello ahora que ya no le levantaban sus patitas, y ninguna otra cosa distraía la mirada.

—Greta, ven un momento a nuestra habitación –dijo la señora Samsa con una sonrisa melancólica, y Greta fue al dormitorio detrás de los padres, no sin volver la mirada hacia el cadáver. La asistenta cerró la puerta y abrió del todo la ventana. A pesar de lo temprano de la mañana ya había una cierta tibieza mezclada con el aire fresco. Ya era finales de marzo.

Los tres huéspedes salieron de su habitación y miraron asombrados a su alrededor en busca de su desayuno; se habían olvidado de ellos:

—¿Dónde está el desayuno? –preguntó de mal humor el señor de enmedio a la asistenta, pero ésta se colocó el dedo en la boca e hizo a los señores, apresurada y silenciosamente, señales con la mano para que fuesen a la habitación de Gregorio. Así pues, fueron y permanecieron en pie, con las manos en los bolsillos de sus chaquetas algo gastadas, alrededor del cadáver, en la habitación de Gregorio ya totalmente iluminada.

Entonces se abrió la puerta del dormitorio y el señor Samsa apareció vestido con su librea, de un brazo su mujer y del otro su hija. Todos estaban un poco llorosos; a veces Greta apoyaba su rostro en el brazo del padre.

—Salgan ustedes de mi casa inmediatamente –dijo el señor Samsa, y señaló la puerta sin soltar a las mujeres.

—¿Qué quiere usted decir? –dijo el señor de enmedio algo aturdido, y sonrió con cierta hipocresía. Los otros dos tenían las manos en la espalda y se las frotaban constantemente una contra otra, como si esperasen con alegría una gran pelea que tenía que resultarles favorable.

—Quiero decir exactamente lo que digo –contestó el señor Samsa, dirigiéndose con sus acompañantes hacia el huésped. Al principio éste se quedó allí en silencio y miró hacia el suelo, como si las cosas se dispusiesen en un nuevo orden en su cabeza.

—Pues entonces nos vamos –dijo después, y levantó los ojos hacia el señor Samsa como si, en un repentino ataque de humildad, le pidiese incluso permiso para tomar esta decisión.

El señor Samsa solamente asintió brevemente varias veces con los ojos muy abiertos. A continuación el huésped se dirigió, en efecto, a grandes pasos hacia el vestíbulo; sus dos amigos llevaban ya un rato escuchando con las manos completamente tranquilas y ahora daban verdaderos brincos tras de él, como si tuviesen miedo de que el señor Samsa entrase antes que ellos en el vestíbulo e impidiese el contacto con su guía. Ya en el vestíbulo, los tres cogieron sus sombreros del perchero, sacaron sus bastones de la bastonera, hicieron una reverencia en silencio y salieron de la casa. Con una desconfianza completamente infundada, como se demostraría después, el señor Samsa salió con las dos mujeres al rellano; apoyados sobre la barandilla veían cómo los tres, lenta pero constantemente, bajaban la larga escalera, en cada piso desaparecían tras un determinado recodo y volvían a aparecer a los pocos instantes. Cuanto más abajo estaban tanto más interés perdía la familia Samsa por ellos, y cuando un oficial carnicero, con la carga en la cabeza en una posición orgullosa, se les acercó de frente y luego, cruzándose con ellos, siguió subiendo, el señor Samsa abandonó la barandilla con las dos mujeres y todos regresaron aliviados a su casa.

Decidieron utilizar aquel día para descansar e ir de paseo; no solamente se habían ganado esta pausa en el trabajo, sino que, incluso, la necesitaban a toda costa. Así pues, se sentaron a la mesa y escribieron tres justificantes: el señor Samsa a su dirección, la señora Samsa al señor que le daba trabajo, y Greta al dueño de la tienda. Mientras escribían entró la asistenta para decir que ya se marchaba porque había terminado su trabajo de por la mañana. Los tres que escribían solamente asintieron al principio sin levantar la vista; cuando la asistenta no daba señales de retirarse levantaron la vista enfadados.

—¿Qué pasa? –preguntó el señor Samsa.

La asistenta permanecía de pie junto a la puerta, como si quisiera participar a la familia un gran éxito, pero que sólo lo haría cuando la interrogaran con todo detalle. La pequeña pluma de avestruz colocada casi derecha sobre su sombrero, que, desde que estaba a su servicio, incomodaba al señor Samsa, se balanceaba suavemente en todas las direcciones.

—¿Qué es lo que quiere usted? –preguntó la señora Samsa que era, de todos, la que más respetaba la asistenta.

—Bueno –contestó la asistenta, y no podía seguir hablando de puro sonreír amablemente–, no tienen que preocuparse de cómo deshacerse de la cosa esa de al lado. Ya está todo arreglado.

La señora Samsa y Greta se inclinaron de nuevo sobre sus cartas, como si quisieran continuar escribiendo; el señor Samsa, que se dio cuenta de que la asistenta quería empezar a contarlo todo con todo detalle, lo rechazó decididamente con la mano extendida. Como no podía contar nada, recordó la gran prisa que tenía, gritó visiblemente ofendida: "¡Adiós a todos!", se dio la vuelta con rabia y abandonó la casa con un portazo tremendo.

—Esta noche la despido –dijo el señor Samsa, pero no recibió una respuesta ni de su mujer ni de su hija, porque la asistenta parecía haber turbado la tranquilidad apenas recién conseguida. Se levantaron, fueron hacia la ventana y permanecieron allí abrazadas. El señor Samsa se dio la vuelta en su silla hacia ellas y las observó en silencio un momento, luego las llamó:

—Vamos, vengan. Olviden de una vez las cosas pasadas y tengan un poco de consideración conmigo.

Las mujeres lo obedecieron enseguida, corrieron hacia él, lo acariciaron y terminaron rápidamente sus cartas. Después, los tres abandonaron la casa juntos, cosa que no habían hecho desde hacía meses, y se marcharon al campo, fuera de la ciudad, en el tranvía. El vehículo en el que estaban sentados solos estaba totalmente iluminado por el cálido sol. Recostados cómodamente en sus asientos, hablaron de las perspectivas para el futuro y llegaron a la conclusión de que, vistas las cosas más de cerca, no eran malas en absoluto, porque los tres trabajos, a este respecto todavía no se habían preguntado realmente unos a otros, eran sumamente buenos y, especialmente, muy prometedores para el futuro. Pero la gran mejoría inmediata de la situación tenía que producirse, naturalmente, con más facilidad con un cambio de casa; ahora querían cambiarse a una más pequeña y barata, pero mejor ubicada y, sobre todo, más práctica que la actual, que había sido escogida por Gregorio.

Mientras hablaban así, al señor y a la señora Samsa se les ocurrió casi al mismo tiempo, al ver a su hija cada vez más animada, que en los últimos tiempos, a pesar de las calamidades que habían hecho palidecer sus mejillas, se había convertido en una joven lozana y hermosa. Tornándose cada vez más silenciosos y entendiéndose casi inconscientemente con las miradas, pensaban que ya llegaba el momento de buscarle un buen marido, y para ellos fue como una confirmación de sus nuevos sueños y buenas intenciones cuando, al final de su viaje, fue la hija quien se levantó primero y estiró su cuerpo joven.

Alfonso Reyes (1889-1959)

La cena

La cena, que recrea y enamora
SAN JUAN DE LA CRUZ

Tuve que correr a través de calles desconocidas. El término de mi marcha parecía correr delante de mis pasos, y la hora de la cita palpitaba ya en los relojes públicos. Las calles estaban solas. Serpientes de focos eléctricos bailaban delante de mis ojos. A cada instante surgían glorietas circulares, sembrados arriates, cuya verdura, a la luz artificial de la noche, cobraba una elegancia irreal. Creo haber visto multitud de torres —no sé si en las casas, si en las glorietas— que ostentaban a los cuatro vientos, por una iluminación interior, cuatro redondas esferas de reloj.

Yo corría, azuzado por un sentimiento supersticioso de la hora. Si las nueve campanadas, me dije, me sorprenden sin tener la mano sobre la aldaba de la puerta, algo funesto acontecerá. Y corría frenéticamente, mientras recordaba haber corrido a igual hora por aquel sitio y con un anhelo semejante. ¿Cuándo?

Al fin los deleites de aquella falsa recordación me absorbieron de manera que volví a mi paso normal sin darme cuenta. De cuando en cuando, desde las intermitencias de mi meditación, veía que me hallaba en otro sitio, y que se desarrollaban ante mí nuevas perspectivas de focos, de placetas sembradas, de relojes iluminados… No sé cuánto tiempo transcurrió, en tanto que yo dormía en el mareo de mi respiración agitada.

De pronto, nueve campanadas sonoras resbalaron con metálico frío sobre mi epidermis. Mis ojos, en la última esperanza, cayeron sobre la puerta más cercana: aquél era el término.

Entonces, para disponer mi ánimo, retrocedí hacia los motivos de mi presencia en aquel lugar. Por la mañana, el correo me había llevado una esquela breve y sugestiva. En el ángulo del papel se leían, manuscritas, las señas de una casa. La fecha era del día anterior. La carta decía solamente:

"Doña Magdalena y su hija Amalia esperan a usted a cenar mañana, a las nueve de la noche. ¡Ah, si no faltara!..."

Ni una letra más.

Yo siempre consiento en las experiencias de lo imprevisto. El caso, además, ofrecía singular atractivo: el tono, familiar y respetuoso a la vez, con que el anónimo designaba a aquellas señoras desconocidas; la ponderación: "¡Ah, si no faltara!...", tan vaga y tan sentimental, que parecía suspendida sobre un abismo de confesiones, todo contribuyó a decidirme. Y acudí, con el ansia de una emoción informulable. Cuando, a veces, en mis pesadillas, evoco aquella noche fantástica (cuya fantasía está hecha de cosas cotidianas y cuyo equívoco misterio crece sobre la humilde raíz de lo posible), paréceme jadear a través de avenidas de relojes y torreones, solemnes como esfinges en la calzada de algún templo egipcio.

La puerta se abrió. Yo estaba vuelto a la calle y vi, de súbito, caer sobre el suelo un cuadro de luz que arrojaba, junto a mi sombra, la sombra de una mujer desconocida.

Volvíme: con la luz por la espalda y sobre mis ojos deslumbrados, aquella mujer no era para mí más que una silueta, donde mi imaginación pudo pintar varios ensayos de fisonomía, sin que ninguno correspondiera al contorno, en tanto que balbuceaba yo algunos saludos y explicaciones.

—Pase usted, Alfonso.

Y pasé, asombrado de oírme llamar como en mi casa. Fue una decepción el vestíbulo. Sobre las palabras románticas de la esquela (a mí, al menos, me parecían románticas), había yo fundado la esperanza de encontrarme con una antigua casa, llena de tapices, de viejos retratos y de grandes sillones; una antigua casa sin estilo, pero llena de respetabilidad. A cambio de esto, me encontré con un vestíbulo diminuto y con una escalerilla frágil, sin elegancia; lo cual más bien prometía dimensiones modernas y estrechas en el resto de la casa. El piso era de madera encerada; los raros muebles tenían aquel lujo frío de las cosas de Nueva York, y en el muro, tapizado de verde claro, gesticulaban, como imperdonable signo de trivialidad, dos o tres máscaras japonesas. Hasta llegué a dudar... Pero alcé la vista y quedé tranquilo: ante mí, vestida de negro, esbelta, digna, la mujer que acudió a introducirme me señalaba la puerta del salón. Su silueta se había colorado ya de facciones; su cara me habría resultado insignificante, a no ser por una expresión marcada de piedad; sus cabellos castaños, algo flojos en el peinado, acabaron de precipitar una extraña convicción en mi mente: todo aquel ser me pareció plegarse y formarse a las sugestiones de un nombre.

—¿Amalia? –pregunté.

—Sí–. Y me pareció que yo mismo me contestaba.

El salón, como lo había imaginado, era pequeño. Mas el decorado, respondiendo a mis anhelos, chocaba notoriamente con el del vestíbulo. Allí estaban los tapices y las grandes sillas respetables, la piel de oso al suelo, el espejo, la chimenea, los jarrones; el piano de candeleros lleno de fotografías y estatuillas –el piano en que nadie toca–, y, junto al estrado principal, el caballete con un retrato amplificado y manifiestamente alterado: el de un señor de barba partida y boca grosera.

Doña Magdalena, que ya me esperaba instalada en un sillón rojo, vestía también de negro y llevaba al pecho una de aquellas joyas gruesísimas de nuestros padres: una bola de vidrio con un retrato interior, ceñida por un anillo de oro. El misterio del parecido familiar se apoderó de mí. Mis ojos iban, inconscientemente, de doña Magdalena a Amalia, y del retrato a Amalia. Doña Magdalena, que lo notó, ayudó mis investigaciones con alguna exégesis oportuna.

Lo más adecuado hubiera sido sentirme incómodo, manifestarme sorprendido, provocar una explicación. Pero doña Magdalena y su hija Amalia me hipnotizaron, desde los primeros instantes, con sus miradas paralelas. Doña Magdalena era una mujer de sesenta años; así es que consintió en dejar a su hija los cuidados de la iniciación. Amalia charlaba; doña Magdalena me miraba; yo estaba entregado a mi ventura.

A la madre tocó –es de rigor– recordarnos que era ya tiempo de cenar. En el comedor la charla se hizo más general y corriente.

Yo acabé por convencerme de que aquellas señoras no habían querido más que convidarme a cenar, y a la segunda copa de Chablis me sentí sumido en un perfecto egoísmo del cuerpo lleno de generosidades espirituales. Charlé, reí y desarrollé todo mi ingenio, tratando interiormente de disimularme la irregularidad de mi situación. Hasta aquel instante las señoras habían procurado parecerme simpáticas; desde entonces sentí que había comenzado yo mismo a serles agradable.

El aire piadoso de la cara de Amalia se propagaba, por momentos, a la cara de la madre. La satisfacción, enteramente fisiológica, del rostro de doña Magdalena descendía, a veces, al de su hija. Parecía que estos dos motivos flotasen en el ambiente, volando de una cara a la otra.

Nunca sospeché los agrados de aquella conversación. Aunque ella sugería, vagamente, no sé qué evocaciones de Sudermann, con frecuentes rondas al difícil campo de las responsabilidades domésticas y –como era natural en mujeres de espíritu fuerte– súbitos relámpagos ibsenianos, yo me sentía tan a mi gusto como en casa de alguna tía viuda y junto a alguna prima, amiga de la infancia, que ha comenzado a ser solterona.

Al principio, la conversación giró toda sobre cuestiones comerciales, económicas, en que las dos mujeres parecían complacerse. No hay asunto mejor que éste cuando se nos invita a la mesa en alguna casa donde no somos de confianza.

Después, las cosas siguieron de otro modo. Todas las frases comenzaron a volar como en redor de alguna lejana petición. Todas tendían a un término que yo mismo no sospechaba. En el rostro de Amalia apareció, al fin, una sonrisa aguda, inquietante. Comenzó visiblemente a combatir contra alguna interna tentación. Su boca palpitaba, a veces, con el ansia de las palabras, y acababa siempre por suspirar. Sus ojos se dilataban de pronto, fijándose con tal expresión de espanto o abandono en la pared que quedaba a mis espaldas, que más de una vez, asombrado, volví el rostro yo mismo. Pero Amalia no parecía consciente del daño que me ocasionaba. Continuaba con sus sonrisas, sus asombros y sus suspiros, en tanto que yo me estremecía cada vez que sus ojos miraban por sobre mi cabeza.

Al fin, se entabló, entre Amalia y doña Magdalena, un verdadero coloquio de suspiros. Yo estaba ya desazonado. Hacia el centro de la mesa, y, por cierto, tan baja que era una constante incomodidad, colgaba la lámpara de dos luces. Y sobre los muros se proyectaban las sombras desteñidas de las dos mujeres, en tal forma que no era posible fijar la correspondencia de las sombras con las personas. Me invadió una intensa depresión, y un principio de aburrimiento se fue apoderando de mí. De lo que vino a sacarme esta invitación insospechada:

—Vamos al jardín.

Esta nueva perspectiva me hizo recobrar mis espíritus. Condujéronme a través de un cuarto cuyo aseo y sobriedad hacía pensar en los hospitales. En la oscuridad de la noche pude adivinar un jardincillo breve y artificial, como el de un camposanto.

Nos sentamos bajo el emparrado. Las señoras comenzaron a decirme los nombres de las flores que yo no veía, dándose el cruel deleite de interrogarme después sobre sus recientes enseñanzas. Mi imaginación, destemplada por una experiencia tan larga de excentricidades, no hallaba reposo. Apenas me dejaba escuchar y casi no me permitía contestar. Las señoras sonreían ya (yo lo adivinaba) con pleno conocimiento de mi estado. Comencé a confundir sus palabras con mi fantasía. Sus explicaciones botánicas, hoy que las recuerdo, me parecen monstruosas como un delirio: creo haberles oído hablar de flores que muerden y de flores que besan; de tallos que se arrancan a su raíz y os trepan, como serpientes, hasta el cuello.

La oscuridad, el cansancio, la cena, el Chablis, la conversación misteriosa sobre flores que yo no veía (y aun creo que no las había en aquel raquítico jardín), todo me fue convidando al sueño; y me quedé dormido sobre el banco, bajo el emparrado.

—¡Pobre capitán! —oí decir cuando abrí los ojos—. Lleno de ilusiones marchó a Europa. Para él se apagó la luz.

En mi alrededor reinaba la misma oscuridad. Un vientecillo tibio hacía vibrar el emparrado. Doña Magdalena y Amalia conversaban junto a mí, resignadas a tolerar mi mutismo. Me pareció que habían trocado los asientos durante mi breve sueño; eso me pareció...

—Era capitán de Artillería –me dijo Amalia–; joven y apuesto si los hay.

Su voz temblaba.

Y en aquel punto sucedió algo que en otras circunstancias me habría parecido natural, pero que entonces me sobresaltó y trajo a mis labios mi corazón. Las señoras, hasta entonces, sólo me habían sido perceptibles por el rumor de su charla y de su presencia. En aquel instante alguien abrió una ventana en la casa, y la luz vino a caer, inesperada, sobre los rostros de las mujeres. Y –¡oh cielos!– los vi iluminarse de pronto, autonómicos, suspensos en el aire –perdidas las ropas negras en la oscuridad del jardín– y con la expresión de piedad grabada hasta la dureza en los rasgos. Eran como las caras iluminadas en los cuadros de Echave el Viejo, astros enormes y fantásticos.

Salté sobre mis pies sin poder dominarme ya.

—Espere usted –gritó entonces doña Magdalena–; aún falta lo más terrible.

Y luego, dirigiéndose a Amalia:

—Hija mía, continúa; este caballero no puede dejarnos ahora y marcharse sin oírlo todo.

—Y bien –dijo Amalia–: el capitán se fue a Europa. Pasó de noche por París, por la mucha urgencia de llegar a Berlín. Pero todo su anhelo era conocer París. En Alemania tenía que hacer no sé qué estudios en cierta fábrica de cañones... Al día siguiente de llegado, perdió la vista en la explosión de una caldera.

Yo estaba loco. Quise preguntar; ¿qué preguntaría? Quise hablar; ¿qué diría? ¿Qué había sucedido junto a mí? ¿Para qué me habían convidado?

La ventana volvió a cerrarse, y los rostros de las mujeres volvieron a desaparecer. La voz de la hija resonó:

—¡Ay! Entonces, y sólo entonces, fue llevado a París. ¡A París, que había sido todo su anhelo! Figúrese usted que pasó bajo el Arco de la Estrella: pasó ciego bajo el Arco de la Estrella, adivinándolo todo a su alrededor... Pero usted le hablará de París, ¿verdad? Le hablará del París que él no pudo ver. ¡Le hará tanto bien!

("¡Ah, si no faltara!"… "¡Le hará tanto bien!")

Y entonces me arrastraron a la sala, llevándome por los brazos como a un inválido. A mis pies se habían enredado las guías vegetales del jardín; había hojas sobre mi cabeza.

—Helo aquí –me dijeron mostrándome un retrato. Era un militar. Llevaba un casco guerrero, una capa blanca, y los galones plateados en las mangas y en las presillas como tres toques de clarín. Sus hermosos ojos, bajo las alas perfectas de las cejas, tenían un imperio singular. Miré a las señoras: las dos sonreían como en el desahogo de la misión cumplida. Contemplé de nuevo el retrato; me vi yo mismo en el espejo; verifiqué la semejanza: yo era como una caricatura de aquel retrato. El retrato tenía una dedicatoria y una firma. La letra era la misma de la esquela anónima recibida por la mañana.

El retrato había caído de mis manos, y las dos señoras me miraban con una cómica piedad. Algo sonó en mis oídos como una araña de cristal que se estrellara contra el suelo.

Y corrí, a través de calles desconocidas. Bailaban los focos delante de mis ojos. Los relojes de los torreones me espiaban, congestionados de luz… ¡Oh, cielos! Cuando alcancé, jadeante, la tabla familiar de mi puerta, nueve sonoras campanadas estremecían la noche.

Sobre mi cabeza había hojas; en mi ojal, una florecilla modesta que yo no corté.

Bruno Schulz (1892-1942)

Los pájaros

Llegaron los días de invierno, amarillos y sombríos. Un manto de nieve raído, agujereado, tenue, cubría la tierra descolorida. La nieve no alcanzaba a ocultar del todo muchos tejados, y se podían ver, acá y allá, trozos negros o mohosos, chozas cubiertas de tablas, y las arcadas que ocultaban los espacios ahumados de los desvanes: negras y quemadas catedrales erizadas de cabríos, vigas y crucetas, pulmones oscuros de las borrascas invernales. Cada aurora descubría nuevas chimeneas, nuevos tubos brotados durante la noche, henchidos por el huracán nocturno, oscuros cañones de órganos diabólicos. Los deshollinadores no podían desembarazarse de las cornejas que, cual hojas negras animadas de vida, poblaban por las noches las ramas de los árboles frente a la iglesia. Levantaban el vuelo, batían las alas y acababan posándose cada una en su sitio, sobre su rama. Al alba volaban en grandes bandadas –nubes de hollín, copos de azabache ondulantes y fantásticos–, turbando con su trémulo graznido la luz amarillenta del amanecer. Con el frío y el tedio, los días se volvieron duros como trozos de pan del año anterior. Se entraba en ellos con los cuchillos romos, sin apetito, con una somnolencia perezosa.

Mi padre no salía ya de casa. Encendía la chimenea, estudiaba la sustancia jamás develada del fuego, disfrutaba del sabor salado, metálico y el olor a humo de las llamas de invierno, caricia fría de la salamandra que lame el hollín brillante de la garganta de la chimenea. En aquellos días ejecutaba con placer todas las reparaciones en las regiones superiores de la habitación. A cualquier hora del día se le podía ver acurrucado en lo alto de una escalera de tijera, arreglando algo en el cielo raso, las barras de las cortinas de las grandes ventanas, o los globos y cadenas de los candiles. Lo mismo que los pintores, se servía de la escalera como de unos enormes zancos, sintiéndose bien en esa posición de pájaro entre los parajes del techo, decorados con arabescos y aves. Se desentendía cada vez más de los asuntos prácticos de la vida. Cuando mi madre, preocupada y afligida por su estado, trataba de llevarlo a una conversación de negocios y le hablaba de los pagos del próximo mes, él la escuchaba distraído, inquieto, con una expresión ausente, en el rostro sacudido por contracciones nerviosas. A veces la interrumpía de pronto con un gesto implorante de la mano, para correr a un rincón del aposento, aplicar el oído a una juntura del suelo y escuchar, con los índices de ambas manos levantados, signo de la importancia de la auscultación. Entonces no comprendíamos aún el triste fondo de estas extravagancias, el doloroso complejo que maduraba en su interior.

Mi madre no ejercía ya la menor influencia; en cambio, él sentía por Adela gran respeto y consideración. La limpieza de la sala era para él una importante ceremonia, a la que jamás dejaba de asistir, siguiendo todos los movimientos de Adela, con una mezcla de angustia y de voluptuosidad. Atribuía a cada uno de los actos de la joven un significado más profundo, de tipo simbólico. Cuando ella, con ademanes enérgicos, pasaba el cepillo por el suelo, se sentía desfallecer. Las lágrimas brotaban de sus ojos, se le crispaba el rostro con una risa silenciosa, su cuerpo se sacudía en espasmos de placer. Su sensibilidad a las cosquillas llegaba a los límites de la locura. Bastaba que Adela le apuntara con el dedo, con el gesto de hacerle cosquillas, y él, presa de un pánico salvaje, atravesaba las habitaciones, cerrando tras de sí las puertas para echarse al final en una cama y retorcerse con una risa convulsa, bajo el influjo de la sola imagen interior a la que no podía resistirse. Gracias a eso, Adela tenía sobre mi padre un poder casi ilimitado.

En aquel tiempo observamos por primera vez en él un interés apasionado por los animales. Al principio fue una afición de cazador y artista a la par, y posiblemente también la simpatía zoológica más profunda de una criatura hacia unos semejantes que tenían formas de vida diferentes: la investigación de registros del ser aún no conocidos. Sólo en su fase posterior, este aspecto adquirió un matiz extraño, complejo, profundamente vicioso y contra natura, que es mejor no exponer a la luz del día.

Aquello empezó con la incubación de huevos de pájaros.

Con gran derroche de esfuerzos y de dinero, mi padre había hecho llegar de Hamburgo, de Holanda y de algunas estaciones zoológicas africanas, huevos fecundados que hacía empollar a unas enormes gallinas belgas. Era también para mí una ocupación absorbente contemplar el nacimiento de los polluelos, verdaderos fenómenos por sus formas y colores.

Era imposible, al ver aquellos monstruos de picos enormes, fantásticos, que desde el nacimiento piaban a voz en cuello, silbar ávidamente desde las profundidades de su garganta, al contemplar aquella especie de reptiles de cuerpo débil, desnudo, corcovado, adivinar en ellos a los futuros pavos reales, faisanes, cóndores. Colocados en cestas llenas de algodón, aquellos engendros de monstruos erguían sobre sus frágiles cuellos unas cabezas ciegas, cubiertas de álbumes, graznando destempladamente con sus gargantas afónicas. Mi padre se paseaba a lo largo de las estanterías, con un delantal verde, como jardinero que inspecciona sus siembras de cactus, y extraía de la nada aquellas vesículas ciegas, en las que ya alentaba la vida, aquellos vientres torpes, incapaces de recibir del mundo exterior cualquier cosa que no fuera el alimento, connatos de vida que se erguían a tientas hacia la claridad. Unas semanas más tarde, cuando aquellos ciegos retoños se abrieron a la luz, las habitaciones se llenaron de un tumulto multicolor, del centelleante gorjeo de los nuevos habitantes. Se posaban en las barras de las cortinas, y en las cornisas de los armarios, anidaban en los huecos de las ramas de estaño y en los arabescos de los candiles.

Cuando mi padre estudiaba los grandes compendios ornitológicos y tenía entre las manos las láminas de colores, parecía que era de allí de donde se desprendían aquellos fantasmas emplumados, que llenaban el cuarto con su aleteo multicolor de copos de púrpura y girones de zafiro, de cobre, de plata. Cuando les daba de comer, formaban en el patio una masa abigarrada, compacta y ondulante, una alfombra viva que se desintegraba ante la llegada intempestiva de alguien, se dispersaba en flores móviles, batía las alas para acabar posándose en la parte superior del recinto. Tengo especialmente grabado en la memoria un cóndor, pájaro enorme de cuello desnudo, cara arrugada y buche voluminoso. Era un asceta magro, un lama budista de imperturbable dignidad, en todo su comportamiento, que se regía por el férreo ceremonial de su alta alcurnia. Cuando inmóvil en su postura hierática de dios egipcio, con el ojo velado por una blancuzca carnosidad que cubría sus pupilas –como para encerrarse por completo en la contemplación de su soledad augusta–, permanecía, con el pétreo perfil a mi padre, frente a mi padre, parecía su hermano mayor. La misma materia, los mismos tendones, la piel dura y rugosa, el mismo rostro seco y huesudo, las mismas órbitas profundas y endurecidas. Hasta las manos de fuertes nudillos y largos dedos de mi padre, con sus uñas abombadas, tenían cierta analogía con las garras del cóndor. Al verlo así, dormitando, no podía sustraerme a la impresión de que tenía ante mí a una momia disecada, la momia reducida de mi padre. Creo que tan asombrosa semejanza tampoco escapó a la atención de mi madre, aunque nunca hablamos de ello. Es singular que el cóndor usara el mismo urinal que mi padre.

No satisfecho con incubar incesantemente nuevos especímenes, mi padre organizaba en el desván bodas de aves, enviaba casamenteros, ataba a las novias seductoras y lánguidas junto a las grietas y agujeros del tejado, lo que trajo por consecuencia que la enorme techumbre de dos vertientes de nuestra casa se convirtiera en un verdadero albergue de aves, un arca de Noé, a la que llegaba toda clase de seres alados desde parajes lejanos. Incluso mucho tiempo después de liquidada aquella manía avícola, subsistió en el mundo de las aves la costumbre de llegar a nuestra casa. En el periodo de las migraciones de primavera se abatían verdaderas nubes de grullas, pelícanos, pavos reales y otros pájaros sobre nuestros techos.

No obstante, después de un breve florecimiento, esta afición tomó un giro más bien desolador. En efecto, pronto se hizo necesario trasladar a mi padre a las dos habitaciones del desván que servían como depósito a los trastos inútiles. Desde el alba salía de allí el clamor confuso de las aves. En las piezas de madera del desván, a modo de cajas de resonancia, reforzada ésta por lo bajo del techo, repercutía todo aquel alboroto, cantos y gorjeos. Así perdimos de vista a nuestro padre durante varias semanas. Bajaba muy raras veces, y entonces podíamos observar la transformación que en él se iba operando. Se le veía disminuido, encogido, flaco. A veces se levantaba de la mesa, batía distraídamente los brazos como si fueran alas y soltaba un largo gorjeo, entrecerrando los ojos. Después, confuso y avergonzado, se reía con nosotros y trataba de disfrazar el incidente, haciéndolo pasar por una broma.

Una vez, durante el periodo de la limpieza general, Adela se presentó de súbito en el reino de las aves de mi padre. Plantada en la puerta, se llevó la mano a la nariz ante el hedor que impregnaba la atmósfera. Los montones de inmundicia cubrían el suelo y se apilaban sobre mesas y muebles. Rápidamente con gesto decidido, abrió la ventana y con su larga escoba comenzó a agitar aquel pajarerío. Levantose una nube infernal de plumas, alas y graznidos, a través de la cual, Adela, como frenética bacante, bailaba la danza de la destrucción. En medio de aquel estrépito, mi padre, batiendo los brazos, lleno de temor, trataba desesperadamente de emprender el vuelo. La nube de plumas se dispersó lentamente, y al final, sólo quedaron en el campo de batalla Adela, agotada y jadeante, y mi padre, con expresión de tristeza y derrota, dispuesto a cualquier capitulación.

Momentos después, mi padre descendía la escalera de su imperio. Era un hombre roto, un rey desterrado que había perdido trono y poder.

Traducción de Sergio Pitol

Ryunosuke Akutagawa (1892-1927)

Rashômon

Era un frío atardecer.

Bajo Rashômon, el sirviente de un samurai esperaba que cesara la lluvia. No había nadie en el amplio portal. Sólo un grillo se posaba en una gruesa columna, cuya laca carmesí estaba resquebrajada en algunas partes. Situado Rashômon en la Avenida Sujaku, era de suponer que algunas personas, como ciertas damas con el *ichimegasa*[1] o nobles con el *momiebosh*[2] podrían guarecerse allí; pero al parecer no había nadie fuera del sirviente. Y era explicable, ya que en los últimos dos o tres años la ciudad de Kyoto había sufrido una larga serie de calamidades: terremotos, tifones, incendios y carestías la habían llevado a una completa desolación. Dicen los antiguos textos que la gente llegó a destruir las imágenes budistas y otros objetos del culto, y esos trozos de madera, laqueada y adornada con hojas de oro y plata, se vendían en las calles como leña. Ante semejante situación, resultaba natural que nadie se ocupara de restaurar Rashômon. Aprovechando la devastación del edificio, los zorros y otros animales instalaron sus madrigueras entre las ruinas; por su parte ladrones y malhechores no lo desdeñaron como refugio, hasta que finalmente se lo vio convertido en depósito de cadáveres anónimos. Nadie se acercaba por los alrededores al anochecer, más que nada por su aspecto sombrío y desolado.

En cambio, los cuervos acudían en bandadas desde los más re-

[1] Sombrero antiguo para dama, de paja o tela laqueada, según la clase social. Designa a la dama que emplea dicho sombrero.

[2] Antiguo gorro empleado por los nobles y samurais. Designa a los nobles o samurais que llevan dicho gorro.

motos lugares. Durante el día, volaban en círculo alrededor de la torre, y en el cielo enrojecido del atardecer sus siluetas se dispersaban como granos de sésamo antes de caer sobre los cadáveres abandonados.

Pero ese día no se veía ningún cuervo, tal vez por ser demasiado tarde. En la escalera de piedra, que se derrumbaba a trechos y entre cuyas grietas crecía la hierba, podían verse los blancos excrementos de estas aves. El sirviente vestía un gastado kimono azul, y sentado en el último de los siete escalones contemplaba distraídamente la lluvia, mientras concentraba su atención en el grano de la mejilla derecha.

Como decía, el sirviente estaba esperando que cesara la lluvia; pero de cualquier manera no tenía ninguna idea precisa de lo que haría después. En circunstancias normales, lo natural habría sido volver a casa de su amo; pero unos días antes éste lo había despedido, no obstante los largos años que había estado a su servicio. El suyo era uno de los tantos problemas surgidos del precipitado derrumbe de la prosperidad de Kyoto.

Por eso quizás, hubiera sido mejor aclarar: "el sirviente espera en el portal sin saber qué hacer, ya que no tiene adónde ir". Es cierto que, por otra parte, el tiempo oscuro y tormentoso había deprimido notablemente el sentimentalismo de este sirviente de la época Heian.

Habiendo comenzado a llover a mediodía, todavía continuaba después del atardecer. Perdido en un mar de pensamientos incoherentes, buscando algo que le permitiera vivir desde el día siguiente y la manera de obrar frente a ese inexorable destino, que tanto lo deprimía, el sirviente escuchaba, abstraído, el ruido de la lluvia sobre la Avenida Sujaku.

La lluvia parecía recoger su ímpetu desde lejos, para descargarlo estrepitosamente sobre Rashômon como envolviéndolo. Alzando la vista, en el cielo oscuro veíase una pesada nube suspendida en el borde de una teja inclinada.

"Para escapar a esta maldita suerte –pensó el sirviente–, no puedo esperar a elegir un medio, ni bueno ni malo pues si empezara a pensar, sin duda me moriría de hambre en medio del camino o en alguna zanja; luego me traerían aquí, a esta torre, dejándome tirado como a un perro. Pero si no elijo..." Su pensamiento, tras mucho rondar la misma idea, había llegado por fin a este punto. Pero ese "si no elijo..." quedó fijo en su mente. Aparentemente estaba dispuesto a emplear cualquier medio; pero al decir "si no..." demostró no tener el valor suficiente para confesarse rotundamente: "no me queda otro remedio que convertirme en ladrón".

Lanzó un fuerte estornudo y se levantó con lentitud. El frío anochecer de Kyoto hacía aflorar el calor del fuego. El viento, en la penumbra, gemía entre los pilares. El grillo que se posaba en la gruesa columna había desaparecido.

Con la cabeza metida entre los hombros paseó la mirada en torno del edificio; luego levantó las hombreras del kimono azul que llevaba sobre una delgada ropa interior. Se decidió por fin a pasar la noche en algún lugar que le permitiera guarecerse de la lluvia y del viento, en donde nadie lo molestara.

El sirviente descubrió otra escalera ancha, también laqueada, que parecía conducir a la torre. Allí arriba nadie lo podía molestar, excepto los muertos. Cuidando de que no se deslizara su *katana*[3] de la vaina sujeta a la cintura, el sirviente puso su pie calzado con *zôri*[4] sobre el primer peldaño.

Minutos después, en mitad de la amplia escalera que conducía a la torre de Rashômon, un hombre acurrucado como un gato, con la respiración contenida, observaba lo que sucedía más arriba. La luz procedente de la torre brillaba en la mejilla del hombre; una mejilla que bajo la corta barba descubría un grano colorado, purulento. El hombre, es decir el sirviente, había pensado que dentro de la torre sólo hallaría cadáveres; pero subiendo dos o tres escalones notó que había luz, y que alguien la movía de un lado a otro. Lo supo cuando vio su reflejo mortecino, amarillento, oscilando de un modo espectral en el techo cubierto de telarañas. ¿Qué clase de persona encendería esa luz en Rashômon, en una noche de lluvia como aquélla?

Silencioso como un lagarto, el sirviente se arrastró hasta el último peldaño de la empinada escalera. Con el cuerpo encogido todo

---

[3] Espada japonesa.
[4] Calzado similar a la sandalia, hecho en base a paja de arroz.

lo posible y el cuello estirado, observó medrosamente el interior de la torre.

Confirmando los rumores, vio allí algunos cadáveres tirados negligentemente en el suelo. Como la luz de la llama iluminaba escasamente a su alrededor, no pudo distinguir la cantidad; únicamente pudo ver algunos cuerpos vestidos y otros desnudos, de hombres y mujeres. Los hombros, el pecho y otras partes recibían una luz agonizante, que hacía más densa la sombra en los restantes miembros.

Unos con la boca abierta, otros con los brazos extendidos, ninguno daba más señales de vida que un muñeco de barro. Al verlos entregados a ese silencio eterno, el sirviente dudó que hubiesen vivido alguna vez.

El hedor que despedían los cuerpos ya descompuestos le hizo llevar rápidamente la mano a la nariz. Pero un instante después olvidó ese gesto. Una impresión más violenta anuló su olfato al ver que alguien estaba inclinado sobre los cadáveres.

Era una vieja escuálida, canosa y con aspecto de mona, vestida con un kimono de tono ciprés. Sosteniendo con la mano derecha una tea de pino, observaba el rostro de un muerto, que por su larga cabellera parecía una mujer.

Poseído más por el horror que por la curiosidad, el sirviente contuvo la respiración por un instante, sintiendo que se le erizaban los pelos. Mientras observaba aterrado, la vieja colocó su tea entre dos tablas del piso, y sosteniendo con una mano la cabeza que había estado mirando, con la otra comenzó a arrancarle el cabello, uno por uno; parecía desprenderse fácilmente.

A medida que el cabello se iba desprendiendo, cedía gradualmente el miedo del sirviente; pero al mismo tiempo se apoderaba de él un incontenible odio hacia esa vieja. Ese odio –pronto lo comprobó– no iba dirigido sólo contra la vieja, sino contra todo lo que simbolizase "el mal", por el que ahora sentía vivísima repugnancia. Si en ese instante le hubiera sido dado elegir entre morir de hambre o convertirse en ladrón –el problema que él mismo se había planteado hacía unos instantes– no habría vacilado en elegir la muerte. El odio y la repugnancia ardían en él tan vivamente como la tea que la vieja había clavado en el piso.

Ryunosuke Akutagawa

Él no sabía por qué aquella vieja robaba cabellos; por consiguiente, no podía juzgar su conducta. Pero a los ojos del sirviente, despojar de las cabelleras a los muertos de Rashômon, y en una noche de tormenta como ésa, cobraba toda la apariencia de un pecado imperdonable. Naturalmente, este nuevo espectáculo le había hecho olvidar que sólo momentos antes él mismo había pensado hacerse ladrón.

Reunió todas sus fuerzas en las piernas, y saltó con agilidad desde su escondite; con la mano en su katana, en una zancada se plantó ante la vieja. Volviose ésta aterrada, y al ver al hombre, retrocedió bruscamente, tambaleándose.

—¡Adónde vas, vieja infeliz! –gritó cerrándole el paso, mientras ella intentaba huir pisoteando los cadáveres.

La suerte estaba echada. Tras un breve forcejeo el hombre tomó a la vieja por el brazo (de puro hueso y piel, más bien parecía una pata de gallina), y retorciéndoselo, la arrojó al suelo con violencia:

—¿Qué estabas haciendo? Contesta, vieja; si no, hablará esto por mí.

Diciendo esto, el sirviente la soltó, desenvainó su katana y puso el brillante metal frente a los ojos de la vieja. Pero ésta guardaba un silencio malicioso, como si fuera muda. Un temblor histérico agitaba sus manos y respiraba con dificultad, con los ojos desorbitados. Al verla así, el sirviente comprendió que la vieja estaba a su merced. Y al tener conciencia de que una vida estaba librada al azar de su voluntad, todo el odio que había acumulado se desvaneció, para dar lugar a un sentimiento de satisfacción y de orgullo; la satisfacción y el orgullo que se sienten al realizar una acción y obtener la merecida recompensa. Miró el sirviente a la vieja y suavizando algo la voz, le dijo:

—Escucha. No soy ningún funcionario del *Kebiishi*.[5] Soy un viajero que pasaba accidentalmente por este lugar. Por eso no tengo ningún interés en prenderte o en hacer contigo nada en particular. Lo que quiero es saber qué estabas haciendo aquí hace un momento.

La vieja abrió aún más los ojos y clavó su mirada en el hombre;

[5] Alto Comisariato instituido por la Corte Imperial en el año 816, como medida contra los perturbadores del orden.

una mirada sarcástica, penetrante, con esos ojos sanguinolentos que suelen tener ciertas aves de rapiña. Luego, como masticando algo, movió los labios, unos labios tan arrugados que casi se confundían con la nariz. La punta de la nuez se movió en la garganta huesuda. De pronto, una voz áspera y jadeante como el graznido de un cuervo llegó a los oídos del sirviente:

—Yo, sacaba los cabellos... sacaba los cabellos... para hacer pelucas...

Ante una respuesta tan simple y mediocre el sirviente se sintió defraudado. La decepción hizo que el odio y la repugnancia le invadieran nuevamente, pero ahora acompañados por un frío desprecio. La vieja pareció adivinar lo que el sirviente sentía en ese momento y, conservando en la mano los largos cabellos que acababa de arrancar, murmuró con su voz sorda y ronca:

—Ciertamente, arrancar los cabellos a los muertos puede parecerle horrible; pero ninguno de éstos merece ser tratado de mejor modo. Esa mujer, por ejemplo, a quien le saqué estos hermosos cabellos negros, acostumbraba vender carne de víbora desecada en la Barraca de los Guardianes, haciéndola pasar nada menos que por pescado. Los guardianes decían que no conocían pescado más delicioso. No digo que eso estuviese mal pues de otro modo se hubiera muerto de hambre. ¿Qué otra cosa podía hacer? De igual modo podría justificar lo que yo hago ahora. No tengo otro remedio, si quiero seguir viviendo. Si ella llegara a saber lo que le hago, posiblemente me perdonaría.

Mientras tanto el sirviente había guardado su katana, y con la mano izquierda apoyada en la empuñadura, la escuchaba fríamente. La derecha tocaba nerviosamente el grano purulento de la mejilla. Y en tanto la escuchaba, sintió que le nacía cierto coraje, el que le faltara momentos antes bajo el portal. Además, ese coraje crecía en dirección opuesta al sentimiento que lo había dominado en el instante de sorprender a la vieja. El sirviente no sólo dejó de dudar (entre elegir la muerte o convertirse en ladrón) sino que en ese momento el tener que morir de hambre se había convertido para él en una idea absurda, algo por completo ajeno a su entendimiento.

—¿Estás segura de lo que dices? –preguntó en tono malicioso y burlón.

De pronto quitó la mano del grano, avanzó hacia ella y tomándola por el cuello le dijo con rudeza:

—Y bien, no me guardarás rencor si te robo, ¿verdad? Si no lo hago, también yo me moriré de hambre.

Seguidamente, despojó a la vieja de sus ropas, y como ella tratara de impedirlo aferrándosele a las piernas, de un puntapié la arrojó entre los cadáveres. En cinco pasos el sirviente estuvo en la boca de la escalera; y en un abrir y cerrar de ojos, con la amarillenta ropa bajo el brazo, descendió los peldaños hacia la profundidad de la noche.

Un momento después la vieja, que había estado tendida como un muerto más, se incorporó, desnuda. Gruñendo y gimiendo, se arrastró hasta la escalera, a la luz de la antorcha que seguía ardiendo. Asomó la cabeza al oscuro vacío y los cabellos blancos le cayeron sobre la cara.

Abajo, sólo la noche negra y muda.

Adónde fue el sirviente, nadie lo sabe.

Boris Pilniak (1894-1938)

Un cuento sobre cómo se escriben
los cuentos

I

Conocí en Tokio por casualidad al escritor Tagakisan. Nos presentaron en un círculo literario japonés, aunque después no volvimos a vernos; he olvidado las pocas palabras que debimos intercambiar, y de él sólo me quedó el recuerdo de que había estado casado con una rusa. Era verdaderamente sibuy (sibuy en japonés equivale a chic; su sencilla elegancia era algo que muy pocos logran poseer): extraordinariamente sencillos eran su kimono y sus gueta (esa especie de coturnos de madera que usan los japoneses en vez de zapatos), llevaba en la mano un sombrero de paja, sus manos eran bellísimas. Hablaba ruso. Era moreno, de baja estatura, delgado y hermoso, si es que a los ojos de un europeo los japoneses pueden parecer hermosos. Me dijeron que la fama le había sonreído gracias a una novela donde describía a una mujer europea.

Se habría borrado ya de mi memoria, como tantos encuentros ocasionales, a no ser...

En el archivo del Consulado Soviético en la ciudad japonesa de K. me cayó en las manos el expediente de una tal Sofía Vasilievna Gniedich-Tagaki, quien solicitaba la repatriación. Mi compatriota, el camarada Dyurba, secretario del Consulado General, me llevó a Mayosán, el templo de la zorra situado en lo alto de una de las montañas que rodean la ciudad de K. Para llegar allí es necesario tomar primero un automóvil, luego el funicular, y, al final, continuar a pie entre bosquecillos que crecen sobre las rocas hasta la cima de la montaña, donde había un espeso bosque de cedros, en medio de un silencio sólo turbado por el infinitamente triste tañido de una campana budista. La zorra es el dios de la astucia y de la traición: si el espíritu de la zorra penetra en un hombre, la raza de ese hombre queda maldita. A la sombra espesa de los cedros, sobre la explanada de una roca cuyos tres costados caían a pico sobre un desfiladero, surgía un templo con aspecto de monasterio, en cuyos altares reposaban las zorras. Reinaba un silencio profundo; desde allí se abría el horizonte por encima de una cadena de montañas y sobre el inmenso océano que se perdía en la infinita lejanía. No obstante, encontramos una pequeña fonda con cerveza inglesa fresca no muy lejos del templo pero a mayor altura todavía, desde donde era visible también el otro flanco de la cadena montañosa.

Bajo la acción de la cerveza, al rumor de los cedros y frente al océano, dos compatriotas pueden conversar bastante bien. Fue entonces cuando el camarada Dyurba me contó una historia que me hizo recordar al escritor Tagaki y que me hace ahora escribir este cuento.

Aquel día en Mayosán reflexionaba yo sobre la manera en que se escriben los cuentos.

Sí, ¿cómo se escriben los cuentos?

Aquella misma mañana saqué el expediente en que Sofía Vasilievna Gniedich-Tagaki desarrollaba su biografía desde el momento de su nacimiento, pues no había comprendido bien el reglamento según el cual todo repatriado debe proporcionar sus datos biográficos. Para mí, la biografía de esta mujer comienza en el momento en que su barco llegó al puerto de Suruga; era una biografía extraña y breve, muy diferente de la de millares y millares de mujeres rusas de provincia, cuyas vidas podrían perfectamente escribirse con un método estadístico monográfico –de conducta, porque se parecen como una cesta a otra: la cesta del primer amor, los sufrimientos y alegrías, el marido, los hijos engendrados para bien de la patria, y tantas otras cosas...

En mi cuento existen él y ella.

Sólo una vez he estado en Vladivostok. Fue a finales de agosto, y recordaré siempre Vladivostok como una ciudad de días dorados, de amplios horizontes, de recio viento marino, de mar azul, horizontes azules; en aquella áspera soledad que me recordaba Noruega, porque allá también la tierra se desploma hasta el horizonte en lisos bloques de piedra, sobre los cuales, solitarios, se yerguen los pinos. A decir verdad, estoy siguiendo el método costumbrista: completar con descripciones de la naturaleza los caracteres de los protagonistas. Ella, Sofía Vasilievna Gniedich, nació y creció en Vladivostok.

Trataré de presentarla:

Había terminado sus cursos en el Gimnasio para convertirse en profesora de primera enseñanza, en espera de un buen partido: era una de tantas señoritas como existían por millares en la vieja Rusia. Conocía a Pushkin, por supuesto, pero sólo en las estrictas proporciones exigidas por los programas escolares, y con seguridad confundía los conceptos que entrañan las palabras "ética" y "estética" de la misma manera que los confundí yo cuando escribí un ensayo ampuloso sobre Pushkin, cuando cursaba el sexto año en el Liceo.

Era evidente que la pobre ni siquiera podía imaginar que Pushkin comenzara precisamente donde terminaba el programa escolar, así como tampoco había pensado nunca que el hombre cree medir todo por el grado de inteligencia que posee y que todo aquello que queda por encima o por abajo de su compresión le parece un poco estúpido, o rematadamente estúpido si él mismo es algo tonto.

Había leído todo Chéjov por haber sido publicado en el suplemento de la revista *Neva* que recibía su padre, y Chéjov conocía a aquella muchacha, "perdónala, Dios mío, es una pobre tonta…". Pero si queremos volver a Pushkin, esta muchacha podría ser (y yo deseo que así sea) un poco boba, como lo es la poesía, lo que por otra parte puede ser muy agradable cuando se tienen dieciocho años.

Tenía ideas propias: sobre la belleza (son muy bellos los kimonos japoneses, especialmente los que fabrican los japoneses sólo para los extranjeros), sobre la justicia (y en efecto con toda razón le retiró el saludo al alférez Ivantsov, quien se había jactado de haber obtenido de ella una cita), sobre la cultura (porque en el concepto común que se tiene de la cultura, existe la convicción de que los

Pushkin y los Chéjov –los grandes escritores– son sobre todo hombres extraordinarios y, en segundo lugar, de que constituyen una especie ya extinguida como la de los mamuts, pues en nuestros tiempos no existe nada ni nadie extraordinario; en efecto, los profetas no nacen ni en la propia patria ni en los propios tiempos). Pero, si se puede aplicar la regla literaria según la cual el carácter de los protagonistas se complementa con las descripciones de la naturaleza, digamos entonces que esta muchacha, como un poema –¡el Señor nos perdone!– un poco boba, era limpia y diáfana como el cielo, el mar y las rocas de la costa rusa del Extremo Oriente.

Sofía Vasilievna supo escribir su biografía con tal habilidad que el funcionario consular y yo no pudimos sino quedarnos perplejos (aunque en mi caso no demasiado) ante el hecho de que aquella mujer apenas si había sido desflorada por los acontecimientos vividos durante aquellos años. Como es sabido, el ejército imperial japonés estaba en 1920 en el punto más oriental de Rusia con el propósito de ocupar todo el extremo oriental del país y, como también es sabido, los japoneses fueron expulsados por los revolucionarios. En la biografía no aparece una sílaba siquiera sobre esos acontecimientos.

Él era oficial del Estado Mayor General del Ejército Imperial Japonés de Ocupación, y vivía durante su estancia en Vladivostok en la misma casa en que Sofía Vasilievna alquilaba una pequeña habitación.

Fragmento de la autobiografía:

"… todo el mundo lo conocía con el mote de 'el macaco'. No había quien no se asombrara de que se bañase dos veces al día, usara ropa interior de seda, durmiera por las noches en pijama… Después se le comenzó a estimar… Por las noches jamás salía de casa, y leía en voz alta libros rusos, poemas y cuentos de autores contemporáneos para mí entonces desconocidos: Briusov y Bunin. Hablaba bien el ruso, aunque con un solo defecto: en vez de r pronunciaba l. Y eso fue lo que hizo que nos conociéramos: me encontraba yo junto a su puerta, él leía poemas y luego comenzó a cantar en voz baja:

"—La noche suspilaba…

"No pude contenerme al oír su pronunciación y solté una carcajada; él abrió la puerta antes de que lograra alejarme y me dijo:

"—Perdone que me atreva a solicitarle un favor, mademoiselle, ¿me permite que le haga una visita?

"Me quedé muy aturdida, no comprendí nada; le dije que me excusara y me encerré en mi habitación. Al día siguiente se presentó a hacerme la visita anunciada. Me entregó una caja enorme de chocolates, y luego me dijo:

"—¿Recuerda que le pedí permiso para hacerle una visita? Por favor, tome usted un chocolate. Dígame, ¿cuál es su impresión sobre el tiempo?"

El oficial japonés demostró ser un hombre con intenciones serias, todo lo contrario del alférez Ivantsov, quien concertaba las citas en callejones oscuros y estiraba las manos. El japonés invitaba a la muchacha al teatro a una buena localidad y después de la función la llevaba a un café. Sofía Gniedich le escribió una carta a su madre en la que le refería las intenciones serias del oficial. En su confesión autobiográfica, describe minuciosamente cómo una noche el oficial, que estaba en la habitación de ella, palideció de golpe, cómo su rostro adquirió luego un color violáceo y la sangre le afluyó a los ojos, y cómo se retiró apresuradamente, por lo que ella comprendió que en él había estallado la pasión… y luego lloró largamente sobre la almohada sintiendo miedo físico hacia aquel japonés tan diferente, por raza, de ella. "Pero fueron precisamente esos arrebatos pasionales, que él sabía contener a la perfección, los que después encendieron mi curiosidad de mujer." Y comenzó a amarlo.

Él le hizo la proposición de matrimonio muy al estilo de Turgueniev, en uniforme de gala y guantes blancos, la mañana de un día de fiesta, en presencia de los patrones de casa, según todas las reglas europeas, y le ofreció su mano y el corazón.

"Dijo que volvería, dentro de una semana al Japón y me pidió que lo siguiera, porque muy pronto los revolucionarios tomarían la ciudad. Según el reglamento del ejército japonés, los oficiales no pueden contraer matrimonio con mujeres extranjeras, y los oficiales del Estado Mayor tienen prohibido, en términos generales, casarse antes de cierto límite de edad. Por tales motivos me pidió mantener en el más estricto secreto nuestra situación y vivir, hasta el día que lograra obtener el retiro, al lado de sus padres, en un pueblo japonés. Me dejó mi quinientos yens y una carta de presentación para que pudiera reunirme con sus padres. Le dije que sí…"

Los japoneses eran odiados en toda la costa del Extremo Oriente ruso: los japoneses capturaban a los bolcheviques y los asesinaban, quemando a algunos en las calderas de los acorazados anclados en la bahía, a otros los fusilaban o los quemaban en hornos construidos sobre pequeños volcanes de lodo… los revolucionarios echaban mano de toda su astucia para destruir a los japoneses (Kolchiak y Semionov habían ya muerto)… Los moscovitas se acercaban como un torrente enorme de lava… pero Sofía Vasilievna no dedica siquiera una línea a esos acontecimientos.

II

La verdadera y auténtica biografía de Sofía Vasilievna comienza el día en que puso pie en el archipiélago japonés. Esta biografía constituye una confirmación a la ley de los grandes números, con sus excepciones estadísticas.

No he vivido en Suruga, pero sé muy bien lo que es la policía japonesa y lo que son esos agentes que hasta los propios japoneses llaman *inu*, es decir perros. Los *inu* actúan de una manera avasalladora, porque tienen prisa, hablan un ruso imposible, piden los datos personales comenzando con el nombre, patronímico y apellido de la abuela materna; su explicación es que "la policía japonesa necesitaba saberlo todo"; se enteran, casi sin que el interrogado se dé cuenta, del "objeto de la visita". Escudriñan las cosas con la misma brutalidad con que inspeccionan el alma según el *sinobi*, o sea el método científico de la escuela de policía japonesa… Suruga es un puerto pequeño, donde fuera de las casas de estilo japonés no existe siquiera un edificio europeo; un puerto donde abunda la pesca del pulpo, al que revientan a palos para obtener la tinta y ponen luego a secar en las calles. En aquella provincia japonesa contribuía a sembrar la confusión, además de la policía, el hecho de que un gesto que en Vladivostok significa "ven acá" quiere decir en Suruga "aléjate de mí"; los rostros de los habitantes, por otra parte, no dicen nada, conforme a las reglas del hermetismo japonés que exige ocultar cualquier intimidad y no revelarla ni siquiera por la expresión de los ojos.

Sin duda le preguntaron a Sofía Vasilievna "el objeto de su visita" y ella no debió de recordar con exactitud los apellidos de su abuela materna.

A ese propósito escribe brevemente:

"Me interrogaron sobre el objeto de mi viaje. Me tuvieron arrestada. Permanecí un día entero en la delegación de policía. Constantemente me preguntaban sobre mis relaciones con Tagaki y por qué me había dado una carta de presentación. Declaré que era su prometida, porque la policía me amenazó con repatriarme en el mismo barco si no hablaba. Tan pronto como confesé me dejaron tranquila y me llevaron un plato de arroz con dos palillos, que entonces todavía no sabía usar."

Esta misma noche llegó Tagaki-san, el novio, a Suruga. Ella lo vio desde la ventana dirigirse resueltamente a la oficina del jefe de la policía. Le pidieron cuentas sobre la muchacha. Tagaki se comportó virilmente y declaró:

—Sí, es mi prometida.

Le aconsejaron devolverla a su patria, pero él se negó. Le dijeron que sería expulsado del ejército y desterrado a algún lugar remoto: él lo sabía.

Entonces quedaron en libertad él y ella. Él, a la manera de Turgueniev, le besó la mano y no le hizo el menor reproche. Después la acompañó al tren y le dijo que en Osaka encontraría a su hermano, que él por el momento "estaría un poco ocupado".

Desapareció en la oscuridad; el tren se internó entre montes oscuros. La muchacha permaneció en la más absoluta soledad, y se convenció de que él, Tagaki, era la única persona por quien sentía cariño y devoción hacia la cual se sentía ligada y llena de gratitud, y también de incomprensión.

El vagón estaba bien iluminado; afuera todo eran tinieblas. Las cosas que la rodeaban le parecieron horribles e incomprensibles, sobre todo cuando los japoneses que viajaban en su compartimiento, hombres y mujeres, se desvistieron para dormir, sin ninguna vergüenza de mostrar el cuerpo desnudo, así como cuando, en algunas estaciones, vio comprar, a través de las ventanillas, té caliente en pequeñas botellas y cajas de madera de abeto que contenían una cena de arroz, pescado, rábanos, una servilleta de papel, un mondadientes y un par de palillos, con los que había que comer. Después se apagó la luz y los pasajeros comenzaron a dormir. Sofía Vasilievna no logró pegar un ojo en toda la noche, víctima de la soledad, de la incomprensión, del espanto. No entendía nada.

En Osaka fue la última en bajar al andén y se encontró inmediatamente ante un hombre en kimono de tela oscura a rayas con los pies atados a dos trozos de madera. Se sintió muy ofendida por el silbido con que aquel individuo acompañó su propia reverencia, apoyando las manos abiertas sobre las rodillas, y de la tarjeta de visita que le entregó sin tenderle la mano: ella ignoraba que tal era la manera de saludar entre los japoneses; mientras ella estaba dispuesta a abrazar a su pariente, él ni siquiera se dignaba estrecharle la mano... Se quedó paralizada, sintió que ardía de humillación.

Él no sabía una sola palabra de ruso; le dio una palmadita en un hombro y le indicó la salida. Se pusieron en movimiento. Entraron en un automóvil. La ensordeció y la cegó la ciudad, comparada con la cual, Vladivostok era una aldea. Llegaron a un restaurante donde les sirvieron un desayuno a la inglesa; no comprendía por qué debía comer la fruta antes que el jamón y los huevos. El otro, dándole siempre sus palmaditas en el hombro, le indicaba lo que debía hacer, sin articular siquiera un sonido, sonriendo inexpresivamente de cuando en cuando. Después del desayuno la condujo a los excusados: ella no sabía que en Japón el retrete era común para hombres y mujeres. Aterrada, le hizo señas de que saliera, el otro no comprendió y comenzó a orinar.

Volvieron a tomar el tren; él le compró una ración de alimentos colocada en una cajita de madera de pino, una botella de café y le puso en las manos (por primera vez en la vida de Sofía Vasilievna) los dos palillos para que comiera.

Por la noche bajaron del tren, y él la hizo sentarse en una *ricks-*

ha: la sangre se le subió a las mejillas por esa sensación casi insoportable de desagrado que experimenta todo europeo al subir por primera vez en una *ricksha*... pero ya para entonces carecía de voluntad propia.

Atravesaron la ciudad de calles estrechas, siguieron después por callejones y senderos bordeados de cedros, al lado de cabañas escondidas entre el verdor del follaje y las flores; la *ricksha* los condujo, siguiendo la pendiente de una montaña, hacia el mar. Sobre una roca que caía a pico, en una pequeña explanada sobre la bahía, bajo la fronda de los árboles, había una casa de campo; se detuvieron frente a ella. De la casa salieron un anciano y una anciana, varios niños y una mujer joven, todos vestidos con kimonos, que le hicieron profundas reverencias sin tenderle la mano. No le permitieron entrar de inmediato; el hermano del novio le señaló los pies: ella no comprendía. Entonces la hizo sentarse, casi a la fuerza, y le quitó los zapatos. En el umbral de la casa las mujeres se arrodillaron rogándole que entrara. Toda la casa parecía un juguete; en la última habitación una ventana se abría sobre el amplio mar, el cielo, las rocas: aquel lado de la casa estaba situado sobre el abismo. En el suelo de la habitación había muchos platos y recipientes, y al lado de cada recipiente había un almohadón. Todos, ella también, se sentaron sobre esos almohadones, en el suelo, para cenar.

...Al día siguiente se presentó Tagaki-san, el prometido. Entró en kimono, y ella por un instante no reconoció a aquel hombre que se inclinó en una profundísima ceremonia primero ante el padre y el hermano, luego ante la madre y, finalmente, ante ella. Sofía Vasilievna habría querido arrojarse en sus brazos, pero él retuvo por un minuto sus manos y, con aire de profunda cavilación, le besó una de ellas. Llegó por la mañana. Le hizo saber que había estado en Tokio, que lo habían licenciado del ejército y, como castigo, exiliado durante dos años, concediéndole pasar el tiempo del exilio en su pueblo, en casa de su padre; no debería alejarse durante dos años de aquella casa y de aquel peñasco.

Ella estaba feliz. Él le había traído de Tokio muchos kimonos. Ese mismo día fueron a registrar su matrimonio en la oficina correspondiente; ella, en kimono azul, con los cabellos rubios peinados a la japonesa, el *obi* (cinturón) que le dificultaba la respiración, oprimiéndole dolorosamente el pecho, y los coturnos de madera que le oprimían un callo entre los dedos de un pie. Dejó de ser Sofía Vasilievna Gniedich para convertirse en Tagaki-no-okusan. Y la única cosa con la que pudo pagarle al marido, al amado marido, no fue con gratitud, sino con auténtica pasión, cuando por la noche, en el suelo, envuelta en un kimono de noche, se le entregó y en las pausas de la ternura, el dolor y el deseo, oían el estallido de las olas bajo ellos.

III

En otoño se marcharon todos, dejando solos a los jóvenes esposos. De Tokio les enviaron cajas con libros rusos, ingleses y japoneses. En su confusión, ella no cuenta casi nada sobre cómo pasaba el tiempo. Es fácil imaginar cómo soplaban los vientos del océano en otoño, el estruendo de las olas al golpear los peñascos, el frío y la soledad ante la estufa doméstica cuando se sentaban solos durante horas, días, semanas.

Pronto ella aprendió a saludar: "o-yasumi-nasai", a despedirse: "sayonara", a dar las gracias: "do-ita-sima-siete", a pedir que tuvieran la amabilidad de esperar mientras iba a llamar a su marido: "chotomato-kudasai"… En su tiempo libre aprendió que el arroz, igual que el trigo, podía cocinarse de las maneras más diversas, y que así como los europeos no saben preparar el arroz, los japoneses no sabían hacer el pan. A través de los libros que el marido había recibido, aprendió que Pushkin comenzaba precisamente donde terminaba el programa escolar, que Pushkin no era algo muerto como un mamut sino algo que vive y que vivirá siempre; por su marido y por los libros se enteró de que la más grande literatura y el pensamiento más profundo eran rusos.

Por la mañana el marido se sentaba en el suelo con sus libros; ella cocinaba el arroz y los demás platos, bebían té, comían ciruelas en salmuera y arroz sin sal. El marido no era exigente: habría podido vivir meses enteros sólo de arroz, pero ella preparaba también algunos platos de la cocina rusa, iba por la mañana a la ciudad a hacer las compras y se asombraba de que los japoneses no vendieran los pollos enteros sino en piezas, podía comprar separadamente las alas, la pechuga, los muslos. En el crepúsculo, iban a pasear por la orilla del mar, o por las montañas hasta un pequeño templo; ella se acostumbró a caminar con los coturnos, a saludar a los vecinos a la manera japonesa, haciendo reverencias profundas con las manos en las rodillas. Por la noche leían. Muchas noches las dedicaban a hacer el amor: el marido era apasionado y refinado en la pasión, por la larga cultura de sus antepasados, distinta de la europea; el primer día del matrimonio, la madre de él, sin decirle una palabra –ya que no tenían ningún medio común de expresión–, le regaló unos cuadritos exóticos en seda, que ilustraban ampliamente el amor sexual.

Ella amaba, respetaba y temía a su marido; lo respetaba porque era fuerte, noble y taciturno, y lo sabía todo; lo amaba y lo temía porque cuando ardía de pasión lograba subyugarla por completo. Había días en que su marido se comportaba de modo sombrío, cortés, esquivo y, a pesar de su noble conducta, la trataba con severidad. A fin de cuentas era muy poco lo que sabía de él, nada de su familia: su suegro poseía en alguna parte una fábrica, algo relacionado con la seda.

A veces, llegaban a visitar a su marido algunos amigos de Tokio o de Kioto; en esas ocasiones, él le pedía que se vistiera a la europea y que recibiera a los huéspedes a la manera europea; es decir, bebían el sake, el aguardiente japonés, junto con las visitas; después del segundo vaso sus ojos se inyectaban en sangre, hablaban sin cesar, y luego, ebrios, cantaban algunas canciones y se iban a la ciudad poco antes del amanecer.

Vivían en medio de una gran soledad, el frío de invierno sin nieve se transformaba en el sopor del verano, el mar se encrespaba durante las tormentas, pero era sereno y azul a la hora del reflujo; las diarias jornadas de ella no se parecían siquiera a las cuentas de un rosario, porque éstas pueden ser contadas y recontadas, como suelen hacer los monjes europeos y los budistas, mientras que ella no podía contar sus días.

Aquí puede terminar el cuento sobre cómo se escriben los cuentos.

Pasó un año, otro, otro más.

Se cumplió el término del exilio, sin embargo se quedaron a vivir allí todavía otro año. Más tarde comenzó a llegar a su ermita mucha gente que saludaba con profundas reverencias tanto a ella como a su marido; lo fotografiaban ante su biblioteca con ella al lado; le preguntaban sobre sus impresiones del Japón. Le pareció que toda aquella gente caía sobre ellos como guisantes salidos de una bolsa. Supo entonces que su marido había publicado una novela con enorme éxito. Le hicieron ver las revistas donde estaban fotografiados los dos: en casa, cerca de casa, durante un paseo hacia el templo, durante un paseo a orillas del mar, él en kimono japonés, ella vestida a la europea.

Ya para entonces hablaba un poco de japonés. Muy pronto aprendió a desempeñar el papel de esposa de un escritor célebre, sin advertir ese cambio que ocurrió de manera misteriosa, ese cambio que consiste en no tener ya miedo de los extraños, sino considerarlos como gente dispuesta a rendirle alguna cortesía. Pero no conocía la célebre novela de su marido ni el argumento. A menudo le hacía preguntas a su marido, quien respondía a su pregunta con un silencio convencional; tal vez porque en realidad el asunto no le interesaba demasiado, ella dejó de insistir.

Pasó el rosario de jaspe de sus días. Unos jóvenes cocineros preparaban ahora el arroz, y a la ciudad ella iba en automóvil, dándole órdenes en japonés al chofer. Cuando su suegro se presentaba, le hacía una reverencia más respetuosa que la que ella hacía para saludarlo.

No cabe duda de que Sofía Vasilievna habría sido la mujer perfecta del escritor Tagaki, igual que la mujer de Heinrich Heine, que acostumbraba preguntarle a los amigos de su marido: "Me han dicho que Heinrich ha escrito algo nuevo, ¿es cierto?…" Pero Sofía Vasilievna acabó por enterarse del contenido de la novela. Había llegado a casa el corresponsal de un periódico de la capital, quien hablaba ruso. Llegó cuando el marido estaba ausente. Fueron a pasear hasta el mar. Y junto al mar después de conversar sobre algunas trivialidades, ella le preguntó cómo se explicaba el éxito de la novela de su marido, y qué era lo que consideraba fundamental en ella.

IV

…Y esto es todo. Cuando en la ciudad de K. encontré en el archivo consular la autobiografía de Sofía Gniedich-Tagaki, compré al día siguiente la novela de su marido. Mi amigo Takahashi me refirió el contenido. Conservo todavía este libro en mi casa, en la calle Povarskaia. El cuarto capítulo de este cuento no lo escribí dejándome llevar por la imaginación, sino siguiendo casi punto por punto lo que me tradujo mi amigo Takahashi-san.

El escritor Tagaki, durante todo el tiempo que duró su exilio, había escrito sus observaciones sobre la esposa, esa rusa que no sabía que la grandeza de Rusia comenzaba precisamente después de los programas escolares, y que la grandeza de la cultura rusa consistía en saber meditar.

La moral japonesa no contemplaba el pudor del cuerpo desnudo, de las funciones naturales del hombre, del acto sexual; la novela de Tagaki-san había sido escrita con minuciosidad clínica… y con meditaciones al estilo ruso. Tagaki-san meditaba sobre el tiempo, sobre los pensamientos y sobre el cuerpo de su mujer… Cuando, a la orilla del mar, el corresponsal del periódico de la capital discurría con Tagaki-no-okusan, la mujer del célebre escritor, puso ante ella no un espejo sino la filosofía de los espejos; ella se vio a sí misma vivir entre las páginas de papel; no era tan importante el hecho de que en la novela se describiera con detalles clínicos cómo temblaba ella en los momentos de pasión y el desorden de sus vísceras; no, lo terrible, lo terrible para ella era otra cosa. Comprendió que toda, toda su vida había sido material de observación, que el marido la había espiado cada momento de su vida, allí comenzaba lo horrible; eso era una traición excesivamente cruel a todo lo que alentaba en ella. Fue entonces cuando pidió, por medio del consulado, ser repatriada a Vladivostok.

He leído y releído con la mayor atención su autobiografía: estaba escrita siempre con la misma sensibilidad, con monotonía, sin efectos; las partes de la autobiografía de esta mujercita insignificante donde –a saber por qué– se describían la infancia, la escuela y la vida de Vladivostok y también las jornadas japonesas, estaban escritas con la misma insipidez con que se escriben las cartas de amigas de sexto año de la escuela municipal, o del segundo curso de los institutos para muchachas nobles, según las reglas de composición escolar; pero en la última parte (en la que arrojaba alguna luz sobre su vida conyugal) esta mujer había sabido encontrar palabras verdaderas y grandes en su sencillez y claridad, como supo encontrar la fuerza para actuar simple y claramente.

Abandonó la condición de mujer de un escritor célebre, el amor y las costumbres adquiridas, y volvió a Vladivostok a las habitaciones desnudas de las profesoras de escuela elemental.

V

Esto es todo.

Ella: vivió su autobiografía hasta el fondo; yo escribí su biografía, diciendo que pasar a través de la muerte es bastante más cruel que matar a un hombre.

Él: escribió una novela hermosísima.

Que sean los otros quienes juzguen, no yo. Mi trabajo se reduce a meditar: sobre todas las cosas, y, también, en particular, sobre cómo se deben escribir los cuentos.

La zorra es el dios de la astucia y de la traición: si el espíritu de la zorra penetra en un hombre, la raza de ese hombre queda maldita.

¡La zorra es el Dios de los escritores!

Corrado Alvaro (1895-1956)

Inocencia

Al llegar la primavera, Biasi –que trabajaba en un camino vecinal como jornalero– fue a visitar a su madre. Su casa estaba lejos, pero contaba con llegar a una sola jornada, a pie. En cambio, al atardecer se halló todavía más acá de las montañas, a la orilla del mar, entre los agaves y los postes del telégrafo, que se confundían. Entonces escogió un punto en el cual pasar la noche en la costa que veía extenderse al infinito. Dicho punto eran unas casas dispersas en el promontorio, bajo la linterna del faro. Le agradaba la idea de quedarse ahí, donde la linterna ya titubeaba entre encenderse y apagarse, llamando en vano a los barcos que bogaban ya con las luces encendidas. Al pie de la roca del promontorio las casas se acurrucaban en la noche, y de los naranjales llegaban intermitentes rachas de fragancia. Cuando Biasi llegó el tendero aún no cerraba su negocio. No era posible dormir a la orilla del mar porque aún hacía frío y el mar estaba picado. Le pidió permiso al tendero para sentarse. Sin pronunciar palabra le indicó que sí. Se sentó, apoyándose en el mostrador y reclinando la cabeza sobre su brazo. Se quedó dormido. "Una vela. Un centavo de tabaco. Medio litro de vino. Un cigarro. ¿Y éste quién es? Un viandante. El barón vendió la esencia a doscientos cincuenta. Cuente su cambio." Biasi alcanzaba a oír estas frases mientras dormía, el ajetreo de personas que entraban y salían, voces graves y voces femeninas y la proximidad de algunos que se acercaban para verlo mejor. Más tarde alguien le dijo al oído: "Vamos a cerrar". Se levantó de inmediato y vio una mariposa muy grande que revoloteaba detrás del mostrador, girando en torno de la lamparita encendida frente a la imagen de un santo. Poco después se hallaba en medio del camino, atolondrado y aterido.

El mar producía un estruendo enorme y, como si estuviera encadenado, se revolvía encarnizadamente contra la luna, que lo hacía parecer altísimo. Los árboles, macilentos, se dejaban encantar por el rumor y la claridad. El camino estaba desierto. Se sentó sobre una tapia que había frente a una casucha, y estuvo viendo la sombra, neta como un bordado, de una acacia plantada frente a la puerta. Ahora la noche le parecía una extraña estación iluminada por un sol muy tenue. Mirando mejor, se dio cuenta de que la puerta se hallaba entreabierta y que dentro alguien tosía. Se acercó a la casucha. Al sentir sus pasos, una voz dijo:

—¡Adelante!

Él empujó la puerta y entró. Dijo:

—Buenas noches. A decir verdad, no toqué a la puerta.

Una figura femenina estaba sentada bajo una lámpara colgada del techo, envuelta en un chal que le cubría la cabeza y dejando entrever únicamente los ojos sin edad, los ojos de las mujeres del pueblo. Él fue inmediatamente al grano:

—Si me deja dormir aquí, aunque sea en el suelo, y si lo permite el patrón, le puedo pagar. Ando de viaje porque voy a ver a mi madre. Soy jornalero.

La mujer asintió con un leve movimiento de cabeza. Él agregó:

—Gracias. Si es así, permítame sentarme.

Aquellos dos ojos negros lo miraban, y parecían sonreír involuntariamente.

—¿Cuánto va a ser? –dijo el joven mientras se sentaba, haciendo tintinear las monedas de su bolsillo.

—Cierre la puerta –dijo la mujer–. Ponga la aldaba.

Cuando él se levantó a cerrar, ella pudo observarlo mejor: ágil, flaco, de cabellos ensortijados, de tez viva y tostada y con un bozo tupido que le daba un aspecto demasiado serio para su edad. Él observaba lo que había a su alrededor; vio un cobertor colgado a guisa de cortina, que cubría evidentemente una cama. Miró a la mujer, y dijo:

—¿Vive sola?

La mujer movió afirmativamente la cabeza. El joven estaba preocupado.

—Soy jornalero…

Se puso a contar cómo trabajaban en el camino, y lo malo que era el capataz. Pero no pudo continuar; dormía ya, luchando por mantenerse sentado. Luego se echó instintivamente en el suelo, como un animal; todavía lo dominaba la idea del camino recorrido. Dormía apoyando la cabeza en el brazo doblado. La mujer lo veía, pensando en el sueño pesado de los jóvenes, en las fatigas felices y ligeras. Como si fuera ella la donadora de aquel reposo, pensaba, y casi decía: "Duerme, duerme". El joven, por instinto, tenía una mano en el bolsillo del dinero.

Tocaron a la puerta, muy quedo. La mujer, de pie sobre una silla, apagó la luz, y esperó sin moverse. Tocaron de nuevo, pero más fuerte, y una voz dijo:

—¡Abre, Vénera!

Se sentía el rumor de una comitiva, el sonido de una armónica, rápidamente sofocado, y risas reprimidas. Alguien se puso a cantar a voz en cuello, acompañado de un tamborcillo, mientras otros pateaban la puerta de acuerdo al ritmo del canto. Ese canto decía "¡Oh, flor amarga, oveja perdida!" Reían a carcajadas. Biasi los oía confusamente, pero seguía durmiendo. Tras la puerta crecía la furia, y en las casas y gallineros cercanos aumentaba la inquietud y las toses.

—¡Abre, Vénera! ¡Ay de ti si no abres!

La mujer se puso a hablar detrás de la puerta:

—No puedo abrir, váyanse, por caridad. Vengan mañana…

—¡Ahora, ahora! –gritaban y reían.

Reían a carcajadas, silbaban, tronaban besos fingidos.

—Un momento, por favor, déjenme hablar –replicaba la mujer–. Tengo aquí a un pariente, es casi un niño, no sabe nada. No sean malos y déjenme en paz, pobre de mí. Dejen en paz a esta pobre huérfana.

Le respondieron alborotando.

—¡No abro! –dijo ella con rabia.

—¡Ay de ti, Vénera!

Pero luego se dispersaron. Sólo uno de ellos volvió para suplicarle, llamándola con nombres dulcísimos, con voz de muchacho, besando la puerta.

—¡Te voy a quemar la puerta! –amenazó finalmente.

Pero ya no se oyó nada, sólo la respiración del mar invadía la noche y pasaba sobre el mundo inmerso en la luz hechizada de la luna.

La mañana tenía colores de fiesta. El joven veía a la mujer, atareada delante de una hornilla; esta vez tenía la cabeza envuelta en una pañoleta azul anudada bajo el mentón, y su palidez tenía un tono grisáceo. Él estaba en la cama, sin saber cómo había llegado ahí. La cortina estaba alzada, el sol resplandeciente había clavado sus navajas en los intersticios y en las figuras de la puerta y de la ventana. No recordaba cómo había llegado a la cama, vestido como estaba.

—¿Dónde durmió usted?

—Quedaba lugar para mí –respondió la mujer–. Durmió usted a pierna suelta. Durmió como un niño.

Sentado sobre la cola, un gato lo observaba desde el centro del cuarto. Las paredes estaban tapizadas, aquí y allá, de recortes de periódicos ilustrados; la fotografía de un hombre en medio de un abanico formado por tarjetas postales, parecía hallarse ante un tribunal que debía condenarlo. El joven vio, muy cerca de él, la huella de una cabeza sobre la almohada y, sin que ella lo viera, una vaga sospecha lo obligó a palpar el bolsillo del dinero. Luego dijo:

—Me pareció que esta noche alguien andaba alborotando.

—Sí: algunos andaban de serenata.

Ella le ofreció café en una tacita con flores doradas, y se veía que sólo la usaba en ocasiones especiales. En el espejo opaco del líquido, como un lago nocturno, él vio por un instante su ojo reflejado, como si fuera un signo profundo. Buscaba sus zapatos. La mujer se los dio, después de limpiarlos con la punta del delantal, cosa que le hizo recordar a su madre. Al levantarse el joven, la mujer empezó a cepillarle la ropa. Él sentía cómo subía y bajaba el cepillo, y recordó su infancia; entre cepillada y cepillada, sentía que chocaba contra algo muy blando. Ella estaba muy cerca de él, con los ojos bajos y parpadeantes, para que no la mirara, mientras lo cepillaba con diligencia.

Dándose aires de importancia, se llevó la mano al bolsillo.

—¿Cuánto le debo por el alojamiento?

Ella le respondió:

—Ustedes siempre quieren pagar. No es nada, nada. Vivo sola y no tengo necesidad de nada. Lo hago por caridad al prójimo.

Mientras tanto, tenía ya un peine y le desenmarañaba dulcemente el cabello. Veía cómo se extendían y ensortijaban de nuevo los rizos del joven.

—¿Tiene novia en su pueblo?

—No; no tengo novia.

—¿Ni una mujer a quien amar?

—Tampoco. Tengo que trabajar —respondió en un tono serio y juicioso.

Luego se puso a reír, mostrando dos dientes grandes, como almendras. Ella siguió peinándolo, pero bruscamente, y le jalaba los cabellos hasta hacerle mal. Pero continuaba atendiéndolo: echó agua en el aguamanil, y esperaba con la toalla extendida entre las dos manos. Él le dijo, secándose:

—Tengo que irme.

—¿Tiene algo para comer en el camino?

—No; pero voy a llegar poco después de mediodía. Se lo agradezco. Es usted un ángel. Me acordaré de usted y vendré a verla cuando vuelva por estos rumbos.

Sin decir nada, ella había abierto el envoltorio del joven, desatando con dedos hábiles los nudos del pañuelo, y tocaba uno tras otro los objetos que contenía, como si los reacomodara. Recargó una escalerita en la pared, para alcanzar el techo, donde dos o tres redecillas colgadas estaban llenas de manzanas. Estando arriba, se puso locuaz.

—Le voy a dar algo para que coma en el viaje. Usted es un muchacho, y ya se sabe que los muchachos siempre tienen ganas de comer.

—Ni tan muchacho —replicó el joven, herido en su amor propio—. Ya tengo dieciocho años. ¿Qué es lo que pensaba usted?

La veía allá arriba, con las faldas recogidas entre las rodillas, mirando el rostro de ella que andaba muy alto, como si anduviera volando.

—No sostenga la escalera –dijo ella, avergonzada de que la viera en esa posición–; aléjese un poco.

La escalera se tambaleó al hacer ella un movimiento en falso, hizo un gesto como de quien naufragara en el aire, mientras las manzanas caían al suelo y ella se aferraba desesperadamente a un barrote. El joven tuvo tiempo de que cayera entre sus brazos. Se le había desatado la pañoleta azul que le envolvía la cabeza, y quedó al descubierto una cabellera de color castaño con las puntas de color rubio. Ella se cubrió de inmediato las mejillas con ambas manos, y miraba fijamente al joven.

—¿Se ha hecho mal?

Y apartándole por la fuerza las manos de la cara, temeroso de que se hubiera hecho mal, vio una cicatriz apenas restañada de una larga herida, de un hondo tajo que cruzaba su rostro de oreja a mentón, como suelen verse en las mujeres perdidas, señaladas así como por una condena. Ya no le importaba cubrirse la cara, y estaba delante de él como una culpable. Luego, como queriendo mantenerse ocupada, se puso a acomodar en el pañuelo las manzanas dispersas en el suelo. Terminó de hacer el envoltorio.

Él se le acercó y, tomando entre sus manos la cabeza de la mujer, la miró fijamente y posó sus labios en la cicatriz, besándola con fuerza, como si llamara como testigo a la luz del sol, sin repugnancia.

—Usted es bueno –murmuró la mujer.

Tocaron a la puerta. Entró un joven, torvo y pálido. Esperó que Biasi saliera y, después de observarlo mientras se alejaba, cerró violentamente la puerta. Fuera de la casucha, el sol resplandecía y el mar deslumbraba.

Giuseppe Tomasi de Lampedusa (1896-1957)

Lighea

A fines del otoño de 1938 atravesaba yo por una aguda crisis de misantropía. En esos tiempos trabaja en Turín, y la "tota"[1] No. 1, hurgando en mis bolsillos –mientras yo dormía– en busca de algún billete de cincuenta liras, descubrió también una cartita de la "tota" No. 2 que, a pesar de tantas incorrecciones ortográficas, no dejaba lugar a dudas acerca de la naturaleza de nuestras relaciones.

Mi despertar fue repentino y borrascoso. El apartamentito de la calle Peyron retumbó con los insultos dichos en dialecto; ella quería arrancarme los ojos, y habría logrado su propósito de no haberle sujetado las muñecas a la querida muchacha. Mi acción defensiva le puso fin al escándalo, pero también al idilio. Se vistió de prisa, guardó en su bolso la borla, el carmín, un pañuelito y el billete de cincuenta liras, causa de tantos males; me lanzó a la cara un triple "¡puerco!" y se fue. Nunca fue más bella que en ese cuarto de hora furibundo. Desde la ventana la vi salir a la calle y alejarse entre la niebla tenue de la mañana; alta, esbelta, jactándose de su reconquistada elegancia.

No he vuelto a verla, como jamás he vuelto a ver el *pullover* de *cashmere* negro que me costó un ojo de la cara y que tenía el funesto mérito de adaptarse tanto a hombres como a mujeres. Ella me dejó únicamente, sobre la cama, dos de esas horquillas onduladas que llaman "invisibles".

Esa misma tarde tenía una cita con la "tota" No. 2, en una pastelería de la Plaza Carlo Felice. En la mesita redonda del rincón oeste de la segunda sala –que era "la nuestra"– no vi la cabellera

---

[1] *Tota*: muchacha, amante, en dialecto milanés. (N. del A.)

castaña de aquella muchacha deseada más que nunca, sino la cara astuta de Tonino, un hermanito suyo, de doce años, que acababa de engullir un chocolate con crema doble. Al aproximarme él se levantó con toda la acostumbrada urbanidad turinesa.

—Monsú, la Pinotta no pudo venir. Me encargó que le diera este recado. Hasta luego, monsú.

Y se fue, llevándose dos pasteles que quedaban en un plato. En el papelito color marfil me notificaba la ruptura total, debida a mi infamia y "deshonestidad meridional". Era obvio que la No. 1 había buscado e instigado a la No. 2, para dejarme como al perro de las dos tortas.

En doce horas perdí a dos muchachas que se complementaban a la perfección, más un *pullover* y el dinero que tuve que pagar por el consumo del infernal Tonino. Mi sicilianísimo amor propio había sufrido una humillación. Descorazonado, decidí abandonar por algún tiempo al mundo y sus pompas.

Para ese periodo de retiro no pude encontrar lugar más adecuado que el café de la calle Po, donde entonces, solo como un perro callejero, me refugiaba en todos mis momentos libres y, siempre, todas las noches después de salir del trabajo en el periódico. Era una especie de Hades poblado por exangües sombras de teniente-coroneles, magistrados y profesores jubilados. Esas apariencias vanas jugaban a la baraja o al dominó, inmersas en una luz oscurecida durante el día por los portales y las nubes; en la noche, por las pantallas de los enormes lampadarios. Nunca levantaban la voz, temerosos de que un sonido demasiado fuerte rompiera la débil urdimbre de su apariencia. Un Limbo muy adecuado.

Puesto que siempre he sido un animal de hábitos, me sentaba siempre a la misma mesita rinconera diseñada con todo esmero para ofrecerle al cliente la mayor incomodidad posible. A mi izquierda, dos espectros de altos oficiales jugaban "tric-trac" con dos larvas disfrazadas de consejeros del tribunal de justicia; los dados judiciales y los dados militares se deslizaban por el cubilete de cuero sin hacer ningún ruido. A mi izquierda se sentaba también un señor de edad avanzada, liado en un viejo abrigo con cuello de astrakán despelachado. Leía sin tregua revistas extranjeras, fumando puritos toscanos y escupiendo con frecuencia; de vez en cuando cerraba las revistas y parecía seguir en las volutas de humo algún recuerdo. Poco después retomaba la lectura, y escupía. Sus manos eran muy feas, nudosas, rojizas, con las uñas recortadas sin curvatura alguna y no siempre limpias. Pero una vez, al encontrar en una de sus revistas una fotografía de una arcaica estatua griega –una de aquellas que tienen los ojos muy lejos de la nariz y que sonríen de manera ambigua–, me asombré al ver que acariciaba, con las yemas de sus dedos deformes, los contornos de la figura, con auténtica delicadeza. Sintiéndose sorprendido, refunfuñó algo, con rabia, y ordenó un segundo exprés.

Nuestras relaciones habrían quedado en un plano de latente hostilidad si no se hubiera presentado un accidente de buena fortuna. Siempre llevaba conmigo cinco o seis periódicos que recogía en la redacción, y esa vez, por casualidad, llevaba también el *Giornale di Sicilia*. Eran los años de mayor encarnizamiento del Minculpop,[2] y todos los periódicos eran iguales. Ese número del diario de Palermo era más banal que nunca, y no se distinguía de un periódico de Roma o de Milán sino en su imperfección tipográfica. Ésa fue la razón de mi breve lectura y de que pronto lo dejara sobre la mesita. Ya empezaba a contemplar otra encarnación del Minculpop, cuando mi vecino me dirigió la palabra:

—Disculpe, señor ¿me permite darle una ojeada a su *Giornale di Sicilia*? Soy siciliano, y hace veinte años que no leo un periódico de mi tierra.

Tenía una voz cultivada y el acento era impecable. Los ojos grises del anciano me miraban con profunda indiferencia.

—Claro que sí, léalo. Yo también soy siciliano; y si usted lo desea, puedo traérselo todas las noches.

—Gracias; no creo que sea necesario. Mi curiosidad es únicamente física. Si Sicilia continúa aún como en aquel tiempo, puedo imaginar que ahí no ha ocurrido nada de bueno después de tres mil años.

Leyó de mala gana el periódico, lo dobló y, después de devolvérmelo, se engolfó en la lectura de un opúsculo. Poco después se levantó, con la evidente intención de escabullirse sin despedida al-

[2] Siglas del Ministerio de Cultura Popular, de la época fascista. (N. del T.)

guna; pero me puse en pie, para presentarme. Murmuró entre dientes un nombre que no pude oír bien, pero me tendió la mano. Al llegar a la puerta del café se volvió de pronto y, quitándose el sombrero, gritó estentóreamente:

—¡Ciao, paisano!

Lo vi desaparecer bajo los portales, dejándome aturdido y escuchando los gemido-reproches de las sombras que jugaban.

Cumplí con todos los ritos mágicos para materializar a un mesero y le pregunté, indicándole la mesa vacía:

—¿Quién es el señor que estaba ahí?

Ese señor es el *senatour* Rosario La Ciura.

Ese nombre significaba mucho aun para mi pobre cultura periodística. Era uno de los cinco o seis italianos con una reputación universal indiscutible. Ese nombre pertenecía al más ilustre helenista de nuestra época. Entonces comprendí el porqué de las constantes y corpulentas revistas y las caricias al grabado, asimismo su quisquillosidad y oculto refinamiento.

A la mañana siguiente, estando en el periódico, consulté el singular fichero que contienen las necrologías *"in spe"*. Ahí estaba la ficha "La Ciura", pasablemente redactada de una vez para siempre. Decía que ese gran hombre nació en Aci Castello (Gatania), en el seno de una modesta familia de la pequeña burguesía; que obtuvo a los veintiséis años la cátedra de literatura griega en la Universidad de Pavía, gracias a su asombrosa afición a la lengua griega y por medio de becas y publicaciones eruditas; que fue llamado después a la Universidad de Turín, en la que permaneció hasta alcanzar su jubilación. Había dictado cursos en Oxford y en Tübingen, y realizado muchos y prolongados viajes porque, como senador prefascista y miembro de la Academia de los Linceos de Roma, era también doctor *honoris causa* de Yale, Harvard, Nueva Delhi y Tokio, así como de las más ilustres universidades europeas, desde la de Upsala hasta la de Salamanca. La lista de sus títulos publicados era muy larga, y muchas de sus obras, referidas especialmente a los dialectos jónicos, eran consideradas como fundamentales. Baste con decir que fue el único extranjero llamado para preparar la edición teubneriana de Hesíodo, para la cual escribió una introducción en latín de insuperable profundidad científica. En fin, gloria máxima. No era miembro de la Academia de Italia. Siempre se había distinguido de sus eruditos colegas por su sentido vivaz, casi carnal, de la antigüedad clásica, mismo que manifestara en una selección de ensayos italianos, titulada *Hombres y dioses*, obra estimada no sólo por su gran erudición, sino también por su alta poesía. Para no hacerla muy larga, era "la honra de una nación y el faro de todas las culturas", según la frase conclusiva del compilador del fichero. Tenía setenta y cinco años y vivía, si no en la opulencia, con el decoro que le permitía su pensión y la indemnidad senatorial. Era soltero.

Para qué negarlo: los italianos, hijos (o padres) de la primera cuna del Renacimiento, estimamos al Gran Humanista como un ser superior a cualquier otro ser humano. Y la oportunidad de estar en cotidiana proximidad al más alto representante de esa delicada sabiduría casi nigromántica, me halagaba y aturdía; yo experimentaba lo que hubiera experimentado un joven estadounidense ante el señor Gillette: temor, respeto y un modo particular de innoble envidia.

Esa noche entré en el Limbo con un ánimo muy distinto de los días precedentes. El senador estaba ya en un sitio y respondió a mi saludo reverencial con un rezongo apenas perceptible. No obstante, al terminar de leer un artículo y de completar unos apuntes en su agenda, se volvió hacia donde yo estaba y, con voz excesivamente musical, me dijo:

—Paisano: por la manera en que me saludaste sospecho que estas larvas ya te dijeron quién soy. Olvídalo, si es que no lo hiciste ya, y olvida también los aoristos que estudiaste en el liceo. Mejor dime cómo te llamas, pues ayer en la noche sólo farfullaste tu nombre al presentarte y yo no dispongo, como tú, del recurso de preguntarle a los demás cuál es tu nombre; porque aquí, seguramente, nadie te conoce.

Hablaba con insolente indiferencia. Se veía cómo yo era para él algo inferior a un escarabajo, una partícula de polvo que vagaba sin ningún sentido bajo los rayos del sol. Sin embargo, la voz pacata, las palabras precisas y el tuteo tenían el carácter de un diálogo platónico.

—Me llamo Paolo Corbera. Nací en Palermo, donde me licencié en leyes. Ahora trabajo aquí, en la redacción de *La Stampa*. Y con el propósito de tranquilizarlo, senador, debo decir que al terminar el liceo obtuve un *seis* en griego, y que tengo muy fundados motivos para pensar que me regalaron la calificación sólo para poder darme el diploma.

Sonrió de mala gana.

—Te agradezco que me lo digas; es mejor así. Detesto hablar con gente ignorante que cree saberlo todo, como mis colegas en la universidad. Realmente no conocen sino las formas exteriores del griego, sus extravagancias y deformidades. No les ha sido revelado el espíritu vivo de esa lengua que los imbéciles llaman "muerta". Por otra parte, nada les ha sido revelado. Pobre gente, a fin de cuentas. ¿Cómo podrían advertir ese espíritu si nunca han tenido la oportunidad de oír el griego antiguo?

Sí, no está mal el orgullo; es preferible a la falsa modestia. Pero me parecía que el senador exageraba. En esos momentos pensé que los años habían reblandecido un poco a ese cerebro excepcional. Los pobres diablos de sus colegas habían tenido la ocasión de oír el griego antiguo tanto como él; es decir, nunca. Y prosiguió:

—Paolo… Tienes la fortuna de llamarte como el único apóstol que tuvo un poco de cultura y algún barniz de buenas letras. Sin embargo, el de Jerónimo te hubiera sentado mejor. Los demás nombres que cargan ustedes los cristianos son realmente viles. Nombres de esclavos.

Seguía desilusionándome. En verdad parecía un vulgar comecuras académico, y, para colmo, con una pizca de nietzscheanismo fascista. ¿Cómo era posible?

Seguía hablando con una modulación estrictamente vigilada y con el arrebato de quien, tal vez, había callado durante mucho tiempo.

—Corbera… ¿No es éste un ilustre nombre siciliano, o me engaño? Recuerdo que mi padre pagaba por nuestra pequeña casa en Aci-Castello un reducido interés anual en las oficinas administrativas de la casa Corbera de Palina, o Salina, ya no recuerdo bien. Hacía bromas cada vez que lo pagaba, diciendo que si alguna cosa segura había en este mundo era la de aquellas cuantas liras que siempre iban a parar en los bolsillos del "dominio directo", como él decía. Pero ¿eres en verdad uno de aquellos Corbera o sólo el descendiente de algún campesino que tomó el nombre de su señor?

Le confesé que era realmente un Corbera de Salina; es más, que era el único ejemplar sobreviviente de esa familia y que en mí se concentraban todos los fastos, todos los pecados, los réditos alterados y todos los pasajes no pagados. Paradójicamente, el senador parecía contento.

—Bien, bien. Aprecio mucho a las viejas familias. Ellas poseen un memorial, pequeño, es verdad, pero de cualquier forma mayor que el de las otras. Es lo mejor que ustedes pueden alcanzar en materia de inmortalidad física. Piensa en casarte pronto, Corbera, puesto que ustedes todavía no han encontrado nada mejor para sobrevivir que dispersar la simiente en los lugares más extraños.

Me estaba impacientando. "Ustedes…" ¿Quiénes eran "ustedes"? ¿Toda la grey vil que no tenía la suerte de ser el senador La Ciura? ¿Él había conquistado la inmortalidad física? Nadie lo hubiese afirmado al ver su rostro arrugado, su cuerpo adiposo…

—Corbera de Salina –continuó impertérrito–, ¿no te ofendes si sigo tuteándote como a cualquiera de mis alumnillos, que son jóvenes solamente un instante?

Le dije que me sentía no solamente honrado, sino también feliz, como lo estaba en realidad. Superadas ya las cuestiones de nombres y protocolo, hablamos luego de Sicilia. Hacía veinte años que él no ponía un pie en la isla, y la última vez que estuvo allá abajo (así lo decía, al estilo piamontés) sólo fue por cinco días, en Siracusa, discutiendo con Paolo Orsi algunos aspectos referentes a la alternancia de los semicoros en las representaciones clásicas.

—Recuerdo que quisieron llevarme en automóvil de Catania a Siracusa; acepté cuando supe que en Augusta la carretera pasa lejos del mar, mientras el ferrocarril va a lo largo de todo el litoral. Háblame de nuestra isla. Es una isla hermosa, a pesar de su población de borricos. Ahí vivían los Dioses. Quizás sigan viviendo ahí, en el mes de agosto, interminable. Pero no me hables de los cuatro templos que descubrieron hace poco, pues nada sabes de eso, estoy seguro.

Hablamos de la Sicilia eterna, de su plenitud en las cosas naturales; del perfume del romero en los Nébrodos, del sabor de la miel de Melilli, de la ondulación de los trigales en los ventosos días de mayo, contemplados desde Enna; de las soledades que rodean a Siracusa, de las ráfagas de aromas que los naranjales dispersan sobre Palermo –eso dicen– durante ciertos atardeceres de junio. Hablamos del encanto de algunas noches de verano contempladas en el golfo de Castellamare, cuando las estrellas se reflejan en el mar adormecido, y del espíritu de quien, echado de espaldas entre los lentiscos, se pierde en el vórtice del cielo, mientras el cuerpo, tendido y alerta, teme que se acerquen los demonios.

Después de una ausencia casi total durante cincuenta años, el senador conservaba el recuerdo singularmente preciso de algunas cosas menudas.

—¡El mar! El mar de Sicilia es el más colorido, el más romántico de cuantos he visto. Será la única cosa que no echen a perder, no como las ciudades, se entiende. ¿Siguen sirviendo en las *trattorie* los *rizzi* partidos por la mitad?

Lo tranquilicé; pero tuve que agregar que muy pocos comen ahora esos erizos por temor al tifo.

—No obstante, es la cosa más buena que hay allá abajo. Esas cartilaginosidades ensangrentadas, esos simulacros de órganos femeninos perfumados de sal y de algas. ¡Y les preocupa el tifo! Son peligrosos como todos los dones del mar, que dan la muerte y la inmortalidad. Estando en Siracusa, se los pedí inmediatamente a Orsi. ¡Qué sabor tan delicioso, qué aspecto divino! ¡El recuerdo más hermoso de mis últimos cincuenta años!

Yo estaba fascinado y confundido. ¡Un hombre como él, abandonándose a metáforas casi obscenas, exhibiendo una gula por los –después de todo– mediocres erizos de mar!

Y seguimos con nuestra larga conversación. Al irse pagó mi exprés, pero no sin manifestar su singular aspereza ("ya sabemos que estos muchachos de buena familia siempre andan a la cuarta pregunta"), y nos despedimos como buenos amigos, sin considerar los cincuenta años que separaban nuestras edades y los millones de años luz que dividían a nuestras culturas.

Seguimos encontrándonos todas las noches, y como la humareda furibunda contra la humanidad iba disipándose, se convirtió en una especie de deber mis encuentros con el senador en los infiernos de la calle Po. Hablábamos poco; él seguía leyendo, tomando apuntes, y de vez en cuando me dirigía la palabra, pero siempre con una armónica fluidez de orgullo y de insolencia, una mezcla de alusiones disparatadas en corrientes de poesía incomprensible. También seguía escupiendo; después pude observar que lo hacía únicamente cuando estaba leyendo. Creo que él también empezó a encariñarse conmigo, aunque no me hago muchas ilusiones a este respecto; si me tenía cariño, el suyo no era como el de "nosotros" (empleando la terminología del senador), el que se puede sentir por un ser humano, sino más bien el que puede sentir una solterona hacia un perro faldero en el que reconoce su fatuidad e incomprensión, pero cuya existencia le permite expresar en voz alta sus pensamientos y añoranzas, de las cuales ninguna culpa tiene el pobre animalito; sin embargo, la ausencia de éste aumentaría el malestar. Comencé a notar, en efecto, que cuando el anciano hablaba conmigo no me miraba a mí, sino que su mirada siempre se dirigía hacia la puerta del café.

Hubo de transcurrir un mes para que de las consideraciones generales –muy originales pero genéricas de su parte– pasáramos a los argumentos indiscretos, que son los únicos que distinguen las conversaciones entre amigos, y las de los simples conocidos. Y fui yo el que tomó la iniciativa. Su constante expectoración me molestaba (como les molestó también a los guardianes del Hades, quienes acabaron por acercarle a la mesa una escupidera de latón pulido como un espejo). Me atreví a preguntarle por qué no se hacía curar de aquel insistente catarro. Se lo pregunté irreflexivamente y pronto tuve que arrepentirme de mi atrevimiento. Esperaba que la ira senatorial hiciera desplomar sobre mi cabeza los artesonados del techo. Pero no fue así. Me respondió con su voz muy bien timbrada, pausadamente:

—Querido Corbera, yo no padezco de ningún catarro. Tú, que sabes observar con tanta minuciosidad, habrás debido notar que nunca toso antes de escupir. Mi expectoración no es señal de ninguna enfermedad, sino de salud mental. Escupo porque me dan asco las tonterías que leo. Si te tomaras la molestia de examinar esa coraza (y me indicó la escupidera), podrías darte cuenta de que contiene muy poca saliva y ninguna traza de moco. Mis esputos son simbólicos y altamente culturales. Si no te agradan, regresa a tus saloncitos nativos, donde nunca escupen porque ya nada les provoca náusea.

Sólo su mirada distante atenuaba su insolencia extraordinaria; sin embargo, sentí las ganas de levantarme y de dejarlo ahí, plantado. Por fortuna, tuve tiempo de pensar que la culpa era mía, consecuencia de mi irreflexión. Me quedé, pues, y el impasible senador pasó inmediatamente al contraataque.

—¿Para qué frecuentas entonces este Erebo lleno de sombras y, como tú dices, lleno de catarros, este geométrico lugar de vidas fracasadas? En Turín no faltan esas creaturas que a ustedes les parecen tan deseables. Una cita en el Hotel del Castello, en Rívoli, en Mocalieri, en los baños, y pronto se realizarían sus solaces escuálidos.

Solté la carcajada al oír de semejante boca tan sapientes y exactas informaciones sobre los lugares de placer turineses.

—Pero ¿cómo hace usted para conocer tantos lugares de ésos, senador?

—Los conozco, Corbera, los conozco. Asistiendo a las reuniones académicas y políticas se aprende eso y nada más que eso. Y hazme el favor de creer que esos placeres sórdidos no fueron hechos para Rosario La Ciura.

Y decía la verdad. En el comportamiento y en las palabras del senador se advertía la señal inequívoca (como solía decirse en 1938) de la circunspección sexual, que nada tenía que ver con la edad.

—Le diré la verdad, senador. Comencé a venir aquí como a un asilo alejado del mundo, de manera provisional. Tuve dificultades con dos de esas muchachas que usted estigmatiza con toda justicia.

La respuesta fue despiadada y fulminante.

—¿Cuernos, eh, Corbera? ¿O enfermedades?

—Nada de eso, sino algo peor: me abandonaron.

Y le conté los ridículos acontecimientos ocurridos dos meses atrás. Se los conté de manera jocosa, porque la úlcera de mi amor propio ya estaba cicatrizada. Cualquier que no hubiese sido ese helenista lo habría tomado a broma o, excepcionalmente, se habría compadecido de mi ruina. Pero el anciano terrible no hizo ninguna de las dos cosas: se indignó.

—Eso es lo que sucede, Corbera, cuando se acoplan los seres enfermos y escuálidos. Lo mismo que te digo se lo diría a esas dos mujerzuelas si tuviera el disgusto de conocerlas.

—¿Enfermas, senador? Pero si las dos eran encantadoras. Las hubiera visto usted comiendo en Los Espejos. Tampoco eran escuálidas, sino dos ejemplares magníficos y elegantes.

El senador lanzó a la escupidera uno de sus esputos desdeñosos.

—Enfermas, te lo digo, están enfermas. Dentro de cincuenta, sesenta años, quizás muchos antes, reventarán, porque ya están enfermas. Y también escuálidas; su hermosa elegancia está hecha de chanchullos, de *pullovers* robados y de mohínes aprendidos en el cine. Qué hermosa generosidad la de ésas, que andan a la pesca de viscosos billetuchos en los bolsillos del amante, en lugar de regalarle, como hacen otras, perlas rosadas y ramos de coral. Eso les pasa a ustedes por enredarse con esos borrones pintados. ¿Pero no sentían ustedes el asco, un asco recíproco, al besuquear sus futuros esqueletos entre las sábanas malolientes?

Le respondí como un estúpido:

—Las sábanas siempre estaban limpias, senador.

Se enfureció:

—¿Pero qué tienen que ver las sábanas? Me refiero a que huelen a cadáver. Te lo repito: ¿cómo hacen ustedes para andar en juergas con gente de distinta ralea?

Me sentí ofendido, puesto que yo sólo codiciaba una deliciosa *coussette* casual.

—Según usted, únicamente se debe ir a la cama con Altezas Serenísimas.

—¿Quién ha hablado de Altezas Serenísimas? Ésas también son carne de cañón, como las otras. No puedes entender estas cosas, jovencito; y la culpa es mía, pues no debería decírtelas. Es una fatalidad que tú y tus amigas se encaminen por los pantanos mefíticos de los placeres inmundos. Muy pocos son los que lo saben.

Y sonrió, con los ojos vueltos hacia el techo; en su rostro había una expresión arrobada. Luego me tendió la mano, y se fue.

Durante tres días no fue al café; al cuarto, recibí una llamada telefónica mientras estaba en la redacción.

—¿Es usted *monsú* Corbera? Le habla Bettina, el ama de llaves del senador La Ciura. Me pidió que le dijera a usted que está resfriado, que ahora se siente mejor y desea verlo después de la cena, a las nueve. Venga a la calle Bértola, número 18, segundo piso.

El recado, perentoriamente interrumpido, era inapelable.

El número 18 de la calle Bértola correspondía a un viejo edificio descuidado, pero el apartamento del senador conservaba su dignidad, supongo que gracias a las diligencias de Bettina. Desde el mismo recibidor había estantes llenos de libros, de esos libros en ediciones baratas y de aspecto modesto que nunca faltan en las bibliotecas vivas. Había millares de ellos en todos los cuartos por los que pasé. En el cuarto de ellos estaba el senador, sentado, envuelto en una amplísima bata de pelo de camello, fina y mórbida como no he vuelto a ver otra. Luego supe que no era de pelo de camello, sino de una lana preciosa de un animal peruano, un regalo que le había hecho el Senado Académico de Lima. El senador me recibió sin levantarse, pero con mucha cordialidad. Se sentía mejor, casi recuperado y esperaba retomar su vida normal tan pronto como cedieran las fuertes nevadas que cubrían a Turín. Me ofreció un vino resinoso de Chipre, obsequio del Instituto Italiano de Atenas; atroces "lukums" de color rosado, enviados por la Misión Arqueológica de Ankara y unos dulces más racionales que había comprado la previsora Bettina. Él estaba de muy buen humor; se rió dos veces con toda franqueza y me ofreció sus disculpas por sus arrebatos en el Hades.

—Lo sé, Corbera, lo sé; estuve tan excesivo en los términos como moderado en los conceptos, creémelo. Es mejor que lo olvides.

No sólo lo había olvidado ya, sino que me inspiraba un gran respeto aquel anciano infeliz a pesar de su carrera triunfal. Él seguía devorando los abominables "lukums".

—Los dulces, querido Corbera, deben ser dulces y nada más que dulces. Si se les añade cualquier otro sabor se vuelven como los besos perversos.

Y le daba enormes pedazos de ellos a Eaco, un *boxer* corpulento que había entrado en la sala poco antes.

—Este perro, Corbera, trata de entenderlo, a pesar de su fealdad se asemeja más a los Inmortales que tus gatotas.

No quiso mostrarme su biblioteca.

—Son cosas clásicas que no pueden interesarle a alguien como tú, moralmente reprobado en griego.

Pero me hizo pasar a otra sala que hacía las veces de estudio. Ahí había unos cuantos libros. Vi el *Teatro* de Tirso de Molina; la *Undine*, de Lamotte-Fouqué; el drama homónimo de Giraudoux, y, con gran sorpresa de mi parte, las obras de H. G. Wells. Como compensación, había en las paredes enormes fotografías de estatuas griegas arcaicas, en tamaño natural. No eran acostumbradas fotografías que todos podemos procurarnos, sino estupendos ejemplares solicitados con autoridad y enviados devotamente por los museos de todo el mundo. Allí estaban todas aquellas creaturas magníficas: el *Jinete* del Louvre; la *Diosa sentada*, de Taranto, que está en Berlín; el *Guerrero* de Delfos; la *Koré* del Acrópolis; al *Apolo* de Piombino; la *Mujer Lapita*; el *Febo* de Olimpia y el celebérrimo *Auriga*... La sala resplandecía con sus sonrisas extáticas y, al mismo tiempo, irónicas. Eran la exaltación del soberbio reposo de su parte.

—Ve, Corbera... Éstas sí, tal vez. Las *tote*, jamás.

Había también ánforas y cráteras sobre la chimenea: Odiseo amarrado al mástil de la nave; las Sirenas que, desde los altos riscos, se lanzaban contra los escollos y se despedazaban, como expiación por haber permitido que escapara la presa.

—Éstas son patrañas, Corbera; patrañas pequeñoburguesas de los poetas. Nadie se les escapa, y si alguno lograra librarse de ellas, las Sirenas no morirían por tan poca cosa. Y aunque así fuera, ¿cómo podrían morir?

Sobre una mesita había, en un marco muy modesto, una vieja fotografía ya descolorida: un joven de veinte años, casi desnudo, con los cabellos ensortijados, al desgaire y una expresión gallarda en las facciones de rara belleza. Me detuve un instante, perplejo. Me pareció entenderlo todo. Pero me equivoqué.

—Y éste, paisano querido, *Era, es y será* Rosario La Ciura. Aquel señor enfundado en una bata había sido un joven dios.

Luego hablamos de otras cosas, y antes de salir, me mostró una carta escrita en francés por el rector de la Universidad de Coimbra, quien lo invitaba a formar parte del comité de honor en el congreso de estudios helénicos que se llevaría a cabo el próximo mes de mayo, en Portugal.

—Estoy muy contento. Me embarcaré en Génova, en el *Rex*, junto con los congresistas franceses, suizos y alemanes. Me taparé los oídos, como Odiseo, para no oír las zarandajas de esos tarados. Serán días de hermosa navegación: sol, cielo azul y olor de mar.

Al salir, pasamos cerca del estante en donde estaban las obras de Wells y me atreví a manifestarle mi asombro de verlas ahí.

—Tienes razón, Corbera; son un horror. Si se me ocurriera releer una de esas novelillas sentiría ganas de escupir durante todo un mes; y tú, cachorrito de salón, te escandalizarías.

Después de esa primera visita nuestras relaciones fueron francamente cordiales, al menos por mi parte. Lo dispuse todo para que me enviaran de Génova erizos de mar frescos. Cuando supe que llegarían al día siguiente, compré vino del Etna y pan de campesinos. Fui por él en mi coche Balilla y lo llevé a la calle Peyron, que se hallaba en casa de los mil diablos. Se sintió nervioso durante el trayecto, pues no confiaba en mi pericia de conductor.

—Ahora te conozco, Corbera. Si por mala suerte nos topamos con alguno de tus borrones con faldas, serás capaz de volcar el coche y hacer que nos rompamos la jeta en una esquina.

Pero no encontramos en el camino a ningún aborto con faldas que valiera la pena y llegamos intactos.

Cuando entramos en mi recámara el senador se echó a reír a carcajadas. Era la primera vez que lo oía reír de esa manera.

—Conque éste es, Corbera, el centro de tus sucias aventuras.

Examinó mis escasos libros.

—Bien, bien. Creo que eres menos ignorante de lo que pareces.

Y, tomando entre sus manos mi Shakespeare, agregó:

—Éste sí entendía algo. "A sea change into something rich and strange. What potions have I drunk of Syren tears?"

Cuando la buena señora Carmagnola entró en la sala llevando la bandeja con los erizos, limones y demás cosas, el senador se asombró.

—Pero ¿cómo es posible? ¿Pensaste en esto? ¿Cómo sabías que esto es lo que más deseo?

—Puede comerlos con toda confianza, senador. Esta misma mañana estaban en el mar de la Riviera.

—Sí, sí... Ustedes siempre serán los mismos; no pueden dejar a un lado los servilismos decadentes y putrefactos; siempre con las grandes orejas tendidas para sorprender los arrastrados pasos de la Muerte. ¡Pobres diablos! Gracias, Corbera; eres un buen *famulus*. Lástima que estos erizos no sean de allá abajo, que no estén envueltos en nuestras algas. Estos aguijones nunca han derramado sangre divina, desde luego. Pero también es verdad que has hecho todo lo posible. Estos erizos son casi buenos, pues dormitaban en las escolleras frías de Nervi o de Arenzano.

Me lo decía uno de esos sicilianos para los cuales la Riviera ligur –región tropical según los milaneses– es una especie de Islandia. En las conchas abiertas los erizos dejaban al descubierto su carne herida, sanguinolenta, extrañamente distribuida. Nunca antes les había prestado mucha atención, pero esa vez, tras escuchar las vivaces comparaciones del senador, los erizos me parecían vivisección auténtica hecha en quién sabe qué delicados órganos femeninos. El senador los degustaba con avidez pero sin alegría, recoleto, casi compungido. No quiso ponerles jugo de limón.

—¡Ustedes y sus infaltables sabores acoplados! El erizo debe saber a limón, a azúcar o a chocolate; y el amor debe tener el sabor del paraíso.

Al terminar de comerlos bebió un poco de vino y cerró los ojos. Poco después me apercibí de que bajo sus párpados marchitos resbalaban dos lágrimas. Se puso en pie, se acercó a la ventana y, suprepticiamente, se enjugó los ojos. Luego se volvió hacia donde yo estaba.

—¿Has estado alguna vez en Augusta, Corbera?

Le respondí que había estado tres meses en ese lugar, como recluta. En las horas libres mis compañeros y yo acostumbrábamos bogar en una barca de remos, atravesando las aguas transparentes de los golfos. Mi respuesta pareció hundirlo en el silencio. Luego volvió a preguntar, con voz irritada:

—¿Y también en aquel golfito que se halla muy adentro, más allá de la Punta Izzo, detrás de la colina que se alza desde las salinas…? ¿Estuvieron alguna vez ahí, cabezas duras?

—Desde luego; es el paraje más bello de Sicilia, no descubierto aún por los vacacionistas, por fortuna. Es una costa salvaje, ¿no es así, senador? Completamente desierta. No se ve ni una sola casa y el mar tiene ahí el color de los pavorreales. Frente a ella se levanta el Etna. En ningún otro sitio el mar es más bello que ahí: calmado, poderoso, realmente divino. Es uno de esos lugares en el que uno descubre el aspecto eterno de esa isla que tan tontamente le ha vuelto las espaldas a su vocación, la de ser el pasto para los rebaños del sol.

El senador guardaba silencio. Poco después me dijo:

—Eres un buen muchacho, Corbera. Se podría hacer algo de ti si no fueras tan ignorante.

Se acercó hasta donde yo estaba y me dio un beso en la frente.

—Ahora vamos adonde está tu batidora. Quiero regresar a casa.

Seguimos viéndonos durante las siguientes semanas, como de costumbre. Paseábamos de noche por la calle Po, o, atravesando la militarota Plaza Vittorio, íbamos a mirar el río presuroso y la Colina, intercalándolo todo con un poco de fantasía en el rigor geométrico de la ciudad. Empezaba la primavera, la conmovedora estación de la juventud amenazada. En las orillas del río despuntaban ya las primeras lilas, las más apremiantes, desafiando la humedad de la hierba.

—Allá abajo empieza a quemar el sol, las algas florecen. Los peces suben al ras del agua en las noches de luna y es posible ver escabullimientos de cuerpos en las espumas luminosas. Y nosotros aquí, frente a esta corriente de aguas insípidas y desiertas, entre estos cuartelotes que parecen soldados o monjes alineados, oyendo los sollozos de esos acoplamientos de agonizantes.

Sin embargo, se alegraba al pensar en su viaje a Lisboa; su partida se acercaba.

—Será placentera. Tú también deberías ir; pero es una verdadera lástima que en esa comitiva no haya lugar para los deficientes en griego. Conmigo podrías hablar en italiano; pero si estando con Zuckmayer o con Van der Voos no demostraras conocer los optativos de todos los verbos irregulares, estarías frito, a pesar de que tú tienes tanta conciencia de la realidad griega como ellos. No por tu cultura, claro, sino por instinto bestial.

Dos días antes de partir hacia Génova me dijo que no iría al café, pero que me esperaba en su casa a las nueve de la noche.

El ceremonial fue idéntico al de la visita anterior. Las imágenes de los dioses de tres mil años antes irradiaban juventud como una estufa irradia calor; la descolorida fotografía del joven dios de cincuenta años atrás parecía asustada de su propia metamorfosis encanecida y derrumbada en una poltrona.

Después de tomar el vino de Chipre, el senador llamó a Bettina y le dijo que podía irse a dormir.

—Yo acompañaré al señor Corbera cuando se vaya.

Esperó a que Bettina se alejara. Cuando el ama de llaves hubo cerrado tras de sí la puerta, me dijo:

—Mira, Corbera: si te hice venir esta noche, con el riesgo de arruinarte una fornicación en Rívoli, es porque te necesito. Parto mañana, y cuando viaja un anciano como yo nunca se sabe si se trata de un viaje del que no se regresará, especialmente cuando se viaja por mar. Tú sabes que te quiero bien, en el fondo. Me conmueve tu ingenuidad; tus evidentes maquinaciones vitales me divierten y, además, me parece haber comprendido que tú, como ocurre con algunos sicilianos de la mejor ralea, has logrado realizar la síntesis de sentidos y razón. Mereces, por lo tanto, que no te deje aquí, desorientado; que no me vaya sin explicarte antes el motivo de algunas de mis rarezas, de algunas frases que me has oído decir y que, con sobrada razón, te habrán parecido dignas de un loco.

Protesté débilmente:

—No he comprendido bien muchas de las cosas que dice, pero siempre lo atribuí a alguna aberración de mi mente. Jamás he pensado que sea suya la culpa.

—¡Déjate de tonterías, Corbera! Da lo mismo. Todos los viejos como yo les parecemos locos a los jóvenes, pero a menudo resulta ser todo lo contrario. A fin de explicarme, sin embargo, debo contarte mi insólita aventura, completa. Ocurrió cuando yo era ese "señorito" –y me señaló la fotografía–. Es necesario que nos remontemos a 1887, un año que a ti te parecerá prehistórico, pero que para mí es todo lo contrario.

Se levantó de la poltrona y, pasando por detrás del escritorio, se sentó a mi lado, en el mismo diván.

—Perdóname… pero es que debo hablarte en voz baja. Las palabras importantes nunca deben decirse berreando; el "aullido de amor" o de odio sólo se encuentra en los melodramas o entre la gente más inculta, que a fin de cuentas son la misma cosa. En 1887 yo tenía veinticuatro años. El aspecto que tenía entonces puedes verlo en esa fotografía. Ya me había graduado en literaturas antiguas y contaba ya con dos ensayitos sobre los dialectos jónicos, que hicieron algún ruido en mi universidad; además, ya tenía un año preparándome para el concurso de oposición en la Universidad de Pavía. Otra cosa: nunca me había acercado a una mujer. A decir verdad, nunca me he acercado a una mujer ni antes ni después de ese año.

Yo estaba seguro de que mi cara conservaría una marmórea impasibilidad, pero me engañaba.

—Tus parpadeos son de lo más vulgar, Corbera. Lo que te acabo de decir es verdad, una verdad que me honra. Ya sé que los cataneses tenemos la fama de ser capaces de embarazar a nuestras nodrizas, lo cual es una justa fama. Pero no en lo que a mí respecta. Cuando alguien ha frecuentado día y noche diosas y semidiosas, como lo hacía yo en esos tiempos, muy poco deseo le queda de subir las escaleras de los prostíbulos de San Berillio. Por otra parte, en aquel entonces también me encadenaban los escrúpulos religiosos. Corbera: deberías aprender a controlar tus cejas, ya que constantemente te traicionan. Sí; he dicho escrúpulos religiosos. También dije: "entonces". Ahora ya no los tengo, pero nada tienen que ver en este asunto.

"Tú, Corberilla, que probablemente conseguiste tu empleo en el periódico gracias a la recomendación de un jerarca, no puedes saber lo que es la preparación para un concurso de oposición y conquistar la cátedra universitaria de literatura griega. Es necesario agobiarse durante dos años, hasta tocar los límites de la demencia. Por fortuna conocía bastante bien esa lengua, en la misma medida que la conozco ahora, y no lo digo sólo por decirlo, ¿sabes? Pero lo demás… ¡Las variantes alejandrinas y las bizantinas de los textos; los fragmentos citados, casi siempre mal, por los autores latinos; las innumerables conexiones de la literatura con la mitología, la historia, la filosofía y las ciencias! Son para enloquecer, te lo digo. Por eso estudiaba como un endemoniado, con la obligación de dar lecciones a estudiantes de liceo reprobados, para poder pagar un cuarto en la ciudad. No exageraría si te dijera que me alimentaba solamente con aceitunas negras y café. Y para colmo de males, sobrevino la catástrofe en ese verano de 1887. El Etna volvía a vomitar el ardor del sol almacenado durante las quince horas que duraba el día. Si alguien tocaba un barandal de hierro a mediodía, tenía que ir inmediatamente al hospital; los empedrados hechos con material volcánico parecían estar a punto de volver al estado fluido, y casi todos los días el siroco te azotaba la cara con sus alas de murciélago viscoso. Estuve a punto de reventar. Me salvó un amigo mientras andaba yo por las calles, trastornado, murmurando versos griegos que ya no podía comprender. Lo impresionó mi aspecto. 'Óyeme, Rosario: si te sigues quedando aquí, enloqueces, y adiós concurso. Yo me voy a Suiza (aquel muchacho era de dinero); pero tengo en Augusta una casita con tres cuartos y a veinte metros del mar, una casita muy alejada del pueblo. Leva anclas, coge tus libros y ve a pasar allá todo el verano. Te espero en mi casa dentro de una hora, para darte las llaves. Allá la vida es otra cosa, ya verás. Pregunta en la estación dónde está el casino Carobene, todos lo conocen. Pero vete, de veras, vete esta misma tarde.'

"Seguí su consejo y partí aquella misma tarde. Al día siguiente, al despertarme, en lugar de la ruidosa turbulencia de las cajas de agua de los excusados que estaban en el patio y que me saludaban al amanecer, me hallé ante la sola extensión del mar con el Etna al fondo, no despiadado ya, sino envuelto en los vapores de la mañana. El puerto estaba completamente desierto –como lo está todavía, según me has dicho–, tranquilo en su belleza inigualable. La casa tenía tres cuartos, pero arruinados, y el mobiliario consistía en un sofá, una mesa y tres sillas. En la cocina encontré un brasero, una cacerola y un quinqué. Detrás de la casa había un pozo y una higuera. El paraíso. Fui al pueblo y hablé con un peón que cultivaba las tierras de Carobene. Convinimos en que cada dos o tres días él me llevaría el pan, la pasta, algunas verduras y petróleo. Yo tenía aceite, nuestro aceite que mi pobre madre me había mandado a Catania. Alquilé una pequeña barca, muy ligera, que un pescador me llevó esa misma tarde, dejándome una nasa y un anzuelo. Estaba decidido a pasar allí dos meses por lo menos.

"Carobene tenía razón. Aquello era otra cosa. El calor también era muy violento en Augusta, pero sin la reverberación de empedrados y muros; no provocaba ya la postración bestial, sino una especie de euforia sumisa; y el sol, sin su jeta de carnicero, se contentaba con ser un tosco y risueño donador de energías, un mago que engarzaba diamantes móviles a la más leve de las encrespaduras del mar. Las horas de estudio dejaron de ser una fatiga: en el vaivén ligero de la barca, donde permanecía mucho tiempo, los libros no eran ya un obstáculo por superar, sino una llave que abría el paisaje a un mundo del cual ya tenía ante mis ojos al más fascinante de sus elementos. Con frecuencia declamaba en voz alta versos de los poetas y los nombres de aquellos Dioses olvidados, ignorados, afloraban de nuevo en la superficie de ese mar que, en otros tiempos, se soliviantaba tumultuosamente o se serenaba en su bonanza con el simple hecho de oírlos.

"Mi aislamiento era casi absoluto, sólo interrumpido por las visitas del labriego que cada tres o cuatro días me llevaba las escasas provisiones. Nunca se quedaba más de cinco minutos, porque al verme tan exaltado y desaliñado, seguramente creía que yo era un tipo que estaba al borde de una locura peligrosa. Y era verdad. El sol, la soledad, las noches que pasaba bajo la rotación de las estrellas, el silencio, la escasa alimentación y el estudio de argumentos remotos estaban a mi alrededor como un encantamiento que me predisponía a los prodigios, aquel prodigio.

"Éste se realizó el 5 de agosto, a las seis de la mañana. Había despertado poco antes y abordé la barca. Con unos cuantos golpes de remo me alejé de las piedras de la playa y me detuve bajo una roca, cuya sombra me protegería del sol que ya se levantaba, henchido de hermosa furia, cambiando en oro y azul el candor del amor auroral. Mientras declamaba, sentí un brusco sacudimiento en el borde de la barca, a mis espaldas, como si alguien se apoyara en él para subir. Volteé rápidamente, y la vi. Tenía el terso rostro de una muchacha de dieciséis años, que emergía del mar, apoyando sus manos menudas en el maderamen de la barca. Aquella adolescente me sonreía, separando apenas sus labios pálidos y dejando entrever unos dientecitos agudos y blancos, caninos. No era esa sonrisa tan común entre ustedes, abastardada por la expresión de una benevolencia accesoria, de ironía, de piedad, crueldad o lo que fuere; aquella sonrisa sólo se expresaba a sí misma; es decir, con una bestial dicha de existir, casi una divina alegría. El primer sortilegio que obró en mí fue su sonrisa, la cual me revelaba olvidados paraísos de serenidad. De sus desordenados cabellos color de sol el agua del mar escurría sobre sus ojos verdes, muy abiertos, y sobre las facciones de infantil pureza.

"Nuestra razón oscura, siempre predispuesta, se planta delante del prodigio tratando de apoyarse en el recuerdo de fenómenos banales. Como cualquier otro, creí que estaba viendo a una bañista. Moviéndome con precaución, me incliné para ayudarla a subir; pero ella, con un vigor asombroso, subió directamente del agua, ciño mi cuello con sus brazos y, envolviéndome en un perfume nunca antes percibido, se deslizó hasta el fondo de la barca. Bajo la ingle, bajo los glúteos, su cuerpo era el de un pez, recubierto de menudísimas escamas azules, nacaradas, terminando en una cola bifurcada que golpeaba contra el fondo de la embarcación. Era una Sirena.

"Apoyando la nuca entre sus manos entrelazadas, exhibía con serena impudicia la delicada pelusa de las axilas, los senos abiertos, el vientre perfecto. Exhalaba un aroma que malamente he definido como perfume. No; era mágico olor de mar, una preciosísima voluptuosidad. Estábamos a la sombra, pero a veinte metros de nosotros la marisma se abandonaba al sol y bramaba de placer. Mi desnudez casi completa ocultaba muy mal mis emociones.

"Después de la sonrisa y del aroma, al hablar me envolvió en el tercero y más enorme sortilegio, que era el de su voz levemente gutural, velada, resonando en armonías innumerables. Sus palabras tenían el ritmo de las resacas perezosas de los mares del estío, el rumor de las últimas espumas en la playa, el paso del viento sobre las olas a la luz de la luna. No existe el canto de las sirenas, Corbera; su voz es la música de la que nadie escapa.

"Hablaba en griego, pero yo apenas entendía lo que me decía. 'Te oí hablando una lengua muy parecida a la que hablo. Me gustas. Quiero ser tuya. Soy Lighea, hija de Calíope. No creas en las fábulas que nos inventan: no matamos a nadie, solamente amamos.'

"Empecé a remar, y mis ojos no podían apartarse de sus ojos risueños. Llegamos a la orilla y estreché entre mis brazos su cuerpo balsámico. Habíamos dejado atrás la luz cegadora y pasábamos a la sombra densa. Su boca instalaba ya una voluptuosidad tan parecida a·la de los terrenales besos de ustedes como un buen vino comparado con el agua insípida.

"El senador contaba su aventura en voz muy baja; y yo –que siempre había contrapuesto mis desvariadas experiencias femeninas a las suyas, que consideraba mediocres– me sentí humillado. Hasta en los asuntos amorosos el anciano me llevaba una ventaja insuperable. En ningún momento se me ocurrió pensar que me estaba mintiendo, y cualquier que hubiese estado ahí presente, incluso el más escéptico, habría advertido en el tono del senador que sólo decía la verdad.

"Así comenzaron aquellas tres semanas. No sería lícito ni piadoso referirte particularidades. Sólo te diré que yo gozaba infinitamente con aquellas experiencias extrañas y complejas. Junto con las más altas formas de la voluptuosidad espiritual se hallaba también la más elemental, sin traza alguna de convencionalismos sociales; la misma que nuestros pastores solitarios experimentan al ayudarse con sus cabras en el monte. Si te repugna la comparación es porque no estás maduro para comprender la necesaria trasposición del plano bestial al sobrehumano; en mi caso, planos superpuestos.

"Ponte a pensar en todo lo que Balzac no se atrevió a decir en la *Pasión dans désert*. De sus miembros inmortales brotaba un poderío vital tan enorme que las pérdidas de energía se compensaban de inmediato y, sin duda alguna, ésta aumentaba en la misma proporción de las pérdidas.

"En esos días amé, Corbera, lo que cientos de tus Don Juanes aman durante toda su vida. ¡Y qué amores! Al reparo de conventos y delitos, del rencor de los comendadores y de la trivialidad de los Leporello; lejos de las pretensiones del corazón, de los suspiros falsos, de las ficticias delincuencias que inevitablemente manchan los miserables labios de ustedes. Y un Leporello tenía que ser el que nos molestara ese mismo día. Alrededor de las diez de la mañana oí el ruido de sus zapatones en el sendero. Apenas tuve tiempo de cubrir con una sábana el cuerpo insólito de Lighea, pero él ya estaba en el umbral de la puerta. La cabeza, el cuello y los brazos de ella quedaron descubiertos, y el Leporello creyó que se trataba de una aventura vulgar, lo que le infundió un improviso respeto. Se quedó un poco menos de lo acostumbrado, me hizo un guiño con el ojo izquierdo, y con el pulgar y el índice de la mano derecha se retorció la punta de un bigote imaginario. Y se alejó otra vez por el sendero.

”Te he hablado de veinte días que pasamos juntos. Sin embargo, no quisiera que pensaras que llevábamos una vida 'marital', como se dice vulgarmente, compartiendo un lecho común, comidas y quehaceres. Ella se ausentaba con frecuencia y sin previo aviso; se zambullía en el mar y no volvía a aparecer sino después de muchas horas. A su regreso, y esto era casi siempre al amanecer, ella me encontraba en la barca o, si yo me hallaba todavía en la casita, se arrastraba por entre las piedras de la orilla, con medio cuerpo fuera del agua, ayudándose con los brazos y llamándome para que la ayudara a subir la pendiente. 'Sasá', me llamaba, pues ya le había dicho que ése era el diminutivo de mi nombre. Moviéndose de esa manera, estorbada precisamente por esa parte de su cuerpo que en el mar le daba tanta desenvoltura, mostraba un aspecto de animal herido, aspecto que se desvanecía de inmediato con la risa de sus ojos.

”Lighea sólo comía cosas vivas. Muchas veces la vi salir del mar con su torso resplandeciente bajo el sol, destrozando con sus dientes peces plateados y temblorosos; la sangre le escurría por el mentón, y después de mordisquear las merluzas o las doradas, las lanzaba hacia atrás con violencia, manchándose de sangre la espalda y gritando con infantil alborozo mientras los peces volvían a caer en el agua. Ella se quedaba limpiándose los dientes con la lengua. Una vez le di a beber un poco de vino; no pudo tomarlo directamente del vaso y le serví un poco en el cuenco de su mano, que era pequeño y levemente verdoso. Lo bebió a lengüetazos, como los perros, mostrando en sus ojos la sorpresa ante aquel sabor desconocido. Dijo que era sabroso, pero no quiso volver a tomarlo. Algunas veces llegaba a la playa con las manos llenas de ostras y mejillones, y, mientras yo sufría tratando de abrirlas con un cuchillo, ella las aplastaba con una piedra y engullía los moluscos palpitantes junto con los pedazos de concha, sin que eso le importara.

”Ya te lo dije, Corbera: era una bestia, pero también una inmortal, y es lamentable que las palabras no puedan expresar esa síntesis como la expresaba con su propio cuerpo. No solamente en el acto carnal ponía de manifiesto una jocundidad y una delicadeza opuestas a la oscura libídine animal, sino que también su conversación poseía una poderosa inmediatez que sólo he vuelto a encontrar, muy pocas veces, en los grandes poetas. Es hija de Calíope. En lo profundo de todas las culturas, ignorante de toda sabiduría, desdeñosa ante cualquier tipo de constricción moral, ella forma parte del venero de todas las culturas, de todas las sabidurías, de todas las éticas, y sabía expresar su primigenia superioridad en términos de escabrosa belleza. 'Soy todo porque sólo soy corriente de vida despojada de accidentes; soy inmortal porque en mí confluyen todas las muertes, desde aquélla de la merluza hasta la de Zeus, y, reunidas en mí, se convierten de nuevo en vida ya no individual sino pánica y, por lo tanto, libre.' También me dijo: 'Tú eres joven y hermoso. Si me siguieras ahora escaparías a los dolores de la vejez. Conocerías mi morada bajo los altos montes de aguas inmóviles y oscuras, donde todo es quietud silenciosa, tan congénita, que ni siquiera puede advertirla quien la posee. Yo te amo. Recuérdalo. Cuando estés cansado, cuando ya no soportes más, solamente asómate al mar y llámame. Yo estaré siempre ahí, porque estoy en todos los mares, y tu sed de sueño será saciada.'

"Me contaba de su vida bajo el mar, de los Tritones barbudos, de las cavernas glaucas, pero decía que éstas eran también apariencias vanas y que la verdad estaba realmente en el fondo, en el ciego y mudo palacio de las aguas informes, eternas, sin destellos ni susurros.

"Una vez me dijo que iba a ausentarse por más tiempo, hasta la tarde siguiente. 'Debo ir muy lejos, hasta donde sé que voy a encontrar un regalo para ti.'

"Y regresó con un estupendo ramo de coral púrpura, incrustado de caracolitos y líquenes marinos. Lo conservé durante mucho tiempo en un cajón, y todas las tardes lo besaba la Indiferente, es decir, la Benéfica. Tiempo después, María, el ama de llaves que precedió a Bettina, me lo robó para dárselo a su querido. Volví a ver el ramo de coral: estaba en una joyería del Ponte Vecchio. Lo habían devastado, secularizado y pulido hasta dejarlo casi irreconocible. Lo compré y, una noche, lo arrojé al Arno. Había pasado ya por demasiadas manos profanas.

"Me hablaba también de los no pocos amantes humanos que tuvo en su adolescencia milenaria: pescadores y marinos griegos, sicilianos, árabes, sardos y numerosos náufragos a la deriva, aferrados a maderámenes podridos, donde ella aparecía por un instante entre los relámpagos de la borrasca, para mudar en placer sus estertores últimos. 'Todos aceptaron mi invitación; algunos lo hicieron de inmediato, otros después de lo que ellos consideraban mucho tiempo. Sólo uno volvió a buscarme. Era un hermoso muchacho de piel muy blanca, pelirrojo, al que me uní en una playa lejana, allá donde nuestro mar se junta con el Gran Océano. Aquel muchacho exhalaba un olor todavía más fuerte que el del vino que me diste el otro día. Creo que no volvió no tanto porque se sintiera infeliz, sino porque siempre estaba tan ebrio cuando nos encontrábamos que no se dio cuenta de nada; seguramente me confundió con alguna de sus pescadoras.'

"Las semanas de aquel gran verano transcurrieron como si hubiera sido una sola semana. Pero cuando pasaron me di cuenta de que había vivido lo que se vive realmente en muchos siglos. Aquella muchachita lasciva, aquella fierecilla cruel era también una Madre Sapientísima, cuya sola presencia desarraigó y disipó en mí las creencias metafísicas. Con sus dedos frágiles, muchas veces ensangrentados, me mostró el camino que conduce hacia los reposos verdaderos, hacia un ascetismo vital derivado no de la renuncia, sino de la imposibilidad de aceptar cualquier otro placer inferior. No seré yo, por cierto, quien desoiga su llamado, no seré yo quien rechace esta especie de gracia pagana que me fue concedida.

"Ese verano fue breve debido a su propia violencia. Poco después, el 20 de agosto, se reunieron las primeras nubes tímidas; cayeron unas cuantas gotas, tibias como la sangre. En el horizonte lejano las noches fueron una concatenación de lentos y mudos relámpagos, uno tras otro, como si fueran las cogitaciones de un dios. En las mañanas color de tórtola, como una tórtola se dolía el mar de sus inquietudes arcanas, y al atardecer se encrespaba, sin que se percibiera ninguna brisa, en una degradación de gris humo, gris acero, gris perla, suavísimos todos y mucho más afables que el esplendor precedente. Distantes jirones de niebla rozaban las aguas. Tal vez había comenzado a llover en las costas griegas. También el humor de Lighea mudó su esplendor en afabilidad grisácea. A menudo se quedaba callada; durante muchas horas permanecía tendida en un escollo, mirando el horizonte desapacible. No se alejaba mucho. 'Quiero quedarme todavía contigo. Si ahora me fuera al mar abierto, mis compañeros me retendrían. ¿Los oyes? Me llaman.' Me había parecido realmente que oía un rumor distinto, más grave, mezclado con los gritos agudos de las gaviotas; también me pareció ver repentinas escaramuzas entre los escollos. 'Tañen sus caracoles, llaman a Lighea, para que participe en las fiestas de la tormenta.'

"La tormenta nos asaltó al amanecer del día 26. Desde un escollo vimos cómo se acercaba el viento que trastornaba las aguas distantes, y cerca de nosotros las olas plomizas comenzaron a hincharse, vastas y poderosas. Pronto nos alcanzó la primera ráfaga. Silbó en nuestros oídos, dobló los romeros resecos. El mar descargó hasta nuestros pies la primera ola coronada de blancura. 'Adiós, Sasá. No lo olvides.' La enorme ola se estrelló contra el escollo y Lighea se zambulló en la espuma irisa. No volví a verla. Me pareció que se deshacía en la espuma."

El senador partió a la mañana siguiente. Fui a la estación, para despedirlo. Estuvo quisquilloso y cortante, como de costumbre; pero cuando el tren empezó a moverse, se asomó a la ventanilla y rozó mi cabeza con sus dedos.

Al amanecer del día siguiente hablaron por teléfono al periódico: desde Génova comunicaban que, durante la noche, el senador La Ciura había caído al mar de la cubierta del *Rex*, que se dirigía a Nápoles, y que, aunque fueron enviados los botes de salvamento, no habían podido hallar su cuerpo.

Una semana después leyeron el testamento: el mobiliario y el dinero depositado en un banco eran para Bettina; la biblioteca, para la Universidad de Catania; y en un codicilio con fecha más reciente, me heredaba la crátera griega ilustrada con figuras de sirenas y la enorme fotografía de la *Koré* del Acrópolis.

Me enviaron los dos objetos a mi casa de Palermo. Luego vino la guerra, y mientras me hallaba en Marmárica con medio litro de agua al día, los "liberators" destruyeron mi casa. Al volver, vi que habían roto la fotografía, y que los saqueadores nocturnos habían utilizado los pedazos para hacer antorchas; la crátera estaba despedazada. En el fragmento más grande se veían los pies de Ulises amarrado al mástil de la nave. Aún lo conservo. Los libros fueron almacenados en los sótanos de la Universidad y, como no hay dinero para hacerles la estantería, ahí se siguen pudriendo lentamente.

William Faulkner (1897-1962)

Una rosa para Emily

I

Cuando murió la señorita Emily Grierson, todo nuestro pueblo asistió a su entierro; los hombres por una especie de afecto respetuoso hacia un monumento caído, las mujeres sobre todo por curiosidad de ver su casa por dentro, que no había visto nadie en los últimos diez años excepto un viejo criado –una combinación de jardinero y cocinero–.

Era una gran casa de madera, más bien cuadrada, que en otro tiempo había sido blanca, decorada con cúpulas y capiteles y balcones con volutas en el pesado estilo frívolo de los años setenta, situada en lo que en otro tiempo fue nuestra calle más selecta. Pero los garajes y las desmotadoras de algodón habían recubierto y borrado incluso los nombres augustos de ese barrio; sólo quedaba la casa de la señorita Emily, elevando su terca decadencia coqueta por encima de los carros de algodón y las bombas de gasolina –ofensa a los ojos entre tantas ofensas a los ojos–. Y ahora la señorita Emily se había ido a reunir con los representantes de esos augustos nombres que yacían en el cementerio adornado de cipreses entre las alineadas tumbas anónimas de los soldados de la Unión y de la Confederación que cayeron en la batalla de Jefferson.

En vida, la señorita Emily había sido una tradición, un deber, un cuidado; una especie de obligación hereditaria sobre el pueblo, que databa de aquel día de 1894 en que el coronel Sartoris, el alcalde –el que engendró el edicto de que ninguna negra debía aparecer en la calle sin delantal–, la dispensó de impuestos, datando esa dispensa desde la muerte de su padre y a perpetuidad. No es que la señorita Emily hubiera aceptado una caridad. El coronel Sartoris inventó un enredado cuento en el sentido de que el padre de la señorita Emily había prestado al municipio un dinero que el municipio, como cuestión de negocios, prefería devolver así. Sólo un hombre de la generación y de la delicadeza del coronel Sartoris podría haberlo inventado, y sólo una mujer se lo podía haber creído.

Cuando la siguiente generación, con sus ideas más modernas, llegó a ser los alcaldes y los concejales, ese arreglo creó cierta insatisfacción. A principios de año le enviaron por correo un aviso de impuestos. Llegó febrero y no había respuesta. Le escribieron una carta oficial, pidiéndole que se presentara en la oficina del oficial de justicia cuando le fuera más cómodo. Una semana después, el propio alcalde le escribió en persona, ofreciendo visitarla o enviarle su coche, y recibió en respuesta una nota en papel de forma arcaica, con una delgada caligrafía fluyente, en tinta descolorida, en el sentido de que ella ya no salía en absoluto. Adjuntaba también el aviso de impuestos, sin comentario.

Convocaron una reunión especial del concejo municipal. Una diputación la fue a visitar, llamando a la puerta por la que no había entrado ningún visitante desde que ella dejó de dar lecciones de pintar porcelana hacía unos ocho o diez años. Les hizo entrar el viejo negro a un vestíbulo en penumbra desde el cual una escalera que subía hacía más sombra aún. Olía a polvo y desuso: un olor denso, malsano. El negro les hizo entrar al salón, que tenía un mobiliario pesado, tapizado en cuero. Cuando el negro abrió los postigos de una ventana, vieron que el cuarto estaba agrietado; y cuando se sentaron, un leve polvo se elevó perezosamente entre sus muslos, girando en lentas motas en el único rayo de sol. En un sucio caballete dorado ante la chimenea se elevaba un retrato a lápiz del padre de la señorita Emily.

Se levantaron al entrar ella; una mujer pequeña y gorda, de negro, con una delgada cadena de oro bajándole hasta la cintura y desapareciendo en su cinturón, y apoyada en un bastón de ébano con una estropeada cabeza de oro. Su esqueleto era pequeño y reducido; quizá por eso lo que en otra hubiera sido nada más que gordura, en ella era obesidad. Parecía borrosa, como un cuerpo que lleva mucho tiempo sumergido en agua inmóvil, y de ese mismo color pálido. Sus ojos, perdidos en las grasientas ondulaciones de la cara, parecían dos trocitos de carbón encajados en un trozo de masa, al moverse de una cara a otra mientras los visitantes exponían su recado.

Ella no les pidió que se sentaran. Se quedó simplemente en la puerta escuchando tranquilamente hasta que el portavoz tropezó y se detuvo. Entonces oyeron el reloj invisible tictaqueando en el extremo de la cadena de oro.

Su voz era seca y fría:

—Yo no tengo que pagar impuestos en Jefferson. El coronel Sartoris me lo explicó. Quizá uno de ustedes pueda obtener acceso a los registros del municipio para convencerse.

—Pero si ya lo hemos hecho. Nosotros somos las autoridades municipales, señorita Emily. ¿No recibió un aviso del oficial de justicia, firmado por él?

—Recibí un papel, sí –dijo la señorita Emily–. Quizá él mismo se considere el oficial de justicia… Yo no tengo impuestos en Jefferson.

—Pero no hay nada en los libros que lo muestre, vea. Tenemos que seguir la…

—Vean al coronel Sartoris. Yo no tengo impuestos en Jefferson…

—Pero, señorita Emily…

—Vean al coronel Sartoris. –(el coronel Sartoris había muerto hacía casi diez años)–. Yo no tengo impuestos en Jefferson. ¡Tobe! –apareció el negro–. Acompaña a estos caballeros a la puerta.

II

Así les venció, en toda regla, igual que había vencido a sus padres treinta años antes con lo del olor. Eso fue dos años después de la muerte de su padre y poco tiempo después de que la abandonara su novio –el que creíamos que se casaría con ella–. Después de la muerte de su padre salía muy poco; después de que se marchó su novio, la gente apenas la vio. Unas pocas señoras tuvieron la temeridad de llamar, pero no fueron recibidas, y la única señal de vida en el sitio era el negro –entonces joven– entrando y saliendo con una cesta de la compra.

—Como si un hombre, ningún hombre, pudiera llevar decentemente una cocina –dijeron las señoras; así que no les extrañó cuando se formó el olor. Era otro vínculo entre el grosero mundo pululante y los altos y poderosos Grierson.

Una vecina se quejó al alcalde, el juez Stevens, de ochenta años.

—Pero ¿qué quiere que haga yo con eso, señora? –dijo él.

—Pues mandarle recado de que lo pare –dijo la mujer–. ¿No hay una ley?

—Estoy seguro de que no hará falta –dijo el juez Stevens–. Probablemente es sólo una serpiente o una rata que ha matado ese negro suyo en el jardín. Ya hablaré con él de eso.

Al día siguiente recibió dos quejas más, una de un hombre que vino como excusándose con temor.

—Realmente tenemos que hacer algo con eso, señor juez. Yo sería el último del mundo en molestar a la señorita Emily, pero tenemos que hacer algo.

Esa noche se reunió en concejo municipal –tres barbas entrecanas y uno más joven, un miembro de la generación ascendente.

—Es muy sencillo –dijo éste–. Mándenle recado de que limpie su sitio. Denle cierto tiempo para hacerlo, y si no…

—Caramba, señor mío –dijo el juez Stevens–, ¿va usted a acusar a una señora de que le huele mal la casa?

Así que la noche siguiente, cuatro hombres cruzaron el césped de la señorita Emily y se deslizaron alrededor de la casa como ladrones, olfateando a lo largo de la base de las paredes de ladrillos y en las aberturas del sótano, mientras uno de ellos realizaba un verdadero movimiento de siembra sacando la mano de un saco colgado del hombro. Abrieron con fractura la puerta del sótano y esparcieron cal viva por ahí y en todas las construcciones auxiliares. Al volver a cruzar el césped, se iluminó una ventana que estaba oscura y la señorita Emily apareció en ella, sentada, con la luz detrás, y su torso erguido inmóvil como el de un ídolo. Ellos se deslizaron en silencio a través de la hierba hasta la sombra de las acacias que bordeaban la calle. Al cabo de una semana o dos desapareció el olor.

Entonces fue cuando la gente empezó a lamentarse realmente por ella. La gente de nuestro pueblo, recordando cómo la vieja señora Wyatt, su tía abuela, se había vuelto completamente loca al final, creían que los Grierson se consideraban un poco por encima de lo que eran realmente. Ninguno de los jóvenes era bastante para la señorita Emily y su gente. Habíamos pensado en ellos desde hacía mucho igual que en un cuadro, la señorita Emily como esbelta figura en blanco al fondo, su padre, como silueta despatarrada en primer plano, de espaldas a ella y agarrando un látigo; los dos enmarcados por la puerta delantera bien abierta hacia atrás. Así que cuando ella cumplió los treinta años y siguió sola, no nos gustó exactamente, pero nos sentimos vindicados; aun con locura en la familia no habría rechazado todas sus oportunidades si se hubieran concretado realmente.

Cuando murió su padre, se dijo por ahí que lo único que le dejaba era la casa; en cierto modo la gente se alegró. Al fin podían compadecer a la señorita Emily. Al quedarse sola, y pobre, se había humanizado. Ahora ella también conocería la vieja emoción y la vieja desesperación de un penique más o menos.

El día después de su muerte las señoras se dispusieron a visitar la casa y ofrecer sus condolencias y su ayuda, según nuestra costumbre. La señorita Emily las recibió en la puerta, vestida como de costumbre y sin rastro de dolor en la cara. Les dijo que su padre no había muerto. Lo hizo así durante tres días, con los clérigos que la visitaron y con los médicos que la trataban de persuadir de que les dejara ocuparse del cadáver. Cuando estaban a punto de recurrir a la ley y a la fuerza, ella se derrumbó, y enterraron rápidamente a su padre.

No decimos que estuviera loca entonces. Creíamos que tenía que hacer eso. Recordábamos a todos los jóvenes que su padre había ahuyentado, y sabíamos que, no habiéndole quedado nada, se tendría que aferrar a aquello mismo que la había despojado, como hace siempre la gente.

III

Estuvo enferma mucho tiempo. Cuando la vimos otra vez, se había cortado el pelo bien corto, haciéndola parecer una niña, con una vaga semejanza a los ángeles de las ventanas coloreadas de las iglesias –algo así como trágica y serena.

El pueblo había contratado la pavimentación de las aceras, y el verano después de la muerte de su padre empezaron las obras. La compañía de obras llegó con negros y mulas y maquinaria, y un capataz llamado Homer Barron, un yanqui –un hombre grande, oscuro, bien dispuesto, con una gran voz y los ojos más claros que la cara. Los niños le seguían en grupos para oírle insultar a los negros, y oír cantar a los negros al compás del subir y bajar los picos. Muy pronto conoció a todo el mundo del pueblo. Siempre que se oía mucha risa en cualquier sitio de la plaza, Homer Barron estaba en el centro del grupo. Al fin empezamos a verle con la señorita Emily los domingos por la tarde guiando el cochecillo de ruedas amarillas y la pareja de bayos de la caballeriza de alquiler.

Al principio nos alegramos de que la señorita Emily se interesara por alguien, porque todas las señoras decían:

—Claro que una Grierson no pensaría en serio en uno del Norte, en un jornalero.

Pero había otros, gente mayor, que decían que ni siquiera el dolor podía hacer que una verdadera dama olvidara el *noblesse oblige* –sin llamarlo *noblesse oblige*. Decían sólo: "Pobre Emily. Deberían venir a verla sus parientes". Tenía algunos parientes en Alabama, pero hacía años su padre había reñido con ellos por la herencia de la vieja señora Wyatt, la loca, y no había comunicación entre las dos familias. Ni siquiera habían estado representados en el entierro.

Y tan pronto como dijeron los viejos "Pobre Emily", empezó el cuchicheo. "¿Suponéis que de veras es así?", se decían unos a otros. "Claro que sí. Qué otra cosa podría…"

Eso, con la mano ante la boca: con un frufrú de seda y de raso al estirar el cuello detrás de celosías cerradas contra el sol del domingo por la tarde mientras pasaba leve y rápido el clop, clop, clop de la pareja de caballos: "Pobre Emily".

Ella llevaba la frente bien alta –aun cuando creíamos que había caído–. Era como si exigiera más que nunca el reconocimiento de su dignidad como la última Grierson; como si hubiera necesitado ese toque de terrenalidad para reafirmar su imperturbabilidad.

Igual que cuando compró el veneno de ratas, el arsénico. Eso fue un año después que empezaran a decir "Pobre Emily" y mientras estaban con ella sus dos primas pasando una temporada.

—Quiero un veneno –dijo al boticario. Tenía más de treinta años entonces, todavía una mujer leve, más delgada que de costumbre, con fríos y altaneros ojos negros en una cara cuya carne estaba tensa en las sienes y en las cuencas de los ojos como uno se imagina que debe ser la cara de un farero.

—Quiero un veneno –dijo.

—Sí, señorita Emily. ¿De qué clase? ¿Para ratas y cosas así? Yo recomen...

—Quiero el mejor que tenga. No me importa de qué clase.

El boticario nombró varios.

—Esos matan cualquier cosa, hasta un elefante. Pero lo que usted necesita es...

—Arsénico –dijo la señorita Emily–. ¿Es bueno eso?

—¿Que si es... el arsénico? Sí, señora. Pero lo que usted necesita...

—Quiero arsénico.

El farmacéutico la miró de arriba abajo. Ella le devolvió la mirada, erguida, con la cara como una bandera tensa.

—Bueno, claro –dijo el boticario–. Si eso es lo que quiere. Pero la ley requiere que diga para qué lo va a usar.

La señorita Emily no hizo más que quedárselo mirando, con la cabeza echada atrás para mirarle a los ojos, hasta que él apartó la mirada y trajo el arsénico y lo envolvió. El paquete se lo dio el muchacho negro de los repartos: el boticario no volvió a aparecer. Cuando ella abrió el paquete en casa, estaba escrito en la caja, bajo la calavera y los huesos: "Para ratas".

IV

Así que al día siguiente todos dijimos: "Se va a matar"; y dijimos que sería lo mejor. Cuando se la había empezado a ver con Homer Barron, dijimos: "Se casará con él". Luego dijimos: "Todavía le convencerá", porque el mismo Homer había hecho notar –le gus-

taba ir con hombres, y se sabía que bebía con los jóvenes del Elks'
Club– que él no era hombre de casarse. Luego dijimos: "Pobre
Emily" detrás de las celosías, cuando pasaban el domingo por la
tarde en el reluciente cochecillo, la señorita Emily con la cabeza
bien alta y Homer Barron con el sombrero echado atrás, un cigarro
entre los dientes y las riendas y el látigo en un guante amarillo.

Entonces algunas señoras empezaron a decir que era una deshonra para el pueblo y un mal ejemplo para los jóvenes. Los hombres no querían interferir, pero por fin las señoras obligaron a un
ministro baptista –en la familia de la señorita Emily eran episcopa-
lianos– a visitarla. Él nunca quiso divulgar lo ocurrido en esa entrevista, pero se negó a volver. Al domingo siguiente volvieron a pasar
en el cochecillo por las calles, y al día siguiente la esposa del ministro escribió a los parientes de la señorita Emily en Alabama.

Así que volvió a tener bajo su techo parentela de su sangre y
nosotros nos arrellanamos para observar la marcha de los acontecimientos. Al principio no pasó nada. Luego nos sentimos seguros
de que se iban a casar. Supimos que la señorita Emily había ido al
joyero a encargar un conjunto de aseo para caballero, de plata, con
las letras H. B. en cada pieza. Dos días después supimos que había
comprado un conjunto completo de ropa de hombre, incluyendo
un camisón, y dijimos: "Están casados". Nos alegramos de veras.
Nos alegramos porque las dos primas eran aún más Grierson de lo
que lo había sido nunca la señorita Emily.

Así que nos sorprendió cuando Homer Barron –las calles ya
estaban acabadas hacía tiempo– desapareció. Nos decepcionó un
poco que no hubiera una revelación pública, pero creímos que se
había ido a preparar para la llegada de la señorita Emily, o para
darle una oportunidad de quitarse de encima a las primas. (Para
entonces, ya había una conspiración secreta y todos éramos aliados
de la señorita Emily, ayudándola a dejar burladas a las primas.) Por
supuesto, al cabo de otra semana se marcharon. Y, como habíamos
esperado todo ese tiempo, al cabo de tres días Homer Barron volvía al pueblo. Un vecino vio que el negro le dejaba entrar por la
puerta de la cocina después de oscurecer.

Y eso fue lo último que vimos de Homer Barron. Y de la señorita Emily durante algún tiempo. El negro entraba y salía con la

bolsa de la compra, pero la puerta de delante permanecía cerrada. De vez en cuando la veíamos en una ventana un momento, como los hombres aquella noche cuando esparcieron cal viva, pero durante casi seis meses no apareció en la calle. Luego supimos que eso también era de esperar; como si esa cualidad de su padre, que había echado a perder su vida de mujer tantas veces, fuera demasiado virulenta y furiosa para morir.

Cuando volvimos a ver a la señorita Emily, había engordado y el pelo se le volvía gris. Durante los siguientes años se le puso cada vez más gris, hasta que al dejar de cambiar, alcanzó un gris hierro de mezclilla. Hasta el día de su muerte, a los setenta y cuatro años, siguió teniendo ese vigoroso gris hierro, como el pelo de un hombre activo.

Desde entonces, la puerta delantera permaneció cerrada, salvo durante un periodo de seis o siete años, cuando tenía unos cuarenta años, en que dio lecciones de pintar porcelana. Arregló un estudio en uno de los cuartos de abajo, adonde se envió a las hijas y nietas de las coetáneas del coronel Sartoris con la misma regularidad y el mismo espíritu con que se les mandaba a la iglesia el domingo con una moneda de veinticinco centavos para la bandeja de la colecta. Mientras tanto, se la había dispensado de impuestos.

Entonces la nueva generación se convirtió en la columna vertebral y el espíritu del pueblo, y las alumnas de las clases de pintura crecieron y desaparecieron de enmedio y ya no le mandaron a sus hijas con cajas de colores y aburridos pinceles y recortes de las revistas de señoras. La puerta delantera se cerró tras la última y quedó cerrada para siempre. Cuando el pueblo obtuvo reparto postal gratuito, la señorita Emily se negó a dejarles fijar los números de metal sobre la puerta y ponerle un buzón. No quiso ni escucharles.

Cada día, cada mes, cada año observábamos al negro ponerse más canoso y encorvado, entrando y saliendo con la bolsa de la compra. Cada diciembre, le enviábamos un aviso de impuestos, que la oficina de correos devolvía una semana después, sin ser recogido. De vez en cuando la veíamos en una de las ventanas de abajo –evidentemente había cerrado el piso de arriba de la casa como el torso tallado de un ídolo en un nicho, mirándonos o no mirándonos, sin que supiéramos nunca qué–. Así pasó de genera-

ción en generación –querida, ineludible, impertérrita, tranquila y
perversa.

Y así murió. Cayó enferma en la casa llena de polvo y sombra,
con sólo un negro chocheante para cuidarla. No supimos siquiera
que estaba enferma; habíamos renunciado hacía mucho a intentar
obtener información por el negro. Él no hablaba con nadie, probablemente ni siquiera con ella, pues la voz se le había vuelto áspera y
oxidada, como por el desuso.

V

El negro recibió a las primeras señoras en la puerta delantera y las
hizo entrar, con sus voces silbantes y en sordina y sus rápidas ojea-
das curiosas, y luego desapareció. Se marchó derecho a través de la
casa y salió por atrás y no se le volvió a ver.

Las dos primas vinieron enseguida. Hicieron el entierro el segundo día, con el pueblo viniendo a mirar a la señorita Emily bajo
una masa de flores compradas, con la cara de su padre dibujada a
lápiz cavilando profundamente sobre el ataúd, y las señoras sibi-
lantes y macabras; y los hombres muy viejos –algunos con sus cepi-
llados uniformes de la Confederación– en el porche y en el césped,
hablando de la señorita Emily como si hubiera sido coetánea de
ellos, creyendo que habían bailado con ella y quizá le habían hecho
la corte, confundiendo el tiempo con su progresión matemática,
como hacen los viejos, para quienes todo el pasado no es un camino que disminuye sino, al contrario, una ancha pradera no tocada
jamás por ningún invierno, separada de ellos ahora por el estrecho
cuello de botella de la más reciente década de años.

Ya sabíamos que había un cuarto en aquella región escaleras
arriba que nadie había visto en cuarenta años, y que habría que
forzar. Esperaron hasta que la señorita Emily estuviera decentemente en tierra para abrirlo.

La violencia del derrumbamiento de la puerta pareció llenar
ese cuarto con un polvo invasor. Una delgada capa acre como de la
tumba parecía cubrirlo todo en ese cuarto decorado y amueblado
como para una boda: las cortinas de encaje, de desteñido rosa, las

luces con pantallas rosa, la mesa del tocador, la delicada batería de cristal y de objetos de aseo de hombre, con revestimiento de manchada plata, tan manchada que el monograma quedaba oscurecido. Entre ellos había un cuello y una corbata, como recién quitados, y que, al levantarse, dejaron en la superficie una pálida luna de polvo. En una silla colgaba el traje, cuidadosamente doblado; bajo él los dos zapatos mudos y los calcetines dejados caer.

El hombre mismo estaba tendido en la cama.

Durante un rato nos quedamos allí, simplemente, mirando la profunda sonrisa sin carne. El cuerpo al parecer había yacido en otro tiempo en la postura de un abrazo, pero ahora el largo sueño que dura más que el amor, que vence incluso la mueca del amor, le había puesto los cuernos.

Lo que quedaba de él, podrido bajo lo que quedaba del camisón, se había vuelto inseparable de la cama en que yacía y sobre él y sobre la almohada de al lado de él se extendía ese liso revestimiento del paciente polvo en espera.

Entonces nos dimos cuenta de que en la segunda almohada había el hueco de una cabeza. Uno de nosotros levantó algo de ella; y, al inclinarnos adelante, sintiendo en las narices, seco y acre, ese sutil e invisible polvo, vimos un largo mechón de pelo gris hierro.

Jorge Luis Borges (1899-1986)

El Aleph

> *O God, I could be bounded in a nutshell*
> *and count myself a King of infinite space.*
> HAMLET, II, 2.

> *But they will teach us that Eternity is the Standing*
> *still of the Present Time, a* Nunc-stans *(as the Schools*
> *call it); which neither they, nor any else understand,*
> *no more than they would a* Hic-stans *for an Infinite*
> *greatnesse of Place.*
> LEVIATHAN, IV, 46.

La candente mañana de febrero en que Beatriz Viterbo murió, después de una imperiosa agonía que no se rebajó un solo instante ni al sentimentalismo ni al miedo, noté que las carteleras de fierro de la Plaza Constitución habían renovado no sé qué aviso de cigarrillos rubios; el hecho me dolió, pues comprendí que el incesante y vasto universo ya se apartaba de ella y que ese cambio era el primero de una serie infinita. Cambiará el universo pero yo no, pensé con melancólica vanidad; alguna vez, lo sé, mi vana devoción la había exasperado; muerta, yo podía consagrarme a su memoria, sin esperanza, pero también sin humillación. Consideré que el 30 de abril era su cumpleaños; visitar ese día la casa de la calle Garay para saludar a su padre y a Carlos Argentino Daneri, su primo hermano, era un acto cortés, irreprochable, tal vez ineludible. De nuevo aguardaría en el crepúsculo de la abarrotada salita, de nuevo estudiaría las circunstancias de sus muchos retratos. Beatriz Viterbo, de perfil, en colores; Beatriz, con antifaz, en los carnavales de 1921; la primera comunión de Beatriz; Beatriz, el día de su boda con Roberto Alessandri; Beatriz, poco después del divorcio, en un almuerzo del Club Hípico; Beatriz, en Quilmes, con Delia San Marco Porcel y Carlos Argentino; Beatriz, con el pekinés que le regaló Villegas Haedo; Beatriz, de frente y de tres cuartos, sonriendo, la mano en el mentón... No estaría obligado, como otras veces, a justificar mi presencia con módicas ofrendas de libros: libros cuyas páginas, finalmente, aprendí a cortar, para no comprobar, meses después, que estaban intactos.

Beatriz Viterbo murió en 1929; desde entonces, no dejé pasar un 30 de abril sin volver a su casa. Yo solía llegar a las siete y cuarto y quedarme unos veinticinco minutos; cada año aparecía un poco más tarde y me quedaba un rato más; en 1933, una lluvia torrencial me favoreció: tuvieron que invitarme a comer. No desperdicié, como es natural, ese buen precedente; en 1934, aparecí, ya dadas las ocho, con un alfajor santafecino; con toda naturalidad me quedé a comer. Así, en aniversarios melancólicos y vanamente eróticos, recibí las graduales confidencias de Carlos Argentino Daneri.

Beatriz era alta, frágil, muy ligeramente inclinada; había en su andar (si el oximoron es tolerable) una como graciosa torpeza, un principio de éxtasis; Carlos Argentino es rosado, considerable, canoso, de rasgos finos. Ejerce no sé qué cargo subalterno en una biblioteca ilegible de los arrabales del Sur; es autoritario, pero también es ineficaz; aprovechaba, hasta hace muy poco, las noches y las fiestas para no salir de su casa. A dos generaciones de distancia, la ese italiana y la copiosa gesticulación italiana sobreviven en él. Su actividad mental es continua, apasionada, versátil y del todo insignificante. Abunda en inservibles analogías y en ociosos escrúpulos. Tiene (como Beatriz) grandes y afiladas manos hermosas. Durante algunos meses padeció la obsesión de Paul Fort, menos por sus baladas que por la idea de una gloria intachable. "Es el Príncipe de los poetas de Francia", repetía con fatuidad. "En vano te revolverás contra él; no lo alcanzará, no, la más inficionada de tus saetas."

El 30 de abril de 1941 me permití agregar al alfajor una botella de coñac del país. Carlos Argentino lo probó, lo juzgó interesante y emprendió, al cabo de unas copas, una vindicación del hombre moderno.

—Lo evoco –dijo con una animación algo inexplicable– en su gabinete de estudio, como si dijéramos en la torre albarrana de una ciudad, provisto de teléfonos, de telégrafos, de fonógrafos, de aparatos de radiotelefonía, de cinematógrafos, de linternas mágicas, de glosarios, de horarios, de prontuarios, de boletines...

Observó que para un hombre así facultado el acto de viajar era inútil; nuestro siglo XX había trasformado la fábula de Mahoma y de la montaña; las montañas, ahora, convergían sobre el moderno Mahoma.

Tan ineptas me parecieron esas ideas, tan pomposa y tan vasta su exposición, que las relacioné inmediatamente con la literatura; le dije que por qué no las escribía. Previsiblemente respondió que ya lo había hecho: esos conceptos, y otros no menos novedosos, figuraban en el Canto Augural, Canto Prologal o simplemente Canto-Prólogo de un poema en el que trabajaba hacía muchos años, sin *réclame*, sin bullanga ensordecedora, siempre apoyado en esos dos báculos que se llaman el trabajo y la soledad. Primero abría las compuertas a la imaginación; luego hacía uso de la lima. El poema se titulaba *La Tierra*; tratábase de una descripción del planeta, en la que no faltaban, por cierto, la pintoresca digresión y el gallardo apóstrofe.

Le rogué que me leyera un pasaje, aunque fuera breve. Abrió un cajón del escritorio, sacó un alto legajo de hojas de block estampadas con el membrete de la Biblioteca Juan Crisóstomo Lafinur y leyó con sonora satisfacción:

> He visto, como el griego, las urbes de los hombres,
> Los trabajos, los días de varia luz, el hambre;
> No corrijo los hechos, no falseo los nombres,
> Pero el *voyage que narro, es...* autour de ma chambre.

—Estrofa a todas luces interesante –dictaminó–. El primer verso granjea el aplauso del catedrático, del académico, del helenista, cuando no de los eruditos a la violeta, sector considerable de la opinión; el segundo pasa de Homero a Hesíodo (todo un implícito homenaje, en el frontis del flamante edificio, al padre de la poesía didáctica), no sin remozar un procedimiento cuyo abolengo está en la Escritura, la enumeración, congerie o conglobación; el tercero –¿barroquismo, decadentismo, culto depurado y fanático de la forma?– consta de dos hemistiquios gemelos; el cuarto, francamente bilingüe, me asegura el apoyo incondicional de todo espíritu sensible a los desenfadados envites de la facecia. Nada diré de la rima rara ni de la ilustración que me permite ¡sin pedantismo! acumular en cuatro versos tres alusiones eruditas que abarcan treinta siglos de apretada literatura: la primera a la *Odisea*, la segunda a los *Trabajos y los días*, la tercera a la bagatela inmortal que nos depararan los ocios de la pluma del saboyano… Comprendo una vez más que el arte moderno exige el bálsamo de la risa, el *scherzo*. ¡Decididamente, tiene la palabra Goldoni!

Otras muchas estrofas me leyó que también obtuvieron su aprobación y su comentario profuso. Nada memorable había en ellas; ni siquiera las juzgué mucho peores que la anterior. En su escritura habían colaborado la aplicación, la resignación y el azar; las virtudes que Daneri les atribuía eran posteriores. Comprendí que el trabajo del poeta no estaba en la poesía; estaba en la invención de razones para que la poesía fuera admirable; naturalmente, ese ulterior trabajo modificaba la obra para él, pero no para otros. La dicción oral de Daneri era extravagante; su torpeza métrica le vedó, salvo contadas veces, trasmitir esas extravagancia al poema.[1]

Una sola vez en mi vida he tenido ocasión de examinar los quince mil dodecasílabos del *Polyolbion*, esa epopeya topográfica en la que Michael Drayton registró la fauna, la flora, la hidrografía, la orografía, la historia militar y monástica de Inglaterra; estoy se-

---

[1] Recuerdo sin embargo estas líneas de una sátira en que fustigó con rigor a los malos poetas:

Aqueste da al poema belicosa armadura
De erudición; estotro le da pompas y galas.
Ambos baten en vano las ridículas alas…
¡Olvidaron, cuitados, el factor HERMOSURA!

Sólo el temor de crearse un ejército de enemigos implacables y poderosos lo disuadió (me dijo) de publicar sin miedo el poema.

guro de que ese producto considerable, pero limitado es menos te-
dioso que la vasta empresa congénere de Carlos Argentino. Éste se
proponía versificar toda la redondez del planeta; en 1941 ya había
despachado unas hectáreas del estado de Queensland, más de un
kilómetro del curso del Ob, un gasómetro al norte de Veracruz, las
principales casas de comercio de la parroquia de la Concepción, la
quinta de Mariana Cambaceres de Alvear en la calle Once de Se-
tiembre, en Belgrano, y un establecimiento de baños turcos no lejos del acreditado acuario de Brighton. Me leyó ciertos laboriosos
pasajes de la zona australiana de su poema; esos largos e informes
alejandrinos carecían de la relativa agitación del prefacio. Copio
una estrofa:

> *Sepan. A manderecha del poste rutinario*
> *(Viniendo, claro está, desde el Nornoroeste)*
> *Se aburre una osamenta —¿Color? Blanquiceleste—*
> *Que da al corral de ovejas catadura de osario.*

—¡Dos audacias –gritó con exultación–, rescatadas, te oigo
mascullar, por el éxito! Lo admito, lo admito. Una, el epíteto *ruti-
nario,* que certeramente denuncia, *en passant,* el inevitable tedio in-
herente a las faenas pastoriles y agrícolas, tedio que ni las geórgicas
ni nuestro ya laureado *Don Segundo* se atrevieron jamás a denun-
ciar así, al rojo vivo. Otra, el enérgico prosaísmo *se aburre una osa-
menta,* que el melindroso querrá excomulgar con horror pero que
apreciará más que su vida el crítico de gusto viril. Todo el verso,
por lo demás, es de muy subidos quilates. El segundo hemistiquio
entabla animadísima charla con el lector; se adelanta a su viva curiosidad, le pone una pregunta en la boca y la satisface... al instante. ¿Y qué me dices de ese hallazgo, *blanquiceleste?* El pintoresco
neologismo *sugiere* el cielo, que es un factor importantísimo del
paisaje australiano. Sin esa evocación resultarían demasiado som-
brías las tintas del boceto y el lector se vería compelido a cerrar el
volumen, herido en lo más íntimo el alma de incurable y negra me-
lancolía.

Hacia la medianoche me despedí.

Dos domingos después, Daneri me llamó por teléfono, entiendo que por primera vez en la vida. Me propuso que nos reuniéramos a las cuatro, "para tomar juntos la leche, en el contiguo salón-bar que el progresismo de Zunino y de Zungri –los propietarios de mi casa, recordarás– inaugura en la esquina; confitería que te importará conocer". Acepté, con más resignación que entusiasmo. Nos fue difícil encontrar mesa; el "salón-bar", inexorablemente moderno, era apenas un poco menos atroz que mis previsiones; en las mesas vecinas, el excitado público mencionaba las sumas invertidas sin regatear por Zunino y por Zungri. Carlos Argentino fingió asombrarse de no sé qué primores de la instalación de la luz (que, sin duda, ya conocía) y me dijo con cierta severidad:

—Mal de tu grado habrás de reconocer que este local se parangona con los más encopetados de Flores.

Me releyó, después, cuatro o cinco páginas del poema. Las había corregido según un depravado principio de ostentación verbal: donde antes escribió *azulado*, ahora abundaba en *azulino*, *azulenco* y hasta *azulillo*. La palabra *lechoso* no era bastante fea para él; en la impetuosa descripción de un lavadero de lanas, prefería *lactario*, *lacticinoso*, *lactescente*, *lechal*... Denostó con amargura a los críticos; luego, más benigno, los equiparó a esas personas, "que no disponen de metales preciosos ni tampoco de prensas de vapor, laminadores y ácidos sulfúricos para la acuñación de tesoros, pero que pueden *indicar* a los *otros el sitio* de un tesoro". Acto continuo censuró la *prologomanía*, "de la que ya hizo mofa, en la donosa prefación del Quijote, el Príncipe de los Ingenios". Admitió, sin embargo, que en la portada de la nueva obra convenía el prólogo vistoso, el espaldarazo firmado por el plumífero de garra, de fuete. Agregó que pensaba publicar los cantos iniciales de su poema. Comprendí, entonces, la singular invitación telefónica; el hombre iba a pedirme que prologara su pedantesco fárrago. Mi temor resultó infundado: Carlos Argentino observó, con admiración rencorosa, que no creía errar el epíteto al calificar de sólido el prestigio logrado en todos los círculos por Álvaro Melián Lafinur, hombre de letras, que, si yo me empeñaba, prologaría con embeleso el poema. Para evitar el más imperdonable de los fracasos, yo tenía que hacerme portavoz de dos méritos inconcusos: la perfección formal y el rigor científico, "porque ese dilatado jardín de tropos, de figuras, de galanuras, no tolera un solo detalle que no confirme la severa verdad". Agregó que Beatriz siempre se había distraído con Álvaro.

Asentí, profusamente asentí. Aclaré, para mayor verosimilitud, que no hablaría el lunes con Álvaro, sino el jueves: en la pequeña cena que suele coronar toda reunión del Club de Escritores. (No hay tales cenas, pero es irrefutable que las reuniones tienen lugar los jueves, hecho que Carlos Argentino Daneri podía comprobar en los diarios y que dotaba de cierta realidad a la frase.) Dije, entre adivinatorio y sagaz, que antes de abordar el tema del prólogo, describiría el curioso plan de la obra. Nos despedimos; al doblar por Bernardo de Irigoyen, encaré con toda imparcialidad los porvenires que me quedaban: a) hablar con Álvaro y decirle que el primo hermano aquel de Beatriz (ese eufemismo explicativo me permitiría nombrarla) había elaborado un poema que parecía dilatar hasta lo infinito las posibilidades de la cacofonía y del caos; b) no hablar con Álvaro. Preví, lúcidamente, que mi desidia optaría por b.

A partir del viernes a primera hora, empezó a inquietarme el teléfono. Me indignaba que ese instrumento, que algún día produjo la irrecuperable voz de Beatriz, pudiera rebajarse a receptáculo de las inútiles y quizás coléricas quejas de ese engañado Carlos Argentino Daneri. Felizmente, nada ocurrió –salvo el rencor inevitable que me inspiró aquel hombre que me había impuesto una delicada gestión y luego me olvidaba.

El teléfono perdió sus terrores, pero a fines de octubre, Carlos Argentino me habló. Estaba agitadísimo; no identifiqué su voz, al principio. Con tristeza y con ira balbuceó que esos ya ilimitados Zunino y Zungri, so pretexto de ampliar su desaforada confitería, iban a demoler su casa.

—¡La casa de mis padres, mi casa, la vieja casa inveterada de la calle Garay! –repitió, quizá olvidando su pesar en la melodía.

No me resultó muy difícil compartir su congoja. Ya cumplidos los cuarenta años, todo cambio es un símbolo detestable del pasaje del tiempo; además, se trataba de una casa que, para mí, aludía infinitamente a Beatriz. Quise aclarar ese delicadísimo rasgo; mi interlocutor no me oyó. Dijo que si Zunino y Zungri persistían en ese propósito absurdo, el doctor Zunni, su abogado, los demandaría *ipso facto* por daños y perjuicios y los obligaría a abonar cien mil nacionales.

El nombre de Zunni me impresionó; su bufete, en Caseros y Tacuarí, es de una seriedad proverbial. Interrogué si éste se había encargado ya del asunto. Daneri dijo que le hablaría esa misma tarde. Vaciló y con esa voz llana, impersonal, a que solemos recurrir para confiar algo muy íntimo, dijo que para terminar el poema le era indispensable la casa, pues en un ángulo del sótano había un Aleph. Aclaró que un Aleph es uno de los puntos del espacio que contienen todos los puntos.

—Está en el sótano del comedor —explicó, aligerada su dicción por la angustia—. Es mío, es mío; yo lo descubrí en la niñez, antes de la edad escolar. La escalera del sótano es empinada, mis tíos me tenían prohibido el descenso, pero alguien dijo que había un mundo en el sótano. Se refería, lo supe después, a un baúl, pero yo entendí que había un mundo. Bajé secretamente, rodé por la escalera vedada, caí. Al abrir los ojos, vi el Aleph.

—¿El Aleph? —repetí.

—Sí, el lugar donde están, sin confundirse, todos los lugares del orbe, vistos desde todos los ángulos. A nadie revelé mi descubrimiento, pero volví. ¡El niño no podía comprender que le fuera deparado ese privilegio para que el hombre burilara el poema! No me despojarán Zunino y Zungri, no y mil veces no. Código en mano, el doctor Zunni probará que es *inajenable* mi Aleph.

Traté de razonar.

—Pero, ¿no es muy oscuro el sótano?

—La verdad no penetra en un entendimiento rebelde. Si todos los lugares de la tierra están en el Aleph, ahí estarán todas las luminarias, todas las lámparas, todos lo veneros de luz.

—Iré a verlo inmediatamente.

Corté, antes de que pudiera emitir una prohibición. Basta el conocimiento de un hecho para percibir en el acto una serie de rasgos confirmatorios, antes insospechados; me asombró no haber comprendido hasta ese momento que Carlos Argentino era un loco. Todos esos Viterbo, por lo demás... Beatriz (yo mismo suelo repetirlo) era una mujer, una niña, de una clarividencia casi implacable, pero había en ella negligencias, distracciones, desdenes, verdaderas crueldades, que tal vez reclamaban una explicación patológica. La locura de Carlos Argentino me colmó de maligna felicidad; íntimamente, siempre nos habíamos detestado.

En la calle Garay, la sirvienta me dijo que tuviera la bondad de esperar. El niño estaba, como siempre, en el sótano, revelando fotografías. Junto al jarrón sin una flor, en el piano inútil, sonreía (más intemporal que anacrónico) el gran retrato de Beatriz, en torpes colores. No podía vernos nadie; en una desesperación de ternura me aproximé al retrato y le dije:

—Beatriz, Beatriz Elena, Beatriz Elena Viterbo, Beatriz querida, Beatriz perdida para siempre, soy yo, soy Borges.

Carlos entró poco después. Habló con sequedad; comprendí que no era capaz de otro pensamiento que de la perdición del Aleph.

—Una copita del seudo coñac –ordenó– y te zampuzarás en el sótano. Ya sabes, el decúbito dorsal es indispensable. También lo son la oscuridad, la inmovilidad, cierta acomodación ocular. Te acuestas en el piso de baldosas y fijas los ojos en el decimonono escalón de la pertinente escalera. Me voy, bajo la trampa y te quedas solo. Algún roedor te mete miedo ¡fácil empresa! A los pocos minutos ves el Aleph. ¡El microcosmo de alquimistas y cabalistas, nuestro concreto amigo proverbial, el *multum in parvo*!

Ya en el comedor, agregó:

—Claro está que si no lo ves, tu incapacidad no invalida mi testimonio... Baja; muy en breve podrás entablar un diálogo con *todas* las imágenes de Beatriz.

Bajé con rapidez, harto de sus palabras insustanciales. El sótano, apenas más ancho que la escalera, tenía mucho de pozo. Con la mirada, busqué en vano el baúl de que Carlos Argentino me habló. Unos cajones con botellas y unas bolsas de lona entorpecían un ángulo. Carlos tomó una bolsa, la dobló y la acomodó en un sitio preciso.

—La almohada es humildosa –explicó–, pero si la levanto un solo centímetro, no verás ni una pizca y te quedas corrido y avergonzado. Repantiga en el suelo ese corpachón y cuenta diecinueve escalones.

Cumplí con sus ridículos requisitos; al fin se fue. Cerró cautelosamente la trampa; la oscuridad, pese a una hendija que después distinguí, pudo parecerme total. Súbitamente comprendí mi peligro: me había dejado soterrar por un loco, luego de tomar un veneno. Las bravatas de Carlos transparentaban el íntimo terror de que yo no viera el prodigio; Carlos, para defender su delirio, para no saber que estaba loco, *tenía que matarme.* Sentí un confuso malestar, que traté de atribuir a la rigidez, y no a la operación de un narcótico. Cerré los ojos, los abrí. Entonces vi el Aleph.

Arribo, ahora, al inefable centro de mi relato; empieza, aquí, mi desesperación de escritor. Todo lenguaje es un alfabeto de símbolos cuyo ejercicio presupone un pasado que los interlocutores comparten; ¿cómo trasmitir a los otros el infinito Aleph, que mi temerosa memoria apenas abarca? Los místicos, en análogo trance, prodigan los emblemas: para significar la divinidad, un persa habla de un pájaro que de algún modo es todos los pájaros; Alanus de Insulis, de una esfera cuyo centro está en todas partes y la circunferencia en ninguna; Ezequiel, de un ángel de cuatro caras que a un tiempo se dirige al Oriente y al Occidente, al Norte y al Sur. (No en vano rememoro esas inconcebibles analogías; alguna relación tienen con el Aleph.) Quizá los dioses no me negarían el hallazgo de una imagen equivalente, pero este informe quedaría contaminado de literatura, de falsedad. Por lo demás, el problema central es irresoluble: la enumeración, siquiera parcial, de un conjunto infinito. En ese instante gigantesco, he visto millones de actos deleitables o atroces; ninguno me asombró como el hecho de que todos ocuparan el mismo punto, sin superposición y sin transparencia. Lo que vieron mis ojos fue simultáneo: lo que transcribiré, sucesivo, porque el lenguaje lo es. Algo, sin embargo, recogeré.

En la parte inferior del escalón, hacia la derecha, vi una pequeña esfera tornasolada, de casi intolerable fulgor. Al principio la creí giratoria; luego comprendí que ese movimiento era una ilusión producida por los vertiginosos espectáculos que encerraba. El diámetro del Aleph sería de dos o tres centímetros, pero el espacio cósmico estaba ahí, sin disminución de tamaño. Cada cosa (la luna del espejo, digamos) era infinitas cosas, porque yo claramente la veía desde todos los puntos del universo. Vi el populoso mar, vi el alba y la tarde, vi las muchedumbres de América, vi una plateada telaraña en el centro de una negra pirámide, vi un laberinto roto (era Londres), vi interminables ojos inmediatos escrutándose en mí como en un espejo, vi todos los espejos del planeta y ninguno me reflejó, vi en un traspatio de la calle Soler las mismas baldosas que hace treinta años vi en el zaguán de una casa en Frey Bentos, vi racimos, nieve, tabaco, vetas de metal, vapor de agua, vi convexos desiertos ecuatoriales y cada uno de sus granos de arena, vi en Inverness a una mujer que no olvidaré, vi la violenta caballera, el altivo cuerpo, vi un cáncer en el pecho, vi un círculo de tierra seca en una vereda, donde antes hubo un árbol, vi una quinta de Adrogué, un ejemplar de la primera versión inglesa de Plinio, la de Philemon Holland, vi a un tiempo cada letra de cada página (de chico, yo solía maravillarme de que las letras de un volumen cerrado no se mezclaran y perdieran en el decurso de la noche), vi la noche y el día contemporáneo, vi un poniente en Querétaro que parecía reflejar el color de una rosa en Bengala, vi mi dormitorio sin nadie, vi en un gabinete de Alkmaar un globo terráqueo entre dos espejos que lo multiplican sin fin, vi caballos de crin arremolinada, en una playa del Mar Caspio en el alba, vi la delicada osatura de una mano, vi a los sobrevivientes de una batalla, enviando tarjetas postales, vi en un escaparate de Mirzapur una baraja española, vi las sombras oblicuas de unos helechos en el suelo de un invernáculo, vi tigres, émbolos, bisontes, marejadas y ejércitos, vi todas las hormigas que hay en la tierra, vi un astrolabio persa, vi en un cajón del escritorio (y la letra me hizo temblar) cartas obscenas, increíbles, precisas, que Beatriz había dirigido a Carlos Argentino, vi un adorado monumento en la Chacarita, vi la reliquia atroz de lo que deliciosamente había sido Beatriz Viterbo, vi la circulación de mi oscura sangre, vi el engranaje del amor y la modificación de la muerte, vi el Aleph, desde todos los puntos, vi en el Aleph la tierra, y en la tierra otra vez el Aleph y en el Aleph la tierra, vi mi cara y mis vísceras, vi tu cara, y sentí vértigo y lloré, porque mis ojos habían visto ese objeto secreto y conjetural, cuyo nombre usurpan los hombres, pero que ningún hombre ha mirado: el inconcebible universo.

Sentí infinita veneración, infinita lástima.

—Tarumba habrás quedado de tanto curiosear donde no te llaman –dijo una voz aborrecida y jovial–. Aunque te devanes los sesos, no me pagarás en un siglo esta revelación. ¡Qué observatorio formidable, che Borges!

Los pies de Carlos Argentino ocupaban el escalón más alto. En la brusca penumbra, acerté a levantarme y a balbucear:

—Formidable. Sí, formidable.

La indiferencia de mi voz me extrañó. Ansioso, Carlos Argentino insistía:

—¿Lo viste todo bien, en colores?

En ese instante concebí mi venganza. Benévolo, manifiestamente apiadado, nervioso, evasivo, agradecí a Carlos Argentino Daneri la hospitalidad de su sótano y lo insté a aprovechar la demolición de la casa para alejarse de la perniciosa metrópoli, que a nadie ¡créame, que a nadie! perdona. Me negué, con suave energía, a discutir el Aleph; lo abracé, al despedirme, y le repetí que el campo y la serenidad son dos grandes médicos.

En la calle, en las escaleras de Constitución, en el subterráneo, me parecieron familiares todas las caras. Temí que no quedara una sola cosa capaz de sorprenderme, temí que no me abandonara jamás la impresión de volver. Felizmente, al cabo de unas noches de insomnio, me trabajó otra vez el olvido.

Posdata del primero de marzo de 1943. A los seis meses de la demolición del inmueble de la calle Garay, la Editorial Procusto no se dejó arredrar por la longitud del considerable poema y lanzó al mercado una selección de "trozos argentinos". Huelga repetir lo ocurrido; Carlos Argentino Daneri recibió el Segundo Premio Nacional de Literatura.[2] El primero fue otorgado al doctor Aita; el tercero, al doctor Mario Bonfanti; increíblemente, mi obra *Los naipes del tahúr* no logró un solo voto. ¡Una vez más, triunfaron la incomprensión y la envidia! Hace ya mucho tiempo que no consigo ver a Daneri; los diarios dicen que pronto nos dará otro volumen.

[2] "Recibí tu apenada congratulación", me escribió. "Bufas, mi lamentable amigo, de envidia, pero confesarás –¡aunque te ahogue!– que esta vez puede coronar mi bonete con la más roja de las plumas; mi turbante, con el más *califa* de los rubíes."

Su afortunada pluma (no entorpecida ya por el Aleph) se ha consagrado a versificar los epítomes del doctor Acevedo Díaz.

Dos observaciones quiero agregar: una, sobre la naturaleza del Aleph; otra, sobre su nombre. Éste como es sabido, es el de la primera letra del alfabeto de la lengua sagrada. Su aplicación al círculo de mi historia no parece casual. Para la Cábala, esa letra significa el *En Soph*, la ilimitada y pura divinidad; también se dijo que tiene la forma de un hombre que señala el cielo y la tierra, para indicar que el mundo inferior es el espejo y es el mapa del superior; para la *Mengenlehre*, es el símbolo de los números transfinitos, en los que el todo no es mayor que alguna de las partes. Yo querría saber: ¿Eligió Carlos Argentino ese nombre, o lo leyó, *aplicado a otro punto donde convergen todos los puntos*, en alguno de los textos innumerables que el Aleph de su casa le reveló? Por increíble que parezca, yo creo que hay (o que hubo) otro Aleph, yo creo que el Aleph de la calle Garay era un falso Aleph.

Doy mis razones. Hacia 1867 el capitán Burton ejerció en el Brasil el cargo de cónsul británico; en julio de 1942 Pedro Henríquez Ureña descubrió en una biblioteca de Santos un manuscrito suyo que versaba sobre el espejo que atribuye el Oriente a Iskandar Zu al-Karnayn, o Alejandro Bicorne de Macedonia. En su cristal se reflejaba el universo entero. Burton menciona otros artificios congéneres –la séptuple copa de Kai Josrú, el espejo que Tárik Benzeyad encontró en una torre (*1001 Noches, 272*), el espejo que Luciano de Samosata pudo examinar en la luna (*Historia Verdadera*, I, 26), la lanza especular que el primer libro del *Satyricon* de Capella atribuye a Júpiter, el espejo universal de Merlín, "redondo y hueco y semejante a un mundo de vidrio" (*The Faerie Queene*, III, 2, 19)–, y añade estas curiosas palabras: "Pero los anteriores (además del defecto de no existir) son meros instrumentos de óptica. Los fieles que concurren a la mezquita de Amr, en El Cairo, saben muy bien que el universo está en el interior de una de las columnas de piedra que rodean en el patio central... Nadie, claro está, puede verlo, pero quienes acercan el oído a la superficie, declaran percibir, al poco tiempo, su atareado rumor... La mezquita data del siglo VII; las columnas proceden de otros templos de religiones anteislámicas, pues como ha escrito Abenjaldún: "En las repúblicas fundadas por nómadas, es indispensable el concurso de forasteros para todo lo que sea albañilería".

¿Existe ese Aleph en lo íntimo de una piedra? ¿Lo he visto cuando vi todas las cosas y lo he olvidado? Nuestra mente es porosa para el olvido; yo mismo estoy falseando y perdiendo, bajo la trágica erosión de los años, los rasgos de Beatriz.

A Estela Canto

Jorge Luis Borges (1899-1986)

La casa de Asterión

> *Y la reina dio a luz un hijo que se llamó* Asterión.
> APOLODORO: *BIBLIOTECA*, III, I.

Sé que me acusan de soberbia, y tal vez de misantropía, y tal vez de locura. Tales acusaciones (que yo castigaré a su debido tiempo) son irrisorias. Es verdad que no salgo de mi casa, pero también es verdad que sus puertas (cuyo número es infinito)[1] están abiertas día y noche a los hombres y también a los animales. Que entre el que quiera. No hallará pompas mujeriles aquí ni el bizarro aparato de los palacios pero sí la quietud y la soledad. Asimismo hallará una casa como no hay otra en la faz de la tierra. (Mienten los que declaran que en Egipto hay una parecida.) Hasta mis detractores admiten que no hay *un solo mueble* en la casa. Otra especie ridícula es que yo, Asterión, soy un prisionero. ¿Repetiré que no hay una puerta cerrada, añadiré que no hay una cerradura? Por lo demás, algún atardecer he pisado la calle; si antes de la noche volví, lo hice por el temor que me infundieron las caras de la plebe, caras descoloridas y aplanadas, como la mano abierta. Ya se había puesto el sol, pero el desvalido llanto de un niño y las toscas plegarias de la grey dijeron que me habían reconocido. La gente oraba, huía, se prosternaba; unos se encaramaban al estilóbato del templo de las Hachas, otros juntaban piedras. Alguno, creo, se ocultó bajo el

---

[1] El original dice *catorce*, pero sobran motivos para inferir que, en boca de Asterión, ese adjetivo numeral vale por *infinitos*.

mar. No en vano fue una reina mi madre; no puedo confundirme con el vulgo, aunque mi modestia lo quiera.

El hecho es que soy único. No me interesa lo que un hombre pueda trasmitir a otros hombres; como el filósofo, pienso que nada es comunicable por el arte de la escritura. Las enojosas y triviales minucias no tienen cabida en mi espíritu, que está capacitado para lo grande; jamás he retenido la diferencia entre una letra y otra. Cierta impaciencia generosa no ha consentido que yo aprendiera a leer. A veces lo deploro, porque las noches y los días son largos.

Claro que no me faltan distracciones. Semejante al carnero que va a embestir, corro por las galerías de piedra hasta rodar al suelo, mareado. Me agazapo a la sombra de un aljibe o a la vuelta de un corredor y juego a que me buscan. Hay azoteas desde las que me dejo caer, hasta ensangrentarme. A cualquier hora puedo jugar a estar dormido, con los ojos cerrados y la respiración poderosa. (A veces me duermo realmente, a veces ha cambiado el color del día cuando he abierto los ojos.) Pero de tantos juegos el que prefiero es el de otro Asterión. Finjo que viene a visitarme y que yo le muestro la casa. Con grandes reverencias le digo: "Ahora volvemos a la encrucijada anterior" o "Ahora desembocamos en otro patio" o "Bien decía yo que te gustaría la canaleta" o "Ahora verás una cisterna que se llenó le arena" o "Ya verás cómo el sótano se bifurca". A veces me equivoco y nos reímos buenamente los dos.

No sólo he imaginado esos juegos; también he meditado sobre la casa. Todas las partes de la casa están muchas veces, cualquier lugar es otro lugar. No hay un aljibe, un patio, un abrevadero, un pesebre; son catorce [son infinitos] los pesebres, abrevaderos, patios, aljibes. La casa es del tamaño del mundo; mejor dicho, es el mundo. Sin embargo, a fuerza de fatigar patios con un aljibe y polvorientas galerías de piedra gris he alcanzado y he visto el templo de las Hachas y el mar. Eso no lo entendí hasta que una visión de la noche me reveló que también son catorce [son infinitos] los mares y los templos. Todo está muchas veces, catorce veces, pero dos cosas hay en el mundo que parecen estar una sola vez: arriba, el intrincado sol; abajo, Asterión. Quizá yo he creado las estrellas y el sol y la enorme casa, pero ya no me acuerdo.

Cada nueve años entran en la casa nueve hombres para que yo

los libere de todo mal. Oigo sus pasos o su voz en el fondo de las galerías de piedra y corro alegremente a buscarlos. La ceremonia dura pocos minutos. Uno tras otro caen sin que yo me ensangriente las manos. Donde cayeron, quedan, y los cadáveres ayudan a distinguir una galería de las otras. Ignoro quiénes son, pero sé que uno de ellos profetizó, en la hora de su muerte, que alguna vez llegaría mi redentor. Desde entonces no me duele la soledad, porque sé que vive mi redentor y el fin se levantará sobre el polvo. Si mi oído alcanzara todos los rumores del mundo, yo percibiría sus pasos. Ojalá me lleve a un lugar con menos galerías y menos puertas. ¿Cómo será mi redentor?, me pregunto. ¿Será un toro o un hombre? ¿Será tal vez un toro con cara de hombre? ¿O será como yo?

El sol de la mañana reverberó en la espada de bronce. Ya no quedaba ni un vestigio de sangre.

—¿Lo creerás, Ariadna? –dijo Teseo–. El minotauro apenas se defendió.

A Marta Mosquera Eastman

Felisberto Hernández (1902-1964)

La casa inundada

De esos días siempre recuerdo primero las vueltas en un bote alrededor de una pequeña isla de plantas. Cada poco tiempo las cambiaban; pero allí las plantas no se llevaban bien. Yo remaba colocado detrás del cuerpo inmenso de la señora Margarita. Si ella miraba la isla un rato largo, era posible que me dijera algo; pero no lo que me había prometido; sólo hablaba de las plantas y parecía que quisiera esconder entre ellas otros pensamientos. Yo me cansaba de tener esperanzas y levantaba los remos como si fueran manos aburridas de contar siempre las mismas gotas. Pero ya sabía que, en otras vueltas del bote, volvería a descubrir, una vez más, que ese cansancio era una pequeña mentira confundida entre un poco de felicidad. Entonces me resignaba a esperar las palabras que me vendrían de aquel mundo, casi mudo, de espaldas a mí y deslizándose con el esfuerzo de mis manos doloridas.

Una tarde, poco antes del anochecer, tuve la sospecha de que el marido de la señora Margarita estaría enterrado en la isla. Por eso ella me hacía dar vueltas por allí y me llamaba en la noche –si había luna– para dar vueltas de nuevo. Sin embargo el marido no podía estar en aquella isla; Alcides –el novio de la sobrina de la señora Margarita– me dijo que ella había perdido al marido en un precipicio de Suiza. Y también recordé lo que me contó el botero la noche que llegué a la casa inundada. Él remaba despacio mientras recorríamos "la avenida de agua", del ancho de una calle y bordeada de plátanos con borlitas. Entre otras cosas supe que él y un peón habían llenado de tierra la fuente del patio para que después fuera una isla. Además yo pensaba que los movimientos de la cabeza de la señora Margarita –en las tardes que su mirada iba del libro a la isla y de la isla al libro– no tenían relación con un muerto escondido debajo de las plantas. También es cierto que una vez que la vi de frente tuve la impresión de que los vidrios gruesos de sus lentes les enseñaban a los ojos a disimular y que la gran vidriera terminada en cúpula que cubría el patio y la pequeña isla, era como para encerrar el silencio en que se conserva a los muertos.

Después recordé que ella no había mandado hacer la vidriera. Y me gustaba saber que aquella casa, como un ser humano, había tenido que desempeñar diferentes cometidos: primero fue casa de campo; después instituto astronómico; pero como el telescopio que habían pedido a Norteamérica lo tiraron al fondo del mar los alemanes, decidieron hacer, en aquel patio, un invernáculo; y por último la señora Margarita la compró para inundarla.

Ahora, mientras dábamos vuelta a la isla, yo envolvía a esta señora con sospechas que nunca le quedaban bien. Pero su cuerpo inmenso, rodeado de una simplicidad desnuda, me tentaba a imaginar sobre él un pasado tenebroso. Por la noche parecía más grande, el silencio lo cubría como un elefante dormido y a veces ella hacía una carraspera rara, como un suspiro ronco.

Yo la había empezado a querer, porque después del cambio brusco que me había hecho pasar de la miseria a esta opulencia, vivía en una tranquilidad generosa y ella se prestaba –como prestaría el lomo una elefanta blanca a un viajero– para imaginar disparates entretenidos. Además, aunque ella no me preguntaba nada sobre mi vida, en el instante de encontrarnos, levantaba las cejas como si se le fueran a volar, y sus ojos, detrás de los vidrios, parecían decir: "¿Qué pasa hijo mío?"

Por eso yo fui sintiendo por ella una amistad equivocada; y si ahora dejo libre mi memoria se me va con esta primera señora Margarita; porque la segunda, la verdadera, la que conocí cuando ella me contó su historia, al fin de la temporada, tuvo una manera extraña de ser inaccesible.

Pero ahora yo debo esforzarme en empezar esta historia por su verdadero principio, y no detenerme demasiado en las preferencias de los recuerdos.

Alcides me encontró en Buenos Aires en un día que yo estaba

muy débil, me invitó a un casamiento y me hizo comer de todo. En el momento de la ceremonia, pensó en conseguirme un empleo, y ahogado de risa, me habló de una "atolondrada generosa" que podía ayudarme. Y al final me dijo que ella había mandado inundar una casa según el sistema de un arquitecto sevillano que también inundó otra para un árabe que quería desquitarse de la sequía del desierto. Después Alcides fue con la novia a la casa de la señora Margarita, le habló mucho de mis libros y por último le dijo que yo era un "sonámbulo de confianza". Ella decidió contribuir, en seguida, con dinero; y en el verano próximo, si yo sabía remar, me invitaría a la casa inundada. No sé por qué causa, Alcides no me llevaba nunca; y después ella se enfermó. En verano fueron a la casa inundada antes que la señora Margarita se repusiera y pasaron los primeros días en seco. Pero al darle entrada al agua me mandaron llamar. Yo tomé un ferrocarril que me llevó hasta una pequeña ciudad de la provincia, y de allí a la casa fui en auto. Aquella región me pareció árida, pero al llegar la noche pensé que podía haber árboles escondidos en la oscuridad. El chofer me dejó con las valijas en un pequeño atracadero donde empezaba el canal, "la avenida de agua", y tocó la campana, colgaba de un plátano; pero ya se había desprendido de la casa la luz pálida que traía el bote. Se veía una cúpula iluminada y al lado un monstruo oscuro tan alto como la cúpula. (Era el tanque del agua.) Debajo de la luz venía un bote verdoso y un hombre de blanco que me empezó a hablar antes de llegar. Me conversó durante todo el trayecto (fue él quien me dijo lo de la fuente llena de tierra). De pronto vi apagarse la luz de la cúpula. En ese momento el botero me decía: "Ella no quiere que tiren papeles ni ensucien el piso de agua. Del comedor al dormitorio de la señora Margarita no hay puerta y una mañana en que se despertó temprano, vio venir nadando desde el comedor un pan que se le había caído a mi mujer. A la dueña le dio mucha rabia y le dijo que se fuera inmediatamente y que no había cosa más fea en la vida que ver nadar un pan".

El frente de la casa estaba cubierto de enredaderas. Llegamos a un zaguán ancho de luz amarillenta y desde allí se veía un poco del gran patio de agua y la isla. El agua entraba en la habitación de la izquierda por debajo de una puerta cerrada. El botero ató la soga del bote a un gran sapo de bronce afirmado en la vereda de la derecha y por allí fuimos con las valijas hasta una escalera de cemento armado. En el primer piso había un corredor con vidrieras que se perdían entre el humo de una gran cocina, de donde salió una mujer gruesa con flores en el moño. Parecía española. Me dijo que la señora, su ama, me recibiría al día siguiente; pero que esa noche me hablaría por teléfono.

Los muebles de mi habitación, grandes y oscuros, parecían sentirse incómodos entre paredes blancas atacadas por la luz de una lámpara eléctrica sin esmerilar y colgada desnuda, en el centro de la habitación. La española levantó mi valija y le sorprendió el peso. Le dije que eran libros. Entonces empezó a contarme el mal que le había hecho a su ama, "tanto libro", y "hasta la habían dejado sorda, y no le gustaba que la gritaran". Yo debo haber hecho algún gesto por la molestia de la luz.

—¿A usted también le incomoda la luz? Igual que a ella.

Fui a encender una portátil; tenía pantalla verde y daría una sombra agradable. En el instante de encenderla sonó el teléfono colocado detrás de la portátil, y lo atendió la española. Decía muchos "sí" y las pequeñas flores blancas acompañaban conmovidas los movimientos del moño. Después ella sujetaba las palabras que se asomaban a la boca con una sílaba o un chistido. Y cuando colgó el tubo suspiró y salió de la habitación en silencio.

Comí y bebí buen vino. La española me hablaba pero yo, preocupado de cómo me iría en aquella casa, apenas le contestaba moviendo la cabeza como un mueble en un piso flojo. En el instante de retirar el pocillo de café de entre la luz llena de humo de mi cigarrillo, me volvió a decir que la señora me llamaría por teléfono. Yo miraba el aparato esperando continuamente el timbre, pero sonó en un instante en que no lo esperaba. La señora Margarita me preguntó por mi viaje y mi cansancio con voz agradable y tenue. Yo le respondí con fuerza separando las palabras.

—Hable naturalmente –me dijo–; ya le explicaré por qué le he dicho a María (la española) que estoy sorda. Quisiera que usted estuviera tranquilo en esta casa; es mi invitado; sólo le pediré que reme en mi bote y que soporte algo que tengo que decirle. Por mi parte haré una contribución mensual a sus ahorros y trataré de serle útil. He leído sus cuentos a medida que se publicaban. No he querido hablar de ellos con Alcides por temor a disentir, soy susceptible; pero ya hablaremos…

Yo estaba absolutamente conquistado. Hasta le dije que al día siguiente me llamara a la seis. Esa primera noche, en la casa inundada, estaba intrigado con lo que la señora Margarita tendría que decirme, me vino una tensión extraña y no podía hundirme en el sueño. No sé cuándo me dormí. A las seis de la mañana, un pequeño golpe de timbre, como la picadura de un insecto, me hizo saltar en la cama. Esperé, inmóvil, que aquello se repitiera. Así fue. Levanté el tubo del teléfono.

—¿Está despierto?

—Es verdad.

Después de combinar la hora de vernos me dijo que podía bajar en pijama y que ella me esperaría al pie de la escalera. En aquel instante me sentí como el empleado al que le dieran un momento libre.

En la noche anterior, la oscuridad me había parecido casi toda hecha de árboles; y ahora, al abrir la ventana, pensé que ellos se habrían ido al amanecer. Sólo había una llanura inmensa con un aire claro; y los únicos árboles eran los plátanos del canal. Un poco de viento les hacía mover el brillo de las hojas; al mismo tiempo se asomaban a la "avenida de agua" tocándose disimuladamente las copas. Tal vez allí podría empezar a vivir de nuevo con una alegría perezosa. Cerré la ventana con cuidado, como si guardara el paisaje nuevo para mirarlo más tarde.

Vi, al fondo del corredor, la puerta abierta de la cocina y fui a pedir agua caliente para afeitarme en el momento que María le servía café a un hombre joven que dio los "buenos días" con humildad; era el hombre del agua y hablaba de los motores. La española, con una sonrisa, me tomó de un brazo y me dijo que me llevaría todo a mi pieza. Al volver, por el corredor, vi al pie de la escalera –alta y empinada– a la señora Margarita. Era muy gruesa y su cuerpo sobresalía de un pequeño bote como un pie gordo de un zapato escotado. Tenía la cabeza baja porque leía unos papeles, y su trenza, alrededor de la cabeza, daba la idea de una corona dorada. Esto lo iba recordando después de una rápida mirada, pues temí que me descubriera observándola. Desde ese instante hasta el momento de encontrarla estuve nervioso. Apenas puse los pies en la escalera empezó a mirar sin disimulo y yo descendía con la dificultad de un líquido espeso por un embudo estrecho. Me alcanzó una mano mucho antes que yo llegara abajo. Y me dijo:

—Usted no es como yo me lo imaginaba… siempre me pasa eso… Me costará mucho acomodar sus cuentos a su cara.

Yo, sin poder sonreír, hacía movimientos afirmativos como un caballo al que le molestara el freno. Y le contesté:

—Tengo mucha curiosidad de conocerla y de saber qué pasará.

Por fin encontré su mano. Ella no me soltó hasta que pasé al asiento de los remos, de espaldas a la proa. La señora Margarita se removía con la respiración entrecortada, mientras se sentaba en el sillón que tenía el respaldo hacia mí. Me decía que estudiaba un presupuesto para un asilo de madres y no podría hablarme por un rato. Yo remaba, ella manejaba el timón, y los dos mirábamos la estela que íbamos dejando. Por un instante tuve la idea de un gran error; yo no era botero y aquel peso era monstruoso. Ella seguía pensando en el asilo de madres sin tener en cuenta el volumen de su cuerpo y la pequeñez de mis manos. En la angustia del esfuerzo me encontré con los ojos casi pegados al respaldo de su sillón; y el barniz oscuro y la esterilla llena de agujeritos, como los de un panal, me hicieron acordar de una peluquería a la que me llevaba mi abuelo cuando yo tenía seis años. Pero estos agujeros estaban llenos de bata blanca y de la gordura de la señora Margarita. Ella me dijo:

—No se apure; se va a cansar en seguida.

Yo aflojé los remos de golpe, caí como en un vacío dichoso y me sentí por primera vez deslizándome con ella en el silencio del agua. Después tuve cierta conciencia de haber empezado a remar de nuevo. Pero debe haber pasado largo tiempo. Tal vez me haya despertado el cansancio. Al rato ella me hizo señas con una mano, como cuando se dice adiós, pero era para que me detuviera en el sapo más próximo. En toda la vereda que rodeaba al lago, había esparcidos sapos de bronce para atar el bote. Con gran trabajo y palabras que no entendí, ella sacó el cuerpo del sillón y lo puso de pie en la vereda. De pronto nos quedamos inmóviles, y fue entonces cuando hizo por primera vez la carraspera rara, como si arrastrara algo, en la garganta, que no quisiera tragar y que al final era un suspiro ronco. Yo miraba el sapo al que habíamos amarrado el bote pero veía también los pies de ella, tan fijos como los otros dos sapos. Todo hacía pensar que la señora Margarita hablaría. Pero también podía ocurrir que volviera a hacer la carraspera rara. Si la hacía o empezaba a conversar yo soltaría el aire que retenía en los pulmones para no perder las primeras palabras. Después la espera se fue haciendo larga y yo dejaba escapar la respiración como si fuera abriendo la puerta de un cuarto donde alguien duerme. No sabía si esa espera quería decir que yo debía mirarla; pero decidí quedarme inmóvil todo el tiempo que fuera necesario. Me encontré de nuevo con el sapo y los pies, y puse mi atención en ellos sin mirar directamente. La parte aprisionada en los zapatos era pequeña; pero después se desbordaba la gran garganta y la pierna rolliza y blanda con ternura de bebé que ignora sus formas; y la idea de inmensidad que había encima de aquellos pies era como el sueño fantástico de un niño. Pasé demasiado tiempo esperando la carraspera; y no sé en qué pensamientos andaría cuando oí sus primeras palabras. Entonces tuve la idea de que un inmenso jarrón se había ido llenando silenciosamente y ahora dejaba caer el agua con pequeños ruidos intermitentes.

—Yo le prometí hablar... pero hoy no puedo... tengo un mundo de cosas en qué pensar...

Cuando dijo "mundo", yo, sin mirarla, me imaginé las curvas de su cuerpo. Ella siguió:

—Además usted no tiene culpa, pero me molesta que sea tan diferente.

Sus ojos se achicaron y en su cara abrió una sonrisa inesperada; el labio superior se recogió hacia los lados como algunas cortinas de los teatros y se adelantaron, bien alineados, grandes dientes brillantes.

—Yo, sin embargo, me alegro que usted sea como es.

Esto lo debo haber dicho con una sonrisa provocativa, porque pensé en mí mismo como en un sinvergüenza de otra época con una pluma en el gorro. Entonces empecé a buscar sus ojos verdes detrás de los lentes. Pero en el fondo de aquellos lagos de vidrios, tan pequeños y de ondas tan fijas, los párpados se habían cerrado y abultaban avergonzados. Los labios empezaron a cubrir los dientes de nuevo y toda la cara se fue llenando de un color rojizo que ya había visto antes en faroles chinos. Hubo un silencio como de mal entendido y uno de sus pies tropezó con un sapo al tratar de subir al bote. Yo hubiera querido volver unos instantes hacia atrás y que todo hubiera sido distinto. Las palabras que yo había dicho mostraban un fondo de insinuación grosera que me llenaba de amargura. La distancia que había de la isla a las vidrieras se volvía un espacio ofendido y las cosas se miraban entre ellas como para rechazarme. Eso era una pena, porque yo las había empezado a querer. Pero de pronto la señora Margarita dijo:

—Deténgase en la escalera y vaya a su cuarto. Creo que luego tendré muchas ganas de conversar con usted.

Entonces yo miré unos reflejos que había en el lago y sin ver las plantas me di cuenta de que me eran favorables; y subí contento aquella escalera casi blanca, de cemento armado, como un chiquilín que trepara por las vértebras de un animal prehistórico.

Me puse a arreglar seriamente mis libros entre el olor a madera nueva del ropero y sonó el teléfono:

—Por favor, baje un rato más; daremos unas vueltas en silencio y cuando yo le haga una seña usted se detendrá al pie de la escalera, volverá a su habitación y yo no lo molestaré más hasta que pasen dos días.

Todo ocurrió como ella lo había previsto, aunque en un instante en que rodeamos la isla de cerca y ella miró las plantas parecía que iba a hablar.

Entonces, empezaron a repetirse unos días imprecisos de espera y de pereza, de aburrimiento a la luz de la luna y de variedad de sospechas con el marido de ella bajo las plantas. Yo sabía que tenía gran dificultad en comprender a los demás y trataba de pensar en la señora Margarita un poco como Alcides y otro poco como María; pero también sabía que iba a tener pereza de seguir desconfiando. Entonces me entregué a la manera de mi egoísmo; cuando estaba con ella esperaba, con buena voluntad y hasta con pereza cariñosa, que ella me dijera lo que se le antojara y entrara cómodamente en mi comprensión. O si no, podría ocurrir, que mientras yo vivía cerca de ella, con un descuido encantado, esa comprensión se formara despacio, en mí, y rodeara toda su persona. Y cuando estuviera en mi pieza, entregado a mis lecturas, miraría también la llanura, sin acordarme de la señora Margarita. Y desde allí, sin ninguna malicia, robaría para mí la visión del lugar y me la llevaría conmigo al terminar el verano.

Pero ocurrieron otras cosas.

Una mañana el hombre del agua tenía un plano azul sobre la mesa. Sus ojos y sus dedos seguían las curvas que representaban los caños del agua incrustados sobre las paredes y debajo de los pisos como gusanos que las hubieran carcomido. Él no me había visto, a pesar de que sus pelos revueltos parecían desconfiados y apuntaban en todas direcciones. Por fin levantó los ojos. Tardó en cambiar la idea de que me miraba a mí en vez de lo que había en los planos y después empezó a explicarme cómo las máquinas, por medio de los caños, absorbían y vomitaban el agua de la casa para producir una tormenta artificial. Yo no había presenciado ninguna de las tormentas; sólo había visto las sombras de algunas planchas de hierro que resultaron ser bocas que se abrían y cerraban alternativamente, unas tragando y otras echando agua. Me costaba comprender la combinación de algunas válvulas; y el hombre quiso explicarme todo de nuevo. Pero entró María.

—Ya sabes tú que no debes tener a la vista esos caños retorcidos. A ella le parecen intestinos... y puede llegarse hasta aquí, como el año pasado... Y dirigiéndose a mí: por favor, usted oiga, señor, y cierre el pico. Sabrá que esta noche tendremos "velorio"... Sí, ella pone velas en unas budineras que deja flotando alrededor de la cama y se hace la ilusión de que es su propio "velorio". Y después hace andar el agua para que la corriente se lleve las budineras.

Al anochecer oí los pasos de María, el gong para hacer marchar el agua y el ruido de los motores. Pero ya estaba aburrido y no quería asombrarme de nada.

Otra noche en que yo había comido y bebido demasiado, el estar remando siempre detrás de ella me parecía un sueño disparatado; tenía que estar escondido detrás de la montaña, que al mismo tiempo se deslizaba con el silencio que suponía en los cuerpos celestes; y con todo me gustaba pensar que "la montaña" se movía porque yo la llevaba en el bote. Después ella quiso que nos quedáramos quietos y pegados a la isla. Ese día habían puesto unas plantas que se asomaban como sombrillas inclinadas y ahora no nos dejaban llegar la luz que la luna hacía pasar por entre los vidrios. Yo transpiraba por el calor, y las plantas se nos echaban encima. Quise meterme en el agua, pero como la señora Margarita se daría cuenta de que el bote perdía peso, dejé esa idea. La cabeza se me entretenía en pensar cosas por su cuenta: "El nombre de ella es como su cuerpo; las dos primeras sílabas se parecen a toda esa carga de gordura y las dos últimas a su cabeza y sus facciones pequeñas...". Parece mentira, la noche es tan inmensa, en el campo, y nosotros aquí, dos personas mayores, tan cerca y pensando quién sabe qué estupideces diferentes. Deben ser las dos de la madrugada... y estamos inútilmente despiertos, agobiados por estas ramas... Pero qué firme es la soledad de esta mujer...

Y de pronto, no sé en qué momento, salió de entre las ramas un rugido que me hizo temblar. Tardé en comprender que era la carraspera de ella y unas pocas palabras:

—No me haga ninguna pregunta...

Aquí se detuvo. Yo me ahogaba y me venían cerca de la boca palabras que parecían de un antiguo compañero de orquesta que tocaba el bandoneón: "¿quién te hace ninguna pregunta?... Mejor me dejaras ir a dormir...".

Y ella terminó de decir:

—... hasta que yo le haya contado todo.

Por fin aparecerían las palabras prometidas –ahora que yo no las esperaba–. El silencio nos apretaba debajo de las ramas pero no me animaba a llevar el bote más adelante. Tuve tiempo de pensar en la señora Margarita con palabras que oía dentro de mí y como ahogadas en una almohada: "Pobre, me decía a mí mismo, debe tener necesidad de comunicarse con alguien. Y estando triste le será difícil manejar ese cuerpo...".

Después que ella empezó a hablar, me pareció que su voz también sonaba dentro de mí como si yo pronunciara sus palabras. Tal vez por eso ahora confundo lo que ella me dijo con lo que yo pensaba. Además me será difícil juntar todas sus palabras y no tendré más remedio que poner aquí muchas de las mías.

"Hace cuatro años, al salir de Suiza, el ruido del ferrocarril me era insoportable. Entonces me detuve en una pequeña ciudad de Italia…".

Parecía que iba a decir con quién, pero se detuvo. Pasó mucho rato y creí que esa noche no diría más nada. Su voz se había arrastrado con intermitencias y hacía pensar en la huella de un animal herido. En el silencio, que parecía llenarse de todas aquellas ramas enmarañadas, se me ocurrió repasar lo que acababa de oír. Después pensé que yo me había quedado, indebidamente, con la angustia de su voz en la memoria, para llevarla después a mi soledad y acariciarla. Pero en seguida, como si alguien me obligara a soltar esa idea, se deslizaron otras. Debe haber sido con el que estuvo antes en la pequeña ciudad de Italia. Y después de perderlo, en Suiza, es posible que haya salido de allí sin saber que todavía le quedaba un poco de esperanza (Alcides me había dicho que no encontraron los restos) y al alejarse de aquel lugar, el ruido del ferrocarril la debe haber enloquecido. Entonces, sin querer alejarse demasiado, decidió bajarse en la pequeña ciudad de Italia. Pero en ese otro lugar se ha encontrado, sin duda, con recuerdos que le produjeron desesperaciones nuevas. Ahora ella no podrá decirme todo esto, por pudor, o tal vez por creer que Alcides me ha contado todo. Pero él no me dijo que ella está así por la pérdida de su marido, sino simplemente: "Margarita fue trastornada toda su vida"; y María atribuía la rareza de su ama a "tanto libro". Tal vez ellos se hayan confundido porque la señora Margarita no les habló de su pena. Y yo mismo, si no hubiera sabido algo por Alcides, no habría comprendido nada de su historia, ya que la señora Margarita nunca me dijo ni una palabra de su marido.

Yo seguí con muchas ideas como éstas, y cuando las palabras de ella volvieron, la señora Margarita aparecía instalada en una habitación del primer piso de un hotel, en la pequeña ciudad de Italia, a la que había llegado por la noche. Al rato de estar acostada, se levantó porque oyó ruidos, y fue hacia una ventana de un corredor que daba al patio. Allí había reflejos de luna y de otras luces. Y de pronto, como si se hubiera encontrado con una cara que la había estado acechando, vio una fuente de agua. Al principio no podía saber si el agua era una mirada falsa en la cara oscura de la fuente de piedra; pero después el agua le pareció inocente; y al ir a la cama la llevaba en los ojos y caminaba con cuidado para no agitarla. A la noche siguiente no hubo ruido pero igual se levantó. Esta vez el agua era poca, sucia y al ir a la cama, como en la noche anterior, le volvió a parecer que el agua la observaba, ahora era por entre hojas que no alcanzaban a nadar. La señora Margarita la siguió mirando, dentro de sus propios ojos y las miradas de los dos se habían detenido en una misma contemplación. Tal vez por eso, cuando la señora Margarita estaba por dormirse, tuvo un presentimiento que no sabía si le venía de su alma o del fondo del agua. Pero sintió que alguien quería comunicarse con ella, que había dejado un aviso en el agua y por eso el agua insistía en mirar y en que la miraran. Entonces la señora Margarita bajó de la cama y anduvo vagando, descalza y asombrada, por su pieza y el corredor; pero ahora, la luz y todo era distinto, como si alguien hubiera mandado cubrir el espacio donde ella caminaba con otro aire y otro sentido de las cosas. Esta vez ella no se animó a mirar el agua; y al volver a su cama sintió caer, en su camisón, lágrimas verdaderas y esperadas desde hacía mucho tiempo.

A la mañana siguiente, al ver el agua distraída, entre mujeres que hablaban en voz alta, tuvo miedo de haber sido engañada por el silencio de la noche y pensó que el agua no le daría ningún aviso ni la comunicaría con nadie. Pero escuchó con atención lo que decían las mujeres y se dio cuenta de que ellas empleaban sus voces en palabras tontas, que el agua no tenía culpa de que se las echaran encima como si fueran papeles sucios y que no se dejaría engañar por la luz del día. Sin embargo, salió a caminar, vio un pobre viejo con una regadera en la mano y cuando él la inclinó apareció una vaporosa pollera de agua, haciendo murmullos como si fuera movida por pasos. Entonces, conmovida, pensó: "No, no debo abandonar el agua; por algo ella insiste como una niña que no puede explicarse". Esa noche no fue a la fuente porque tenía un gran dolor de cabeza y decidió tomar una pastilla para aliviarse. Y en el momento de ver el agua entre el vidrio del vaso y la poca luz de la penumbra, se imaginó que la misma agua se había ingeniado para acercarse y poner un secreto en los labios que iban a beber. Entonces la señora Margarita se dijo: "No, esto es muy serio; alguien prefiere la noche para traer el agua a mi alma".

Al amanecer fue a ver a solas el agua de la fuente para observar minuciosamente lo que había entre el agua y ella. Apenas puso sus ojos sobre el agua se dio cuenta que por su mirada descendía un pensamiento. Aquí la señora Margarita dijo estas mismas palabras: "un pensamiento que ahora no importaba nombrar", y, después de una larga carraspera, "un pensamiento confuso y como deshecho de tanto estrujarlo. Se empezó a hundir, lentamente y lo dejé reposar. De él nacieron reflexiones que mis miradas extrajeron del agua y me llenaron los ojos y el alma. Entonces supe, por primera vez, que hay que cultivar los recuerdos en el agua, que el agua elabora lo que en ella se refleja y que recibe el pensamiento. En caso de desesperación no hay que entregar el cuerpo al agua; hay que entregar a ella el pensamiento; ella lo penetra y él nos cambia el sentido de la vida". Fueron éstas, aproximadamente, sus palabras.

Después se vistió, salió a caminar, vio de lejos un arroyo, y en el primer momento no se acordó que por los arroyos corría agua –algo del mundo con quien sólo ella podía comunicarse. Al llegar a la orilla, dejó su mirada en la corriente, y en seguida tuvo la idea, sin embargo, de que esta agua no se dirigía a ella; y que además ésta podía llevarle los recuerdos para un lugar lejano, gastárselos. Sus ojos la obligaron a atender a una hoja recién caída de un árbol; anduvo un instante en la superficie y en el momento de hundirse la señora Margarita oyó pasos sordos, con palpitaciones. Tuvo una angustia de presentimientos imprecisos y la cabeza se le oscureció. Los pasos eran de un caballo que se acercó con una confianza un poco aburrida y hundió los belfos en la corriente; sus dientes parecían agrandados a través de un vidrio que se moviera, y cuando levantó la cabeza el agua chorreaba por los pelos de sus belfos sin perder ninguna dignidad. Entonces pensó en los caballos que bebían el agua del país de ella, y en lo distinta que sería el agua allá.

Esa noche, en el comedor del hotel, la señora Margarita se fijaba a cada momento en una de las mujeres que había hablado a gritos cerca de la fuente. Mientras el marido la miraba, embobado, la mujer tenía una sonrisa irónica, y cuando se fue a llevar una copa a los labios, la señora pensó: "En qué bocas anda el agua". En seguida se sintió mal, fue a su pieza y tuvo una crisis de lágrimas. Después se durmió pesadamente y a las dos de la madrugada se despertó agitada y con el recuerdo del arroyo llenándole el alma. Entonces tuvo ideas en favor del arroyo: "Esa agua corre como una esperanza desinteresada y nadie puede con ella. Si el agua que corre es poca, cualquier pozo puede prepararle una trampa y encerrarla: entonces ella se entristece, se llena de un silencio sucio, y ese pozo es como la cabeza de un loco. Yo debo tener esperanzas como de paso, vertiginosas, si es posible, y no pensar demasiado en que se cumplan; ése debe ser, también, el sentido del agua, su inclinación instintiva. Yo debo estar con mis pensamientos y mis recuerdos como en un agua que corre con gran caudal…". Esta marea de pensamientos creció rápidamente y la señora Margarita se levantó de la cama, preparó las valijas y empezó a pasearse por su cuarto y el corredor sin querer mirar el agua de la fuente. Entonces pensaba: "El agua es igual en todas partes y yo debo cultivar mis recuerdos en cualquier agua del mundo". Pasó un tiempo angustioso antes de estar instalada en el ferrocarril. Pero después el ruido de las ruedas la deprimió y sintió pena por el agua que había dejado en la fuente del hotel; recordó la noche en que estaba sucia y llena de hojas, como una niña pobre, pidiéndole una limosna y ofreciéndole algo; pero si no había cumplido la promesa de una esperanza o un aviso, era por alguna picardía natural de la inocencia. Después la señora Margarita se puso una toalla en la cara, lloró y eso le hizo bien. Pero no podía abandonar sus pensamientos del agua quieta: "Yo debo preferir, seguía pensando, el agua que esté detenida en la noche para que el silencio se eche lentamente sobre ella y todo se llene de sueño y de plantas enmarañadas. Eso es más parecido al agua que llevo en mí; si cierro los ojos siento como si las manos de una ciega tantearan la superficie de su propia agua y recordara borrosamente un agua entre plantas que vio en la niñez, cuando aún le quedara un poco de vista".

Aquí se detuvo un rato, hasta que yo tuve conciencia de haber vuelto a la noche en que estábamos bajo las ramas; pero no sabía bien si esos últimos pensamientos, la señora Margarita, los había tenido en el ferrocarril, o se le habían ocurrido ahora, bajo estas ramas. Después me hizo señas para que fuera al pie de la escalera.

Esa noche no encendí la luz de mi cuarto, y al tantear los muebles tuve el recuerdo de otra noche en que me había emborrachado ligeramente con una bebida que tomaba por primera vez. Ahora tardé en desvestirme. Después me encontré con los ojos fijos en el tul del mosquitero y me vinieron de nuevo las palabras que se habían desprendido del cuerpo de la señora Margarita.

En el mismo instante del relato no sólo me di cuenta que ella pertenecía al marido, sino que yo había pensado demasiado en ella; y a veces, de una manera culpable. Entonces parecía que fuera yo el que escondía los pensamientos entre las plantas. Pero desde el momento en que la señora Margarita empezó a hablar sentí una angustia como si su cuerpo se hundiera en un agua que me arrastrara a mí también; mis pensamientos culpables aparecieron de una manera fugaz y con la idea de que no había tiempo ni valía la pena pensar en ellos; y a medida que el relato avanzaba el agua se iba presentando como el espíritu de una religión que nos sorprendiera en formas diferentes, y los pecados, en esa agua, tenían otro sentido y no importaba tanto su significado. El sentimiento de una religión del agua era cada vez más fuerte. Aunque la señora Margarita y yo éramos los únicos fieles de carne y hueso, los recuerdos de agua que yo reciba en mi propia vida, en las intermitencias del relato, también me parecían fieles de esa religión; llegaban con lentitud, como si hubieran emprendido el viaje desde hacía mucho tiempo y apenas cometido un gran pecado.

De pronto me di cuenta que de mi propia alma me nacía otra nueva y que yo seguiría a la señora Margarita no sólo en el agua, sino también en la idea de su marido. Y cuando ella terminó de hablar y yo subía la escalera de cemento armado, pensé que en los días que caía agua del cielo había reuniones de fieles.

Pero, después de acostado bajo aquel tul, empecé a rodear de otra manera el relato de la señora Margarita; fui cayendo con una sorpresa lenta en mi alma de antes, y pensando que yo también tenía mi angustia propia; que aquel tul en que yo había dejado prendidos los ojos abiertos, estaba colgado encima de un pantano y que de allí se levantaban otros fieles, los míos propios, y me reclamaban otras cosas. Ahora recordaba mis pensamientos culpables con bastantes detalles y cargados con un sentido que yo conocía bien. Habían empezado en una de las primeras tardes, cuando sospechaba que la señora Margarita me atraería como una gran ola;

no me dejaría hacer pie y mi pereza me quitaría para defenderme. Entonces tuve una reacción y quise irme de aquella casa; pero eso fue como si al despertar, hiciera un movimiento con la intención de levantarme y sin darme cuenta me acomodara para seguir durmiendo. Otra tarde quise imaginarme –ya lo había hecho con otras mujeres– cómo sería yo casado en ésta. Y por fin había decidido, cobardemente, que si su soledad me inspirara lástima y yo me casara con ella, mis amigos dirían que lo había hecho por dinero; y mis antiguas novias se reirían de mí al descubrirme caminando por veredas estrechas detrás de una mujer gruesísima que resultaba ser mi mujer. (Ya había tenido que andar detrás de ella, por la vereda angosta que rodeaba al lago, en las noches que ella quería caminar.)

Ahora a mí no me importaba lo que dijeran los amigos ni las burlas de las novias de antes. Esta señora Margarita me atraía con una fuerza que parecía ejercer a gran distancia, como si yo fuera un satélite, y al mismo tiempo que se me aparecía lejana y ajena, estaba llena de una sublimidad extraña. Pero mis fieles me reclamaban a la primera señora Margarita, aquella desconocida más sencilla, sin marido, y en la que mi imaginación podía intervenir más libremente. Y debo haber pensado muchas cosas más antes que el sueño me hiciera desaparecer el tul.

A la mañana siguiente, la señora Margarita me dijo, por teléfono: "Le ruego que vaya a Buenos Aires por unos días; haré limpiar la casa y no quiero que usted me vea sin el agua". Después me indicó el hotel donde debía ir. Allí recibiría el aviso para volver.

La invitación a salir de su casa hizo disparar en mí un resorte celoso y en el momento de irme me di cuenta de que a pesar de mi excitación llevaba conmigo un envoltorio pesado de tristeza y que apenas me tranquilizara tendría le necesidad estúpida de desenvolverlo y revisarlo cuidadosamente. Eso ocurrió al poco rato, y cuando tomé el ferrocarril tenía tan pocas esperanzas de que la señora Margarita me quisiera, como serían las de ella cuando tomó aquel ferrocarril sin saber si su marido aún vivía. Ahora eran otros tiempos y otros ferrocarriles; pero mi deseo de tener algo común con ella me hacía pensar: "Los dos hemos tenido angustias entre ruidos de ruedas de ferrocarriles". Pero esta coincidencia era tan pobre como la de haber acertado sólo una cifra de las que tuviera un billete premiado. Yo no tenía la virtud de la señora Margarita de encontrar un agua milagrosa, ni buscaría consuelo en ninguna religión. La noche anterior había traicionado a mis propios fieles, porque aunque ellos querían llevarme con la primera señora Margarita, yo tenía, también, en el fondo de mi pantano, otros fieles que miraban fijamente a esta señora como bichos encantados por la luna. Mi tristeza era perezosa, pero vivía en mi imaginación con orgullo de poeta incomprendido. Yo era un lugar provisorio donde se encontraban todos mis antepasados un momento antes de llegar a mis hijos; pero mis abuelos aunque eran distintos y con grandes enemistades, no querían pelear mientras pasaban por mi vida: preferían el descanso, entregarse a la pereza y desencontrarse como sonámbulos caminando por sueños diferentes. Yo trataba de no provocarlos, pero si eso llegaba a ocurrir preferiría que la lucha fuera corta y se exterminaran de un golpe.

En Buenos Aires me costaba hallar rincones tranquilos donde Alcides no me encontrara. (A él le gustaría que le contara cosas de la señora Margarita para ampliar su mala manera de pensar en ella.) Además yo ya estaba bastante confundido con mis dos señoras Margaritas y vacilaba entre ellas como si no supiera a cuál, de dos hermanas, debía preferir o traicionar; ni tampoco las podía fundir, para amarlas al mismo tiempo. A menudo me fastidiaba que la última señora Margarita me obligara a pensar en ella de una manera tan pura, y tuve la idea de que debía seguirla en todas sus locuras para que ella me confundiera entre los recuerdos del marido, y yo, después, pudiera sustituirlo.

Recibí la orden de volver en un día de viento y me lancé a viajar con una precipitación salvaje. Pero ese día, el viento parecía traer oculta la misión de soplar contra el tiempo y nadie se daba cuenta de que los seres humanos, los ferrocarriles y todo se movía con una lentitud angustiosa. Soporté el viaje con una paciencia inmensa y al llegar a la casa inundada fue María la que vino a recibirme al embarcadero. No me dejó remar y me dijo que el mismo día que yo me fui, antes de retirarse el agua, ocurrieron dos accidentes. Primero llegó Filomena, la mujer del botero, a pedir que la señora Margarita la volviera a tomar. No la habían despedido sólo por haber dejado nadar aquel pan, sino porque la encontraron seduciendo a Alcides una vez que él estuvo allí en los primeros días. La señora Margarita, sin decirle una palabra, la empujó, y Filomena cayó al agua; cuando se iba, llorando y chorreando agua, el marido la acompañó y no volvieron más. Un poco más tarde, cuando la señora Margarita acercó, tirando de un cordón, el tocador de su cama (allí los muebles flotaban sobre gomas infladas, como las que los niños llevan a las playas), volcó una botella de aguardiente sobre un calentador que usaba para unos afeites y se incendió el tocador. Ella pidió agua por teléfono, "como si allí no hubiera bastante o no fuera la misma que hay en toda la casa", decía María.

La mañana que siguió a mi vuelta era radiante y habían puesto plantas nuevas; pero sentí celos de pensar que allí había algo diferente a lo de antes: la señora Margarita y yo no encontraríamos las palabras y los pensamientos como los habíamos dejado, debajo de las ramas.

Ella volvió a su historia después de algunos días. Esa noche, como ya había ocurrido otras veces, pusieron una pasarela para cruzar el agua del zaguán. Cuando llegué al pie de la escalera la señora Margarita me hizo señas para que me detuviera; y después para que caminara detrás de ella. Dimos una vuelta por toda la vereda estrecha que rodeaba al lago y ella empezó a decirme que al salir de aquella ciudad de Italia pensó que el agua era igual en todas partes del mundo. Pero no fue así, y muchas veces tuvo que cerrar los ojos y ponerse los dedos en los oídos para encontrarse con su propia agua. Después de haberse detenido en España, donde un arquitecto le vendió los planos para una casa inundada –ella no me dio detalles–, tomó un barco demasiado lleno de gente y al dejar de ver tierra se dio cuenta que el agua del océano no le pertenecía, que en ese abismo se ocultaban demasiados seres desconocidos. Después me dijo que algunas personas, en el barco, hablaban de naufragios y cuando miraban la inmensidad del agua, parecía que escondían miedo; pero no tenían escrúpulo en sacar un poquito de aquella agua inmensa, de echarla en una bañera, y de entregarse a ella con el cuerpo desnudo. También les gustaba ir al fondo del barco y ver las calderas, con el agua encerrada y enfurecida por la tortura del fuego. En los días que el mar estaba agitado la señora

Margarita se acostaba en su camarote, y hacían andar sus ojos por hileras de letras, en diarios y revistas, como si siguieran caminos de hormigas. O miraba un poco el agua que se movía entre un botellón de cuello angosto. Aquí detuvo el relato y yo me di cuenta que ella se balanceaba como un barco. A menudo nuestros pasos no coincidían, echábamos el cuerpo para lados diferentes y a mí me costaba atrapar sus palabras, que parecían llevadas por ráfagas desencontradas. También detuvo sus pasos antes de subir a la pasarela, como si en ese momento tuviera miedo de pasar por ella; entonces me pidió que fuera a buscar el bote. Anduvimos mucho rato antes que apareciera el suspiro ronco y nuevas palabras. Por fin me dijo que en el barco había tenido un instante para su alma. Fue cuando estaba apoyada en una baranda, mirando la calma del mar, como a una inmensa piel que apenas dejara entrever movimientos de músculos. La señora Margarita imaginaba locuras como las que vienen en los sueños: suponía que ella podía caminar por la superficie del agua; pero tenía miedo que surgiera una marsopa que la hiciera tropezar; y entonces, esta vez, se hundiría, realmente. De pronto tuvo conciencia que desde hacía algunos instantes caía, sobre el agua del mar, agua dulce del cielo, muchas gotas llegaban hasta la madera de cubierta y se precipitaban tan seguidas y amontonadas como si asaltaran el barco. En seguida toda la cubierta era, sencillamente, un piso mojado. La señora Margarita volvió a mirar el mar, que recibía y se tragaba la lluvia con la naturalidad con que un animal se traga a otro. Ella tuvo un sentimiento confuso de lo que pasaba y de pronto su cuerpo se empezó a agitar por una risa que tardó en llegarle a la cara, como un temblor de tierra provocado por una causa desconocida. Parecía que buscara pensamientos que justificaran su risa y por fin se dijo: "Esta agua parece una niña equivocada; en vez de llover sobre la tierra llueve sobre otra agua". Después sintió ternura en lo dulce que sería para el mar recibir la lluvia; pero al irse para su camarote, moviendo su cuerpo inmenso, recordó la visión del agua tragándose la otra y tuvo la idea de que la niña iba hacia su muerte. Entonces la ternura se le llenó de una tristeza pesada, se acostó en seguida y cayó en el sueño de la siesta. Aquí la señora Margarita terminó el relato de esa noche y me ordenó que fuera a mi pieza.

Al día siguiente recibí su voz por teléfono y tuve la impresión de que me comunicaba con una conciencia de otro mundo. Me dijo que me invitaba para el atardecer a una sesión de homenaje al agua. Al atardecer yo oí el ruido de las budineras, con las corridas de María, y confirmé mis temores: tendría que acompañarla en su "velorio". Ella me esperó al pie de la escalera cuando ya era casi de noche. Al entrar, de espaldas a la primera habitación, me di cuenta de que había estado oyendo un ruido de agua y ahora era más intenso. En esa habitación vi un trinchante. (Las ondas del bote lo hicieron mover sobre sus gomas infladas, y sonaron un poco las copas y las cadenas con que estaba sujeto a la pared.) Al otro lado de la habitación había una especie de balsa, redonda, con una mesa en el centro y sillas recostadas a una baranda: parecían un conciliábulo de mudos moviéndose apenas por el paso del bote. Sin querer mis remos tropezaron con los marcos de las puertas que daban entrada al dormitorio. En ese instante comprendí que allí caía agua sobre agua. Alrededor de toda la pared –menos en el lugar en que estaban los muebles, el gran ropero, la cama y el tocador– había colgadas innumerables regaderas de todas formas y colores; recibían el agua de un gran recipiente de vidrio parecido a una pipa turca, suspendido del techo como una lámpara; y de él salían, curvados como guirnaldas, los delgados tubos de goma que alimentaban las regaderas. Entre aquel ruido de gruta, atracamos junto a la cama; sus largas patas de vidrio la hacían sobresalir bastante del agua. La señora Margarita se quitó los zapatos y me dijo que yo hiciera lo mismo; subió a la cama, que era muy grande, y se dirigió a la pared de la cabecera, donde había un cuadro enorme con un chivo blanco de barba parado sobre sus patas traseras. Tomó el marco, abrió el cuadro como si fuera una puerta y apareció un cuarto de baño. Para entrar dio un paso sobre las almohadas, que le servían de escalón, y a los pocos instantes volvió trayendo dos budineras redondas con velas pegadas en el fondo. Me dijo que las fuera poniendo en el agua. Al subir, yo me caí en la cama; me levanté en seguida pero alcancé a sentir el perfume que había en las cobijas. Fui poniendo las budineras que ella me alcanzaba al costado de la cama, y de pronto ella me dijo: "Por favor, no las ponga así que parece un velorio". (Entonces me di cuenta del error de María.) Eran veintiocho. La señora se hincó en la cama y tomando el tubo del teléfono, que estaba en una de las mesas de luz, dio orden de que cortaran el agua de las regaderas. Se hizo un silencio sepulcral y nosotros empezamos a encender las velas echados de bruces a los pies de la cama y yo tenía cuidado de no molestar a la señora. Cuando estábamos por terminar, a ella se le cayó la caja de los fósforos en una budinera, entonces me dejó a mí solo y se levantó para ir a tocar el gong, que estaba en la otra mesa de luz. Allí había también una portátil y era lo único que alumbraba la habitación. Antes de tocar el gong se detuvo, dejó el palillo al lado de la portátil y fue a cerrar la puerta que era el cuadro del chivo. Después se sentó en la cabecera de la cama, empezó a arreglar las almohadas y me hizo señas para que yo tocara el gong. A mí me costó hacerlo: tuve que andar en cuatro pies por la orilla de la cama para no rozar sus piernas, que ocupaban tanto espacio. No sé por qué tenía miedo de caerme al agua –la profundidad era sólo de cuarenta centímetros–. Después de hacer sonar el gong una vez, ella me indicó que bastaba. Al retirarme –andando hacia atrás porque no había espacio para dar vuelta–, vi la cabeza de la señora recostada a los pies del chivo, y la mirada fija, esperando. Las budineras, también inmóviles, parecían pequeñas barcas recostadas en un puerto antes de la tormenta. A los pocos momentos de marchar los motores el agua empezó a agitarse; entonces la señora Margarita, con gran esfuerzo salió de la posición en que estaba y vino de nuevo a arrojarse de bruces a los pies de la cama. La corriente llegó hasta nosotros, hizo chocar las budineras, unas contra otras, y después de llegar a la pared del fondo volvió con violencia a llevarse las budineras, a toda velocidad. Se volcó una y en seguida otras; las velas al apagarse, echaban un poco de humo. Yo miré a la señora Margarita, pero ella, previendo mi curiosidad, se había puesto una mano al costado de los ojos. Rápidamente, las budineras se hundían en seguida, daban vueltas a toda velocidad por la puerta del zaguán en dirección al patio. A medida que se apagaban las velas había menos reflejos y el espectáculo se empobrecía. Cuando todo parecía haber terminado, la señora Margarita, apoyada en el brazo que tenía la mano en los ojos, soltó con la otra mano una budinera que había quedado trabada a un lado de la cama y se dispuso a mirarla; pero esa budinera también se hundió en seguida. Después de unos segundos, ella, lentamente, se afirmó en las manos para hincarse o para sentarse sobre sus talones y con la cabeza inclinada hacia abajo y la barbilla perdida entre la gordura de la garganta, miraba el agua como una niña que hubiera perdido una muñeca. Los motores seguían andando y la señora Margarita parecía, cada vez más abrumada de desilusión. Yo, sin que ella me dijera nada, atraje el bote por la cuerda, que estaba atada a una pata de la cama. Apenas estuve dentro del bote y solté la cuerda, la corriente me llevó con una rapidez que yo no había previsto. Al dar vuelta en la puerta del zaguán miré hacia atrás y vi a la señora Margarita con los ojos clavados en mí como si yo hubiera sido una budinera más que le diera la esperanza de revelarle algún secreto. En el patio, la corriente me hacía girar alrededor de la isla. Yo me senté en el sillón del bote y no me importaba dónde me llevara el agua. Recordaba las vueltas que había dado antes, cuando la señora Margarita me había parecido otra persona, y a pesar de la velocidad de la corriente sentía pensamientos lentos y me vino una síntesis triste de mi vida. Yo estaba destinado a encontrarme solo con una parte de las personas, y además por poco tiempo y como si yo fuera un viajero distraído que tampoco supiera dónde iba. Esta vez ni siquiera comprendí por qué la señora Margarita me había llamado y contaba su historia sin dejarme hablar ni una palabra; por ahora yo estaba seguro que nunca me encontraría plenamente con esta señora. Y seguí en aquellas vueltas y en aquellos pensamientos hasta que apagaron los motores y vino María a pedirme el bote para pescar las budineras, que también daban vuelta alrededor de la isla. Yo le expliqué que la señora Margarita no hacía ningún velorio y que únicamente le gustaba ver naufragar las budineras con la llama y no sabía qué más decirle.

Esa misma noche, un poco tarde, la señora Margarita me volvió a llamar. Al principio estaba nerviosa, y sin hacer la carraspera tomó la historia en el momento en que había comprado la casa y la había preparado para inundarla. Tal vez había sido cruel con la fuente, desbordándole el agua y llenándola con esa tierra oscura. Al principio, cuando pusieron las primeras plantas, la fuente parecía soñar con el agua que había tenido antes; pero de pronto las plantas aparecían demasiado amontonadas, como presagios confusos; entonces la señora Margarita las mandaba cambiar. Ella quería que el agua se confundiera con el silencio de sueños tranquilos, o de conversaciones bajas de familias felices (por eso le había dicho a María que estaba sorda y que sólo debía hablarle por teléfono). También quería andar sobre el agua con la lentitud de una nube y llevar en las manos libros, como aves inofensivas. Pero lo que más quería, era comprender el agua. Es posible, me decía, que ella no quiera otra cosa que correr y dejar sugerencias a su paso, pero yo me moriré con la idea de que el agua lleva adentro de sí algo que ha recogido en otro lado y no sé de qué manera me entregará pensamientos que no son los míos y que son para mí. De cualquier manera yo soy feliz con ella, trato de comprenderla y nadie me podrá prohibir que conserve mis recuerdos en el agua.

Esa noche, contra su costumbre, me dio la mano al despedirse. Al día siguiente, cuando fui a la cocina, el hombre del agua me dio una carta. Por decirle algo le pregunté por sus máquinas. Entonces me dijo:

—¿Vio qué pronto instalamos las regaderas?

—Sí, y... ¿andan bien? (Yo disimulaba el deseo de ir a leer la carta.)

—Cómo no... Estando bien las máquinas, no hay ningún inconveniente. A la noche muevo una palanca, empieza el agua de las regaderas y la señora se duerme con el murmullo. Al otro día, a las cinco, muevo otra vez la misma palanca, las regaderas se detienen, y el silencio despierta a la señora; a los pocos minutos corro la palanca que agita el agua y la señora se levanta.

Aquí lo saludé y me fui. La carta decía:

"Querido amigo: el día que lo vi por primera vez en la escalera, usted traía los párpados bajos y aparentemente estaba muy preocupado con los escalones. Todo eso parecía timidez; pero era atrevido en sus pasos, en la manera de mostrar la suela de sus zapatos. Le tomé simpatía y por eso quise que me acompañara todo este tiempo. De lo contrario, le hubiera contado mi historia en seguida y usted tendría que haberse ido a Buenos Aires al día siguiente. Eso es lo que hará mañana.

"Gracias por su compañía; y con respecto a sus economías nos entenderemos por medio de Alcides. Adiós y que sea feliz; creo que buena falta le hace. Margarita.

"P.D. Si por casualidad a usted se le ocurriera escribir todo lo que le he contado, cuente con mi permiso. Sólo le pido que al final ponga estas palabras: 'Ésta es la historia que Margarita le dedica a José. Esté vivo o esté muerto'."

Witold Gombrowicz (1904-1969)

Crimen premeditado

En el invierno pasado tuve que visitar a un hidalgo, Ignacy K., con el propósito de ayudarle a resolver algunos problemas concernientes a sus propiedades. Tan pronto como obtuve una licencia de unos cuantos días, confié mis asuntos a un colega, un juez suplente, y telegrafié: "Martes seis tarde favor enviar calesa". Sin embargo, cuando llegué a la estación no encontré ni calesa ni caballos. Hice algunas averiguaciones. Mi telegrama había sido, por supuesto, entregado; el destinatario en persona lo había recogido el día anterior. Me gustara o no, tuve que alquilar un primitivo cabriolé y deposité en él mi maletín y mi bolso de mano. En la bolsa de mano guardaba un pequeño frasco de colonia, una lima para las uñas y unas tijeras. Avancé durante cuatro horas, a través de los campos, de noche, en silencio, en medio del deshielo. Temblaba bajo mi abrigo urbano, los dientes me castañeteaban. Observaba la espalda del conductor y pensaba: "Arriesgar la espalda de esta manera... Siempre sentado, casi siempre por lugares solitarios, con la espalda vuelta hacia los otros y expuesto a cualquier capricho de quienes se sientan atrás".

Al final llegamos frente a un portón de madera. Oscuridad, salvo en la parte superior donde se veía una ventana iluminada. Golpeé en la puerta; estaba cerrada. Golpeé con mayor energía. Nada, sólo silencio. Los perros me atacaron y tuve que volver a la calesa. Luego le llegó al cochero el turno de tocar a la puerta.

"Su hospitalidad –me dije– no es muy estimulante."

Finalmente, se abrió la puerta y apareció un hombre alto y delgado, de unos treinta años, de bigote rubio y con una lámpara en la mano.

—¿Qué pasa? –preguntó, como si acabara de despertar, mientras movía la lámpara.

—¿Es posible que no hayan recibido mi telegrama? Soy H.

—¿H.? ¿Qué H.? –dijo, observándome con atención–. ¡Que Dios le acompañe y guíe en su camino! –añadió con dulzura, como si hubiera sido tocado por un presagio, abriendo y cerrando los ojos, mientras sostenía con una mano la lámpara–. Adiós, adiós, señor, que Dios le acompañe –y dio un rápido paso hacia atrás.

Dije más ásperamente:

—Excúseme, señor. Ayer envié un telegrama en el que anunciaba mi llegada. Soy el juez de instrucción H. Deseo ver al señor K. Si no pude llegar antes fue porque no enviaron un coche a recogerme a la estación.

—¡Oh, sí! –respondió después de reflexionar un momento y sin que mi tono pareciera producirle la menor impresión–. Sí, tiene razón; usted envió un telegrama. Pase, por favor.

¿Qué había sucedido? Sencillamente, como me lo explicó el joven ya en el vestíbulo (se trataba del hijo de mi anfitrión), sencillamente... se habían olvidado por completo de mi llegada. Desconcertado, me disculpé cortésmente por la intrusión, me quité el abrigo y lo colgué de una percha. Me condujo a una pequeña sala, donde una joven, al vernos, saltó del sofá con una ligera expresión de asombro.

—Mi hermana.

—Encantado.

Y en realidad lo estaba, pues el bello sexo, aun sin intenciones adicionales, el bello sexo, digo, nunca hace daño. Pero la mano que me tendió estaba sudorosa. ¿Dónde se ha visto una mujer tender una mano sudorosa? La muchacha, con excepción de una cara bonita, pertenecía a esa especie que podríamos llamar sudorosa e indiferente, carente de reacciones, despeinada.

Nos sentamos en unas butaquitas rojas, de estilo antiguo, y empezó la conversación introductoria; pero aun aquel primer cambio de impresiones tropezó con una resistencia indefinible, y, en vez de la deseable fluidez, era torpe y lleno de obstáculos.

Yo: Deben haberse sorprendido al escuchar los golpes en la puerta, a estas horas.

Ellos: ¿Los golpes? ¡Oh, sí, claro!

Yo (cortésmente): Siento haberlos molestado, pero tuve que recorrer los campos esta noche como don Quijote. ¡Ja, ja!

Ellos (tranquilos, serenos, sin considerar oportuno otorgar a mi broma más que una sonrisa convencional): ¡Por favor!... Sea usted bienvenido.

¿Qué ocurría? Todo parecía realmente extraño, como si les hubiera ofendido, como si me tuvieran miedo o les preocupara mi presencia, como si se sintieran avergonzados frente a mí. Hundidos en sus butacas rehuían mi mirada; tampoco se miraban entre sí y soportaban mi compañía con el más evidente fastidio. Era como si no se preocuparan más que por ellos mismos y temblaran ante la idea de que fuera a decirles algo hiriente. Finalmente, comencé a irritarme. ¿De qué tenían miedo? ¿Qué encontraban de extraño en mí? ¿Qué clase de recibimiento era aquél? ¿Aristocrático, aterrorizado o arrogante? Cuando hice una pregunta sobre la persona objeto de mi visita, es decir, el señor K., el hermano miró a la hermana y la hermana al hermano, como si se concedieran la prioridad. Al fin, el hermano carraspeó y dijo clara y solemnemente, como si se tratara sólo Dios sabe de qué.

—Sí, está en casa.

Fue como si dijera: "Su Majestad, el rey, mi padre, está en casa".

La cena transcurrió también extrañamente. Fue servida con negligencia, con desprecio hacia los alimentos y hacia mí. El apetito con que, hambriento como me encontraba, engullí aquellos dones del Señor, pareció chocarle hasta a Esteban, el majestuoso criado, para no hablar de los hermanos, que silenciosamente escuchaban los ruidos que yo producía, y ustedes saben lo difícil que es tragar cuando alguien está escuchando. A pesar de todos los esfuerzos, cada bocado pasa por la garganta con un penoso estruendo. El hermano se llamaba Antonio, la hermana Cecilia.

Luego, ¿quién llegó de pronto? ¿Una reina destronada? No, era la madre, la señora K. Se movía lentamente, me tendió una mano fría como el hielo, miró alrededor suyo con una especie de estupor y se sentó sin pronunciar una palabra. Era una mujer rolliza y de baja estatura; pertenecía a ese tipo de viejos nobles rurales que son inexorables en cuanto a normas se refiere, especialmente a las de urbanidad.

Me miró con severidad e ilimitada sorpresa, como si tuviese yo alguna frase obscena escrita en la frente. Cecilia hizo entonces un movimiento con la mano, pretendiendo explicar o justificar algo; pero el movimiento murió en el aire, mientras la atmósfera se hacía cada vez más densa y artificial.

—Quizás esté molesto a causa de este viaje sin sentido –dijo de pronto la señora K.

¡Con qué tono lo dijo! Un tono de agravio, el tono de una reina que ha fracasado al recibir la tercera parte de una serie de reverencias y como si comer una chuleta constituyese un delito de lesa majestad.

—Tienen ustedes aquí unas chuletas de cerdo excelentes –dije rencorosamente, pues a pesar de mis esfuerzos, me sentía vulgar, estúpido y lleno de una confusión que iba en aumento.

—¿Chuletas?… ¡Ah, sí, las chuletas…!

—Antonio no le ha dicho nada todavía, mamá –fueron las palabras que salieron entonces de la boca de la tranquila y tímida Cecilia.

—¡Cómo! ¿No se lo ha dicho? ¿Quieres decir que no le han dicho nada *aún*?

—¿Para qué, mamá? –murmuró Antonio, palideciendo y mostrando los dientes, como si estuviera instalado en la silla del dentista.

—¡Antonio!

—Bueno… ¿Para qué? No importa… No te preocupes… Siempre habrá tiempo para eso –dijo, y se interrumpió.

—Antonio, ¿cómo puedes?… ¿Qué significa eso de que no me preocupe? ¿Cómo puedes hablar de ese modo?

—Nadie tiene… Bueno, es lo mismo…

—¡Pobre hijo! –murmuró la madre, acariciándole el cabello, pero él le quitó la mano con ruda energía–. Mi esposo –dijo secamente, dirigiéndose hacia mí– falleció anoche.

—¡Qué! ¿Murió? ¿Así que eso era?… –exclamé, dejando de comer.

Puse el cuchillo y el tenedor a un lado y tragué rápidamente el bocado. ¿Cómo podía ser? La víspera misma había ido a la estación a recoger el telegrama. Los miré. Los tres esperaban, modesta y gravemente, esperaban con las bocas contraídas, austeras, inflexibles. Esperaban calladamente. ¿Qué era lo que esperaban? ¡Oh, sí, claro! Debía expresarles mi condolencia.

Fue todo tan imprevisto que en el primer momento casi perdí el dominio de mí mismo. Me levanté de la silla y murmuré confusamente algo tan vago como: "Lo siento... mucho... perdónenme". Me detuve, pero ellos no reaccionaban; no les parecía suficiente. Con los ojos bajos, las caras inmóviles, sus vestidos raídos; él sin afeitarse; ellas, desaseadas, con las uñas negras, permanecían sin decir nada. Me aclaré la garganta, buscando desesperadamente un buen principio, una frase apropiada, pero en mi cabeza, ustedes han de conocer esa sensación, se había hecho un vacío absoluto, un desierto, mientras sumergidos en su sufrimiento, ellos aguardaban. Aguardaban sin mirarme. Antonio tamborileaba con los dedos ligeramente sobre la mesa; Cecilia, turbada, se quitaba la mermelada de su vestido sucio, y la madre, inmóvil como si se hubiese vuelto de piedra, con aquella severa, inexorable, expresión de matrona. Me sentí incómodo, a pesar de que como juez de instrucción había tenido en mis manos centenares de casos de muertes. Pero el hecho es que... ¿Cómo decirlo?, un cadáver feo asesinado, cubierto por una sábana, es una cosa, y el respetable difunto que muere por causas naturales y es colocado en un ataúd, otra muy distinta. Esa irregularidad (que acompaña a la primera) es una cosa, pero la muerte honrada, la muerte en toda su majestuosidad es otra. Nunca, repito, nunca me habría sentido tan embarazado, si me hubiesen explicado todo desde el primer momento. Ellos también se sentían incómodos. También estaban asustados. No sé si solamente porque yo era un intruso, o porque en aquellas circunstancias experimentaban alguna confusión ante mi personalidad oficial, ante esa cierta actitud positivista que la larga práctica había desarrollado en mí, la vergüenza de ellos hizo que yo mismo me sintiera avergonzado de un modo terrible; para decirlo francamente, me hizo sentirme abochornado fuera de toda proporción.

Balbuceé algo referente al respeto y aprecio que siempre había sentido por el difunto. Al recordar que no lo había vuelto a ver desde nuestros tiempos de estudiante, lo que seguramente ellos sabrían, añadí: en nuestros días de escuela. Como seguían sin responder, y como debía terminar de alguna manera mi discurso, pedí que me permitieran ver el cadáver, y la palabra "cadáver" produjo un efecto desafortunado. Mi confusión evidentemente apaciguó a la viuda. Rompió a llorar y me tendió una mano que besé con humildad.

—Hoy –dijo casi inconscientemente–, durante la noche... por la mañana me levanté... fui... llamé... Ignacy, Ignacy. Nada; yacía allí. Me desmayé... Me desmayé... Y desde entonces me tiemblan las manos. ¡Mire!

—¡Mamá, basta!

—Me tiemblan, me tiemblan sin cesar –repitió, levantando los brazos.

—¡Mamá! –volvió a decir Antonio en voz baja.

—Me tiemblan, me tiemblan, como ramas temblorosas...

—Nadie tiene... nadie... Da lo mismo. ¡Una tragedia!

Antonio pronunció estas palabras con brutalidad y salió de repente del comedor.

—¡Antonio! –gritó la madre atemorizada–. ¡Cecilia, ve tras él!

Yo permanecí allí, mirando las manos temblorosas, sin que se me ocurriese nada, sintiendo que a cada minuto mi situación era más embarazosa.

—Usted deseaba... –dijo súbitamente la madre–. Vamos allá... Yo le acompañaré.

Aun ahora, al considerar fríamente el asunto, creo que en ese momento tenía yo derecho a un poco de atención y a mis chuletas de cerdo. Por eso pude, y aun debí haber contestado: "A sus órdenes, señora, pero primero terminaré las chuletas, porque desde el mediodía no he probado alimento". Tal vez si le hubiera respondido de esa manera, el curso de varios acontecimientos trágicos hubiese sido distinto. Pero, ¿tuve acaso la culpa de que ella lograse aterrorizarme y de que mis chuletas, así como mi propia persona, me parecieran tan poca cosa, algo indigno de pensar en ello? Y me sentía tan turbado, que aún ahora me ruborizo al recordar mi turbación.

Mientras subíamos al piso superior, donde yacía el cadáver, ella murmuró para sí:

—Un golpe terrible... Una sacudida, una espantosa sacudida. Ellos nada dicen. Son orgullosos, difíciles, inescrutables, no dejan penetrar a nadie en su corazón, prefieren desgarrarse a solas. Espero que Antonio no enferme. Es duro y obstinado; ni siquiera permite que me tiemblen las manos. No debería haber tocado el cuerpo, y sin embargo tuvimos que hacer algo, arreglarlo. No lloró, no lloró en ningún momento. ¡Oh! ¡Cuánto desearía que alguna vez pudiera llorar!

Abrió la puerta. Tuve que arrodillarme e inclinar la cabeza reverentemente sobre el pecho, mientras ella permanecía a mi lado, solemne, inmóvil, como si me estuviera exponiendo el Santísimo Sacramento.

El muerto estaba en la cama tal como había fallecido; lo único que habían hecho era colocarlo boca arriba. Su cara azul e hinchada indicaba la muerte por asfixia, tan general en los ataques del corazón.

—Muerte por sofocación –murmuré, ya que claramente advertí que se trataba de un ataque cardiaco.

—El corazón, el corazón... Murió del corazón...

—¡Oh! Algunas veces el corazón puede... puede... –dije lúgubremente.

Ella continuaba en pie, esperando. Me persigné, recé una plegaria y luego (ella seguía en pie) exclamé con dulzura:

—¡Qué nobleza de rasgos!

Le temblaban tanto las manos, que tuve que besárselas de nuevo. Ella no reaccionó, sino que continuó en pie, como un ciprés, contemplando tristemente la pared. Cuanto más pasaba el tiempo, más difícil era negarse a manifestarle por lo menos un poco de compasión. Así lo exigía la educación más elemental. Me puse en pie, innecesariamente quité de mi traje algunas motas de polvo y tosí levemente. Ella seguía de pie. Rodeada de silencio y olvido, los ojos perdidos como los de Níobe, la mirada cuajada de recuerdos. Estaba despeinada y mal vestida. Una pequeña gota se deslizó hacia la punta de su nariz y se columpió, se columpió... como la espada de Damocles, mientras los cirios humeaban. Minutos después traté de retirarme silenciosamente; pero ella saltó como si la hubiesen empujado, dio unos cuantos pasos hacia adelante y volvió a detenerse. Me arrodillé. ¡Qué situación intolerable! ¡Qué problema para una persona de mi sensibilidad! No le acuso de maldad consciente. ¡Nadie podría convencerme de eso! No era ella, sino su maldad, la que insolentemente disfrutaba con mis actos de humildad ante ella y el difunto.

Arrodillado, a dos pasos del cadáver, el primer cadáver que no tenía yo derecho a tocar, contemplaba infructuosamente la sábana que lo envolvía hasta los codos. Las manos estaban fuera de la sábana. Algunas macetas con flores yacían al pie del lecho, y la palidez del rostro surgía del hueco de la almohada. Miré las flores y luego al rostro del difunto, pero lo único que se me ocurrió fue el pensamiento inoportuno, extrañamente persistente, de que me hallaba ante una especie de escena teatral ya preparada. Todo parecía parte de un escenario teatral: había allí un cadáver que miraba arrogante, distante, indiferente, al techo, con los ojos cerrados: cerca de él, su inconsolable viuda; y además yo, un juez de instrucción, arrodillado, pero con el corazón enteramente vacío, furioso como un perro al que se le ha puesto a la fuerza un bozal. "¿Qué ocurriría si me acercase, levantase las sábanas y echase una mirada, o al menos tocase el cuerpo con un dedo?" Sólo pensaba en eso, pero la gravedad de la muerte me mantuvo en mi sitio, y el sufrimiento y la virtud me impidieron la profanación. ¡Fuera! ¡Prohibido! ¡No te atrevas! ¡Arrodíllate! ¿Qué ocurre? Gradualmente me comencé a preguntar quién habría preparado tal espectáculo. Yo soy un hombre ordinario y sencillo que no se presta a semejantes representaciones teatrales… No debería… "¡Al diablo!", me dije repentinamente. "¡Qué estupidez! ¿Cómo me puede suceder esto? ¿Dónde he adquirido esta artificiosidad, esta afectación? Generalmente me comporto de diferente modo. ¿Me habrán contagiado su estilo? ¿Qué es esto? Desde que llegué todo lo que hago resulta falso y pretencioso, como la representación de un actor mediocre. He perdido completamente mi personalidad en esta casa. ¿Por qué me estoy dando importancia?"

—Hmmm… –murmuré nuevamente, no sin cierta pose teatral, como si una vez lanzado a aquel juego, fuese incapaz de volver a mi estado natural–. A nadie le aconsejo que trate de burlarse de mí. Soy capaz de aceptar el reto.

Entretanto, la viuda se sonaba la nariz y se encaminaba hacia la puerta, hablando sola, carraspeando y agitando los brazos.

Cuando por fin me hallé en mi habitación, me quité el cuello; pero, en vez de ponerlo en la mesa, lo arrojé al suelo y comencé a pisotearlo. Sentía que me ardía el rostro y mis dedos se agarrotaron de una manera para mí completamente inesperada. Estaba furioso. "Me están poniendo en ridículo", me dije. "¡Qué mujer malvada! ¡Qué hábilmente lo ha preparado todo! ¡Exige que se le rinda homenaje! ¡Que le bese uno las manos! ¡Exige de mí sentimientos! ¡Sentimientos! Pues bien, supongamos que no tenga sentimientos. Supongamos que odie tener que besar manos temblorosas y murmurar plegarias, arrodillarme, fingir murmullos, unos murmullos horriblemente sentimentales… Pero, sobre todo, detesto las lágrimas que resbalan hasta la punta de la nariz, además de que amo la claridad y el orden."

—Hmm… –dije aclarándome la garganta, y hablando solo, con un tono de voz diferente, cortés, como si me hallase en el juzgado–. ¿Quieren que les bese las manos? Tal vez también debería besarles los pies, pues, después de todo, ¿quién soy yo frente a la majestad de la muerte y del sufrimiento familiar? Un agente del orden, vulgar e insensible, nada más. Mi naturaleza es clara. Pero, hmmm… No sé… ¿No ha sido todo demasiado apresurado? En su situación, yo me hubiese portado más… modestamente, con un poco más de cautela. Porque debieron haber tenido en cuenta mi carácter especial, ya que no mi carácter privado, entonces… entonces… al menos mi carácter oficial. Esto es lo que han olvidado. Después de todo, soy un juez de instrucción y aquí hay un cadáver, y la idea de cadáver parece evocar algunas cosas, no siempre inocentemente, como la de juez de instrucción. Y si consideramos detenidamente el curso de los acontecimientos desde ese punto de vista… hmmm… el punto de vista de un juez de instrucción –formulé lentamente –, ¿cuáles podrán ser las consecuencias?

Pasemos, pues, revista a los hechos: llega un huésped, que, accidentalmente, resulta ser un juez de instrucción. No le envían el coche, se resisten a abrirle la puerta. En otras palabras, hacen todo lo posible para que se sienta incómodo. De ello se deduce que alguien tiene interés en que este hombre no penetre en la casa. Después lo reciben con muestras de molestia, con un desprecio escasamente disimulado, con miedo... Y, ¿quién puede sentirse molesto, quién puede tener miedo en presencia de un juez de instrucción? Es necesario mantenerle algo oculto. Un hombre muere de un ataque cardiaco en una habitación del piso superior. ¡No es agradable! Tan pronto como el cadáver sale a la luz emplean todos los medios posibles para forzarme a que me arrodille, a que bese manos, con el pretexto de que el finado murió de muerte natural.

Todo el que quiera llamar absurdo a este razonamiento, o aun ridículo, no debe olvidar que un momento antes había tirado mi cuello al suelo. Mi sentido de la responsabilidad había disminuido. Mi conciencia se hallaba oscurecida a consecuencia del insulto; es claro que no podría ser completamente responsable de mis actos.

Mirando siempre hacia adelante, dije con absoluta serenidad: "Hay algo irregular en todo esto".

Eché mano de toda mi agudeza y comencé a establecer la cadena de hechos, a construir silogismos, a seguir los hilos y a buscar pruebas. Sí, sí, la majestuosidad de la muerte es desde cualquier punto de vista algo digno de respeto, y nadie puede acusarme de no haberle rendido los honores que merece; pero no todas las muertes son igualmente majestuosas.

Antes de que esas circunstancias hayan sido aclaradas, no podría, en mi situación, estar seguro de sí mismo, ya que el caso es especialmente oscuro, complejo y dudoso, hmmm... como todas las evidencias parecen señalar.

A la mañana siguiente, estaba tomando el café en la cama, cuando advertí que el muchacho de servicio encendía la estufa, un muchacho soñoliento y mofletudo, que me miraba de vez en cuando con muestras de curiosidad. Puede que supiera quién era yo.

—¿De modo que murió tu amo? –le dije.

—Así es.

—¿Cuántas personas trabajan aquí?

—Dos: Esteban y el mayordomo, excluyéndome a mí. Si se me incluye somos tres.

—¿El amo murió en la habitación de arriba?

—Arriba, por supuesto –replicó con indiferencia, soplando el fuego e inflando sus carrillos carnosos.

—¿Tú, dónde duermes?

Dejó de soplar y me miró, pero su mirada esta vez era más astuta.

—Esteban duerme con el mayordomo en un cuarto junto a la cocina, y yo duermo en la despensa.

—Es decir, que desde el sitio donde duermen Esteban y el mayordomo no hay modo de pasar a las otras habitaciones, excepto a través de la despensa, ¿no es así? –pregunté con indiferencia.

—Así es –respondió, y me miró con atención.

—Y la señora, ¿dónde duerme?

—Hasta hace poco dormía con el señor, pero ahora duerme en el cuarto de al lado.

—¿Desde su muerte?

—¡Oh, no! Se mudó antes; tal vez hace una semana.

—¿Y sabes por qué abandonó la habitación de su marido?

—No, no lo sé…

—¿Dónde duerme el joven Antonio? –fue mi última pregunta.

—En la planta baja, junto al comedor.

Me levanté. Me vestí cuidadosamente. ¡Muy bien! Si no me equivocaba, había encontrado otro dato significativo, un detalle interesante. Después de todo, el hecho de que una semana antes de la muerte, la señora abandonase la alcoba del marido, era asombroso. ¿Habría tenido miedo de contraer una enfermedad cardiaca? Hubiera sido un miedo superfluo, por así decirlo. Sin embargo, no debía apresurarme a extraer conclusiones prematuras ni dar un paso en falso. Me encaminé al comedor. La viuda estaba al lado de la ventana. Con las manos juntas, contemplaba una taza de café, y entonces murmuró algo monótonamente, moviendo acompasadamente la cabeza, con un pañuelo sucio y húmedo entre las manos. Cuando me acerqué comenzó repentinamente a caminar alrededor de la mesa en dirección opuesta a la mía, mientras seguía murmurando algo y agitando los brazos, como si hubiera perdido el sentido. Pero yo había recuperado la calma perdida el día anterior y, manteniéndome a un lado, esperé pacientemente a que por fin se diera cuenta de que estaba allí.

—¡Ah! Buenos días, buenos días, señor –dijo vagamente, advirtiendo al fin mis repetidas reverencias–. ¿Así que ya se…?

—Lo siento –murmuré–. Yo… yo… no me voy aún. Me gustaría permanecer un poco más.

—¡Oh, sí! –dijo, y luego murmuró algo sobre el traslado del cadáver, y hasta llegó a honrarme preguntándome con poca convicción si permanecería para asistir al funeral.

—Es un gran honor –le dije–. ¿Quién podría rehusar este último servicio? ¿Se me podría permitir ver el cadáver otra vez?

Sin dar ninguna respuesta y sin fijarse en si la seguía ella subió por las escaleras crujientes.

Después de una breve plegaria, me puse en pie, y, como si reflexionara sobre los enigmas de la vida y la muerte, miró a mi derredor.

"Es extraño –me dije–, muy interesante. A juzgar por las evidencias, este hombre murió seguramente de muerte natural. Aunque su cara esté hinchada y lívida, como la de las personas estranguladas, no hay señal alguna de violencia, ni en el cuerpo ni en la habitación". Realmente me parecía como si hubiera muerto, en efecto, tranquilamente de un ataque cardiaco. Sin embargo, me acerqué al lecho y toqué el cuello del cadáver con un dedo.

Este insignificante movimiento produjo en la viuda el efecto de un rayo. Saltó.

—¿Qué es esto? –gritó–.¿Qué es esto? ¿Qué es esto?

—Por favor, no se agite, mi querida señora –repliqué y, sin más explicaciones, comencé a examinar el cuello del cadáver, así como toda la habitación, escrupulosamente.

Provocar un escándalo es oportuno en ciertas ocasiones. Pues no podríamos sacar nada en limpio si los escrúpulos nos impidieran realizar una inspección minuciosa cuando la necesidad lo impone. ¡Vaya! Literalmente no había traza de nada. Nada en el cuerpo, nada en el tocador, ni dentro del guardarropa o en la alfombrilla junto a la cama. Lo único que destacaba del conjunto era una enorme cucaracha muerta. Sin embargo, ciertos indicios aparecieron en la cara de la viuda aunque siguió inmóvil, observando mis movimientos con una expresión de intenso terror.

Esto me impulsó a preguntarle lo más cautamente que me fue posible:

—¿Por qué se cambió a la habitación de su hija hace aproximadamente una semana?

—¿Yo? ¿Por qué?... ¿Que por qué me cambié? ¿Cómo se atreve...? Mi hijo me lo recomendó... Para dejarle más aire. Mi esposo se había estado asfixiando durante toda la noche. Pero, ¿cómo puede...? Después de todo, ¿qué asunto...? ¿Qué...?

—Disculpe, por favor. Lo siento, pero...

Y un significativo silencio sustituyó el resto de la frase.

De pronto, pareció advertir la personalidad oficial del hombre a quien se dirigía.

—Pero, después de todo... ¿cómo puede ser? Diga... ¿Es que ha advertido usted algo?

Una nota de miedo no del todo disimulado se revelaba en la pregunta. Me aclaré la garganta y respondí:

—De cualquier manera –le dije secamente–, debo pedirle que... Me han dicho que van a transportar el cuerpo... Bien, debo pedirle que el cuerpo permanezca aquí hasta mañana.

—¡Ignacy! –exclamó.

—Así es –fue mi respuesta.

—¡Ignacy! ¿Cómo puede ser eso? ¡Increíble! ¡Imposible! –dijo mirando el cuerpo con una expresión de dureza–. ¡Mi pequeño Igna...!

Y lo que resultó más interesante es que se detuvo en medio de una palabra, se irguió y me desafió con la mirada; después de lo cual, profundamente ofendida, abandonó la habitación. Les pregunto, ¿por qué debía sentirse ofendida? ¿Acaso una muerte natural constituye un insulto a la esposa que no ha tenido parte en ello? ¿Qué hay de insultante en la muerte natural? Puede resultar con seguridad insultante para el asesino, mas no ciertamente para el cadáver ni para sus deudos. Pero en aquella ocasión tenía cosas más urgentes que hacer que formularme preguntas retóricas. Apenas me quedé solo con el cadáver, comencé un minucioso registro, y mientras más avanzaba en él, mayor era mi estupor. "Nada, nada por ningún lado", murmuré; "nada más que la cucaracha aplastada junto al tocador. Hasta podría llegar a suponer que no hay bases para una acción ulterior".

¡Bien! ¡Allí era donde residía el problema! El mismo cadáver probaba claramente al examen de cualquier experto que había muerto normalmente de asfixia cardiaca. Todas las apariencias: la falta de coche, el disgusto, el miedo, las reticencias hacían suponer algo turbio; pero el cadáver, contemplando el cielo, proclamaba: "¡Morí de un ataque cardiaco!" Era una certidumbre física y médica, un hecho; nadie lo había asesinado, por la sencilla razón de que *no había sido asesinado*. Tenía que admitir que la mayoría de mis colegas hubiesen suspendido la investigación allí mismo. ¡Yo no! Me sentía demasiado ridículo, demasiado irritado, y había ido ya demasiado lejos. El asesinato es algo que se produce intelectualmente; tiene, pues, que ser concebido por alguien. Los palomos asados no vuelan por el aire.

"Cuando las apariencias testimonian en contra del asesinato", me dije sabiamente, "debemos ser astutos, debemos desconfiar de las apariencias. Si, por otra parte, la lógica, el sentido común y las pruebas se convierten en los abogados del criminal, y las apariencias hablan en contra de él, no debemos confiar en la lógica ni en el sentido común ni en las pruebas. Muy bien… Pero con las apariencias, ¿cómo podríamos (ya lo señala Dostoievski) preparar un asado de liebre sin tener la liebre?"

Miré al cadáver, y el cadáver miraba al cielo, proclamando con el cuello su inmaculada inocencia. ¡Allí residía la dificultad! ¡Allí se levantaba el obstáculo! Pero lo que no puede ser removido puede ser asaltado: *hic Rodhus, hic salta!* ¿Le era posible a aquel rostro helado oponer una resistencia contra mi rápida y cambiante fisonomía, capaz de encontrar la expresión adecuada para cada situación? Y en tanto que el rostro del cadáver seguía siendo el mismo –sereno, aunque con cierta vacuidad–, mi rostro expresaba una solemne astucia, el desprecio a los demás y la seguridad en mí mismo, tal como si dijera: "Soy un pájaro demasiado viejo para ser cazado con trampas".

"Sí", me dije gravemente, "este hombre ha sido conducido a la muerte. Ha sido el corazón quien lo ha asfixiado. Hmmm… hmmm… La defensa me pondría en aprietos. El corazón es un término demasiado amplio, hasta podríamos decir un concepto simbólico. ¿Quién, después de levantarse con furia ante la noticia de un crimen, quedaría satisfecho al escuchar la tranquilizadora respuesta de que no había ocurrido, de que el corazón había sido el único responsable? Excúsenme, ¿qué corazón? Sabemos cuán confuso, cuán complejo puede ser un corazón. Un corazón es un saco que puede almacenar un cúmulo de cosas: el frío corazón del asesino, el corazón del libertino reducido a cenizas, el corazón fiel de la mujer enamorada, un ardiente corazón, un corazón ingrato, un corazón celoso, un corazón vengativo, etcétera".

La cucaracha aplastada parecía no tener ninguna relación directa con el crimen. Hasta entonces sólo una cosa estaba clara: el occiso había muerto de asfixia y la asfixia era de naturaleza cardiaca. Si considerábamos la carencia de heridas externas, podríamos también certificar que la asfixia había tenido un carácter interno. Sí, eso era todo... Nada había que hacer; un carácter cardiaco, interno. "Evitemos sacar conclusiones prematuras... Y ahora sería conveniente salir a dar un paseo por el jardín y echar un vistazo alrededor de la casa."

Volví a la planta baja. Al entrar en el comedor escuché un sonido de pasos ligeros y rápidos que huían. Posiblemente se trataba de Cecilia. "¡Ay, niñita! De nada vale huir, la verdad siempre prevalece." En el comedor, los sirvientes ponían la mesa para el almuerzo. Me observaron en silencio, y yo, con paso lento, me aventuré hasta las habitaciones más distantes y en una de ellas vi a Antonio que se alejaba. Para una muerte de tipo cardiaco, de origen interno, reflexioné, era preciso admitir que no había casa que se prestara mejor que aquel viejo edificio. Para hablar con exactitud, no había tal vez nada que resultara incriminador y, sin embargo —podía olfatearlo—, había allí pánico y un cierto olor en el aire, uno de esos olores que sólo se pueden tolerar cuando uno mismo los produce, un olor como de sudor, un olor que se puede designar como el olor de los afectos familiares. Continué husmeando, y advertí ciertos pequeños detalles, que aunque triviales, no me parecieron desprovistos de significación: las raídas y amarillentas cortinas, los cojines bordados a mano, la abundancia de fotografías y retratos, los respaldos de las sillas gastados por el uso excesivo, a través de varias generaciones de espaldas, y, además, una carta inconclusa en un papel blanco rayado, un cuchillo con un trozo de mantequilla, en una de las ventanas de la sala, un vaso con medicina en una mesa de noche, un listón azul tras una estufa, una telaraña, muchos guardarropas, viejos olores, todo esto componía una atmósfera de especial solicitud, de gran cordialidad. A cada paso, el corazón encontraba alimento; sí, el corazón podría regresar a la ciudad sobre mantequilla rancia, cortinas, el listón y los olores (y uno podía entusiasmarse ante ese alimento, observé). También pude apreciar el hecho de que la casa era excepcionalmente íntima y que esta "intimidad" se manifestaba precisamente en ciertas ventanas tapiadas y en la salsera desportillada en la que yacía una pequeña plasta de veneno contra la polilla desde el verano anterior.

No obstante, no se me puede reprochar que, en mi obstinado celo por mantener un curso interno, olvidara otras posibilidades. Me propuse descubrir si existía una comunicación entre la parte de la casa destinada a los sirvientes y la de los patrones, un paso que no fuera a través de la despensa, y comprobé que no existía. Llegué hasta a salir fuera y, lentamente, fingiendo pasearme, caminé alrededor de la casa entre la nieve derretida. Era inconcebible que alguien hubiera podido penetrar de noche a través de las puertas o las ventanas, pues estaban protegidas por poderosas barras de hierro. De aquí que si algún hecho había tenido lugar en la casa durante aquella noche, no se podía sospechar sino del sirviente que dormía en la despensa. Nadie sino él, especialmente si se consideraba la maligna expresión de sus ojos.

Al decirme esto, agucé los oídos, pues a través de una ventana abierta me llegó una voz; ¡pero cuán diferente era ahora de la que había escuchado hasta ahora! ¡Cuán deliciosa y prometedora! Ya no era la voz de una reina doliente, sino una voz sacudida por el terror y la angustia, una voz temblorosa, débil, femenina, que parecía infundirme confianza, tenderme una mano.

—¡Cecilia, Cecilia!... Asómate a la ventana. ¿Se ha ido? Observa bien. No te asomes tanto, que te puede ver. Hasta puede llegar aquí a espiar. ¿Has corrido la cortina? ¿Qué es lo que busca? ¿Qué es lo que ha visto? ¡Oh, mi pobre Ignacy! ¡Oh, Dios mío!

¿Por qué registraba la estufa? ¿Qué buscaba en el armario? ¡Es terrible! ¡Anda por toda la casa! A mí nada me importa, que haga lo que quiera; pero Antonio… Antonio no lo tolerará. ¡Para él es una injuria! Se puso completamente pálido cuando se lo conté. ¡Ay! Temo que la calma lo abandone.

"Si el crimen tuvo un carácter doméstico, cómo podía suponerse después de los resultados de la investigación", continué pensando, "el deber exige que admitamos que un asesinato cometido por el criado con el posible propósito de un robo no puede ser considerado por nadie, en ninguna circunstancia, como de carácter doméstico. El suicidio es diferente; un hombre se mata y todo sucede en su interior. Así es el parricidio, donde, después de todo, es la propia sangre la que comete el crimen. En cuanto a la cucaracha, el asesino debe de haberla aplastado en el momento del crimen".

Mientras hilaba tales reflexiones, me senté en el estudio con un cigarrillo, y entonces se presentó Antonio. Al verme, me saludó, pero más tímidamente que la primera vez; hasta me pareció que se sentía nervioso.

—Tienen ustedes una hermosa casa –le dije–. Encuentro aquí una gran serenidad y una cordialidad poco habituales. Un verdadero hogar, un hogar cálido. Le hace a uno suspirar por la niñez, pensar en la madre, la madre con su bata de dormir, las ganas de morderse las uñas, la necesidad de un pañuelo.

—¿El hogar?… ¡El hogar, sí, claro!… Pero no es eso. Mi madre me ha dicho que… usted parece pensar… eso es…

—Conozco un excelente remedio contra los ratones: el ratotex.

—¡Oh, sí! Debo ocuparme más, mucho más… de ellos. Dicen que esta mañana estuvo usted en el cuarto de mi padre… Eso es bastante… Lo siento… con el cadáver…

—Sí.

—¡Ay! ¿Y…?

—¿Y…? ¿Y qué?

—Dicen que encontró usted algo…

—Sí, una cucaracha muerta.

—Aquí abundan las cucarachas muertas… Sí, las cucarachas… Quiero decir que son numerosas las cucarachas que no están muertas.

—¿Quería usted mucho a su padre? –pregunté, tomando de la mesa un álbum de fotos de Cracovia.

Esta pregunta indudablemente le sorprendió. No estaba preparado para ella. Inclinó la cabeza, miró a los lados, suspiró y dijo con voz entrecortada, con indecible pesar, casi con aversión:

—Bastante…

—¿Bastante? Eso no es gran cosa. ¡Bastante! Y además lo dice con reticencia.

—¿Por qué me lo pregunta? –inquirió con voz ahogada.

—¿Por qué se porta usted con tan poca naturalidad? –pregunté yo a mi vez, con un tono de simpatía, acercándome a él de manera casi paternal, con el álbum en la mano.

—¿Yo? ¿Poca naturalidad? ¿Cómo puede…?

—¿Por qué se ha puesto usted lívido, lívido como la pared?

—¿Yo? ¿Lívido?

—Claro, claro. Mira usted furtivamente… No termina sus frases… Habla de ratones, de cucarachas… Su voz es demasiado alta, luego demasiado apagada, ahogada, áspera, y de nuevo rompe usted en una especie de chillido que le destroza a uno los tímpanos –le dije muy secamente–. Sus ademanes son nerviosos. Sí, parece nervioso, exaltado. ¿A qué se debe eso, joven? ¿No es mejor condolerse de una manera sencilla? Hmmm… ¡Bastante, dice! ¿Y por qué persuadió a su madre hace una semana de que abandonara repentinamente la habitación de su padre?

Completamente paralizado por mis palabras, sin atreverse a mover un brazo, o una pierna, sólo logró murmurar:

—¿Yo…? ¿Qué quiere decir? Mi padre… mi padre… necesitaba más aire fresco.

—¿En la noche de su muerte durmió usted en su habitación de la planta baja?

—¿Yo? En mi habitación, por supuesto… en la planta baja.

Me aclaré la garganta y regresé a mi cuarto dejándolo en una silla, con las manos cruzadas sobre las rodillas, la boca ligeramente abierta y las piernas estrechamente unidas. "¡Ajá! Se trata posiblemente de un temperamento nervioso. Un temperamento, una naturaleza exaltada… Excesivas emociones, cordialidad exagerada…" Pero me contuve, pues no quería aún asustar a nadie. Mientras me lavaba las manos en mi cuarto y me preparaba para la comida, el mismo criado de la mañana entró a fin de preguntarme si necesitaba alguna cosa. Tenía otro aspecto: los ojos apuntaban en todas direcciones, sus modales revelaban un servilismo astuto, y todas sus fuerzas espirituales estaban en el más alto grado de actividad. Le pregunté:

—Bien, ¿qué novedades hay?

—Excelencia –dijo él–, usted me preguntó si había dormido en la despensa anteanoche. Quería decirle que esa noche, al oscurecer, el joven amo cerró con llave la puerta de la despensa.

—¿Nunca había cerrado el joven esa puerta?

—Nunca. Jamás. Solamente en esa ocasión. Pensó que yo estaba dormido, porque era ya muy tarde; pero yo no dormía todavía, y oí cuando cerró. No sé cuándo volvió a abrir, porque estaba durmiendo cuando él mismo me despertó por la mañana para decirme que el viejo amo había muerto, y entonces la puerta estaba ya abierta.

¡Así que por alguna razón inexplicable el hijo del difunto había cerrado la puerta de la despensa durante la noche! ¿Cerrar la puerta de la despensa? ¿Qué podía eso significar?

—Le ruego a su Excelencia que no diga que yo se lo confesé.

No había sido desatinada mi calificación de aquella muerte de posible delito doméstico. La puerta estaba cerrada, así que ningún extraño había tenido acceso a la casa. La red se espesaba a cada minuto, la soga tendida alrededor del cuello del asesino, es decir, la soga en torno al cuello de la víctima. Aunque soslayara este problema, había echado un ingenuo vistazo al cuello, que resplandecía con inmaculada blancura, y uno no podía permanecer eternamente en un estado ciego de pasión. Muy bien, estoy de acuerdo: me hallaba furioso. Por una razón u otra, el odio, el disgusto, los insultos me habían obcecado, manteniéndome tercamente en un absurdo evidente. Eso es humano, y todos lo podrán entender. Pero llegaría el momento en que recobraría la calma. Como dice la Biblia: "Llegará el día del Juicio". Y entonces... hmmm... yo diría: "Aquí está el asesino", y el cadáver diría: "Morí de asfixia cardiaca". Y entonces, ¿qué? ¿Cuál sería la sentencia?

Supongamos que el juez preguntara: "¿Sostiene usted que ese hombre fue asesinado? ¿En qué se basa?"

Yo respondería: "Me baso, Excelencia, en que su familia, su mujer y sus hijos, particularmente su hijo, se comportan extrañamente, se comportan como si lo hubieran asesinado, no cabe duda". ¡Dios! Pero, ¿de qué manera pudo ser asesinado cuando no fue asesinado, cuando la autopsia demuestra claramente que murió de un ataque al corazón?

Y entonces el abogado defensor, ese chivo pagado, se levantaría, y, en un largo discurso, moviendo las mangas de la toga, comenzaría a probar que se trata de un equívoco originado por mi torpe manera de razonar; que había yo confundido el crimen con el dolor, y que lo que consideraba la manifestación de una conciencia culpable no era sino la expresión de una extremada sensibilidad, que tiende a replegarse frente al frío contacto de un extraño. Y otra vez más, el insoportable, cansado estribillo: "¿Por qué milagro ha sido asesinado, si no ha sido asesinado de ninguna manera, si no hay la menor huella en el cuerpo que pueda demostrarlo?"

Esta objeción me preocupaba tanto, que a la hora de la comida, a fin de desvanecer mis preocupaciones y dar un descanso a mis dudas penetrantes, y sin ninguna segunda intención, comencé a opinar que, en su esencia real, el crimen "por excelencia" no era un hecho físico sino psicológico. Si no me engaño, nadie habló, excepto yo. Antonio no pronunció una palabra, no sé si debido a que me consideraba indigno de ella, como había sido el caso la noche anterior, o por miedo de que su voz resultara demasiado estridente. La madre viuda, sentada pontificalmente en su silla, continuaba, me imagino, sintiéndose mortalmente vejada, mientras sus manos temblorosas pretendían asegurarse la impunidad. Cecilia sorbía silenciosamente líquidos demasiado calientes. En cuanto a mí, como resultado de los motivos antes mencionados y sin pensar que podía cometer una falta de tacto, ni reparar en la tensión que imperaba en la mesa, discurrí larga y volublemente:

—Deben creerme: hablando estrictamente, la forma física de un cadáver, el cuerpo torturado, el desorden en la habitación, los llamados rastros, no constituyen sino detalles secundarios, nada, apenas un apéndice del crimen real, una formalidad médica y judicial, una deferencia del criminal con las autoridades, y nada más. El crimen real lo comete siempre el espíritu. ¡Los detalles exter-

nos...! ¡Santo Dios! Voy a citarles un caso: un joven, repentinamente y sin ninguna explicación, clavó un alfiler de sombrero ya
pasado de moda en la espalda de su tío y benefactor, de quien había recibido protección durante treinta años. Ahí lo tienen. La
magnitud del crimen psicológico ante la pequeñez, casi invisibilidad de los efectos físicos, un pequeño agujero en la espalda, hecho
por un alfiler. El sobrino explicó posteriormente que, por distracción, había confundido la espalda de su tío con el sombrero de su
prima. ¿Quién iba a creerle? ¡Oh, sí! Para hablar en términos físicos, el crimen es una bagatela; lo difícil estriba en localizar los conceptos espirituales. A causa de la extraordinaria fragilidad del organismo humano, uno puede cometer un asesinato por accidente
o, como ese sobrino, por distracción, y de la nada surge entonces
repentinamente, ¡tras!, un cadáver. Una mujer, la mujer más bondadosa del mundo, locamente enamorada de su marido, descubrió
cierto día, durante la luna de miel, un repelente gusano en las
frambuesas que estaba comiendo el esposo. Debo decirles que el
marido detestaba esos gusanos más que cualquier otra cosa. En vez
de prevenirle, se le quedó mirando con una tierna sonrisa, y luego
le dijo: "Te has comido un gusano". "¡No!", gritó el marido aterrorizado. "Claro que te lo has comido", le respondió la mujer, y comenzó a describírselo. "Era de tal y tal manera, gordo y blancuzco." Hubo muchas risas y bromas; el marido pretendía estar
disgustado, y levantaba los brazos al cielo, lamentándose de la maldad de su mujer. Todo el asunto quedó olvidado. Una semana o
dos después, la mujer estaba terriblemente asombrada al ver que
su marido perdía peso, enflaquecía, devolvía el alimento. Se sentía
asqueado de sus propios brazos y piernas, y (perdónenme la expresión) no cesaba de vomitar. Su repugnancia hacia sí mismo aumentó hasta convertirse en una terrible enfermedad. Y de pronto, un
día... terribles lágrimas, espantosos lamentos, se había matado. Se
había tirado a un pozo. La viuda estaba desesperada. Al fin, después de un severo interrogatorio, reveló que en los más oscuros
rincones de su conciencia sentía un atractivo antinatural por un perro bulldog al que su marido había golpeado poco antes de comerse las frambuesas. Otro caso más. En una familia aristocrática, un
joven asesinó a su madre, repitiéndole insistentemente la palabra

"monstruosa". En el tribunal afirmó hasta el final ser inocente. ¡Oh! El crimen es algo tan fácil que se asombrarían ustedes de saber cuánta gente muere de muerte no natural…, especialmente cuando se trata del corazón, ese misterioso lazo entre los hombres, ese intrincado corredor secreto entre ustedes y yo, esa bomba de succión y de fuerza que puede succionar con excelencia y esforzarse maravillosamente. Después se componen una atmósfera de luto, unas caras de cementerio, una dignidad doliente, la majestuosidad de la muerte, ¡ja, ja, ja!, únicamente a fin de provocar el respeto del dolor para que nadie se asome al interior de ese corazón que secretamente cometió un cruel asesinato.

Estaban sentados como ratones de sacristía sin atreverse a interrumpirme. ¿Dónde estaba el orgullo de ayer? De pronto, la viuda, pálida como la muerte, arrojó su servilleta y, con las manos más temblorosas que de costumbre, se levantó de la mesa. Yo me froté las manos.

—Lo siento, no fue mi intención herir a nadie. Hablaba en términos generales sobre el corazón en el que tan fácil resulta esconder un crimen.

—¡Malvado! –exclamó la viuda, con la respiración entrecortada. El hijo y la hija se levantaron de la mesa.

—¡La puerta!… –les grité –. Muy bien, seré un malvado; pero, ¿puede explicarme alguien por qué anteanoche estuvo cerrada la puerta?

Una pausa. Imprevistamente, Cecilia prorrumpió en un lamento nervioso, y entre gimoteos logró decir:

—La puerta… no fue mi madre. Yo la cerré. Fui yo quien lo hizo.

—Eso no es cierto, hija. Yo ordené que cerraran la puerta. ¿Por qué te humillas ante este hombre?

—Tú diste la orden, mamá; pero yo quise… yo quise… yo también quise cerrar la puerta y la cerré.

—Excúsenme la interrupción –les dije–. ¿Cómo es eso? (Yo sabía que Antonio había cerrado la puerta de la despensa.) ¿De qué puerta están hablando?

—La puerta… la puerta del cuarto de mi padre. Yo la cerré.

—Yo fui quien la cerró. Te prohíbo que digas tales estupideces, ¿me oyes? ¡Yo la cerré!

¿Qué era aquello? ¿Así que también ellas habían estado cerrando puertas? La noche en que el padre iba a morir, el hijo cierra la puerta de la despensa, a la vez que la madre y la hija cierran la puerta de su habitación.

—¿Y por qué, señoras, cerraron esa puerta –les pregunté impetuosamente–, excepcional y particularmente esa noche? ¿Con qué objeto?

¡Consternación! ¡Silencio! ¡No lo sabían! Bajaron la cabeza. Una escena teatral. Entonces resonó la voz agitada de Antonio:

—¡Basta! ¿No os da vergüenza dar explicaciones? ¿Y a quién? ¡Más serenidad!

—¡Vamos! En ese caso, tal vez pueda usted explicarme por qué cerró la puerta de la despensa esa noche, dejando incomunicados los cuartos de los sirvientes.

—¿Yo? ¿Cerré yo la puerta?

—¿No? ¿No lo hizo usted? Hay testigos. Es algo que puede probarse.

¡Nuevamente el silencio! ¡Otra vez la consternación! Las mujeres giraban aterrorizadas por el espanto. Finalmente el hijo, como si recordara algo muy remoto, declaró con voz dura:

—Lo hice yo.

—Pero, ¿por qué? ¿Por qué cerró usted la puerta? ¿Tal vez para impedir corrientes de aire?

—No puedo decírselo –replicó con una soberbia difícil de explicar, y abandonó el comedor.

Pasé el resto del día en mi habitación. Sin encender la vela, me paseé de un lado para otro, de pared a pared, durante largo rato. Afuera comenzaba a oscurecer; las manchas de nieve refulgían con creciente vivacidad en las sombras que derramaba la tarde, y los intrincados esqueletos de los árboles rodeaban la casa por todas partes.

"¡Una casa especial para ti!", me dije. "Una casa de asesinos, una casa monstruosa, donde se ha perpetrado un asesinato a sangre fría, bien oculto y premeditado." ¡Una casa de estranguladores! ¿El corazón? De antemano sabía lo que se puede esperar de un corazón bien alimentado y qué clase de corazón tenía aquel parricida, un corazón henchido de grasa, nutrido con mantequilla y calor familiar. Lo sabía, pero no quería aventurar nada prematuramente. Y ellos, ¡tan orgullosos! ¡Exigían tales homenajes! Mejor sería que explicaran por qué habían cerrado las puertas.

¿Por qué, pues, en el momento en que tenía todos los hilos en la mano y podía señalar con el dedo al asesino, por qué, pues, perdía mi tiempo en vez de actuar? Aquel obstáculo: aquel cuello blanco e intacto que, como la nieve del exterior, se tornaba más blanco en la negrura de la noche. El cadáver debe haber sido objeto de reflexiones por parte de aquella banda de asesinos. Hice aún un nuevo esfuerzo y me aproximé al cadáver en un ataque frontal con la visera levantada, llamando al pan, pan y señalando claramente al criminal. Pero era como luchar contra una silla. Por más exacerbadas que estuviesen mi imaginación y mi lógica, el cuello seguía siendo el cuello, y la blancura, la blancura, con la muda obstinación de los objetos inanimados. Por consiguiente, no había más que proseguir hasta el final, insistir en aquella falacia y en aquel absurdo de venganza y esperar, esperar; contando ingenuamente con la posibilidad de que, si el cadáver no se corrompía, tal vez la verdad pudiera encontrar el camino hasta la superficie a su propio modo, como el petróleo. ¿Estaba perdiendo el tiempo? Sí, pero mis pasos resonaban en la casa, y todos podían escuchar que caminaba incesantemente. Era probable que ellos, abajo, no estuviesen ya tan tranquilos.

Pasó la hora de la cena. Eran cerca de las once, pero yo continuaba sin moverme de la habitación sin cesar de llamarlos bellacos y asesinos. ¿Había triunfado? Con el resto de mis fuerzas confiaba en que mi obstinación y perseverancia serían recompensadas, que mi pasión llegaría a dar cuenta de la resistencia que se le oponía, con tanto empeño y tantas expresiones faciales distintas, que finalmente no pudiera ya la situación mantenerse, y que al llegar al punto máximo, se resolviera de alguna manera y diera nacimiento a algo, a algo ya no el reino de la ficción, sino a algo real. Porque no podíamos seguir así indefinidamente: yo arriba, ellos abajo. Alguien tenía que decir: "Me rindo"; todo dependía de quién fuese el primero. En la casa reinaban la calma y el silencio. Pasé al salón, pero no percibí ningún ruido en la planta baja. ¿A qué podrían estar dedicados? ¿Estarían por fin haciendo lo que se esperaba de ellos? En tanto que yo había triunfado gracias a todas aquellas puertas cerradas, ¿estarían ellos lo suficientemente asustados, estarían deliberada, adecuadamente aguzando los oídos para captar el sonido de mis pasos, o estarían sus espíritus demasiado fatigados para continuar trabajando? "¡Ah!", exclamé con alivio, cuando a eso de la medianoche oí al fin pasos en el salón, y luego alguien tocó en mi puerta.

—¡Adelante! –dije.

—Lo siento –dijo Antonio, sentándose en la silla que le indiqué. Parecía enfermo, estaba pálido y ceniciento. Yo ya sabía que la coherencia en el discurso no era su virtud más descollante.

—Su conducta… –comenzó–, y luego sus palabras… Para decirlo de una vez: ¿qué significa todo esto? O se va inmediatamente de mi casa… o me habla usted con claridad. ¡Esto es un chantaje! –estalló.

—¿Así que al fin me lo pregunta? –dije–. ¡Bastante tarde! Y aún ahora habla en términos muy generales. ¿Que qué puedo decirle? Pues bien, su padre ha sido…

—¿Qué? ¿Qué ha sido…?

—Estrangulado.

—Estrangulado. Muy bien, estrangulado… –repitió, estremeciéndose, con una especie de extraño placer.

—¿Se alegra?

—Sí.

—¿Quiere hacer otras preguntas? –le dije después de una pausa.

—¡Pero si nadie oyó ruidos ni gritos! –exclamó.

—Ante todo, sólo su madre y su hermana dormían cerca, y esa noche habían cerrado la puerta. En segundo lugar, el asesino debe haber atacado inmediatamente a su víctima y…

—Muy bien, muy bien –murmuró–, muy bien. Un momento. Otra pregunta. ¿Quién ha sido a su juicio… quién?

—¿De quién sospecho, quiere decir? ¿Qué cree? ¿Podría usted afirmar que durante la noche alguien del exterior hubiese podido penetrar en la casa con tal sigilo que no lo advirtieran el guardabosque ni los perros? ¿Podría creer en la posibilidad de que se hubiesen dormido, tanto el guardabosque como los perros, y que la puerta de la finca, por algún descuido, hubiese quedado abierta? ¿Es así? ¡Qué coincidencia tan desafortunada!

—Nadie pudo haber entrado –replicó orgullosamente.

Estaba sentado, muy derecho, y pude advertir en su inmovilidad que me despreciaba con todo el corazón.

—Nadie –confirmé rápidamente, disfrutando alegremente de su orgullo–. ¡Absolutamente nadie! Así que sólo quedan ustedes tres y los tres sirvientes. Pero el paso de los sirvientes fue interceptado por usted. Sólo Dios sabe por qué cerró la puerta de la despensa. ¿O es que ahora va a negar que la cerró?

—La cerré.

—Pero, ¿por qué? ¿Con qué intención?

Saltó de la silla.

—No adopte usted esos aires –le dije, y mi breve comentario le hizo volver a sentarse, mientras su cólera se desvanecía.

—La cerré sin saber por qué, maquinalmente –dijo con dificultad, y murmuró por dos veces–: estrangulado, estrangulado...

Era el suyo un temperamento nervioso. Todos ellos poseían un temperamento nervioso.

—Y como su madre y su hermana también cerraron... maquinalmente, su puerta, sólo queda... Bueno, usted sabe muy bien quién queda. Usted, y únicamente usted, pudo aquella noche tener libre acceso a la habitación de su padre. "El labrador de regreso a casa sucumbe en el fatigoso camino, y deja el mundo a la oscuridad y a mí."

—Supone entonces –exclamó– que yo... que yo... ¡Ja, ja, ja!

—¿Quizá trata usted con esa risa de expresar que es inocente? –dije secamente, y su risa, después de unos cuantos intentos, sucumbió en una nota falsa–. ¿No fue usted? En ese caso, joven –dije más suavemente–, ¿quiere explicarme por qué no derramó una sola lágrima?

—¿Una lágrima?

—Sí, ni una lágrima. Su madre me lo confesó en un murmullo, ¡oh, sí!, al principio, ayer mismo en la escalera. Es habitual que las madres pierdan la cabeza y traicionen a sus hijos. Y hace un momento usted se reía, y declaró que se sentía feliz por la muerte de su padre –dije con triunfal rotundez, repitiendo sus palabras hasta que, una vez que la fuerza lo abandonó, me miró como a un ciego instrumento de tortura.

Sin embargo, al sentir la creciente gravedad de la situación, echó mano de todas sus fuerzas y trató de dar una explicación en forma de un *avis au lecteur,* un aparte, digamos, que surgía directamente de su garganta.

—Era sólo sarcasmo… ¿comprende?

—¿Se permite el sarcasmo a la muerte de su padre?

Hubo otro silencio y luego murmuré confidencialmente, casi a su oído:

—¿Por qué está tan turbado? Después de todo, se trata de la muerte de un padre… No hay nada perturbador en ello.

Cuando recuerdo ese momento, me felicito de haber salido adelante con paso seguro; él ni siquiera se movía.

—¿Estará usted turbado porque lo quería? ¿Quizá lo quería usted realmente?

Balbuceó con dificultad, con disgusto, con desesperación:

—¡Muy bien! Si usted insiste…, sí… entonces, sí, muy bien… así era –dijo arrojando algo sobre la mesa, y después exclamó–: ¡Mire, es su cabello!

Era en verdad un rizo.

—Perfectamente –le dije–, quítelo de ahí.

—¡No, no quiero! Puede usted tomarlo, se lo regalo.

—¿A qué se deben todos esos estallidos? Está bien, usted lo quería, eso es natural. Sólo quiero hacerle una pregunta más; porque, como usted se dará cuenta, no entiendo mucho estos amores de ustedes. Admito que ha logrado casi convencerme con este rizo de cabello; pero, ¿sabe?, hay una cosa fundamental que no logro aún resolver. –Aquí nuevamente bajé la voz y murmuré a su oído–: Usted lo quería, eso está muy bien; pero, ¿por qué hay tanta confusión, tanto desdén en ese amor? –Se volvió a poner lívido y no respondió nada–. ¿Por qué tanta crueldad y repulsión? ¿Por qué oculta su amor de la misma manera que un criminal oculta su crimen? ¿No me responde? ¿No lo sabe? Tal vez yo pueda decírselo. Usted lo amaba. Sí, pero cuando su padre enfermó le habló a su madre sobre la necesidad de aire fresco. Su madre, quien, dicho sea de paso, también lo amaba, escuchó y asintió. Es cierto, muy cierto, un poco de aire fresco a nadie puede hacerle daño; así que se cambió a la habitación de su hija, pensando: "Estaré cerca de él, pendiente de cualquier llamada del enfermo". ¿No es así? Puede usted corregirme.

—Así fue.

—¡Exactamente! Soy un viejo lobo, lo ve. Pasa una semana. Una noche la madre y la hija se encierran en su habitación. ¿Por qué? Sólo Dios lo sabe. Es necesario reflexionar sobre cada una de las vueltas de llave en una cerradura. ¿Una, dos, tres? La hicieron girar maquinalmente y se metieron en la cama. Sí, mientras usted, al mismo tiempo, cerraba abajo la puerta de la despensa.

Saltó de golpe, pero se volvió a sentar y dijo:

—Sí, fue así exactamente...

—Y entonces se le ocurrió que su padre podría necesitar algo. Tal vez usted pensaba: "Mi madre y mi hermana se han dormido, y mi padre puede necesitar algo". Así, sin hacer ruido, subió por las crujientes escaleras hasta la habitación de su padre. Bien... Cuando lo encontró en la habitación... El resto no necesita comentarios; procedió usted maquinalmente...

Escuchaba sin creer a sus oídos; y repentinamente pareció despertar, y exclamó con un aullido que se podía calificar como de desesperada franqueza, la cual sólo podía inspirarse en un gran miedo:

—¡Pero si yo no estuve allí! ¡Pasé la noche entera abajo, en mi habitación! No sólo cerré la puerta de la despensa, sino que también me encerré en mi cuarto. Yo también dormí encerrado... Debe tratarse de algún error.

—¿Qué? –exclamé–. ¿También usted se encerró? Al parecer, todo el mundo se encerró. ¿Quién fue entonces?

—No lo sé, no lo sé... –dijo con estupor, secándose la frente–. Sólo ahora comienzo a comprender que debimos haber estado esperando que ocurriera algo; debimos haber tenido un presentimiento, y por miedo, por pudor –exclamó violentamente–, nos encerramos todos con llave... porque todos queríamos que mi padre, que mi padre... resolviera por su cuenta sus asuntos.

—¡Ah! Ya veo... Sintiendo que la muerte se aproximaba, se encerraron antes de que llegara a producirse. ¿Así que esperaban el crimen?

—¿Lo esperábamos?

—Muy bien; pero, entonces, ¿quién lo asesinó? Porque él *fue asesinado,* mientras ustedes esperaban, y recuerde que ningún extraño tuvo la posibilidad de hacerlo.

Calló.

—Le digo que yo estaba realmente en mi habitación, encerrado —murmuró al fin, oprimido por el peso de una lógica irrefutable—. Debe tratarse de un error.

—En ese caso, ¿quién lo asesinó? —seguí repitiendo incesantemente—. ¿Quién lo asesinó?

Reflexionó, como si hiciera un profundo examen de conciencia y revisara sus intenciones más recónditas. Estaba pálido. Su mirada, bajo las pestañas caídas, parecía dirigirse hacia su interior. ¿Descubrió algo allí, en lo más profundo? ¿Qué descubrió? Tal vez se vio a sí mismo saliendo de la cama, caminando sigilosamente por las traidoras escaleras, dispuestas las manos para la acción. Tal vez, en un único instante, le sobresaltó el incierto pensamiento de que, después de todo, quién podía saberlo. Era algo que no podía excluirse por completo. Tal vez fue en ese preciso instante cuando el odio se le apareció como un complemento del amor; quién sabe (ésta es sólo una suposición mía) si en una fracción de ese instante no llegó a penetrar en la terrible dualidad de los sentimientos. Esta idea cegadora pudo haber sido una revelación (al menos ésa es mi interpretación), y debe haber hecho estragos en su interior, de tal manera que, envuelto en su amor, llegó a resultarse intolerable hasta para sí mismo. Y aunque esto duró sólo un instante, fue suficiente. Después de todo, se había visto forzado a luchar contra mis sospechas ya durante doce horas; durante doce horas había sentido una persecución despiadada y obstinada tras él, y debe haber digerido todos los absurdos de que el pensamiento es capaz más de un millar de veces. Como un hombre roto dejó caer la cabeza y me dijo claramente, mirándome a la cara:

—Yo lo hice... Fui... yo.

—¿Qué quiere decir con eso de "fui"?

—Yo fui, ya lo dije, fui yo quien lo hizo, como usted ha dicho, maquinalmente.

—¿Qué? ¡Es verdad! ¿Lo admite? ¿Fue usted? ¿Real y verdaderamente?

—Sí, fui yo.

—¡Ajá! Así es. Y todo el asunto no le llevó más de un minuto.

—No más… Un minuto cuando mucho. No debemos sobreestimar el tiempo. Un minuto. Luego regresé a mi cuarto, me acosté y caí dormido. Antes de caer dormido, bostecé y pensé, esto lo recuerdo muy bien ahora, que, ¡oh, oh!, al día siguiente tenía que levantarme muy temprano.

Me quedé atónito. Su confesión era tan clara, tal vez demasiado clara, aunque su voz se volvió áspera a la vez que feroz, llena de un gozo extraordinario. ¡No había duda de ello! ¡No se podía negar! Muy bien, pero el cuello, ¿qué se podía hacer con aquel cuello que obtusamente mantenía sus propios derechos en la alcoba? Mi pensamiento trabajaba febrilmente; pero, ¿qué puede un cerebro contra la testarudez de un muerto?

Deprimido, contemplé al asesino, que parecía aguardar. Y –es difícil de explicar–, en ese momento advertí que no me quedaba nada que hacer sino admitir franca y totalmente los hechos. Golpearme la cabeza contra el muro, es decir, contra el cuello, era infructuoso. Cualquier posible resistencia o estratagema serían inútiles. Tan pronto como advertí esto, sentí una gran confianza en él. Advertí que lo había empujado hasta muy al fondo, que había llevado a cabo una maniobra demasiado artera, y, en mi confusión, exhausto y sin aliento después de tantos esfuerzos y efectos fáciles, me convertí repentinamente en un niño, un niño pequeño y desamparado que desea confesar sus errores y travesuras a su hermano mayor. Me pareció que él entendería y no me negaría sus consejos. "Sí", pensé, "es lo único que me resta por hacer: una confesión franca. Él entenderá, me ayudará; encontrará una solución". Pero, por si acaso, me levanté y fui acercándome a la puerta.

—Ve usted –dije, y mis labios temblaron ligeramente–; hay una dificultad… cierto obstáculo, una formalidad, para ser sinceros, nada importante. La cosa es que –toqué el picaporte–, a decir verdad, el cuerpo no revela huella alguna de estrangulamiento. Para expresarlo en términos fisiológicos, no fue estrangulado, sino que murió normalmente de un ataque cardiaco. ¡El cuello, sabe usted, el cuello! ¡El cuello no ha sido tocado!

Dicho esto me deslicé por la puerta entreabierta y crucé rápidamente el salón. Irrumpí en el cuarto donde yacía el cadáver y me escondí en el guardarropa. Con gran esperanza, aunque también con miedo, aguardé. El lugar era oscuro, sofocante, y los pantalones del muerto me rozaban el cuello. Esperé largo rato, y comencé a dudar; pensé que nada iba a ocurrir, que habían estado burlándose de mí, que me habían llevado durante todo el tiempo a hacer el ridículo. La puerta se abrió suavemente y alguien se deslizó en el interior con cautela. Después escuché un ruido espantoso. La cama crujía horriblemente. Todas las formalidades se estaban cumpliendo *ex post facto*. Luego los pasos se retiraron tal como habían llegado. Cuando después de una larga hora, tembloroso, bañado en sudor, salí de mi escondite, la violencia y la fuerza prevalecían entre las sábanas revueltas de la cama; el cadáver estaba colocado diagonalmente a la almohada, y en el cuello aparecían, nítidas, las impresiones de diez dedos. Aunque los peritos médicos no estuvieron del todo satisfechos con aquellas huellas dactilares (alegaban que había algo que no era del todo normal), fueron considerados al fin, junto con la plena confesión del asesino, como base legal suficiente.

Tommaso Landolfi (1908-1979)

La mujer de Gogol

Fragores de guerra en torno

… Llegado así a enfrentarme con la compleja cuestión de la mujer de Nikolai Vasilievich, me asalta una duda. ¿Tendré yo derecho a revelar cuanto a todos es ignoto, cuanto mi propio inolvidable amigo tuvo oculto a todos (y tenía sus buenas razones para ello), cuanto –repito– servirá sin duda para alimentar las más malévolas y torpes interpretaciones, sin siquiera contar con que, tal vez, ofenda los ánimos de tantos sórdidos y frailunos hipócritas y, por qué no, a algún alma realmente cándida, si es que aún quedan? ¿El derecho, por último, de revelar algo ante lo cual mi propio juicio se retrae, cuando no se inclina del lado de una más o menos confesada reprobación? Pero, en suma, precisos deberes me obligan como biógrafo. Al juzgar que cualquier noticia acerca de hombre tan excelso pueda resultar preciosa para nosotros y para las futuras generaciones, no querré yo confiar a un lábil juicio, es decir, ocultar, lo que sólo al final de los tiempos podría, acaso, ser correctamente juzgado. Pues, ¿cómo nos atrevemos a condenar? ¿Acaso nos es dado saber no sólo a qué íntima necesidad, sino también a qué superior y general utilidad responden los actos de tan excelsos hombres, actos que, tal vez, nos parecen viles? Claro que no, porque de esas privilegiadas naturalezas nosotros, en el fondo, nada comprendemos. "Es cierto –dijo un gran hombre–. Yo también hago pipí, pero por otras razones."

Pero diré, sin más, lo que me resulta de modo incontrovertible, lo que sé con toda certeza y puedo de todos modos probar acerca de la controvertida cuestión –que, a partir de ahora, me atrevo a esperar que no lo siga siendo, y que dejaré de resumir previamente porque ya es superfluo, dado el estado actual de la cuestión en los estudios gogolianos.

La mujer de Nikolai Vasilievich –en dos palabras– no era una mujer ni un ser humano cualquiera, ni siquiera un ser viviente cualquiera, animal o planta (como alguno, por otra parte, insinuó); era, simplemente, un fantoche. Sí, un fantoche. Y ello puede explicar bien la perplejidad o, peor, la indignación de algunos biógrafos, también ellos amigos personales del Nuestro. Los cuales se lamentan no sólo de no haberla visto nunca aunque visitaran bastante asiduamente la casa de su gran marido, sino también de no haber jamás "ni siquiera oído su voz". De lo cual infieren no sé qué oscuras, ignominiosas e incluso nefandas complicaciones. Pero no, señores, todo es siempre más simple de lo que se cree. Ustedes nunca oyeron su voz sencillamente porque ella no podía hablar. O, más exactamente, no podía hacerlo más que en determinadas condiciones, como veremos, y en todos los casos, menos en uno solo, a solas con Nikolai Vasilievich. Pero dejémonos de inútiles y fáciles confutaciones, y vayamos a una descripción en lo posible exacta y completa del ser u objeto en cuestión.

Así pues, la así llamada mujer de Gogol se presentaba como un vulgar fantoche de gruesa goma, desnudo en todas las estaciones y del color de la carne, o como se suele decir, color piel. Pero como las pieles femeninas no son todas del mismo color, precisaré que, en general, se trataba de una piel bastante clara y bruñida, como la de algunas morenas. Él, o ella, era, en efecto –está de más decirlo–, de sexo femenino. Pero conviene decir en seguida que también era grandemente mudable en sus atributos, pero sin llegar, como es obvio, a cambiar de sexo. Pero algunas veces, sí podía mostrarse flaca, casi sin pecho, de caderas estrechas, más semejante a un efebo que a una mujer. Otras se mostraba lozana en demasía, o por decirlo todo, gorda. Además, frecuentemente cambiaba el color de sus cabellos y de los otros pelos de su cuerpo, hicieran juego o no. Y también podía aparecer modificada en otros mínimos detalles, como la posición de los lunares, la viveza de las mucosas, etcétera, y hasta, en cierta medida, en el mismo color de su piel. De modo que, por último, podría uno preguntarse qué es lo que en realidad era y si, en verdad, se debería hablar de ella como de un personaje único. Pero, ya lo veremos, no es prudente insistir en este punto.

La razón de estos cambios estaba –según mis lectores ya habrán comprendido– nada más que en la voluntad de Nikolai Vasilievich, el cual la hinchaba más o menos, le cambiaba la peluca y otros vellos, la ungía con sus ungüentos y la retocaba de varias maneras a fin de obtener más o menos el tipo de mujer que le venía bien en ese día o en ese momento. Es más, a veces se divertía, siguiendo en ello la natural inclinación de su fantasía, en sacar de ella formas grotescas y monstruosas, porque está claro que, más allá de un cierto límite de capacidad, ella se deformaba y, así, parecía deforme si se quedaba más acá de un determinado volumen. Pero Gogol se cansaba pronto de tales experimentos, a los que juzgaba "en el fondo poco respetuosos" para con su mujer, a la que a su manera (manera imperscrutable para nosotros) quería. La quería: ¿pero a cuál precisamente de estas encarnaciones? –nos preguntaremos. ¡Ay! Ya he dicho que la continuación de la presente narración acaso nos dé una respuesta, sea la que fuere. ¡Ay! ¿Cómo he podido afirmar hace un momento que la voluntad de Nikolai Vasilievich gobernaba a aquella mujer? En cierto sentido, sí, es verdad, pero también lo es que ella pronto se convirtió, además de en su esclava, en su tirana. Y aquí se abre el abismo, la sima del tártaro, si lo prefieren. Pero procedamos con orden.

También dije que Gogol obtenía con sus manipulaciones *más o menos* el tipo de mujer que en cada momento le convenía. Añado aquí que cuando, por un extraordinario azar, la forma obtenida encarnaba cumplidamente la deseada, Nikolai Vasilievich se enamoraba de ella "de modo exclusivo" (como él decía en su lengua), y ello servía para mantener estable durante un cierto tiempo –es decir, hasta que sobrevenía el desamor– su apariencia. De tales violentas pasiones –o chaladuras, como por desgracia se dice hoy–, sin embargo, no conté más de tres o cuatro en toda la vida, por así decir, conyugal del gran escritor. Añadiré en seguida, para abreviar, que Gogol también le había dado, unos años después de lo que se puede llamar su matrimonio, un nombre a su mujer. El nombre era "Caracas", que es, si no me equivoco, la capital de Venezuela. Los motivos que determinaron tal elección nunca pude saberlos: ¡extravagancias de otras mentes!

Si nos referimos a su forma media, Caracas era eso que se llama una mujer hermosa, bien formada y proporcionada en todas sus partes. Como ya se ha dicho, tenía en su justo lugar todos los más menudos atributos de su sexo. Particularmente dignos de mención eran sus órganos genitales (si es que este adjetivo puede tener sentido en este caso), que Gogol me permitió observar durante una memorable velada a la que me referiré más adelante. Eran el resultado de unos ingeniosos pliegues de la goma. Nada había quedado olvidado y varios ingenios, además de la presión del aire interior, hacían fácil su uso.

Caracas también tenía un esqueleto, si bien rudimentario, hecho tal vez de varillas de ballena. Especialmente esmerada había sido sólo la ejecución de la caja torácica, de los huesos de la pelvis y de los del cráneo. Los dos primeros sistemas quedaban, como es justo, más o menos visibles conforme al espesor, por así decir, del panículo adiposo que los cubría. Es una verdadera lástima –se me conceda añadir de pasada– que Gogol nunca quisiera revelarme el nombre del autor de obra tan bella. En su negativa ponía una obstinación que no me resulta nada clara.

Nikolai Vasilievich hinchaba a su mujer con una bomba de su invención, bastante parecida a esas que se sujetan con los dos pies y que hoy vemos usar en todos los talleres mecánicos, a través del esfínter anal, donde estaba situada una pequeña válvula a presión, o como se llame en lenguaje técnico, comparable a la válvula mitral del corazón, de modo que, una vez hinchado, el cuerpo todavía podía tomar aire, pero no soltarlo. Para deshincharlo era necesario desenroscar un taponcito colocado en la boca, en el fondo de la garganta. ¡Y, sin embargo…! Pero no nos precipitemos.

Y con esto me parece haber agotado la descripción de los detalles más notables de aquel ser. Pero aún tengo que recordar la estupenda fila de dientecitos que ornaba su boca y sus ojos oscuros que, salvo su constante inmovilidad, simulaban la vida a la perfección. Dios mío, simular no es la palabra, pero bien es cierto que nada de lo que se dijera de Caracas estaría bien dicho. También se podía modificar el color de sus ojos con un procedimiento especial muy largo y aburrido, pero era algo que Gogol hacía raras veces. Finalmente, debería hablar de su voz, que sólo una vez me fue dado escuchar. Pero no puedo hacerlo sin entrar en lo vivo de las relaciones entre los dos cónyuges, y aquí ya no me será posible seguir un orden cualquiera ni responder a cada cosa con igual y absoluta certeza. En conciencia no me será posible. Hasta tal punto es, por sí mismo y en mi mente, confuso lo que voy a narrar. Repasemos al buen tuntún algunos recuerdos.

La primera –digo– y última vez que oí hablar a Caracas fue en una cierta velada rigurosamente íntima, pasada en la habitación donde la mujer –perdóneseme el verbo– vivía. Habitación cerrada para todos, decorada más o menos a lo oriental, sin ventanas y situada en el lugar más impenetrable de la casa. No ignoraba que ella hablase, pero Gogol nunca había querido aclararme las circunstancias especiales en que lo hacía. Allí dentro estábamos, por supuesto, sólo nosotros dos, o tres. Nikolai Vasilievich y yo bebíamos vodka y discutíamos sobre la novela de Butkov. Recuerdo que, saliéndose algo del tema, él iba defendiendo la necesidad de radicales reformas de la ley de sucesión. Casi la habíamos olvidado, cuando dijo de sopetón con una voz extremadamente ronca y sumisa, como Venus en el Toro:

—Quiero hacer caca.

Pegué un salto creyendo haber oído mal y la miré. Estaba sentada sobre un montón de cojines contra la pared y aquel día era una tierna beldad rubia metidita en carnes. Me pareció que su rostro había adquirido una expresión entre maligna y astuta, entre pueril y burlona. En cuanto a Gogol, enrojeció violentamente y saltó sobre ella metiéndole dos dedos en la boca. En seguida empezó a adelgazar y, podría decirse así, a ponerse pálida; volvió a recuperar aquel aire atónito y extraviado que le era propio hasta reducirse al final a no más que una piel floja montada en un somero batidor de huesos. Es más, como tenía (por intuibles razones de comodidad de uso) la espina dorsal extraordinariamente flexible, se dobló casi en dos y se quedó mirándonos desde aquella abyección suya durante el resto de la velada desde el suelo al que había caído.

—Lo hace por jugar o por malicia –gruñó Gogol a modo de comentario–, porque no sufre de semejantes necesidades.

Generalmente, en presencia de otros, es decir mía, se jactaba de tratarla con desdén.

Seguimos bebiendo y charlando, pero Nikolai Vasilievich parecía profundamente turbado y como ausente. De repente, se interrumpió y me tomó las manos estallando en lágrimas.

—¿Y ahora? –exclamó–. ¡Tú sabes que la amaba, Foma Paskalovich!

En efecto, conviene tener en cuenta que cada forma de Caracas era, salvo por un milagro, irrepetible. En suma, cada vez era una creación y habría sido vano el intento de reencontrar las particulares proporciones, la particular plenitud y así sucesivamente de una Caracas deshinchada. Así pues, aquella rubia metidita en carnes ya estaba perdida sin esperanza para Gogol. Y éste fue verdaderamente el fin mísero de uno de esos pocos amores de Nikolai Vasilievich a los que me refería anteriormente. Se negó a darme explicaciones, rechazó tristemente mis consuelos y esa noche nos separamos pronto. Pero su mismo desahogo sirvió para abrirme a partir de entonces su corazón. Cesaron muchas de sus reticencias y pronto casi no tuvo secretos para mí. Lo cual, entre paréntesis, es motivo de infinito orgullo para mí.

Durante los primeros tiempos de su vida en común parecía que las cosas iban bien para la "pareja". Nikolai Vasilievich entonces parecía contento con Caracas y dormía con ella regularmente en la misma cama, cosa que, por otra parte, siguió haciendo hasta el final, afirmando con tímida sonrisa que no había compañera más tranquila y menos importuna que ella, de lo que, sin embargo, pronto tuve razones para dudar, a juzgar, sobre todo, por el estado en que a veces lo encontraba cuando se despertaba. Pero al cabo de unos años sus relaciones se embrollaron extrañamente.

Esto –adviértase de una vez por todas– no es más que un esquemático intento de explicación. Bueno, pues parece que la mujer empezó por entonces a manifestar veleidades de independencia o, por así decir, de autonomía. Nikolai Vasilievich tenía la extraña impresión de que ella iba adquiriendo una propia, si bien indescifrable, personalidad distinta de la suya y de que se le iba, por así decir, de las manos. Es verdad que una cierta continuidad acabó por establecerse entre sus distintas y múltiples apariencias; entre todas aquellas morenas, aquellas rubias, aquellas castañas, aquellas pelirrojas, aquellas mujeres gordas o flacas, adustas, níveas o ambarinas había, a pesar de todo, algo en común. Al principio del presente capítulo puse en duda la legitimidad de considerar a Caracas como un personaje único; pero, en realidad, yo mismo, cada vez que la veía, no conseguía liberarme de la impresión, por inaudito que pueda parecer, de que en el fondo se trataba de la misma mujer. Y, tal vez, precisamente por eso, Gogol sintió la necesidad de darle un nombre.

Otra cuestión era intentar establecer en qué consistía propiamente la cualidad común a todas aquellas formas. Puede ser que fuera, ni más ni menos, el soplo creador mismo de Nikolai Vasilievich. Pero, en realidad, habría sido demasiado singular que él se hubiera sentido tan escindido de sí mismo y tan adverso a sí mismo. Pues, para decirlo todo de una vez, Caracas, quienquiera que fuese de hecho, era siempre una presencia inquietante y –conviene ser claros– hostil. Sin embargo, en conclusión, ni Gogol ni yo conseguimos nunca formular una hipótesis vagamente plausible sobre su naturaleza; digo formularla en términos racionales y accesibles a cualquiera. De todos modos, no puedo callarme un extraordinario caso que se produjo por entonces.

Caracas enfermó de un mal vergonzoso o, por lo menos, enfermó Gogol, el cual, sin embargo, nunca tuvo contactos con otras mujeres. Cómo pudo ocurrir aquello o de dónde proviniese la sucia enfermedad es algo que ni siquiera intento averiguar y sólo sé que aquello ocurrió. Y que mi infeliz y gran amigo me decía a veces:

—Ya ves, Foma Paskalovich, cuál era el meollo de Caracas: ¡Ella es el espíritu de la sífilis! –mientras otras veces se acusaba absurdamente a sí mismo (él siempre fue proclive a la autoacusación).

Este caso fue, además de todo, una auténtica catástrofe por lo que se refiere a las relaciones, ya tan oscuras, entre los cónyuges y a los contradictorios sentimientos de Nikolai Vasilievich, el cual, además, se veía sometido a curas continuadas y dolorosas (las de la época), ya que la situación se había agravado por el hecho de que la enfermedad no parecía, obviamente, curable en la mujer. Añado, además, que Gogol se hizo ilusiones durante un cierto tiempo, hinchando y deshinchando a su mujer atribuyéndole los más variados aspectos, de lograr una mujer inmune al contagio, pero tuvo que desistir sin obtener ningún resultado.

Pero abreviaré la narración para no aburrir a mis lectores porque, además, mis conclusiones cada vez son más confusas y menos seguras. Y apresuraré el trágico desenlace, a propósito del cual, entiéndase bien, de nuevo me proclamo seguro de lo que afirmo. En efecto, fui testigo ocular del mismo. ¡Y ojalá no lo hubiera sido!

Pasaron los años y el disgusto de Nikolai Vasilievich por su mujer era cada vez mayor aunque su amor no diera señales de disminuir. En los últimos tiempos la aversión y el apego a ella se daban tan fiera batalla en su ánimo que él quedaba maltrecho y hasta quebrantado. Sus ojos inquietos, que tantas y tan distintas expresiones sabían asumir y tan dulcemente, a veces, hablar al corazón, conservaban ya casi siempre una luz febril, como si estuviera bajo los efectos de una droga. Las más raras manías se apoderaron de él acompañadas de los más siniestros terrores. Cada vez más frecuentemente me hablaba de Caracas, a la que acusaba de cosas impensables y sorprendentes. Y en eso yo no podía seguirlo, dado mi trato poco continuado con su mujer y mi poca o ninguna intimidad con ella y dada, sobre todo, mi sensibilidad extremadamente limitada en comparación con la suya. Me limitaré, pues, a referir tal cual algunas de sus acusaciones sin dejar entrever ninguna de mis personales impresiones.

—¿Lo entiendes o no, Foma Paskalovich? –solía decirme, por ejemplo, Nikolai Vasilievich–. ¿Entiendes o no que ella está *envejeciendo?* –y me tomaba las manos, como solía hacer, entre conmociones indecibles. También acusaba a Caracas de abandonarse a sus placeres solitarios, a pesar de su expresa prohibición. Al final, incluso llegó a acusarla de traición. Pero sus argumentos al respecto llegaron a ser tan oscuros que no quiero seguir hablando de ello.

Lo que parece ser cierto es que en los últimos tiempos Caracas, vieja o no, se había convertido en una criatura ácida o, franciscanamente, irritable, hipócrita y llena de manías religiosas. No excluyo que pueda haber influido en la actitud moral de Gogol en el último periodo de su vida, actitud de todos conocida. Sea como sea, la tragedia estalló de improviso una noche en que Nikolai Vasilievich celebraba conmigo sus bodas de plata, noche que fue, por desgracia, una de las últimas que pasamos juntos. Qué fue lo que la provocó, cuando él ya parecía resignado a tolerarle todo a su consorte, no me es posible ni me corresponde a mí decirlo. Ignoro qué nuevo acontecimiento se produjo en esos días y me atengo a los hechos. Que mis lectores se formen por sí mismos su propia opinión.

Esa noche Nikolai Vasilievich estaba especialmente agitado. Su disgusto por Caracas parecía haber alcanzado una violencia sin precedentes. La famosa "quema de las vanidades", es decir, la quema de sus valiosos manuscritos, ya había sido cumplida por él, no me atrevo a decir que por instigación de su mujer. De modo que su estado de ánimo estaba también, por otras razones, muy castigado. En cuanto a sus condiciones físicas, cada vez eran más penosas y reforzaban mi impresión de que estaba drogado. Sin embargo, empezó a hablar de modo bastante normal de Belinski, que le estaba dando muchos disgustos con sus ataques y sus críticas a la *Correspondencia*. Pero, de repente, se interrumpió exclamando mientras las lágrimas acudían a sus ojos:

—¡No, no! Es demasiado, es demasiado… ¡Ya no es posible! –y otras frases oscuras e incongruentes de las que no daba ninguna explicación.

Además, parecía hablar consigo mismo. Juntaba las manos, movía la cabeza, se levantaba bruscamente para volver a sentarse después de haber dado cuatro o cinco pasos torpes. Cuando Caracas apareció, o mejor nos trasladamos, ya muy entrada la noche, a su habitación oriental, él ya no se controló y empezó a comportarse (si me es lícita tal comparación) como un viejo chocho presa de sus manías. Por ejemplo, me daba con el codo haciéndome guiños y diciendo insensatamente:

—¡Ahí está, ahí está, Foma Paskalovich…! –mientras ella parecía considerarlo con despectiva atención. Pero más allá de semejantes "manierismos" se sentía en él un sincero horror, que había alcanzado, supongo, los límites de lo tolerable. En efecto…

Al cabo de un cierto tiempo, Nikolai Vasilievich pareció recuperar fuerzas. Estalló en llanto, pero en un llanto, yo diría, más viril. De nuevo se retorcía las manos, agarraba las mías, paseaba, murmuraba:

—¡No, basta, no es posible…! ¿Yo una cosa así…? ¿A mí una

cosa así? ¿Cómo es posible soportar *esto,* soportar *esto?* –y cosas por el estilo. Luego, inesperadamente, se lanzó sobre la a su tiempo recordada bomba para arrojarse como un torbellino sobre Caracas. Le introdujo la cánula en el ano y empezó a hinchar... Mientras tanto, lloraba y gritaba como un obseso–. ¡Cuánto la amo, Dios mío, cuánto la amo! ¡Pobre y querida mía...! Pero tiene que estallar. ¡Mísera Caracas, criatura infeliz de Dios! Debes morir –y siguió hablando de esta guisa alternando sus imprecaciones.

Caracas se hinchaba. Nikolai Vasilievich sudaba, lloraba y seguía bombeando aire. Yo quería detenerle pero no tuve, no sé por qué, el valor de hacerlo. Ella empezó a deformarse y pronto fue una apariencia monstruosa, pero hasta entonces no daba señales de alarma, ya que estaba acostumbrada a aquellas bromas. Pero cuando empezó a sentirse llena de modo intolerable o, acaso, comprendió las intenciones de Nikolai Vasilievich, asumió –diría yo– una expresión entre estúpida y temerosa, incluso suplicante, sin perder, no obstante, su aire desdeñoso. Tenía miedo, casi suplicaba, pero aún no creía, no podía creer, en su próxima suerte ni en tanta audacia en su marido. Por lo demás, éste no podía verla porque estaba detrás de ella. Yo la miraba como fascinado y no movía un dedo. Finalmente, la excesiva presión interior forzó los frágiles huesos inferiores del cráneo, imprimiendo en su rostro una mueca indescriptible. Su barriga, sus muslos, su pecho, todo cuanto podía ver de su trasero, habían alcanzado proporciones inimaginables. De improviso, eructó y emitió un largo gemido silbante, fenómenos que, si se quiere, se pueden explicar por la anteriormente citada presión del aire, que se abría impetuosamente paso a través de la válvula de la garganta. Por último, los ojos se revolvieron y amenazaban con salírsele de las órbitas. Con las costillas ampliamente abiertas y no unidas por el esternón, ya se parecía en todo a una serpiente pitón digiriendo un asno –qué digo– un buey o un elefante. Sus órganos genitales, aquellos órganos rosados y aterciopelados tan amados por Nikolai Vasilievich, sobresalían horrendamente. Llegado a este punto, la consideré muerta. Pero Nikolai Vasilievich, sudando y llorando, murmuraba "querida, santa, buena", y seguía bombeando.

De repente, estalló, por así decir, toda de una vez. O sea, que no fue una zona de su piel la que cedió, sino toda la superficie de la misma a la vez. Y se esparció por el aire. Los trozos cayeron más o menos lentamente según su tamaño, que, en cualquier caso, era mínimo. Recuerdo claramente un trozo de mejilla con una parte de la boca colgando de la esquina, de la repisa de la chimenea; y más allá un jirón de un pecho con su punta. Nikolai Vasilievich se miraba como ido. Luego se recuperó, y presa de nueva furia, se dedicó a recoger con todo cuidado aquellos pobres pingajos que habían sido la bruñida piel de Caracas y toda ella.

—¡Adiós, Caracas! –me pareció oírle susurrar–, adiós, me dabas demasiada pena… –inmediatamente después añadió con toda claridad– ¡Al fuego, al fuego! ¡Al fuego con ella también! –y se persignó, con la izquierda, claro.

Recogido que hubo aquellos marchitos guiñapos, incluso subiéndose encima de los muebles para no olvidar ni uno, los arrojó a las llamas de la chimenea donde comenzaron a arder lentamente y con un olor desagradable en demasía. En efecto, como todos los rusos, Nikolai Vasilievich tenía la pasión de arrojar cosas importantes al fuego.

Con el rostro encendido y con una expresión indecible de desesperación y siniestro triunfo contemplaba la pira de aquellos míseros restos. Me había agarrado el brazo y lo apretaba de modo convulso. Pero aquellos fragmentos de despojos apenas habían comenzado a consumirse cuando pareció que volvía a recuperarse y a acordarse repentinamente de algo o que tomaba una gran decisión. De repente, salió corriendo de la habitación. A los pocos segundos lo oí hablar a través de la puerta con voz rota y chillona.

—¡Foma Paskalovich –gritaba–, Foma Paskalovich, prométeme que no mirarás, *golubcik,* lo que voy a hacer!

No sé bien lo que le respondí ni si intenté calmarlo de algún modo. Pero él insistía. Tuve que prometerle, como a un niño, que me volvería de cara a la pared y que esperaría su permiso para darme la vuelta. Entonces la puerta se abrió con estruendo y Nikolai Vasilievich entró precipitadamente en la habitación y corrió hacia la chimenea.

Al llegar aquí debo confesar mi debilidad, por otra parte justificable, consideradas las extraordinarias circunstancias en que me hallaba. Yo me volví antes de que Nikolai Vasilievich me diera su permiso, fue más fuerte que yo. Me volví apenas a tiempo para ver que llevaba algo en brazos, algo que en seguida arrojó con todo lo demás al fuego, que ahora llameaba alto. Por otra parte, habiéndose apoderado irresistiblemente de mí el deseo de ver hasta el punto de vencer en mí cualquier otro sentimiento, me lancé hacia la chimenea. Pero Nikolai Vasilievich se puso delante de mí y me rechazó con el pecho, con una fuerza de la que no le creía capaz. Mientras tanto, el objeto ardía con una gran humareda. Cuando dio señales de que se calmaba sólo pude ver un montón de ceniza muda.

La verdad es que si quería *ver* era, sobre todo, porque ya había *entrevisto*. Sólo había entrevisto; sin embargo, tal vez, no debería atreverme a seguir con mi relato ni introducir un dudoso elemento en esta verídica narración. Pero un testimonio no se completa si el testigo no refiere también lo que le es conocido sin absoluta certeza. Resumiendo, aquella cosa era un niño. No un niño de carne y hueso, claro, sino algo más bien como un fantoche o un muñeco de goma. Algo, en fin, que por su apariencia se diría que era *el hijo de Caracas*. ¿Es que yo también caí en delirio? No sabría decir hasta qué punto. Pero, en cualquier caso, eso es lo que vi, confusamente, pero con mis propios ojos. ¿Y a qué sentimiento he obedecido ahora cuando, al referir el regreso de Nikolai Vasilievich a la habitación, me callé que murmuraba para sí: "¡Él también, él también!"?

Y con esto todo lo que conozco de la mujer de Gogol se agota. De lo que luego fue de él mismo hablaré en el próximo capítulo, el último de su vida. Además, interpretar sus sentimientos en la relación con su mujer, como en todas, es algo muy distinto y mucho más arduo. Y, sin embargo, eso ya se intentó en otro lugar y en otra parte del presente volumen, a la que remito al lector. Mientras tanto, espero haber arrojado suficiente luz en una controvertida cuestión y haber desvelado, si no el misterio de Gogol, al menos el de su mujer. Implícitamente he rebatido la insensata acusación de que él maltrataba e incluso pegaba a su compañera, así como otros absurdos. ¿Y qué otra intención puede tener, en el fondo, un humilde biógrafo, como lo soy yo, sino la de enaltecer la memoria del hombre excelso al que hizo objeto de su propio estudio?

Juan Carlos Onetti (1909-1994)

Bienvenido, Bob

A H.A.T

Es seguro que cada día estará más viejo, más lejos del tiempo en que se llamaba Bob, del pelo rubio colgando en la sien, la sonrisa y los lustrosos ojos de cuando entraba silencioso en la sala, murmurando un saludo o moviendo un poco la mano cerca de la oreja, e iba a sentarse bajo la lámpara, cerca del piano, con un libro o simplemente quieto y aparte, abstraído, mirándonos durante una hora sin un gesto en la cara, moviendo de vez en cuando los dedos para manejar el cigarrillo y limpiar de ceniza la solapa de sus trajes claros.

Igualmente lejos –ahora que se llama Roberto y se emborracha con cualquier cosa, protegiéndose la boca con la mano sucia cuando tose– del Bob que tomaba cerveza, dos vasos solamente en la más larga de las noches, con una pila de monedas de diez sobre su mesa de la cantina del club, para gastar en la máquina de discos. Casi siempre solo, escuchando jazz, la cara soñolienta, dichosa y pálida, moviendo apenas la cabeza para saludarme cuando yo pasaba, siguiéndome con los ojos tanto tiempo como yo me quedara, tanto tiempo como me fuera posible soportar su mirada azul detenida incansable en mí, manteniendo sin esfuerzo el intenso desprecio y la burla más suave. También con algún otro muchacho, los sábados, alguno tan rabiosamente joven como él, con quien conversaba de solos, trompas y coros y de la infinita ciudad que Bob construiría sobre la costa cuando fuera arquitecto. Se interrumpía al verme pasar para hacerme el breve saludo y no sacar los ojos de mi cara, resbalando palabras apagadas y sonrisas por una punta de la boca hacia el compañero que terminaba siempre por mirarme y duplicar en silencio el desprecio y la burla.

A veces me sentía fuerte y trataba de mirarlo: apoyaba la cara en una mano y fumaba encima de mi copa mirándolo sin pestañear, sin apartar la atención de mi rostro que debía sostenerse frío, un poco melancólico. En aquel tiempo, Bob era muy parecido a Inés; podía ver algo de ella en su cara a través del salón del club, y acaso alguna noche lo haya mirado como la miraba a ella. Pero casi siempre prefería olvidar los ojos de Bob y me sentaba de espaldas a él y miraba las bocas de los que hablaban en mi mesa, a veces callado y triste para que él supiera que había en mí algo más que aquello por lo que había juzgado, algo próximo a él; a veces me ayudaba con unas copas y pensaba "querido Bob, andá a contárselo a tu hermanita", mientras acariciaba las manos de las muchachas que estaban sentadas a mi mesa o estiraba una teoría sobre cualquier cosa, para que ellas rieran y Bob lo oyera.

Pero ni la actitud ni la mirada de Bob mostraban ninguna alteración en aquel tiempo, hiciera yo lo que hiciera. Sólo recuerdo esto como prueba de que él anotaba mis comedias en la cantina. Una noche, en su casa, estaba esperando a Inés en la sala, junto al piano, cuando entró él. Tenía un impermeable cerrado hasta el cuello, las manos en los bolsillos. Me saludó moviendo la cabeza, miró alrededor en seguida y avanzó en la habitación como si me hubiera suprimido con la rápida cabezada: lo vi moverse dando vueltas a la mesa, sobre la alfombra, andando sobre ella con sus amarillos zapatos de goma. Tocó una flor con un dedo, se sentó en el borde de la mesa y se puso a fumar mirando el florero, el sereno perfil puesto hacia mí, un poco inclinado, flojo y pensativo. Imprudentemente –yo estaba de pie recostado en el piano– empujé con mi mano izquierda una tecla grave y quedé ya obligado a repetir el sonido cada tres segundos, mirándolo.

Yo no tenía por él más que odio y un vergonzante respeto, y seguí hundiendo la tecla, clavándola con una cobarde ferocidad en el silencio de la casa, hasta que repentinamente quedé situado afuera, observando la escena como si estuviera en lo alto de la escalera o en la puerta, viéndolo y sintiéndolo a él, Bob, silencioso y ausente junto al hilo de humo de su cigarrillo que subía temblando; sintiéndome a mí, alto y rígido, un poco patético, un poco ridículo en la penumbra, golpeando cada tres exactos segundos la tecla grave con mi índice. Pensé entonces que no estaba haciendo sonar el piano por una incomprensible bravata, sino que lo estaba llamando; que la profunda nota que tenazmente hacía renacer mi dedo en el borde de cada última vibración era, al fin encontrada, la única palabra pordiosera con que podría pedir tolerancia y comprensión a su juventud implacable. Él continuó inmóvil hasta que Inés golpeó la puerta del dormitorio antes de bajar a juntarse conmigo. Entonces Bob se enderezó y vino caminando con pereza hasta el otro extremo del piano, apoyó un codo, me miró un momento y después dijo con una hermosa sonrisa: "¿Esta noche es una noche de lecho o de whisky? ¿Ímpetu de salvación o salto en el abismo?"

No podía contestarle nada, no podía deshacerle la cara de un golpe; dejé de tocar y fui retirando lentamente la mano del piano. Inés estaba en mitad de la escalera cuando él me dijo, mientras se apartaba: "Bueno, puede ser que usted improvise".

El duelo duró tres o cuatro meses, y yo no podía dejar de ir por las noches al club —recuerdo, de paso, que había campeonato de tenis por aquel tiempo— porque cuando me estaba algún tiempo sin aparecer por allí, Bob saludaba mi regreso aumentando el desdén y la ironía en sus ojos y se acomodaba en el asiento con una mueca feliz.

Cuando llegó el momento de que yo no pudiera desear otra solución que casarme con Inés cuanto antes, Bob y su táctica cambiaron. No sé cómo supo mi necesidad de casarme con su hermana y de cómo yo había abrazado aquella necesidad con todas las fuerzas que me quedaban. Mi amor de aquella necesidad había suprimido el pasado y toda atadura con el presente. No reparaba entonces en Bob; pero poco tiempo después hube de recordar cómo había cambiado en aquella época y alguna vez quedé inmóvil, de pie en una esquina. Insultándolo entre dientes, comprendiendo que entonces su cara había dejado de ser burlona y me enfrentaba con seriedad y un intenso cálculo, como se mira un peligro o una tarea compleja, como se trata de valorar el obstáculo y medirlo con las fuerzas de uno. Pero yo no le daba ya importancia y hasta llegué a pensar que en su cara inmóvil y fija estaba naciendo la comprensión por lo fundamental mío, por un viejo pasado de limpieza que la adorada necesidad de casarme con Inés extraía de abajo de años y sucesos para acercarme a él.

Después vi que estaba esperando la noche; pero lo vi recién cuando aquella noche llegó Bob y vino a sentarse a la mesa donde yo estaba solo y despidió al mozo con una seña. Esperé un rato, mirándolo, era tan parecido a ella cuando movía las cejas; y la punta de la nariz, como a Inés, se le aplastaba un poco cuando conversaba. "Usted no va a casarse con Inés", dijo después. Lo miré, sonreí, dejé de mirarlo. "No, no se va a casar con ella porque una cosa así se puede evitar si hay alguien de veras resuelto a que no se haga." Volví a sonreírme. "Hace unos años –le dije– eso me hubiera dado muchas ganas de casarme con Inés. Ahora no agrega ni saca. Pero puedo oírlo; si quiere explicarme…" Enderezó la cabeza y continuó mirándome en silencio; acaso tuviera prontas las frases y esperaba a que yo completara la mía para decirlas. "Si quiere explicarme por qué no quiere que yo me case con ella", pregunté lentamente y me recosté en la pared. Vi en seguida que yo no había sospechado nunca cuánto y con cuánta resolución me odiaba; tenía la cara pálida, con una sonrisa sujeta y apretada con labios y dientes. "Habría que dividirlo por capítulos –dijo–, no terminaría en la noche."

"Pero se puede decir en dos o tres palabras. Usted no se va a casar con ella porque usted es viejo y ella es joven. No sé si usted tiene treinta o cuarenta años, no importa. Pero usted es un hombre hecho, es decir deshecho, como todos los hombres a su edad cuando no son extraordinarios." Chupó el cigarrillo apagado, miró hacia la calle y volvió a mirarme; mi cabeza estaba apoyada contra la pared y seguía esperando. "Claro que usted tiene motivos para creer en lo extraordinario suyo. Creer que ha salvado muchas cosas del naufragio. Pero no es cierto." Me puse a fumar de perfil a él; me molestaba, pero no le creía; me provocaba un tibio odio, pero yo estaba seguro de que nada me haría dudar de mí mismo después de haber conocido la necesidad de casarme con Inés. No; estábamos en la misma mesa y yo era tan limpio y tan joven como él. "Usted puede equivocarse –le dije–. Si usted quiere nombrar algo de lo que hay deshecho en mí…" "No, no –dijo rápidamente–, no soy tan niño. No entro en ese juego. Usted es egoísta; es sensual de una sucia manera. Está atado a cosas miserables y son las cosas las que lo arrastran. No va a ninguna parte, no lo desea realmente. Es eso, nada más; usted es viejo y ella es joven. Ni siquiera debo pensar en ella frente a usted. Y usted pretende…" Tampoco entonces podía yo romperle la cara, así que resolví prescindir de él, fui al aparato de música, marqué cualquier cosa y puse una moneda. Volví despacio al asiento y escuché. La música era poco fuerte; alguien cantaba dulcemente en el interior de grandes pausas. A mi lado Bob estaba diciendo que ni siquiera él, alguien como él, era digno de mirar a Inés a los ojos. Pobre chico, pensé con admiración. Estuvo diciendo que en aquello que él llamaba vejez, lo más repugnante, lo que determinaba la descomposición, o acaso lo que era símbolo de descomposición era pensar por conceptos, englobar a las mujeres en la palabra mujer, empujarlas sin cuidado para que pudieran amoldarse al concepto hecho por una pobre experiencia. Pero –decía también– tampoco la palabra experiencia era exacta. No había ya experiencias, nada más que costumbres y repeticiones, nombres marchitos para ir poniendo a las cosas y un poco crearlas. Más o menos eso estuvo diciendo. Y yo pensaba suavemente si él caería muerto o encontraría la manera de matarme, allí mismo y en seguida, si yo le contara las imágenes que removía en mí al decir que ni siquiera él merecía tocar a Inés con la punta de un dedo, el pobre chico, o besar el extremo de sus vestidos, la huella de sus pasos o cosas así. Después de una pausa –la música había terminado y el aparato apagó las luces aumentando el silencio–, Bob dijo "nada más", y se fue con el andar de siempre, seguro, ni rápido ni lento.

Si aquella noche el rostro de Inés se me mostró en las facciones de Bob, si en algún momento el fraternal parecido pudo aprovechar la trampa de un gesto para darme a Inés por Bob, fue aquella, entonces, la última vez que vi a la muchacha. Es cierto que volví a estar con ella dos noches después en la entrevista habitual, y un mediodía en un encuentro impuesto por mi desesperación, inútil, sabiendo de antemano que todo recurso de palabra y presencia sería inútil, que todos mis machacantes ruegos morirían de manera asombrosa, como si ni hubieran sido nunca, disueltos en el enorme aire azul de la plaza, bajo el follaje de verde apacible en mitad de la buena estación.

Las pequeñas y rápidas partes del rostro de Inés que me había mostrado aquella noche Bob, aunque dirigidas contra mí, unidas a la agresión, participaban del entusiasmo y el candor de la muchacha. Pero cómo hablar a Inés, cómo tocarla, convencerla a través de la repentina mujer apática de las dos últimas entrevistas. Cómo reconocerla o siquiera evocarla mirando a la mujer de largo cuerpo rígido en el sillón de su casa y en el banco de la plaza, de una igual rigidez resuelta y mantenida en las dos distintas horas y los dos parajes; la mujer de cuello tenso, los ojos hacia adelante, la boca muerta, las manos plantadas en el regazo. Yo la miraba y era "no", sabía que era "no" todo el aire que la estuvo rodeando.

Nunca supe cuál fue la anécdota elegida por Bob para aquello; en todo caso, estoy seguro de que no mintió, de que entonces nada –ni Inés– podía hacerlo mentir. No vi más a Inés ni tampoco a su forma vacía y endurecida; supe que se casó y que no vive ya en Buenos Aires. Por entonces, en medio del odio y el sufrimiento me gustaba imaginar a Bob imaginando mis hechos y eligiendo la cosa justa o el conjunto de cosas que fue capaz de matarme en Inés y matarla a ella para mí.

Ahora hace cerca de un año que veo a Bob casi diariamente, en el mismo café, rodeado de la misma gente. Cuando nos presentaron –hoy se llama Roberto– comprendí que el pasado no tiene tiempo y el ayer se junta allí con la fecha de diez años atrás. Algún gastado rastro de Inés había aún en su cara, y un movimiento de la boca de Bob alcanzó para que yo volviera a ver el alargado cuerpo de la muchacha, sus calmosos y desenvueltos pasos, y para que los mismos inalterados ojos azules volvieran a mirarme bajo un flojo peinado que cruzaba y sujetaba una cinta roja. Ausente y perdida para siempre, podía conservarse viviente e intacta, definitivamente inconfundible, idéntica a lo esencial suyo. Pero era trabajoso escarbar en la cara, las palabras y los gestos de Roberto para encontrar a Bob y poder odiarlo. La tarde del primer encuentro esperé durante horas a que se quedara solo o saliera para hablarle y golpearlo. Quieto y silencioso, espiando a veces su cara o evocando a Inés en las ventanas brillantes del café, compuse mañosamente las frases de insulto y encontré el paciente tono con que iba a decírselas, elegí el sitio de su cuerpo donde dar el primer golpe. Pero se fue al anochecer acompañado por los tres amigos, y resolví esperar, como había esperado él años atrás, la noche propicia en que estuviera solo.

Cuando volví a verlo, cuando iniciamos esta segunda amistad que espero no terminará ya nunca, dejé de pensar en toda forma de ataque. Quedó resuelto que no le hablaría jamás de Inés ni del pasado y que, en silencio, yo mantendría todo aquello viviente dentro de mí. Nada más que esto hago, casi todas las tarde, frente a Roberto y las caras familiares del café. Mi odio se conservará cálido y nuevo mientras pueda seguir viendo y escuchando a Roberto; nadie sabe de mi venganza, pero la vivo, gozosa y enfurecida, un día y otro. Hablo con él, sonrío, fumo, tomo café. Todo el tiempo pensando en Bob, en su pureza, su fe, en la audacia de sus pasados sueños. Pensando en el Bob que amaba la música, en el Bob que planeaba ennoblecer la vida de los hombres construyendo una ciudad de enceguecedora belleza para cinco millones de habitantes, a lo largo de la costa del río; el Bob que no podía mentir nunca; el Bob que proclamaba la lucha de jóvenes contra viejos, el Bob dueño del futuro y del mundo. Pensando minucioso y plácido en todo eso frente al hombre de dedos sucios de tabaco llamado Roberto, que lleva una vida grotesca, trabajando en cualquier hedionda oficina, casado con una mujer a quien nombra "miseñora"; el hombre que se pasa estos largos domingos hundido en el asiento del café, examinando diarios y jugando a las carreras por teléfono.

Nadie amó a mujer alguna con la fuerza con que yo amo su ruindad, su definitiva manera de estar hundido en la sucia vida de los hombres. Nadie se arrobó de amor como yo lo hago ante sus fugaces sobresaltos, los proyectos sin convicción que un destruido y lejano Bob le dicta algunas veces y que sólo sirven para que mida con exactitud hasta dónde está emporcado para siempre.

No sé si nunca en el pasado he dado la bienvenida a Inés con tanta alegría y amor como diariamente doy la bienvenida a Bob al tenebroso y maloliente mundo de los adultos. Es todavía un recién llegado y de vez en cuando sufre sus crisis de nostalgia. Lo he visto lloroso y borracho, insultándose y jurando el inminente regreso a los días de Bob. Puedo asegurar que entonces mi corazón desborda de amor y se hace sensible y cariñoso como el de una madre. En el fondo sé que no se irá nunca porque no tiene sitio donde ir; pero

me hago delicado y paciente y trato de conformarlo. Como ese puñado de tierra natal, o esas fotografías de calles y monumentos, o
las canciones que gustan traer consigo los inmigrantes, voy construyendo para él planes, creencias y mañanas distintos que tienen
luz y el sabor del país de juventud de donde él llegó hace un tiempo. Y él acepta; protesta siempre para que yo redoble mis prome-
sas, pero termina por decir que sí, acaba por muequear una sonrisa
creyendo que algún día habrá de regresar al mundo de las horas de
Bob y queda en paz en medio de sus treinta años, moviéndose sin
disgusto ni tropiezo entre los cadáveres pavorosos de las antiguas
ambiciones, las formas repulsivas de los sueños que se fueron gas-
tando bajo la presión distraída y constante de tantos miles de pies
inevitables.

Julio Cortázar (1914-1984)

Continuidad de los parques

Había empezado a leer la novela unos días antes. La abandonó por negocios urgentes, volvió a abrirla cuando regresaba en tren a la finca; se dejaba interesar lentamente por la trama, por el dibujo de los personajes. Esa tarde, después de escribir una carta a su apoderado y discutir con el mayordomo una cuestión de aparcerías, volvió al libro en la tranquilidad del estudio que miraba hacia el parque de los robles. Arrellanado en su sillón favorito, de espaldas a la puerta que lo hubiera molestado como una irritante posibilidad de intrusiones, dejó que su mano izquierda acariciara una y otra vez el terciopelo verde y se puso a leer los últimos capítulos. Su memoria retenía sin esfuerzo los nombres y las imágenes de los protagonistas; la ilusión novelesca lo ganó casi en seguida. Gozaba del placer casi perverso de irse desgajando línea a línea de lo que lo rodeaba, y sentir a la vez que su cabeza descansaba cómodamente en el terciopelo del alto respaldo, que los cigarrillos seguían al alcance de la mano, que más allá de los ventanales danzaba el aire del atardecer bajo los robles. Palabra a palabra, absorbido por la sórdida disyuntiva de los héroes, dejándose ir hacia las imágenes que se concertaban y adquirían color y movimiento, fue testigo del último encuentro en la cabaña del monte. Primero entraba la mujer, recelosa; ahora llegaba el amante, lastimada la cara por el chicotazo de una rama. Admirablemente restañaba ella la sangre con sus besos, pero él rechazaba las caricias, no había venido para repetir las ceremonias de una pasión secreta, protegida por un mundo de hojas secas y senderos furtivos. El puñal se entibiaba contra su pecho, y debajo latía la libertad agazapada. Un diálogo anhelante corría por las páginas como un arroyo de serpientes, y se sentía que todo estaba decidido desde siempre. Hasta esas caricias que enredaban el cuerpo del amante como queriendo retenerlo y disuadirlo, dibujaban abominablemente la figura de otro cuerpo que era necesario destruir. Nada había sido olvidado: coartadas, azares, posibles errores. A partir de esa hora cada instante tenía su empleo minuciosamente atribuido. El doble repaso despiadado se interrumpía apenas para que una mano acariciara una mejilla. Empezaba a anochecer.

Sin mirarse ya, atados rígidamente a la tarea que los esperaba, se separaron en la puerta de la cabaña. Ella debía seguir por la senda que iba al norte. Desde la senda opuesta él se volvió un instante para verla correr con el pelo suelto. Corrió a su vez, parapetándose en los árboles y los setos, hasta distinguir en la bruma malva del crepúsculo la alameda que llevaba a la casa. Los perros no debían ladrar, y no ladraron. El mayordomo no estaría a esa hora, y no estaba. Subió los tres peldaños del porche y entró. Desde la sangre galopando en sus oídos le llegaban las palabras de la mujer: primero una sala azul, después una galería, una escalera alfombrada. En lo alto, dos puertas. Nadie en la primera habitación, nadie en la segunda. La puerta del salón, y entonces el puñal en la mano, la luz de los ventanales, el alto respaldo de un sillón de terciopelo verde, la cabeza del hombre en el sillón leyendo una novela.

Julio Cortázar (1914-1984)

Casa tomada

Nos gustaba la casa porque aparte de espaciosa y antigua (hoy que las casas antiguas sucumben a la más ventajosa liquidación de sus materiales) guardaba los recuerdos de nuestros bisabuelos, el abuelo paterno, nuestros padres y toda la infancia.

Nos habituamos Irene y yo a persistir solos en ella, lo que era una locura pues en esa casa podían vivir ocho personas sin estorbarse. Hacíamos la limpieza por la mañana, levantándonos a las siete, y a eso de las once yo le dejaba a Irene las últimas habitaciones por repasar y me iba a la cocina. Almorzábamos a mediodía, siempre puntuales; ya no quedaba nada por hacer fuera de unos pocos platos sucios. Nos resultaba grato almorzar pensando en la casa profunda y silenciosa y cómo nos bastábamos para mantenerla limpia. A veces llegamos a creer que era ella la que no nos dejó casarnos. Irene rechazó dos pretendientes sin mayor motivo, a mí se me murió María Esther antes que llegáramos a comprometernos. Entramos en los cuarenta años con la inexpresada idea de que el nuestro, simple y silencioso matrimonio de hermanos, era necesaria clausura de la genealogía asentada por los bisabuelos en nuestra casa. Nos moriríamos allí algún día, vagos y esquivos primos se quedarían con la casa y la echarían al suelo para enriquecerse con el terreno y los ladrillos; o mejor, nosotros mismos la voltearíamos justicieramente antes de que fuese demasiado tarde.

Irene era una chica nacida para no molestar a nadie. Aparte de su actividad matinal se pasaba el resto del día tejiendo en el sofá de su dormitorio. No sé por qué tejía tanto, yo creo que las mujeres tejen cuando han encontrado en esa labor el gran pretexto para no hacer nada. Irene no era así, tejía cosas siempre necesarias, tricotas para el invierno, medias para mí, mañanitas y chalecos para ella. A veces tejía un chaleco y después lo destejía en un momento porque algo no le agradaba; era gracioso ver en la canastilla el montón de lana encrespada resistiéndose a perder su forma de algunas horas. Los sábados iba yo al centro a comprarle lana; Irene tenía fe en mi gusto, se complacía con los colores y nunca tuve que devolver madejas. Yo aprovechaba esas salidas para dar una vuelta por las librerías y preguntar vanamente si había novedades en literatura francesa. Desde 1939 no llegaba nada valioso a la Argentina.

Pero es de la casa que me interesa hablar, de la casa y de Irene, porque yo no tengo importancia. Me pregunto qué hubiera hecho Irene sin el tejido. Uno puede releer un libro, pero cuando un *pull-over* está terminado no se puede repetirlo sin escándalo. Un día encontré el cajón de abajo de la cómoda de alcanfor lleno de pañoletas blancas, verdes, lila. Estaban con naftalina, apiladas como en una mercería; no tuve valor de preguntarle a Irene qué pensaba hacer con ellas. No necesitábamos ganarnos la vida, todos los meses llegaba la plata de los campos y el dinero aumentaba. Pero a Irene solamente la entretenía el tejido, mostraba una destreza maravillosa y a mí se me iban las horas viéndole las manos como erizos plateados, agujas yendo y viniendo y una o dos canastillas en el suelo donde se agitaban constantemente los ovillos. Era hermoso.

Cómo no acordarme de la distribución de la casa. El comedor, una sala con gobelinos, la biblioteca y tres dormitorios grandes quedaban en la parte más retirada, la que mira hacia Rodríguez Peña. Solamente un pasillo con su maciza puerta de roble aislaba esa parte del ala delantera donde había un baño, la cocina, nuestros dormitorios y el *living* central, al cual comunicaban los dormitorios y el pasillo. Se entraba a la casa por un zaguán con mayólica, y la puerta cancel daba al *living*. De manera que uno entraba por el zaguán, abría la cancel y pasaba al *living*; tenía a los lados las puertas de nuestros dormitorios, y al frente el pasillo que conducía a la parte más retirada; avanzando por el pasillo se franqueaba la puerta de roble y más allá empezaba el otro lado de la casa, o bien se podía girar a la izquierda justamente antes de la puerta y seguir por un pasillo más estrecho que llevaba a la cocina y el baño. Cuando la puerta estaba abierta advertía uno que la casa era muy grande; si no, daba la impresión de un departamento de los que se edifican ahora, apenas para moverse; Irene y yo vivíamos siempre en esta parte de la casa, casi nunca íbamos más allá de la puerta de roble, salvo para hacer la limpieza, pues es increíble cómo se junta tierra en los muebles. Buenos Aires será una ciudad limpia, pero eso lo debe a sus habitantes y no a otra cosa. Hay demasiada tierra en el aire, apenas sopla una ráfaga se palpa el polvo en los mármoles de las consolas y entre los rombos de las carpetas de macramé; da trabajo sacarlo bien con plumero, vuela y se suspende en el aire, un momento después se deposita de nuevo en los muebles y los pianos.

Lo recordaré siempre con claridad porque fue simple y sin circunstancias inútiles. Irene estaba tejiendo en su dormitorio, eran las ocho de la noche y de repente se me ocurrió poner al fuego la pavita del mate. Fui por el pasillo hasta enfrentar la entornada puerta de roble, y daba la vuelta al codo que llevaba a la cocina cuando escuché algo en el comedor o la biblioteca. El sonido venía impreciso y sordo, como un volcarse de silla sobre la alfombra o un ahogado susurro de conversación. También lo oí, al mismo tiempo o un segundo después, en el fondo del pasillo que traía desde aquellas piezas hasta la puerta. Me tiré contra la puerta antes de que fuera demasiado tarde, la cerré de golpe apoyando el cuerpo; felizmente la llave estaba puesta de nuestro lado y además corrí el gran cerrojo para más seguridad.

Fui a la cocina, calenté la pavita, y cuando estuve de vuelta con la bandeja del mate le dije a Irene:

—Tuve que cerrar la puerta del pasillo. Han tomado la parte del fondo.

Dejó caer el tejido y me miró con sus graves ojos cansados.

—¿Estás seguro?

Asentí.

—Entonces –dijo recogiendo las agujas– tendremos que vivir en este lado.

Yo cebaba el mate con mucho cuidado, pero ella tardó un rato en reanudar su labor. Me acuerdo que tejía un chaleco gris; a mí me gustaba ese chaleco.

Los primeros días nos pareció penoso porque ambos habíamos dejado en la parte tomada muchas cosas que queríamos. Mis libros de literatura francesa, por ejemplo, estaban todos en la biblioteca. Irene extrañaba unas carpetas, un par de pantuflas que tanto la abrigaban en invierno. Yo sentía mi pipa de enebro y creo que Irene pensó en una botella de Hesperidina de muchos años. Con frecuencia (pero esto solamente sucedió los primeros días) cerrábamos algún cajón de las cómodas y nos mirábamos con tristeza.

—No está aquí.

Y era una cosa más de todo lo que habíamos perdido al otro lado de la casa.

Pero también tuvimos ventajas. La limpieza se simplificó tanto que aun levantándose tardísimo, a las nueve y media por ejemplo, no daban las once y ya estábamos de brazos cruzados. Irene se acostumbró a ir conmigo a la cocina y ayudarme a preparar el almuerzo. Lo pensamos bien, y se decidió esto: mientras yo preparaba el almuerzo, Irene cocinaría platos para comer fríos de noche. Nos alegramos porque siempre resulta molesto tener que abandonar los dormitorios al atardecer y ponerse a cocinar. Ahora nos bastaba con la mesa en el dormitorio de Irene y las fuentes de comida fiambre.

Irene estaba contenta porque le quedaba más tiempo para tejer. Yo andaba un poco perdido a causa de los libros, pero por no afligir a mi hermana me puse a revisar la colección de estampillas de papá, y eso me sirvió para matar el tiempo. Nos divertíamos mucho, cada uno en sus cosas, casi siempre reunidos en el dormitorio de Irene que era más cómodo. A veces Irene decía:

—Fijáte este punto que se me ha ocurrido. ¿No da un dibujo de trébol?

Un rato después era yo el que le ponía ante los ojos un cuadradito de papel para que viese el mérito de algún sello de Eupen y Malmédy. Estábamos bien, y poco a poco empezábamos a no pensar. Se puede vivir sin pensar.

(Cuando Irene soñaba en alta voz yo me desvelaba en seguida. Nunca pude habituarme a esa voz de estatua o papagayo, voz que viene de los sueños y no de la garganta. Irene decía que mis sueños consistían en grandes sacudones que a veces hacían caer el cobertor. Nuestros dormitorios tenían el *living* de por medio, pero de noche se escuchaba cualquier cosa en la casa. Nos oíamos respirar, toser, presentíamos el ademán que conduce a la llave del velador, los mutuos y frecuentes insomnios.

Aparte de eso todo estaba callado en la casa. De día eran los rumores domésticos, el roce metálico de las agujas de tejer, un crujido al pasar las hojas del álbum filatélico. La puerta de roble, creo haberlo dicho, era maciza. En la cocina y el baño, que quedaban tocando la parte tomada, nos poníamos a hablar en voz más alta o Irene cantaba canciones de cuna. En una cocina hay demasiado ruido de loza y vidrios para que otros sonidos irrumpan en ella. Muy pocas veces permitíamos allí el silencio, pero cuando tornábamos a los dormitorios y al *living*, entonces la casa se ponía callada y a media luz, hasta pisábamos más despacio para no molestarnos. Yo creo que era por eso que de noche, cuando Irene empezaba a soñar en alta voz, me desvelaba en seguida.)

Es casi repetir lo mismo salvo las consecuencias. De noche siento sed, y antes de acostarnos le dije a Irene que iba hasta la cocina a servirme un vaso de agua. Desde la puerta del dormitorio (ella tejía) oí ruido en la cocina; tal vez en la cocina o tal vez en el baño porque el codo del pasillo apagaba el sonido. A Irene le llamó la atención mi brusca manera de detenerme, y vino a mi lado sin decir palabra. Nos quedamos escuchando los ruidos, notando claramente que eran de este lado de la puerta de roble, en la cocina y el baño, o en el pasillo mismo donde empezaba el codo casi al lado nuestro.

No nos miramos siquiera. Apreté el brazo de Irene y la hice correr conmigo hasta la puerta cancel, sin volvernos hacia atrás. Los ruidos se oían más fuerte pero siempre sordos, a espaldas nuestras. Cerré de un golpe la cancel y nos quedamos en el zaguán. Ahora no se oía nada.

—Han tomado esta parte –dijo Irene. El tejido le colgaba de las manos y las hebras iban hasta la cancel y se perdían debajo. Cuando vio que los ovillos habían quedado del otro lado, soltó el tejido sin mirarlo.

—¿Tuviste tiempo de traer alguna cosa? –le pregunté inútilmente.

—No, nada.

Estábamos con lo puesto. Me acordé de los quince mil pesos en el armario de mi dormitorio. Ya era tarde ahora.

Como me quedaba el reloj pulsera, vi que eran las once de la noche. Rodeé con mi brazo la cintura de Irene (yo creo que ella estaba llorando) y salimos así a la calle. Antes de alejarnos tuve lástima, cerré bien la puerta de entrada y tiré la llave a la alcantarilla. No fuese que a algún pobre diablo se le ocurriera robar y se metiera en la casa, a esa hora y con la casa tomada.

Juan Rulfo (1918-1986)

¡Diles que no me maten!

—¡Diles que no me maten, Justino! Anda, vete a decirles eso. Que por caridad. Así diles. Diles que lo hagan por caridad.

—No puedo. Hay allí un sargento que no quiere oír hablar nada de ti.

—Haz que te oiga. Date tus mañas y dile que para sustos ya ha estado bueno. Dile que lo haga por caridad de Dios.

—No se trata de sustos. Parece que te van a matar de a de veras. Y yo ya no quiero volver allá.

—Anda otra vez. Solamente otra vez, a ver qué consigues.

—No. No tengo ganas de ir. Según eso, yo soy tu hijo. Y, si voy mucho con ellos, acabarán por saber quién soy y les dará por afusilarme a mí también. Es mejor dejar las cosas de ese tamaño.

—Anda, Justino. Diles que tengan tantita lástima de mí. Nomás eso diles.

Justino apretó los dientes y movió la cabeza diciendo:

—No.

Y siguió sacudiendo la cabeza durante mucho rato.

—Dile al sargento que te deje ver al coronel. Y cuéntale lo viejo que estoy. Lo poco que valgo. ¿Qué ganancia sacará con matarme? Ninguna ganancia. Al fin y al cabo él debe de tener un alma. Dile que lo haga por la bendita salvación de su alma.

Justino se levantó de la pila de piedras en que estaba sentado y caminó hasta la puerta del corral. Luego se dio vuelta para decir:

—Voy, pues. Pero si de perdida me afusilan a mí también, ¿quién cuidará de mi mujer y de los hijos?

—La Providencia, Justino. Ella se encargará de ellos. Ocúpate de ir allá y ver qué cosas haces por mí. Eso es lo que urge.

Lo habían traído de madrugada. Y ahora era ya entrada la mañana y él seguía todavía allí, amarrado a un horcón, esperando. No se podía estar quieto. Había hecho el intento de dormir un rato para apaciguarse, pero el sueño se le había ido. También se le había ido el hambre. No tenía ganas de nada. Sólo de vivir. Ahora que sabía bien a bien que lo iban a matar, le habían entrado unas ganas tan grandes de vivir como sólo las puede sentir un recién resucitado.

Quién le iba a decir que volvería aquel asunto tan viejo, tan rancio, tan enterrado como creía que estaba. Aquel asunto de cuando tuvo que matar a don Lupe. No nada más por nomás como quisieron hacerle ver los de Alima, sino porque tuvo sus razones. Él se acordaba:

Don Lupe Terreros, el dueño de la Puerta de Piedra, por más señas su compadre. Al que él, Juvencio Nava, tuvo que matar por eso; por ser el dueño de la Puerta de Piedra y que, siendo también su compadre, le negó el pasto para sus animales.

Primero se aguantó por puro compromiso. Pero después, cuando la sequía, en que vio cómo se le morían uno tras otro sus animales hostigados por el hambre y que su compadre don Lupe seguía negándole la yerba de sus potreros, entonces fue cuando se puso a romper la cerca y a arrear la bola de animales flacos hasta las paraneras para que se hartaran de comer. Y eso no le había gustado a don Lupe, que mandó tapar otra vez la cerca para que él, Juvencio Nava, le volviera a abrir otra vez el agujero. Así, de día se tapaba el agujero y de noche se volvía a abrir, mientras el ganado estaba allí, siempre pegado a la cerca, siempre esperando; aquel ganado suyo que antes nomás se vivía oliendo el pasto sin poder probarlo.

Y él y don Lupe alegaban y volvían a alegar sin llegar a ponerse de acuerdo.

Hasta que una vez don Lupe le dijo:

—Mira, Juvencio, otro animal más que metas al potrero y te lo mato.

Y él contestó:

—Mire, don Lupe, yo no tengo la culpa de que los animales busquen su acomodo. Ellos son inocentes. Ahi se lo haiga si me los mata.

"Y me mató un novillo.

"Esto pasó hace treinta y cinco años, por marzo, porque ya en abril andaba yo en el monte, corriendo del exhorto. No me valieron ni las diez vacas que le di al juez, ni el embargo de mi casa para pagarle la salida de la cárcel. Todavía después se pagaron con lo que quedaba nomás por no perseguirme, aunque de todos modos me perseguían. Por eso me vine a vivir junto con mi hijo a este otro terrenito que yo tenía y que se nombra Palo de Venado. Y mi hijo creció y se casó con la nuera Ignacia y tuvo ya ocho hijos. Así que la cosa ya va para viejo, y según eso debería estar olvidada. Pero, según eso, no lo está.

"Yo entonces calculé que con unos cien pesos quedaba arreglado todo. El difunto don Lupe era solo, solamente con su mujer y los dos muchachitos todavía de a gatas. Y la viuda pronto murió también dizque de pena. Y a los muchachitos se los llevaron lejos, donde unos parientes. Así que, por parte de ellos, no había que tener miedo.

"Pero los demás se atuvieron a que yo andaba exhortado y enjuiciado para asustarme y seguir robándome. Cada que llegaba alguien al pueblo me avisaban:

"—Por ahí andan unos fuereños, Juvencio.

"Y yo echaba pal monte, entreverándome entre los madroños y pasándome los días comiendo sólo verdolagas. A veces tenía que salir a la medianoche como si me fueran correteando los perros. Eso duró toda la vida. No fue un año ni dos. Fue toda la vida."

Y ahora habían ido por él, cuando no esperaba ya a nadie, confiado en el olvido en que lo tenía la gente; creyendo que al menos sus últimos días los pasaría tranquilo. "Al menos esto —pensó— conseguiré con estar viejo. Me dejarán en paz."

Se había dado a esta esperanza por entero. Por eso era que le costaba trabajo imaginar morir así, de repente, a estas alturas de su vida, después de tanto pelear para librarse de la muerte; de haberse pasado su mejor tiempo tirando de un lado para otro arrastrado por los sobresaltos y cuando su cuerpo había acabado por ser un puro pellejo correoso curtido por los malos días en que tuvo que andar escondiéndose de todos.

Por si acaso, ¿no había dejado hasta que se le fuera su mujer? Aquel día en que amaneció con la nueva de que su mujer se le había ido, ni siquiera le pasó por la cabeza la intención de salir a buscarla. Dejó que se fuera sin indagar para nada ni con quién ni para dónde, con tal de no bajar al pueblo. Dejó que se fuera como se le había ido todo lo demás, sin meter las manos. Ya lo único que le quedaba para cuidar era la vida, y ésta la conservaría a como diera lugar. No podía dejar que lo mataran. No podía. Mucho menos ahora.

Pero para eso lo habían traído de allá, de Palo de Venado. No necesitaron amarrarlo para que los siguiera. Él anduvo solo, únicamente maniatado por el miedo. Ellos se dieron cuenta de que no podía correr con aquel cuerpo viejo, con aquellas piernas flacas como sicuas secas, acalambradas por el miedo de morir. Porque a eso iba. A morir. Se lo dijeron.

Desde entonces lo supo. Comenzó a sentir esa comezón en el estómago, que le llegaba de pronto siempre que veía de cerca la muerte y que le sacaba el ansia por los ojos, y que le hinchaba la boca con aquellos buches de agua agria que tenía que tragarse sin querer. Y esa cosa que le hacía los pies pesados mientras su cabeza se le ablandaba y el corazón le pegaba con todas sus fuerzas en las costillas. No, no podía acostumbrarse a la idea de que lo mataran.

Tenía que haber alguna esperanza. En algún lugar podría aún quedar alguna esperanza. Tal vez ellos se hubieran equivocado. Quizá buscaban a otro Juvencio Nava y no al Juvencio Nava que era él.

Caminó entre aquellos hombres en silencio, con los brazos caídos. La madrugada era oscura, sin estrellas. El viento soplaba despacio, se llevaba la tierra seca y traía más, llena de ese olor como de orines que tiene el polvo de los caminos.

Sus ojos, que se habían apeñuscado con los años, venían viendo la tierra, aquí, debajo de sus pies, a pesar de la oscuridad. Allí en la tierra estaba toda su vida. Sesenta años de vivir sobre de ella, de encerrarla entre sus manos, de haberla probado como se prueba el sabor de la carne. Se vino largo rato desmenuzándola con los ojos, saboreando cada pedazo como si fuera el último, sabiendo casi que sería el último.

Luego, como queriendo decir algo, miraba a los hombres que iban junto a él. Iba a decirles que lo soltaran, que lo dejaran que se fuera: "Yo no le he hecho daño a nadie, muchachos", iba a decirles, pero se quedaba callado. "Más adelantito se los diré", pensaba. Y sólo los veía. Podía hasta imaginar que eran sus amigos; pero no quería hacerlo. No lo eran. No sabía quiénes eran. Los veía a su lado ladeándose y agachándose de vez en cuando para ver por dónde seguía el camino.

Los había visto por primera vez al pardear de la tarde, en esa hora desteñida en que todo parece chamuscado. Habían atravesado los surcos pisando la milpa tierna. Y él había bajado a eso: a decirles que allí estaba comenzando a crecer la milpa. Pero ellos no se detuvieron.

Los había visto con tiempo. Siempre tuvo la suerte de ver con tiempo todo. Pudo haberse escondido, caminar unas cuantas horas por el cerro mientras ellos se iban y después volver a bajar. Al fin y al cabo la milpa no se lograría de ningún modo. Ya era tiempo de que hubieran venido las aguas y las aguas no aparecían y la milpa comenzaba a marchitarse. No tardaría en estar seca del todo.

Así que ni valía la pena de haber bajado; haberse metido entre aquellos hombres como en un agujero, para ya no volver a salir.

Y ahora seguía junto a ellos, aguantándose las ganas de decirles que lo soltaran. No les veía la cara; sólo veía los bultos que se repegaban o se separaban de él. De manera que cuando se puso a hablar, no supo si lo habían oído. Dijo:

—Yo nunca le he hecho daño a nadie –eso dijo. Pero nada cambió. Ninguno de los bultos pareció darse cuenta. Las caras no se volvieron a verlo. Siguieron igual, como si hubieran venido dormidos.

Entonces pensó que no tenía nada más que decir, que tendría que buscar la esperanza en algún otro lado. Dejó caer otra vez los brazos y entró en las primeras casas del pueblo en medio de aquellos cuatro hombres oscurecidos por el color negro de la noche.

—Mi coronel, aquí está el hombre.

Se habían detenido delante del boquete de la puerta. Él, con el sombrero en la mano, por respeto, esperando ver salir a alguien. Pero sólo salió la voz:

—¿Cuál hombre? –preguntaron.

—El de Palo de Venado, mi coronel. El que usted nos mandó traer.

—Pregúntale que si ha vivido alguna vez en Alima –volvió a decir la voz de allá adentro.

—¡Ey, tú! ¿Que si has habitado en Alima? –repitió la pregunta el sargento que estaba frente a él.

—Sí. Dile al coronel que de allá mismo soy. Y que allí he vivido hasta hace poco.

—Pregúntale que si conoció a Guadalupe Terreros.

—Que dizque si conociste a Guadalupe Terreros.

—¿A don Lupe? Sí. Dile que sí lo conocí. Ya murió.

Entonces la voz de allá adentro cambió de tono:

—Ya sé que murió –dijo. Y siguió hablando como si platicara con alguien allá, al otro lado de la pared de carrizos– Guadalupe Terreros era mi padre. Cuando crecí y lo busqué me dijeron que estaba muerto. Es algo difícil crecer sabiendo que la cosa de donde podemos agarrarnos para enraizar está muerta. Con nosotros, eso pasó.

"Luego supe que lo habían matado a machetazos, clavándole después una pica de buey en el estómago. Me contaron que duró más de dos días perdido y que, cuando lo encontraron, tirado en un arroyo, todavía estaba agonizando y pidiendo el encargo de que le cuidaran a su familia.

"Esto, con el tiempo, parece olvidarse. Uno trata de olvidarlo. Lo que no se olvida es llegar a saber que el que hizo aquello está aún vivo, alimentando su alma podrida con la ilusión de la vida eterna. No podría perdonar a ése, aunque no lo conozco; pero el hecho de que se haya puesto en el lugar donde yo sé que está, me da ánimos para acabar con él. No puedo perdonarle que siga viviendo. No debía haber nacido nunca."

Desde acá, desde afuera, se oyó bien claro cuanto dijo. Después ordenó:

—¡Llévenselo y amárrenlo un rato, para que padezca, y luego fusílenlo!

—¡Mírame, coronel! –pidió él–. Ya no valgo nada. No tardaré en morirme solito, derrengado de viejo. ¡No me mates…!

—¡Llévenselo! –volvió a decir la voz de adentro.

—… Ya he pagado, coronel. He pagado muchas veces. Todo me lo quitaron. Me castigaron de muchos modos. Me he pasado cosa de cuarenta años escondido como un apestado, siempre con el pálpito de que en cualquier rato me matarían. No merezco morir así, coronel. Déjame que, al menos, el Señor me perdone. ¡No me mates! ¡Diles que no me maten!

Estaba allí, como si lo hubieran golpeado, sacudiendo su sombrero contra la tierra. Gritando.

En seguida la voz de allá adentro dijo:

—Amárrenlo y denle algo de beber hasta que se emborrache para que no le duelan los tiros.

Ahora, por fin, se había apaciguado. Estaba allí arrinconado al pie del horcón. Había venido su hijo Justino y su hijo Justino se había ido y había vuelto y ahora otra vez venía.

Lo echó encima del burro. Lo apretaló bien apretado al aparejo para que no se fuese a caer por el camino. Le metió su cabeza dentro de un costal para que no diera mala impresión. Y luego le hizo pelos al burro y se fueron, arrebiatados, de prisa, para llegar a Palo de Venado todavía con tiempo para arreglar el velorio del difunto.

—Tu nuera y los nietos te extrañarán –iba diciéndole–. Te mirarán a la cara y creerán que no eres tú. Se les afigurará que te ha comido el coyote, cuando te vean con esa cara tan llena de boquetes por tanto tiro de gracia como te dieron.

Juan José Arreola (1918-2002)

El prodigioso miligramo

... moverán prodigiosos miligramos.
CARLOS PELLICER

Una hormiga censurada por la sutileza de sus cargas y por sus frecuentes distracciones, encontró una mañana, al desviarse nuevamente del camino, un prodigioso miligramo.

Sin detenerse a meditar en las consecuencias del hallazgo, cogió el miligramo y se lo puso en la espalda. Comprobó con alegría una carga justa para ella. El peso ideal de aquel objeto daba a su cuerpo extraña energía: como el peso de las alas en el cuerpo de los pájaros. En realidad, una de las causas que anticipan la muerte de las hormigas es la ambiciosa desconsideración de sus propias fuerzas. Después de entregar en el depósito de cereales un grano de maíz, la hormiga que lo ha conducido a través de un kilómetro apenas tiene fuerzas para arrastrar al cementerio su propio cadáver.

La hormiga del hallazgo ignoraba su fortuna, pero sus pasos demostraron la prisa ansiosa del que huye llevando un tesoro. Un vago y saludable sentimiento de reivindicación comenzaba a henchir su espíritu. Después de un larguísimo rodeo, hecho con alegre propósito, se unió al hilo de sus compañeras que regresaban todas, al caer la tarde, con la carga solicitada ese día: pequeños fragmentos de hoja de lechuga cuidadosamente recortados. El camino de las hormigas formaba una delgada y confusa crestería de diminuto verdor. Era imposible engañar a nadie: el miligramo desentonaba violentamente en aquella perfecta uniformidad.

Ya en el hormiguero, las cosas empezaron a agravarse. Las

guardianas de la puerta, y las inspectoras situadas en todas las galerías, fueron poniendo objeciones cada vez más serias al extraño cargamento. Las palabras "miligramo" y "prodigioso" sonaron aisladamente, aquí y allá, en labios de algunas entendidas. Hasta que la inspectora en jefe, sentada con gravedad ante una mesa imponente, se atrevió a unirlas diciendo con sorna a la hormiga confundida: "Probablemente nos ha traído usted un prodigioso miligramo. La felicito de todo corazón, pero mi deber es dar parte a la policía".

Los funcionarios del orden público son las personas menos aptas para resolver cuestiones de prodigios y de miligramos. Ante aquel caso imprevisto por el código penal, procedieron con apego a las ordenanzas comunes y corrientes, confiscando el miligramo con hormiga y todo. Como los antecedentes de la acusada eran pésimos, se juzgó que un proceso era de trámite legal. Y las autoridades competentes se hicieron cargo del asunto.

La lentitud habitual de los procedimientos judiciales iba en desacuerdo con la ansiedad de la hormiga, cuya extraña conducta la indispuso hasta con sus propios abogados. Obedeciendo al dictado de convicciones cada vez más profundas, respondía con altivez a todas las preguntas que se le hacían. Propagó el rumor de que se cometían en su caso gravísimas injusticias, y anunció que muy pronto sus enemigos tendrían que reconocer forzosamente la importancia del hallazgo. Tales despropósitos atrajeron sobre ella todas las sanciones existentes. En el colmo del orgullo, dijo que lamentaba formar parte de un hormiguero tan imbécil. Al oír semejantes palabras, el fiscal pidió con voz estentórea una sentencia de muerte.

En esa circunstancia vino a salvarla el informe de un célebre alienista, que puso en claro su desequilibrio mental. Por las noches, en vez de dormir, la prisionera se ponía a darle vueltas a su miligramo, lo pulía cuidadosamente, y pasaba largas horas en una especie de éxtasis contemplativo. Durante el día lo llevaba a cuestas, de un lado a otro, en el estrecho y oscuro calabozo. Se acercó al fin de su vida presa de terrible agitación. Tanto, que la enfermera de guardia pidió tres veces que se le cambiara de celda. La celda era cada vez más grande, pero la agitación de la hormiga aumentaba con el espacio disponible. No hizo el menor caso a las curiosas que iban a contemplar, en número creciente, el espectáculo de su desordenada agonía. Dejó de comer, se negó a recibir a los periodistas y guardó un mutismo absoluto.

Las autoridades superiores decidieron finalmente trasladar a un sanatorio a la hormiga enloquecida. Pero las decisiones oficiales adolecen siempre de lentitud.

Un día, al amanecer, la carcelera halló quieta la celda, y llena de un extraño resplandor. El prodigioso miligramo brillaba en el suelo, como un diamante inflamado de luz propia. Cerca de él yacía la hormiga heroica, patas arriba, consumida y transparente.

La noticia de su muerte y la virtud prodigiosa del miligramo se derramaron como inundación por todas las galerías. Caravanas de visitantes recorrían la celda, improvisada en capilla ardiente. Las hormigas se daban contra el suelo en su desesperación. De sus ojos, deslumbrados por la visión del miligramo, corrían lágrimas en tal abundancia que la organización de los funerales se vio complicada con un problema de drenaje. A falta de ofrendas florales suficientes, las hormigas saqueaban los depósitos para cubrir el cadáver de la víctima con pirámides de alimentos.

El hormiguero vivió días indescriptibles, mezcla de admiración, de orgullo y de dolor. Se organizaron exequias suntuosas, colmadas de bailes y banquetes. Rápidamente se inició la construcción de un santuario para el miligramo, y la hormiga incomprendida y asesinada obtuvo el honor de un mausoleo. Las autoridades fueron depuestas y acusadas de inepcia.

A duras penas logró funcionar poco después un consejo de ancianas que puso término a la prolongada etapa de orgiásticos honores. La vida volvió a su curso normal gracias a innumerables fusilamientos. Las ancianas más sagaces derivaron entonces la corriente de admiración devota que despertó el miligramo a una forma cada vez más rígida de religión oficial. Se nombraron guardianas y oficiantes. En torno al santuario fue surgiendo un círculo de grandes edificios, y una extensa burocracia comenzó a ocuparlos en rigurosa jerarquía. La capacidad del floreciente hormiguero se vio seriamente comprometida.

Lo peor de todo fue que el desorden, expulsado de la superficie, prosperaba con vida inquietante y subterránea. Aparentemente, el hormiguero vivía tranquilo y compacto, dedicado al trabajo y al culto, pese al gran número de funcionarias que se pasaban la vida desempeñando tareas cada vez menos estimables. Es imposible decir cuál hormiga albergó en su mente los primeros pensamientos funestos. Tal vez fueron muchas las que pensaron al mismo tiempo, cayendo en la tentación.

En todo caso, se trataba de hormigas ambiciosas y ofuscadas que consideraron, blasfemas, la humilde condición de la hormiga descubridora. Entrevieron la posibilidad de que todos los homenajes tributados a la gloriosa difunta les fueran discernidos a ellas en vida. Empezaron a tomar actitudes sospechosas. Divagadas y melancólicas, se extraviaban adrede del camino y volvían al hormiguero con las manos vacías. Contestaban a las inspectoras sin disimular su arrogancia; frecuentemente se hacían pasar por enfermas y anunciaban para muy pronto un hallazgo sensacional. Y las propias autoridades no podían evitar que una de aquellas lunáticas llegara el día menos pensado con un prodigio sobre sus débiles espaldas.

Las hormigas comprometidas obraban en secreto, y digámoslo así, por cuenta propia. De haber sido posible un interrogatorio general, las autoridades habrían llegado a la conclusión de que un cincuenta por ciento de las hormigas, en lugar de preocuparse por mezquinos cereales y frágiles hortalizas, tenía los ojos puestos en la incorruptible sustancia del miligramo.

Un día ocurrió lo que debía ocurrir. Como si se hubieran puesto de acuerdo, seis hormigas comunes y corrientes, que parecían de las más normales, llegaron al hormiguero con sendos objetos extraños que hicieron pasar, ante la general expectación, por miligramos de prodigio. Naturalmente, no obtuvieron los honores que esperaban, pero fueron exoneradas ese mismo día de todo servicio. En una ceremonia casi privada, se les otorgó el derecho a disfrutar una renta vitalicia.

Acerca de los seis miligramos, fue imposible decir nada en concreto. El recuerdo de la imprudencia anterior apartó a las autoridades de todo propósito judicial. Las ancianas se lavaron las manos en consejo, y dieron a la población una amplia libertad de juicio.

Los supuestos miligramos se ofrecieron a la admiración pública en las vitrinas de un modesto recinto, todas las hormigas opinaron según su leal saber y entender.

Esta debilidad por parte de las autoridades, sumada al silencio culpable de la crítica, precipitó la ruina del hormiguero. De allí en adelante cualquier hormiga, agotada por el trabajo o tentada por la pereza, podía reducir sus ambiciones de gloria a los límites de una pensión vitalicia, libre de obligaciones serviles. Y el hormiguero comenzó a llenarse de falsos miligramos.

En vano algunas hormigas viejas y sensatas recomendaron medidas precautorias, tales como el uso de balanzas y la confrontación minuciosa de cada nuevo miligramo con el modelo original. Nadie les hizo caso. Sus proposiciones, que ni siquiera fueron discutidas en asamblea, hallaron punto final en las palabras de una hormiga flaca y descolorida que proclamó abiertamente y en voz alta sus opiniones personales. Según la irreverente, el famoso miligramo original, por más prodigioso que fuera, no tenía por qué sentar un precedente de calidad. Lo prodigioso no debía ser impuesto en ningún caso como una condición forzosa a los nuevos miligramos encontrados.

El poco de circunspección que les quedaba a las hormigas desapareció en un momento. En adelante las autoridades fueron incapaces de reducir o tasar la cuota de objetos que el hormiguero podía recibir diariamente bajo el título de miligramos. Se negó cualquier derecho de veto, y ni siquiera lograron que cada hormiga cumpliera con sus obligaciones. Todas quisieron eludir su condición de trabajadoras, mediante la búsqueda de miligramos.

El depósito para esta clase de artículos llegó a ocupar las dos terceras partes del hormiguero, sin contar las colecciones particulares, algunas de ellas famosas por la valía de sus piezas. Respecto a los miligramos comunes y corrientes, descendió tanto su precio que en los días de mayor afluencia se podían obtener a cambio de una bicoca. No debe negarse que de cuando en cuando llegaban al hormiguero algunos ejemplares estimables. Pero corrían la suerte de las peores bagatelas. Legiones de aficionadas se dedicaron a exaltar el mérito de los miligramos de más baja calidad, fomentando así un general desconcierto.

En su desesperación de no hallar miligramos auténticos, muchas hormigas acarreaban verdaderas obscenidades e inmundicias. Galerías enteras fueron clausuradas por razones de salubridad. El ejemplo de una hormiga extravagante hallaba al día siguiente millares de imitadoras. A costa de grandes esfuerzos, y empleando todas sus reservas de sentido común, las ancianas del consejo seguían llamándose autoridades y hacían vagos ademanes de gobierno.

Las burócratas y las responsables del culto, no contentas con su holgada situación, abandonaron el templo y las oficinas para echarse a la busca de miligramos, tratando de aumentar gajes y honores. La policía dejó prácticamente de existir, y los motines y las revoluciones eran cotidianos. Bandas de asaltantes profesionales aguardaban en las cercanías del hormiguero para despojar a las afortunadas que volvían con un miligramo valioso. Coleccionistas resentidas denunciaban a sus rivales y promovían largos juicios, buscando la venganza del cateo y la expropiación. Las disputas dentro de las galerías degeneraban fácilmente en riñas, y éstas en asesinatos... El índice de mortalidad alcanzó una cifra pavorosa. Los nacimientos disminuyeron de manera alarmante, y las criaturas, faltas de atención adecuada, morían por centenares.

El santuario que custodiaba el miligramo verdadero se convirtió en tumba olvidada. Las hormigas, ocupadas en la discusión de los hallazgos más escandalosos, ni siquiera acudían a visitarlo. De vez en cuando, las devotas rezagadas llamaban la atención de las autoridades sobre su estado de ruina y de abandono. Lo más que se conseguía era un poco de limpieza. Media docena de irrespetuosas barrenderas daban unos cuantos escobazos, mientras decrépitas ancianas pronunciaban largos discursos y cubrían la tumba de la hormiga con deplorables ofrendas, hechas casi de puros desperdicios.

Sepultado entre nubarrones de desorden, el prodigioso miligramo brillaba en el olvido. Llegó incluso a circular la especie escandalosa de que había sido robado por manos sacrílegas. Una copia de mala calidad suplantaba al miligramo auténtico, que pertenecía ya a la colección de una hormiga criminal, enriquecida en el comercio de miligramos. Rumores sin fundamento, pero nadie se inquietaba ni se conmovía; nadie llevaba a cabo una investigación que les pusiera fin. Y las ancianas del consejo, cada día más débiles y achacosas, se cruzaban de brazos ante el desastre inminente.

El invierno se acercaba, y la amenaza de muerte detuvo el delirio de las imprevisoras hormigas. Ante la crisis alimenticia, las autoridades decidieron ofrecer en venta un gran lote de miligramos a una comunidad vecina, compuesta de acaudaladas hormigas. Todo lo que consiguieron fue deshacerse de unas cuantas piezas de verdadero mérito, por un puñado de hortalizas y cereales. Pero se les hizo una oferta de alimentos suficientes para todo el invierno, a cambio del miligramo original.

El hormiguero en bancarrota se aferró a su miligramo como una tabla de salvación. Después de interminables conferencias y discusiones, cuando ya el hambre mermaba el número de las supervivientes en beneficio de las hormigas ricas, éstas abrieron la puerta de su casa a las dueñas del prodigio. Contrajeron la obligación de alimentarlas hasta el fin de sus días, exentas de todo servicio. Al ocurrir la muerte de la última hormiga extranjera, el miligramo pasaría a ser propiedad de las compradoras.

¿Hay que decir lo que ocurrió poco después en el nuevo hormiguero? Las huéspedes difundieron allí el germen de su contagiosa idolatría.

Actualmente las hormigas afrontan una crisis universal. Olvidando sus costumbres, tradicionalmente prácticas y utilitarias, se entregan en todas partes a una desenfrenada búsqueda de miligramos. Comen fuera del hormiguero, y sólo almacenan sutiles y deslumbrantes objetos. Tal vez muy pronto desaparezcan como especie zoológica y solamente nos quedará, encerrado en dos o tres fábulas ineficaces, el recuerdo de sus antiguas virtudes.

Augusto Monterroso (1921)

Homenaje a Masoch

Lo que acostumbraba cuando se acababa de divorciar por primera vez y se encontraba por fin solo y se sentía contento de ser libre de nuevo, era, después de estar unas cuantas horas haciendo chistes y carcajeándose con sus amigos en el café, o en el cóctel de la exposición tal, donde todos se morían de risa de las cosas que decía, volver por la noche a su departamento nuevamente de soltero y tranquilamente y con delectación morosa ponerse a acarrear sus instrumentos, primero un sillón, que colocaba en medio del tocadiscos y una mesita, después una botella de ron y un vaso mediano, azul, de vidrio de Carretones, después una grabación de la Tercera Sinfonía de Brahms dirigida por Felix Weingartner, después su gordo ejemplar empastado Editorial Nueva España S.A., México, 1944, de *Los hermanos Karamázov*; y en seguida conectar el tocadiscos, destapar la botella, servirse un vaso, sentarse y abrir el libro por el capítulo III del Epílogo para leer reiteradamente aquella parte en que se ve muerto al niño Ilucha en un féretro azul, con las manos plegadas sobre el pecho y los ojos cerrados, y en la que el niño Kolya, al saber por Aliocha que Mitya su hermano es inocente de la muerte de su padre y sin embargo va a morir, exclama emocionado que le gustaría morir por toda la humanidad, sacrificarse por la verdad aunque fuese con afrenta; para seguir con las discusiones acerca del lugar en que debía ser enterrado Ilucha, y con las palabras del padre, quien les cuenta que Ilucha le pidió que cuando lo hubiera cubierto la tierra desmigajara un pedazo de pan para que bajaran los gorriones y que él los oiría y se alegraría sintiéndose acompañado, y más tarde él mismo, ya enterrado Ilucha, parte y esparce en pedacitos un pan murmurando: "Venid, volad aquí, pajaritos, volad gorriones", y pierde a cada rato el juicio y se desmaya y se queda como ido y luego vuelve en sí y comienza de nuevo a llorar, y se arrepiente de no haber dado a la madre de Ilucha una flor de su féretro y quiere ir corriendo a ofrecérsela, hasta que por último Aliocha, en un rapto de inspiración, al lado de la gran piedra en donde Ilucha quería ser enterrado, se dirige a los condiscípulos de éste y pronuncia el discurso en que les dice aquellas esperanzadas cosas relativas a que pronto se separarán, pero que de todos modos, cualesquiera que sean las circunstancias que tengan que enfrentar en la vida, no deben olvidar ese momento en que se sienten buenos, y que si alguna vez cuando sean mayores se ríen de ellos mismo por haber sido buenos y generosos, una voz dirá en su corazón: "No, no hago bien en reírme, pues no es esto cosa de risa", y que se lo dice por si llegan a ser malos, pero no hay motivo para que seamos malos, verdad muchachos, y que aun dentro de treinta años recordará esos rostros vueltos hacia él, y que a todos los quiere, y que de ahí en adelante todos tendrán un puesto en su corazón, con la final explosión de entusiasmo en que los niños conmovidos gritan a coro ¡viva Karamázov!; lectura que desarrollaba a un ritmo tal y tan bien calculado que los vivas a Karamázov terminaban exactamente con los últimos acordes de la sinfonía, para volver nuevamente a empezar según el efecto del ron lo permitiera, sobre todo que permitiera por último apagar el tocadiscos, tomar una copa final e irse a la cama, para ya en ella hundir minuciosamente la cabeza en la almohada y sollozar y llorar amargamente una vez más por Mitya, por Ilucha, por Aliocha, por Kolya, por Mitya, por Ilucha, por Aliocha, por Kolya, por Mitya.

Raymond Carver (1939-1988)

Tres rosas amarillas

Chéjov. La noche del 22 de marzo de 1897, en Moscú, salió a cenar con su amigo y confidente Alexei Suvorin. Suvorin, editor y magnate de la prensa, era un reaccionario, un *self-made man* cuyo padre había sido soldado raso en Borodino. Al igual que Chéjov, era nieto de un siervo. Tenían eso en común: sangre campesina en las venas. Pero tanto política como temperamentalmente se hallaban en las antípodas. Suvorin, sin embargo, era uno de los escasos íntimos de Chéjov, y Chéjov gustaba de su compañía.

Naturalmente, fueron al mejor restaurante de la ciudad, un antiguo palacete llamado L'Ermitage (establecimiento en el que los comensales podían tardar horas –la mitad de la noche incluso– en dar cuenta de una cena de diez platos en la que, como es de rigor, no faltaban los vinos, los licores y el café). Chéjov iba, como de costumbre, impecablemente vestido: traje oscuro con chaleco. Llevaba, cómo no, sus eternos quevedos. Aquella noche tenía un aspecto muy similar al de sus fotografías de ese tiempo. Estaba relajado, jovial. Estrechó la mano del *maître*, y echó una ojeada al vasto comedor. Las recargadas arañas anegaban la sala de un vivo fulgor. Elegantes hombres y mujeres ocupaban las mesas. Los camareros iban y venían sin cesar. Acababa de sentarse a la mesa, frente a Suvorin, cuando repentinamente, sin el menor aviso previo, empezó a brotarle sangre de la boca. Suvorin y dos camareros lo acompañaron al cuarto de baño y trataron de detener la hemorragia con bolsas de hielo. Suvorin lo llevó luego a su hotel, e hizo que le prepararan una cama en uno de los cuartos de su suite. Más tarde, después de una segunda hemorragia, Chéjov se avino a ser trasladado a una clínica especializada en el tratamiento de la tuberculosis y afecciones respiratorias afines. Cuando Suvorin fue a visitarlo días después, Chéjov se disculpó por el "escándalo" del restaurante tres noches atrás, pero siguió insistiendo en que su estado no era grave. "Reía y bromeaba como de costumbre –escribe Suvorin en su diario–, mientras escupía sangre en un aguamanil."

Maria Chéjov, su hermana menor, fue a visitarlo a la clínica los últimos días de marzo. Hacía un tiempo de perros; una tormenta de aguanieve se abatía sobre Moscú, y las calles estaban llenas de montículos de nieve apelmazada. Maria consiguió a duras penas parar un coche de punto que la llevase al hospital. Y llegó llena de temor y de inquietud.

"Anton Pavlovich yacía boca arriba –escribe Maria en sus *Memorias*–. No le permitían hablar. Después de saludarle, fui hasta la mesa a fin de ocultar mis emociones." Sobre ella, entre botellas de champaña, tarros de caviar y ramos de flores enviados por amigos deseosos de su restablecimiento, Maria vio algo que la aterrorizó: un dibujo hecho a mano –obra de un especialista, era evidente– de los pulmones de Chéjov. (Era de este tipo de bosquejos que los médicos suelen trazar para que los pacientes puedan ver en qué consiste su dolencia.) El contorno de los pulmones era azul, pero sus mitades superiores estaban coloreadas de rojo. "Me di cuenta de que eran ésas las zonas enfermas", escribe Maria.

También Leon Tolstoi fue una vez a visitarlo. El personal del hospital mostró un temor reverente al verse en presencia del más eximio escritor del país. (¿El hombre más famoso de Rusia?) Pese a estar prohibidas las visitas de toda persona ajena al "núcleo de los allegados", ¿cómo no permitir que viera a Chéjov? Las enfermeras y médicos internos, en extremo obsequiosos, hicieron pasar al barbudo anciano de aire fiero al cuarto de Chéjov. Tolstoi, pese al bajo concepto que tenía del Chéjov autor de teatro ("¿Adónde le llevan sus personajes? –le preguntó a Chéjov en cierta ocasión–. Del diván al trastero, y del trastero al diván"), apreciaba sus narraciones cortas. Además –y tan sencillo como eso–, lo amaba como persona. Había dicho a Gorki: "Qué bello, qué espléndido ser humano. Humilde y apacible como una jovencita. Incluso anda como una jovencita. Es sencillamente maravilloso". Y escribió en su diario (todo el mundo llevaba un diario o dietario en aquel tiempo): "Estoy contento de amar... a Chéjov".

Tolstoi se quitó la bufanda de lana y el abrigo de piel de oso y se dejó caer en una silla junto a la cama de Chéjov. Poco importaba que el enfermo estuviera bajo medicación y tuviera prohibido hablar, y más aún mantener una conversación. Chéjov hubo de escuchar, lleno de asombro, cómo el conde disertaba acerca de sus teorías sobre la inmortalidad del alma. Recordando aquella visita, Chéjov escribiría más tarde: "Tolstoi piensa que todos los seres (tanto humanos como animales) seguiremos viviendo en un *principio* (razón, amor...) cuya esencia y fines son algo arcano para nosotros... De nada me sirve tal inmortalidad. No la entiendo, y Lev Nikolaievich se asombraba de que no pudiera entenderla".

A Chéjov, no obstante, le produjo una honda impresión el solícito gesto de aquella visita. Pero, a diferencia de Tolstoi, Chéjov no creía, jamás había creído, en una vida futura. No creía en nada que no pudiera percibirse a través de cuando menos uno de los cinco sentidos. En consonancia con su concepción de la vida y la escritura, carecía –según confesó en cierta ocasión– de "una visión del mundo filosófica, religiosa o política. Cambia todos los meses, así que tendré que conformarme con describir la forma en que mis personajes aman, se desposan, procrean y mueren. Y cómo hablan".

Unos años atrás, antes de que le diagnosticaran la tuberculosis, Chéjov había observado: "Cuando un campesino es víctima de la consunción, se dice a sí mismo: 'No puedo hacer nada. Me iré en la primavera, con el deshielo'". (El propio Chéjov moriría en verano, durante una ola de calor.) Pero, una vez diagnosticada su afección, Chéjov trató siempre de minimizar la gravedad de su estado. Al parecer estuvo persuadido hasta el final de que lograría superar su enfermedad del mismo modo que se supera un catarro persistente. Incluso en sus últimos días parecía poseer la firme convicción de que seguía existiendo una posibilidad de mejoría. De hecho, en una carta escrita poco antes de su muerte, llegó a decirle a su hermana que estaba "engordando", y que se sentía mucho mejor desde que estaba en Badenweiler.

Badenweiler era un pequeño balneario y centro de recreo situado en la zona occidental de la Selva Negra, no lejos de Basilea. Se divisaban los Vosgos casi desde cualquier punto de la ciudad, y en aquellos días el aire era puro y tonificador. Los rusos eran asiduos de sus baños termales y de sus apacibles bulevares. En el mes de junio de 1904 Chéjov llegaría a Badenweiler para morir.

A principios de aquel mismo mes había soportado un penoso viaje en tren de Moscú a Berlín. Viajó con su mujer, la actriz Olga Knipper, a quien había conocido en 1898 durante los ensayos de *La gaviota*. Sus contemporáneos la describen como una excelente actriz. Era una mujer de talento, físicamente agraciada y casi diez años más joven que el dramaturgo. Chéjov se había sentido atraído por ella de inmediato, pero era lento de acción en materia amorosa. Prefirió, como era habitual en él, el flirteo al matrimonio. Al cabo, sin embargo, de tres años de un idilio lleno de separaciones, cartas e inevitables malentendidos, contrajeron matrimonio en Moscú, el 25 de mayo de 1901, en la más estricta intimidad. Chéjov se sentía enormemente feliz. La llamaba "mi poney", y a veces "mi perrito" o "mi cachorro". También le gustaba llamarla "mi pavita" o sencillamente "mi alegría".

En Berlín Chéjov había consultado a un reputado especialista en afecciones pulmonares, el doctor Karl Ewald. Pero, según un testigo presente en la entrevista, el doctor Ewald, tras examinar a su paciente, alzó las manos al cielo y salió de la sala sin pronunciar una palabra. Chéjov se hallaba más allá de toda posibilidad de tratamiento, y el doctor Ewald se sentía furioso consigo mismo por no poder obrar milagros y con Chéjov por haber llegado a aquel estado.

Un periodista ruso, tras visitar a los Chéjov en su hotel, envió a su redactor jefe el siguiente despacho: "Los días de Chéjov están contados. Parece mortalmente enfermo, está terriblemente delgado, tose continuamente, le falta el resuello al más leve movimiento, su fiebre es alta". El mismo periodista había visto al matrimonio Chéjov en la estación de Potsdam, cuando se disponían a tomar el tren para Badenweiler. "Chéjov –escribe– subía a duras penas la pequeña escalera de la estación. Hubo de sentarse durante varios minutos para recobrar el aliento." De hecho, a Chéjov le resultaba doloroso incluso moverse: le dolían constantemente las piernas, y tenía también dolores en el vientre. La enfermedad le había invadido los intestinos y la médula espinal. En aquel instante le quedaba menos de un mes de vida. Cuando hablaba de su estado, sin embargo –según Olga–, lo hacía con "una casi irreflexiva indiferencia".

El doctor Schwöhrer era uno de los muchos médicos de Badenweiler que se ganaba cómodamente la vida tratando a una clientela acaudalada que acudía al balneario en busca de alivio a sus dolencias. Algunos de sus pacientes eran enfermos y gente de salud precaria, otros simplemente viejos o hipocondriacos. Pero Chéjov era un caso muy especial: un enfermo desahuciado en fase terminal. Y un personaje muy famoso. El doctor Schwöhrer conocía su nombre: había leído algunas de sus narraciones cortas en una revista alemana. Durante el primer examen médico, a primeros de junio, el doctor Schwöhrer le expresó la admiración que sentía por su obra, pero se reservó para sí mismo el juicio clínico. Se limitó a prescribirle una dieta de cacao, harina de avena con mantequilla fundida y té de fresa. El té de fresa ayudaría al paciente a conciliar el sueño.

El 13 de junio, menos de tres semanas antes de su muerte, Chéjov escribió a su madre diciéndole que su salud mejoraba: "Es probable que esté completamente curado dentro de una semana". ¿Qué podía empujarle a decir eso? ¿Qué es lo que pensaba realmente en su fuero interno? También él era médico, y no podía ignorar la gravedad de su estado. Se estaba muriendo: algo tan simple e inevitable como eso. Sin embargo, se sentaba en el balcón de su habitación y leía guías de ferrocarril. Pedía información sobre las fechas de partida de barcos que zarpaban de Marsella rumbo a Odessa. Pero *sabía*. Era la fase terminal: no podía no saberlo. En una de las últimas cartas que habría de escribir, sin embargo, decía a su hermana que cada día se encontraba más fuerte.

Hacía mucho tiempo que había perdido todo afán de trabajo literario. De hecho, el año anterior había estado casi a punto de dejar inconclusa *El jardín de los cerezos*. Esa obra teatral le había supuesto el mayor esfuerzo de su vida. Cuando la estaba terminando apenas lograba escribir seis o siete líneas diarias. "Empiezo a desanimarme –escribió a Olga–. Siento que estoy acabado como escritor. Cada frase que escribo me parece carente de valor, inútil por completo." Pero siguió escribiendo. Terminó la obra en octubre de 1903. Fue lo último que escribiría en su vida, si se exceptúan las cartas y unas cuantas anotaciones en su libreta.

El 2 de julio de 1904, poco después de medianoche, Olga mandó llamar al doctor Schwöhrer. Se trataba de una emergencia: Chéjov deliraba. El azar quiso que en la habitación contigua se alojaran dos jóvenes rusos que estaban de vacaciones. Olga corrió hasta su puerta a explicar lo que pasaba. Uno de ellos dormía, pero el otro, que aún seguía despierto fumando y leyendo, salió precipitadamente del hotel en busca del doctor Schwöhrer. "Aún puedo oír el sonido de la grava bajo sus zapatos en el silencio de aquella sofocante noche de julio", escribiría Olga en sus memorias. Chéjov tenía alucinaciones: hablaba de marinos, e intercalaba retazos inconexos de algo relacionado con los japoneses. "No debe ponerse hielo en un estómago vacío", dijo cuando su mujer trató de ponerle una bolsa de hielo sobre el pecho.

El doctor Schwöhrer llegó y abrió su maletín sin quitar la mirada de Chéjov, que jadeaba en la cama. Las pupilas del enfermo estaban dilatadas, y le brillaban las sienes a causa del sudor. El semblante del doctor Schwöhrer se mantenía inexpresivo, pues no era un hombre emotivo, pero sabía que el fin del escritor estaba próximo. Sin embargo, era médico, debía hacer –lo obligaba a ello un juramento– todo lo humanamente posible, y Chéjov, si bien muy débilmente, todavía se aferraba a la vida. El doctor Schwöhrer preparó una jeringuilla y una aguja y le puso una inyección de alcanfor destinada a estimular su corazón. Pero la inyección no surtió ningún efecto (nada, obviamente, habría surtido efecto alguno). El doctor Schwöhrer, sin embargo, hizo saber a Olga su intención de que trajeran oxígeno. Chéjov, de pronto, pareció reanimarse. Recobró la lucidez y dijo quedamente: "¿Para qué? Antes de que llegue seré un cadáver".

El doctor Schwöhrer se atusó el gran mostacho y se quedó mirando a Chéjov, que tenía las mejillas hundidas y grisáceas, y la tez cérea. Su respiración era áspera y ronca. El doctor Schwöhrer supo que apenas le quedaban unos minutos de vida. Sin pronunciar una palabra, sin consultar siquiera con Olga, fue hasta el pequeño hueco donde estaba el teléfono mural. Leyó las instrucciones de uso. Si mantenía apretado un botón y daba vueltas a la manivela contigua al aparato, se pondría en comunicación con los bajos del hotel, donde se hallaban las cocinas. Cogió el auricular, se lo llevó al oído y siguió una a una las instrucciones. Cuando por fin le contestaron, pidió que subieran una botella del mejor champaña que hubiera en la casa. "¿Cuántas copas?", preguntó el empleado. "¡Tres copas!", gritó el médico en el micrófono. "Y dese prisa, ¿me oye?" Fue uno de esos excepcionales momentos de inspiración que luego tienden a olvidarse fácilmente, pues la acción es tan apropiada al instante que parece inevitable.

Trajo el champaña un joven rubio, con aspecto de cansado y el pelo desordenado y en punta. Llevaba el pantalón del uniforme lleno de arrugas, sin el menor asomo de raya, y en su precipitación se había atado un botón de la casaca en una presilla equivocada. Su apariencia era la de alguien que se estaba tomando un descanso (hundido en un sillón, pongamos, dormitando) cuando de pronto, a primeras horas de la madrugada, ha oído sonar al aire, a lo lejos –santo cielo–, el sonido estridente del teléfono, e instantes después se ha visto sacudido por un superior y enviado con una botella de Moët a la habitación 211. "¡Y date prisa, ¿me oyes?!"

El joven entró en la habitación con una bandeja de plata con el champaña dentro de un cubo de plata lleno de hielo y tres copas de cristal tallado. Habilitó un espacio en la mesa y dejó el cubo y las tres copas. Mientras lo hacía estiraba el cuello para tratar de atisbar la otra pieza, donde alguien jadeaba con violencia. Era un sonido desgarrador, pavoroso, y el joven se volvió y bajó la cabeza hasta hundir la barbilla en el cuello. Los jadeos se hicieron más desaforados y roncos. El joven, sin percatarse de que se estaba demorando, se quedó unos instantes mirando la ciudad anochecida a través de la ventana. Entonces advirtió que el imponente caballero del tupido mostacho le estaba metiendo unas monedas en la mano (una gran propina, a juzgar por el tacto), y al instante siguiente vio ante sí la puerta abierta del cuarto. Dio unos pasos hacia el exterior y se encontró en el descansillo, donde abrió la mano y miró las monedas con asombro.

De forma metódica, como solía hacerlo todo, el doctor Schwöhrer se aprestó a la tarea de descorchar la botella de champaña. Lo hizo cuidando de atenuar al máximo la explosión festiva. Sirvió luego las tres copas y, con gesto maquinal debido a la costumbre, metió el corcho a presión en el cuello de la botella. Luego llevó las tres copas hasta la cabecera del moribundo. Olga soltó momentáneamente la mano de Chéjov (una mano, escribiría más tarde, que le quemaba los dedos). Colocó otra almohada bajo su nuca. Luego le puso la fría copa de champaña contra la palma, y se aseguró de que sus dedos se cerraran en torno al pie de la copa. Los tres intercambiaron miradas: Chéjov, Olga, el doctor Schwöhrer. No hicieron chocar las copas. No hubo brindis. ¿En honor de qué diablos iban a brindar? ¿De la muerte? Chéjov hizo acopio de las fuerzas que le quedaban y dijo: "Hacía tanto tiempo que no bebía champaña…" Se llevó la copa a los labios y bebió. Uno o dos minutos después Olga le retiró la copa vacía de la mano y la dejó encima de la mesilla de noche. Chéjov se dio la vuelta en la cama y se quedó tendido de lado. Cerró los ojos y suspiró. Un minuto después dejó de respirar.

El doctor Schwöhrer cogió la mano de Chéjov, que descansaba sobre la sábana. Le tomó la muñeca entre los dedos y sacó un reloj de oro del bolsillo del chaleco, y mientras lo hacía abrió la tapa. El segundero se movía despacio, muy despacio. Dejó que diera tres vueltas alrededor de la esfera a la espera del menor indicio de pulso. Eran las tres de la madrugada, y en la habitación hacía un bochorno sofocante. Badenweiler estaba padeciendo la peor ola de calor conocida en muchos años. Las ventanas de ambas piezas permanecían abiertas, pero no había el menor rastro de brisa. Una enorme mariposa nocturna de alas negras surcó el aire y fue a chocar con fuerza contra la lámpara eléctrica. El doctor Schwöhrer soltó la muñeca de Chéjov. "Ha muerto", dijo. Cerró el reloj y volvió a metérselo en el bolsillo del chaleco.

Olga, al instante, se secó las lágrimas y comenzó a sosegarse. Dio las gracias al médico por haber acudido a su llamada. Él le preguntó si deseaba algún sedante, láudano, quizá, o unas gotas de valeriana. Olga negó con la cabeza. Pero quería pedirle algo: antes de que las autoridades fueran informadas y los periódicos conocieran el luctuoso desenlace, antes de que Chéjov dejara para siempre de estar a su cuidado, quería quedarse a solas con él un largo rato. ¿Podía el doctor Schwöhrer ayudarla? ¿Mantendría en secreto, durante apenas unas horas, la noticia de aquel óbito?

El doctor Schwöhrer se acarició el mostacho con un dedo. ¿Por qué no? ¿Qué podía importar, después de todo, que el suceso se hiciera público unas horas más tarde? Lo único que quedaba por hacer era extender la partida de defunción, y podría hacerlo por la mañana en su consulta, después de dormir unas cuantas horas. El doctor Schwöhrer movió la cabeza en señal de asentimiento y recogió sus cosas. Antes de salir, pronunció unas palabras de condolencia. Olga inclinó la cabeza. "Ha sido un honor", dijo el doctor Schwöhrer. Cogió el maletín y salió de la habitación. Y de la Historia.

Fue entonces cuando el corcho saltó de la botella. Se derramó sobre la mesa un poco de espuma de champaña. Olga volvió junto a Chéjov. Se sentó en un taburete, y cogió su mano. De cuando en cuando le acariciaba la cara. "No se oían voces humanas, ni sonidos cotidianos –escribiría más tarde–. Sólo existía la belleza, la paz y la grandeza de la muerte."

Se quedó junto a Chéjov hasta el alba, cuando el canto de los tordos empezó a oírse en los jardines de abajo. Luego oyó ruidos de mesas y sillas: alguien las trasladaba de un sitio a otro en alguno de los pisos de abajo. Pronto le llegaron voces. Y entonces llamaron a la puerta. Olga sin duda pensó que se trataba de algún funcionario, el médico forense, por ejemplo, o alguien de la policía que formularía preguntas y le haría rellenar formularios, o incluso (aunque no era muy probable) el propio doctor Schwöhrer acompañado del dueño de alguna funeraria que se encargaría de embalsamar a Chéjov y repatriar a Rusia sus restos mortales.

Pero era el joven rubio que había traído el champaña unas horas antes. Ahora, sin embargo, llevaba los pantalones del uniforme impecablemente planchados, la raya nítidamente marcada y los botones de la ceñida casaca verde perfectamente abrochados. Parecía otra persona. No sólo estaba despierto, sino que sus llenas mejillas estaban bien afeitadas y su pelo domado y peinado. Parecía deseoso de agradar. Sostenía entre las manos un jarrón de porcelana con tres rosas amarillas de largo tallo. Le ofreció las flores a Olga con un airoso y marcial taconazo. Ella se apartó de la puerta para dejarle entrar. Estaba allí –dijo el joven– para retirar las copas, el cubo del hielo y la bandeja. Pero también quería informarle de que, debido al extremo calor de la mañana, el desayuno se serviría en el jardín. Confiaba asimismo en que aquel bochorno no les resultara en exceso fastidioso. Y lamentaba que hiciera un tiempo tan agobiante.

La mujer parecía distraída. Mientras el joven hablaba apartó la mirada y la fijó en algo que había sobre la alfombra. Cruzó los brazos y se cogió los codos con las manos. El joven, entretanto, con el jarrón entre las suyas a la espera de una señal, se puso a contemplar detenidamente la habitación. La viva luz del sol entraba a raudales por las ventanas abiertas. La habitación estaba ordenada; parecía poco utilizada aún, casi intocada. No había prendas tiradas encima de las sillas; no se veían zapatos ni medias ni tirantes ni corsés. Ni maletas abiertas. Ningún desorden ni embrollo, en suma; nada sino el cotidiano y pesado mobiliario. Entonces, viendo que la mujer seguía mirando al suelo, el joven bajó también la mirada, y descubrió al punto el corcho cerca de la punta de su zapato. La mujer no lo había visto: miraba hacia otra parte. El joven pensó en inclinarse para recogerlo, pero seguía con el jarrón en las manos y temía parecer aún más inoportuno si ahora atraía la atención hacia su persona. Dejó de mala gana el corcho donde estaba y levantó la mirada. Todo estaba en orden, pues, salvo la botella de champaña descorchada y semivacía que descansaba sobre la mesa junto a dos copas de cristal. Miró en torno una vez más. A través de una puerta abierta vio que la tercera copa estaba en el dormitorio, sobre la mesilla de noche. Pero ¡había alguien aún acostado en la cama! No pudo ver ninguna cara, pero la figura acostada bajo las mantas permanecía absolutamente inmóvil. Una vez percatado de su presencia, miró hacia otra parte. Entonces, por alguna razón que no alcanzaba a entender, lo embargó una sensación de desasosiego. Se aclaró la garganta y desplazó su peso de una pierna a otra. La mujer seguía sin levantar la mirada, seguía encerrada en su mutismo. El joven sintió que la sangre afluía a sus mejillas. Se le ocurrió de pronto, sin reflexión previa alguna, que tal vez debía sugerir una alternativa al desayuno en el jardín. Tosió, confiando en atraer la atención de la mujer, pero ella ni lo miró siquiera. Los distinguidos huéspedes extranjeros –dijo– podían desayunar en sus habitaciones si ése era su deseo. El joven (su nombre no ha llegado hasta nosotros, y es harto probable que perdiera la vida en la primera gran guerra) se ofreció gustoso a subir él mismo una bandeja. Dos bandejas, dijo luego, volviendo a mirar –ahora con mirada indecisa– en dirección al dormitorio.

Guardó silencio y se pasó un dedo por el borde interior del cuello. No comprendía nada. Ni siquiera estaba seguro de que la mujer le hubiera escuchado. No sabía qué hacer a continuación; seguía con el jarrón entre las manos. La dulce fragancia de las rosas le anegó las ventanillas de la nariz, e inexplicablemente sintió una punzada de pesar. La mujer, desde que había entrado él en el cuarto y se había puesto a esperar, parecía absorta en sus pensamientos. Era como si durante todo el tiempo que él había permanecido allí de pie, hablando, desplazando su peso de una pierna a otra, con el jarrón en las manos, ella hubiera estado en otra parte, lejos de Badenweiler. Pero ahora la mujer volvía en sí, y su semblante perdía aquella expresión ausente. Alzó los ojos, miró al joven y sacudió la cabeza. Parecía esforzarse por entender qué diablos hacía aquel joven en su habitación con tres rosas amarillas. ¿Flores? Ella no había encargado ningunas flores.

Pero el momento pasó. La mujer fue a buscar su bolso y sacó un puñado de monedas. Sacó también unos billetes. El joven se pasó la lengua por los labios fugazmente: otra propina elevada, pero ¿por qué? ¿Qué esperaba de él aquella mujer? Nunca había servido a ningún huésped parecido. Volvió a aclararse la garganta.

No quería el desayuno, dijo la mujer. Todavía no, en todo caso. El desayuno no era lo más importante aquella mañana. Pero necesitaba que le prestara cierto servicio. Necesitaba que fuera a buscar al dueño de una funeraria. ¿Entendía lo que le decía? El señor Chéjov había muerto, ¿lo entendía? *Comprenez-vous?* ¿Eh, joven? Anton Chéjov estaba muerto. Ahora atiéndeme bien, dijo la mujer. Quería que bajara a recepción y preguntara dónde podía encontrar al empresario de pompas fúnebres más prestigioso de la ciudad.

Alguien de confianza, escrupuloso con su trabajo y de temperamento reservado. Un artesano, en suma, digno de un gran artista. Aquí tienes, dijo luego, y le encajó en la mano los billetes. Diles ahí abajo que quiero que seas tú quien me preste este servicio. ¿Me escuchas? ¿Entiendes lo que te estoy diciendo?

El joven se esforzó por comprender el sentido del encargo. Prefirió no mirar de nuevo en dirección al otro cuarto. Ya había presentido antes que algo no marchaba bien. Ahora advirtió que el corazón le latía con fuerza bajo la casaca, y que empezaba a aflorarle el sudor en la frente. No sabía hacia dónde dirigir la mirada. Deseaba dejar el jarrón en alguna parte.

Por favor, haz esto por mí, dijo la mujer. Te recordaré con gratitud. Diles ahí abajo que he insistido. Di eso. Pero no llames la atención innecesariamente. No atraigas la atención ni sobre tu persona ni sobre la situación. Diles únicamente que tienes que hacerlo, que yo te lo he pedido… y nada más. ¿Me oyes? Si me entiendes, asiente con la cabeza. Pero sobre todo que no cunda la noticia. Lo demás, todo lo demás, la conmoción y todo eso… llegará muy pronto. Lo peor ha pasado. ¿Nos estamos entendiendo?

El joven se había puesto pálido. Estaba rígido, aferrado al jarrón. Acertó a asentir con la cabeza.

Después de obtener la venia para salir del hotel, debía dirigirse discreta y decididamente, aunque sin precipitaciones impropias, hacia la funeraria. Debía comportarse exactamente como si estuviera llevando a cabo un encargo muy importante, y nada más. De hecho *estaba llevando a cabo* un encargo muy importante, dijo la mujer. Y, por si podía ayudarle a mantener el buen temple de su paso, debía imaginar que caminaba por una acera atestada llevando en los brazos un jarrón de porcelana –un jarrón lleno de rosas– destinado a un hombre importante. (La mujer hablaba con calma, casi en un tono de confidencia, como si le hablara a un amigo o a un pariente.) Podía decirse a sí mismo incluso que el hombre a quien debía entregar las rosas le estaba esperando, que quizá esperaba con impaciencia su llegada con las flores. No debía, sin embargo, exaltarse y echar a correr, ni quebrar la cadencia de su paso. ¡Que no olvidara el jarrón que llevaba en las manos! Debía caminar con brío, comportándose en todo momento de la manera más digna posible. Debía seguir caminando hasta llegar a la funeraria, y detenerse ante la puerta. Levantaría luego la aldaba, y la dejaría caer una, dos, tres veces. Al cabo de unos instantes, el propio patrono de la funeraria bajaría a abrirle.

Sería un hombre sin duda cuarentón, o incluso cincuentón, calvo, de complexión fuerte, con gafas de montura de acero montadas casi sobre la punta de la nariz. Sería un hombre recatado, modesto, que formularía tan sólo las preguntas más directas y esenciales. Un mandil. Sí, probablemente llevaría un mandil. Puede que se secara las manos con una toalla oscura mientras escuchaba lo que se le decía. Sus ropas despedirían un tufillo de formaldehído, pero perfectamente soportable, y al joven no le importaría en absoluto. El joven era ya casi un adulto, y no debía sentir miedo ni repulsión ante esas cosas. El hombre de la funeraria le escucharía hasta el final. Era sin duda un hombre comedido y de buen temple, alguien capaz de ahuyentar en lugar de agravar los miedos de la gente en este tipo de situaciones. Mucho tiempo atrás llegó a familiarizarse con la muerte, en todas sus formas y apariencias posibles. La muerte, para él, no encerraba ya sorpresas, ni soterrados secretos. Éste era el hombre cuyos servicios se requerían aquella mañana.

El maestro de pompas fúnebres coge el jarrón de las rosas. Sólo en una ocasión durante el parlamento del joven se despierta en él un destello de interés, de que ha oído algo fuera de lo ordinario. Pero cuando el joven menciona el nombre del muerto, las cejas del maestro se alzan ligeramente. ¿Chéjov, dices? Un momento, en seguida estoy contigo.

¿Entiendes lo que te estoy diciendo?, le dijo Olga al joven. Deja las copas. No te preocupes por ellas. Olvida las copas de cristal y demás, olvida todo eso. Deja la habitación como está. Ahora ya todo está listo. Estamos ya listos. ¿Vas a ir?

Pero en aquel momento el joven pensaba en el corcho que seguía en el suelo, muy cerca de la punta de su zapato. Para recogerlo tendría que agacharse sin soltar el jarrón de las rosas. Eso es lo que iba a hacer. Se agachó. Sin mirar hacia abajo. Cogió el corcho, lo encajó en el hueco de la palma y cerró la mano.

Índice

En la serie **espejo de urania** encontrarás:

Los cuentos de una vida: antología del cuento universal
se imprimió por encargo de la Comisión
Nacional de Libros de Texto Gratuitos en los
talleres de Compañía Editorial Ultra, S. A. de C. V.,
con domicilio en Centeno 162 - 2, Granjas Esmeralda,
Iztapalapa, 09810, México, D.F.
en el mes de noviembre de 2005.
El tiraje fue de 36,384 ejemplares.